耕林 Just Novel

就是小說

耕林 Just Novel

就是小說

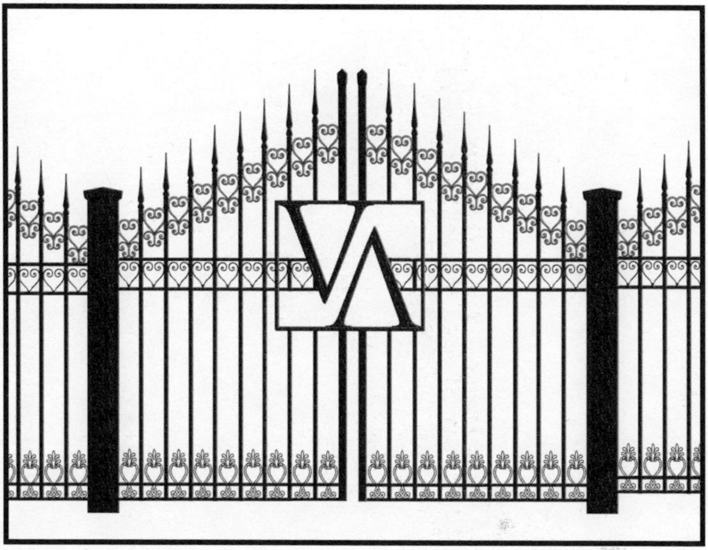

# Vampire Academy
# 吸血鬼學院

## 6・最後的犧牲 Last Sacrifice

蕾夏爾・米德 Richelle Mead 著
吳雪 譯

本書獻給瑞奇・百雷和阿蘭・朵蒂，你們是我寫作之路上兩位偉大的導師；也獻給其他幫助我寫完此書的良師益友們。我會為你們持續奮戰的。

# 1

我不喜歡籠子。

我甚至不喜歡去動物園。記得我第一次去動物園的時候，看見被關在籠子裡的那些可憐動物，覺得自己好像也快要得幽閉恐懼症了。眞不敢想像，世界上居然還有生物是這麼生活的。有時，我甚至有些同情那些罪犯，得在牢籠裡度過餘生。可是，我從來沒想過自己居然也有這麼一天。不過最近，命運經常將我丟進一些我從未設想過的情境裡，比如說，我正被囚禁在此處。

「嘿！」我大聲喊著，用力攥住隔絕了我和整個世界的鐵欄杆。「我要被關多久？審判什麼時候開始？你們不能把我關在這個地牢裡一輩子！」

好吧，其實這地方也不算地牢，沒有那種黑暗、到處都是粗鐵鏈的氛圍。我置身的這個小牢房，有著素淨的牆面、素淨的地板，唉……什麼都是素色的。一塵不染、空空落落、淒淒冷冷，這種地方其實比那些發霉的地牢還容易令人感到絕望。牢房門上的鐵欄杆冷冰冰的，牢不可摧，在日光燈的照耀下泛著金屬光芒，晃得我張不開眼；地牢的入口處，隱隱可以看見一個站姿挺拔的看守者的背影。我知道，在看不見的走道上，至少還有四個看守者，我還知道，這些人沒有一個會回答我的問題，可是這並不能阻止我繼續追問這些已經問了兩天的問題。

回應我的是一如既往的沉默，我嘆了口氣，退回牢房角落，跌坐在小床上。這張床和我這個新家裡的其他東西一樣素淨，讓人有種荒涼的感覺。我眞的開始希望自己是處在眞正的地牢裡了，至少還有老鼠和蜘蛛網可看。我抬頭看去，立刻感覺天花板和牆壁一起向我移動而來，令我無法呼吸。來到這裡之後，我便常常有這種錯覺，感覺這個牢房的四邊全都擠向了我，將我擠壓至死，擠乾我胸腔裡的最後一絲空氣……

我突然坐起來，大口喘著氣。別再盯著這些牆和天花板了，薔絲。我告誡自己。於是，我低頭看著自己緊緊絞在一起的雙手，試圖釐清自己是怎麼落到這般田地的。

答案顯而易見：有人誣陷我犯了某件過失。事實上，用「過失」這兩個字實在太輕微了，它是個謀殺事件。他們魯莽而輕率地指控我，犯下了一個莫里或拜爾所能犯下的最重大的罪行。這麼說不代表我之前沒有殺過人，我確實殺過，而且也幹過一些不合規矩（甚至違法）的事情。但是，冷血殺手這個角色我可演不來，特別是這個冷血殺手殺掉的人是女王。

事實上，塔蒂安娜女王和我算不上是朋友。她是莫里世界冷靜而精明的統治者，統治著一群活生生的、會使用魔法且不會奪取獵物性命的吸血鬼。出於種種原因，我和塔蒂安娜之間的關係不是很好。其中一個原因，是我和她的姪孫艾德里安正在約會；還有一個原因是我不贊成她在如何對抗血族這件事上施行的政策。血族是一種邪惡、不死的、始終威脅著我們性命的吸血鬼。塔蒂安娜拐過我好幾次，可我從沒有動過希望她死的念頭。不過，顯然有人動了這個心思，他們留下了一系列線索，將矛頭指向了我，其中對我最不利的一個證據，就是殺死塔蒂安娜的銀樁上留有我的指紋。

當然會有，因為那是我的銀樁，有我的指紋在上面是多麼順理成章的一件事，似乎沒人對此有異議。

我又嘆了一口氣，從口袋裡掏出一張小紙條，這是我唯一一樣可閱讀的東西。我緊緊攥著這張字條，無需再看，上頭的內容我早就已經記在心裡了。這張字條的內容，令我對以往對塔蒂安娜的認知產生了疑問，也令我對許多事都產生了疑問。

但，我對現在的處境無能為力，只能暫時拋開這些事，去看看某人的情況，去看看我最好的朋友莉莎。莉莎是名莫里，我們兩個之間有心電感應，所以我可以潛進她的意識裡，透過她的眼睛看看外面的世界。所有的莫里都有一種擅長的魔法元素，莉莎擅長的是精神能力，那是一種與心靈和療癒相關的能力。擁有這種能力的莫里很少，一般人都只擅長自然元素，所以我們對精神能力知之甚少，只知道這是一種驚人的能力。幾年前，莉莎曾經用這種能力將我從死神的世界救回來，所以我們兩個之間才建立了心電感應。

潛進她的意識裡，得以令我逃出牢籠，但是對解決我的問題卻沒什麼幫助。莉莎很努力地為我奔走，證明我是無辜的，哪怕聽證會那天展示了諸多對我不利的證據。證明我的銀樁是兇器，只是陷害我的人計畫的第一步，他們隨即便提醒所有人，我曾經對女王多麼不敬，而且還找出一個證人，證實我在案發同時的行蹤，而這令我沒有了不在場證明。議會一致認為，這些證據足以將我送去進行正式審判，屆時，我便要接受對我的最終判決。

莉莎一直很努力地想要喚起大家的注意，說服他們我是被冤枉的。可是，沒有人願意聽她的話，因為整個莫里皇庭都在忙著準備塔蒂安娜的盛大葬禮。死了一個君主，是件不得了的大事，世界各地的莫里和拜爾全都會趕來見證，食物、鮮花、裝飾，甚至音樂……有一整套流程。我懷疑如果這是要舉辦塔蒂安娜的婚禮，可能都不見得會有這種陣仗。這麼多事情要做，這麼多人要應酬，現在沒有人在意我的事情。目前為止，大部分人關心的是我是不是被看得牢牢的，不會跑出來再殺人——殺死塔蒂安娜的兇手已經抓住了，審判進行中，事情到此告一段落。

我還來不及看清楚莉莎所處的環境，地牢裡便出現一陣騷動，將我拉回了自己的世界。有人進來了，正在和看守者交涉，希望能探看我。這是幾天以來第一個來看我的人。我衝到鐵欄杆前，感覺心臟狂跳，希望有人告訴我這一切只是可怕的誤會。

可是，來看我的人，並不是我特別想見到的。

「大叔，」我不耐煩地說，「你來幹嘛？」

艾比‧馬祖爾站在我面前。一如既往，他把自己打扮得像一處風景區。此時正値仲夏，天氣潮濕悶熱，尤其我們還是在賓夕法尼亞州中部的鄉村，可這些都沒能夠阻擋他穿著整身的西裝。而且，他的這身西裝華麗耀眼，剪裁合身，還搭配了一條鮮豔的紫色絲質領帶，再加上那條圍巾，簡直就是故意要晃瞎別人的眼睛，而金色的首飾襯得他的膚色更白，黑色的鬍鬚看上去則似乎剛修剪過。艾比是一名莫里，雖然不是皇室，但是勢力與皇室相差無幾。

碰巧，他還是我的父親。

「我是妳的律師。」他歡快地說，「當然要來這裡，合法地和妳商議案情。」

「你根本就沒有執照。」我提醒他，「而且你上次的忠告也沒發揮什麼效果。」我這句話意有所指的。艾比雖然沒有接受過相關的正規訓練，卻在聽證會上爲我辯護。有鑒於我目前被關了起來等候審判，顯然等著我的結果也不會好到哪裡去。可是，當我被獨自關在這裡後，開始慢慢明白他說對了某些事。不管是多麼優秀的律師，都不可能在聽證會上爲我脫罪。我認爲他是故意輸掉的，但想到我們之間的關係，我實在不明白他爲什麼要這麼做。我能想到最有可能的原因，就是他根本不信任那些皇室，並且覺得必須履行自己做父親的職責。這個解釋很合理。

「我的表現堪稱完美。」他爭論道，「相反的，妳的那個『如果我是兇手』的陳詞辯護，才沒有幫上忙。讓法官有那種印象，可不是聰明的做法。」

我沒有理會他的嘲諷，雙手環胸。「那麼你來這裡做什麼？我知道這肯定不只是一個父親來看女兒。你從來不做沒有理由的事。」

「這是當然，爲什麼要做沒有理由的事呢？」

「不要跟我玩文字遊戲。」

他眨了眨眼。「不用太嫉妒，如果妳肯用心，好好學習，也許有一天也會學會我這套聰明的說話技巧。」

「艾比。」我警告他說，「說重點。」

「好吧，好吧。」他說，「我來是要告訴妳，對妳的審判可能要提前了。」

「什、什麼？這是個天大的好消息！」至少我是這麼想的，但看他的表情卻不像。我上次聽到的消息是，對我的審判可能還要等好幾個月，只要一想到還要在這裡待那麼長的時間，就會讓我覺得幽閉恐懼症又快要發作。

「蘿絲，妳知道審判的情況會和聽證會一樣吧？那些證據足以證明妳的罪名成立。」

「對，可是在那之前，我們肯定還能做點事情，對不對？比如找到證明我清白的證據？」突然，我想到了一個很重要的問題。「你說的『提前』指的是多久？」

「理想的情況下，他們準備在選出新任的國王或女王之後就開始。妳知道的，這也是加冕典禮的一部分。」

他雖然說得很輕鬆，可是我在他的那雙黑眸裡看到了沉重，幾個數字在我腦海裡閃過。「葬禮是這週，選舉肯定是在葬禮之後……你的意思是，對我的審判和定罪，大概是在兩個星期之後？」

艾比點點頭。

我再次衝向門邊，心狂跳不已。「兩個星期？你確定嗎？」

他說審判提前的時候，我以為應該還有一個月的時間，這個時間足夠我們找到新的證據。可是怎麼找呢？不知道。現在，時間驀然縮短了，兩個星期根本不夠，特別是在皇庭還有這麼多活動正在進行的情況之下。就在剛才，我還痛恨自己得等上那麼久，可是現在，我的恨意瞬間全無，而我下一個問題得到的回答，則令我感覺更糟。

「有多久的時間？」我盡量控制自己說話時不要顫抖。「審判結束到……到他們宣判，這中間會有多久的時間？」我尚未完全瞭解自己到底從艾比身上繼承了哪些特質，不過有一點是可以確定的的，那就是承受壞消息的能力。

「很可能審判完了馬上宣佈。」

「馬上。」我往後退去，差點跌坐在床上，但隨即又激動起來。「馬上？這麼說，還有兩個星期……兩個星期以後，我可能就會……死了。」

某件在我腦海裡盤桓許久的事情，此刻突然間明朗了起來，那就是有人已經謀畫好要竭盡所能地陷害我。殺死女王的眞兇還逍遙法外，他們才是殺人犯。在莫里和拜爾的世界裡，很少有人會被處以死刑，我們試圖在刑法上做到文明，以顯示出我們優於嗜血的血族。可是，仍然有某些罪名，按法律規定是要被判死刑的，有某些犯人必須以命贖罪，比如殺人犯。預見到未來這些事，我禁不住顫抖起來，眼淚在眼眶裡打轉，差一點就要掉落下來。

「這不公平！」我對艾比說，「這不公平，你知道的！」

「我怎麼想並不重要，」他冷靜地說，「我只不過是在告訴妳事實。」

「兩星期……」我喃喃道，「兩個星期我們可以做什麼？我是說……你肯定有計畫了，對不對？或者……或者……你可以在開庭之前找到新的證據？你很擅長這種事。」我開始語無倫次，同時明白自己的聲音聽起來一定很歇斯底里、很絕望。這是理所當然的，因爲我此刻確實就是如此。

「要完成那些事很困難。」他解釋道，「整個皇庭的心力在投注在葬禮和選舉的事情上。所有的事都亂成一團——這是壞消息，也是好消息。」

透過莉莎，我親眼看見了那種混亂無序的狀態，已經知道此時的皇庭是什麼情況。在這種亂糟糟的情況下，要找到新的證據不是很困難，是根本就不可能。

還有兩個星期，兩個星期以後，我就要死了。

「不可以。」我聲音沙啞地對艾比說，「我……不想就這麼死。」

「哦？」他挑起一邊眉毛。「妳希望怎麼死？」

「戰死。」一滴眼淚不爭氣地掉下來，我趕緊抹掉。我給人的印象一直很堅強，因此不希望這樣的形象破滅，尤其不能在這種關鍵時刻。「死在戰鬥中，保護我愛的人，而不是……不是被人陷害而死在行刑台上。」

「從某種意義上說，這也是戰鬥。」他若有所思地道，「不過不是用拳頭。兩個星期代表我們還有十四天，情況很糟嗎？當然。不過總比我們只有一個星期要好。萬事皆有可能，也許新的證據自己會跳出來，妳只需要等著看就好。」

「我討厭等待，這裡……太狹小了，我根本無法呼吸。很可能在上刑場之前，我就會被悶死了。」

「我非常懷疑。」艾比的表情還是很冷靜，看不出一絲同情。眞是冷酷的父親。「妳可以毫不畏懼地面對一大群血族，卻戰勝不了一間小牢房？」

「不只是這樣！我現在每天都必須要在這個小牢籠裡等著，明知道死亡一分一秒地逼近，卻無力阻止。」

「有時候，處在這種表面上看不到危險的情況下，才是對我們能力最大的考驗。有時候堅持下去是最艱難的事。」

「哦，不，不！」我站起身，在牢房裡繞著小圈圈。「我不想聽你講這些深奧的大道理。你就像迪米特里，他也經常給我上這種人生哲學課。」

「他撐過了最艱難的考驗，所以也可以禁受住其他的考驗。」

迪米特里。

我深吸一口氣，在再次開口說話之前，試圖先冷靜下來。在這場謀殺案發生之前，迪米特里是我人生中最大的難題。一年以前——聽上去好像是上輩子的事了——他是我高中的老師，負責訓練我成為一個可以保護莫里的合格拜爾守護者。他做到了——而且不只這樣，我們還墜入了愛河，可這樣的愛是種禁忌。我們希望能夠一起努力，最後也眞的衝破障礙，想出了可以在一起的辦法，可是當他變成了血族之後，這個希望破滅了，那段日子一直是我的惡夢。後來，一個沒有人相信的奇跡發生了，莉莎用精神能力將他救了回來，他又變成了拜爾。不幸的是，事情並沒有回到那場血族襲擊事件之前的軌道上去。

我瞪著艾比。「迪米特里雖然撐了過來，可是他也變得非常消極！現在他還是這樣，對什麼事都很消極。」

迪米特里對自己身為血族時犯下的種種罪行一直耿耿於懷，他無法原諒自己的所作所為，而且發誓說他如今再也無法愛上任何人。事實上，我和艾德里安的戀情也令整件事雪上加霜。在我幾次努力均以失敗告終之後，我接受了和迪米特里分手的事實。我必須繼續前進，並好好珍惜此刻與艾德里安在一起的時光。

「沒錯。」艾比淡淡地說，「他是很消極，可妳應該是高興和快樂的代表。」

我嘆了一口氣。「有時候和你說話，感覺就好像在和我自己講話——眞是該死的令人生氣。你來這裡還有沒有別的事？比告訴我這個壞消息更重要的事？我想，無知一點會比較快樂。」

我不能就這麼死去。我不能就這麼眼睜睜地等死。我的死亡不應該是某個被寫在日曆上的行程。

他聳了聳肩。「我只是想來看看妳，看看妳這裡的情況。」

我意識到，沒錯，他當眞是這麼想的。我們講話的時候，艾比不停地看著我，毫無疑問我是他注意的焦點，當我們在鬥嘴的時候，他也完全沒去在意周圍的看守。可是，時不時地，艾比還是會看向周圍，看著外面的大廳，看著我的牢房，以及其他所有他認爲有意思的東西。艾比無愧於他的稱號「茲米」，這兩個字的意思是大蛇。他總是在算計，總是在尋找有利於自己的事情。看起來，我體內瘋狂的天性似乎也是得自於家族遺傳。

「我還希望能夠幫妳打發時間。」他笑著從手臂底下抽出幾本雜誌和一本書，將它們從欄杆的間隙中遞給我。「也許這對事情會有所幫助。」

我懷疑會有什麼消遣能令這兩個星期的死亡倒數變得好過一些。這幾本雜誌全是關於時尚和髮型的，而那本書則是《基督山恩仇錄》。我舉起它，感覺應該要開個玩笑，或做些什麼來降低這個噩耗的眞實性。

「我看過電影，所以你的精心準備似乎打了折扣。除非你在裡面藏了東西。」

「通常書都比電影好看。」他作勢要離去，「也許下次我們可以討論一下文學。」

「等一下。」我將這些讀物扔在床上。「在你……攪和到這件事裡頭之前，曾想過眞正的兇手是誰嗎？」我見艾比沒有立刻回話，便更加凌厲地看著他。「你確實相信我是無辜的，對吧？」據我所知，就算他眞的認爲我有罪，仍會試圖拯救我。這很符合他的性格。

「我相信我親愛的女兒是有成爲殺人兇手的潛力的，」他最後終於說道，「但在這件案子裡，肯定不是。」

「那麼是誰幹的？」

「這個，」他離開前說道，「就是我現在要找出來的。」

「可是你說我們已經沒有時間了！艾比！」我不希望他走，不希望獨自在這裡面對恐懼。「事情已經沒有轉圜的餘地了！」

「妳只要記住我在法庭說過的話就好。」他頭也不回地喊。

直到他的背影看不見了，我這才坐回到自己的床上，回想著那天在法庭上的事。

聽證會進行到最後時，他非常堅決地對我說，他不會讓我進監獄，也不會讓我去參加審判。艾比・馬祖爾不是那種會開空頭支票的人，可此刻我開始懷疑，就連他也有辦不到的事情，特別是在我們的時間表被迫調整了之後。

我再次拿出那張揉皺了的小字條，將它打開。這是我在法庭裡拿到的，安布羅斯悄悄地將它塞進我的手裡。他是塔蒂安娜的僕人，也是男寵。

蘿絲：

如果妳看見這張字條，就說明已經有非常可怕的事發生了。妳也許討厭我，但是我不會怪妳，我只能請求妳相信，在年齡提案這件事上，我的作法真的是為了你們好。和別人的提議相比，這已經是最好的計畫了。有一些莫里想要不顧你們的意志，強迫所有的拜爾都來服役，哪怕用催眠術也在所不惜，而年齡提案可以將服役的人員減到最低。

不過，我寫這張字條，是要告訴妳一個祕密，而這個祕密越少人知道越好。瓦西莉莎必須要在議會據有一席之地，這件事是可以做到的，因為她不是德拉格米爾家族的最後一員。他們家族依然有在世的成員，那是艾瑞克・德拉格米爾的私生子。我只知道這麼多，可是如果妳能找到他的兒子或是女兒，就可以令瓦西莉莎擁有她本該有的權利。不管妳做錯多少事，或是脾氣多麼不好，但妳是我唯一可以託付重任的人。別浪費時間，要立刻出發。

塔蒂安娜・伊瓦什科夫

我再看一百遍，上面的文字也不會改變，而我的疑問也不會得到回答。這張字條是眞的嗎？眞的是出自塔蒂安娜之手？她眞的覺得——暫且拋開她對我的敵意不說——我値得被託付這個重要的祕密嗎？莫里的世界裡，有投票權的皇室家族有十二個，但是出於各種原因，現在眞正有權利的皇室家族只有十一個。莉莎是他們家族裡的最後一員，而根據莫里的法律，在德拉格米爾家族沒有另外一名成員的情況下，她在議會裡便無法擁有席位，也無法施行自己的投票權。這麼缺德的法律是確實存在的，可如果這張字條是眞的，情況便會有所不同。莉莎勢必會反對那些提案，那種情況是有些人所不樂見的，而那些人已經藉由謀殺女王表露了他們的心意。

另外一個德拉格米爾家族成員。

另外一個德拉格米爾家族成員，就意味著莉莎能擁有投票權，而下一次的議會投票可以改變許多事情，甚至可以改變整個莫里世界。它也可以改變我的世界，比如說，我是不是會被判決有罪。當然，這也會改變莉莎的世界，一直以來，她都相信自己在這個世界上已經沒有親人。我有些不安，不知道她能不能接受自己有一個同父異母的弟弟或妹妹。我可以接受自己的父親是一個惡棍，可是莉莎一直以自己的父親爲傲，相信他是毫無缺點的，而紙條上的消息將會替她帶來莫大的打擊。一直以來，我都以保護她、令她的生命遠離危險爲職志，現在，我開始覺得，需要保護的也許不只是她的生命了。但先決條件是，我必須知道眞相，必須知道這張字條是不是眞的出於塔蒂安娜之手。我很確信自己肯定能夠找到答案，但是要透過一種我不喜歡的方法來確認。

好吧，有何不可呢？反正我現在也沒有別的事情好做。

我從床上站起來，背對著牢門，盯著空白的牆面，將注意力集中在一處。我鼓起勇氣，不斷告訴自己我可以控制住狀況，同時卸下潛意識裡的那道防護罩，接著一股強大的力量從我心底升起，就好像從氣球裡跑出來的空氣一樣。
突然間，我被鬼魂包圍了。

# 2

就如之前的每一次一樣，半透明的、泛著螢光的鬼魂臉孔和骷髏頭圍繞在我身邊，他們向我撲過來，像雲朵一樣聚成一團，爭先恐後地似乎想要向我訴說什麼。事實上，他們也真的可以。仍然在這個世間徘徊的鬼魂，是一些尚未得到安息的靈魂，他們都因各種理由被牽絆住，無法超生。莉莎將我從死神的世界帶回來以後，我便和他們的世界有了聯繫，而我必須要用很強大的意念，才能將這些鬼魂和我的意識隔離。事實上，保護皇庭的魔法結界已經替我將大多數的鬼魂隔開了，但此刻我非常希望能夠見到他們。發出邀請，讓他們進來……沒錯，這麼做是很危險。

直覺告訴我，如果這裡真的有還沒有得到安息的靈魂，那麼除了被人殺死在自己床榻上的女王，不再做第二人想。因此，雖然我在這群鬼魂裡還沒有發現到熟面孔，卻沒有就這樣放棄希望。

「塔蒂安娜，」我喃喃地說，集中精力想著已經逝去的女王容貌。「塔蒂安娜，快出來。」

我曾經輕鬆地召喚過一個鬼魂，便是我的朋友梅森，他死於血族之手。雖然塔蒂安娜和我的關係不像梅森與我那麼親密，可我們必定還是能產生聯繫的。

一開始，什麼事都沒有發生，天花板上仍然只有那一團混亂模糊的臉在召喚著我，我不免有些洩氣。可突然間，她出現了。

她站在那裡，身上穿著死去時的那身衣服，長長的睡衣和睡袍上染滿了鮮血，但她的身影是黑白的，就像電視故障時的閃爍畫面。不過，她頭上的皇冠和帶著帝王威嚴的姿勢，仍顯露出她的女王氣勢，同我記憶中的一模一樣。她的形象漸漸穩定下來，可是仍沒有說話，也沒有做出其他舉動，她只是看著我，那雙眼睛好像要看穿我的靈魂。我的胸口不禁一陣氣悶，每次在塔蒂安娜身邊我都會有這種反應，憤怒，覺得氣不打一處來。這時，一股憐憫不知從哪裡冒了出來。畢竟，她的下場不該那樣悽慘。

我有些猶豫，很怕我說的話會被門口的看守者聽見。但仔細想想，我的聲音很小，他們應該不會聽到，而且我看到的東西他們也沒人能夠看到。我舉起了那張字條。

「這是妳寫的嗎？」我小聲問道。「是眞的嗎？」

她還是看著我，跟梅森的鬼魂一樣。看來，將亡魂召喚出來是一回事，要和他們溝通則是另外一回事。

「我必須要知道。如果德拉格米爾家族還有別的成員，我得去找到他們。」雖然不用別人提醒，我也知道自己的處境根本沒辦法去找尋線索或某人。「所以妳必須要回答我。這張字條是妳寫的嗎？這是眞的嗎？」

可回答我的仍然只有那令人抓狂的眼神。我的怒火湧了上來，其他鬼魂帶來的壓力則令我開始頭痛。很顯然，塔蒂安娜死了以後仍然和活著的時候一樣討厭。

正當我打算重新升起防護罩，將所有的鬼魂都隔絕在外時，塔蒂安娜做出了微小的動作：她幾不可見地輕輕點了點頭，目光落在我手裡的字條上，然後就這樣——消失了。

我重新升起防護罩，用盡所有的努力趕走那些亡魂，雖然頭痛還沒有退去，不過那些臉孔已經看不見了。我坐回床上，看著那張字條，心思卻不在那上面。我的問題有了答案，這張字條是眞的，是塔蒂安娜親手寫的。

不知怎麼，我不認爲她的鬼魂有說謊的必要。

我在枕頭上躺下，等待著要命的頭痛退去，同時閉上眼睛，再次透過心電感應去查看莉莎此刻在做什麼。自從我被捕之後，她一直都在忙著到處求人、幫我辯護，所以我以爲此時一樣會看見那樣的景象，可是，眼前的她卻……在逛街買衣服。

我立刻有種被人背叛的感覺，我最好的朋友在這個時候居然還有這個閒情。可隨即我發現，她是在挑選出席葬禮的服裝。此刻，她在皇庭一家專門招待皇室的商店裡。令我驚訝的是，艾德里安也在。看著他那張熟悉的、英俊的臉孔，稍稍安撫了我心中的不安。我稍微往莉莎的心裡探了探，明白了他會在這裡的原因：莉莎邀請他來，是因爲她不希望艾德里安獨處。

我能明白她這麼做的原因。他幾乎已經喝醉了，奇怪的是他怎麼還能站得住，事實上，我非常懷疑他斜倚著牆壁就是爲了不讓自己跌倒。他的一頭棕髮亂糟糟的，不是平時那種刻意的凌亂，而那雙深綠色的眼睛裡也充滿了血絲。和莉莎一樣，艾德里安也是一名精神能力者，他會莉莎做不到的事，比如走進別人的夢裡。我本來以爲我被關起來之後，他會來夢裡找我，可我現在明白他爲什麼沒有來了。酒精可以麻痺精神能力。從某方面來說，這是件好事，過度使用精神能力，會對精神能力者產生副作用，最後令他們精神失常。可是，一輩子都醉醺醺地度過，也不是很健康的生活方式。

透過莉莎的眼睛看著他，令我心裡又升起了剛才看見塔蒂安娜時那種矛盾的心情。一方面，我很替他感到難過。他顯然非常擔心我，可又不知該怎麼辦，上星期那個令人震驚的事件，令他和其他人一樣不知所措。對他來說，他還失去了自己的姑姑，雖然塔蒂安娜脾氣不好，可仍然是他關心的親人。

可，另一方面，我對他還覺得有些……鄙視。這對他不公平，也許吧，可我眞的忍不住會這麼想。我很在乎他，也明白他現在很沮喪，可是肯定有更好的方式可以處理他的傷心。他的舉動和懦夫沒什麼兩樣，他將自己的煩惱全都藏進酒瓶裡，這種做法完全不符合我的性格。如果換了是我呢？我肯定不會毫不抵抗就讓難題打倒我。

「選天鵝絨的。」店員很肯定地告訴莉莎。這個乾癟的莫里婦人拿出一件臃腫的長袖禮服。

「天鵝絨是參加皇室儀仗隊的傳統衣料。」

舉行塔蒂安娜的葬禮那天，她的棺材會由一支特別的送葬隊伍來護送，成員則是各個皇室家族所推派出的代表。顯然，沒人對莉莎代表她的家族出席有異議。可是投票權呢？那又是另外一回事。

莉莎看著這件禮服。與其說這是出席葬禮的禮服，還比較像是萬聖節派對上的服裝。「外面氣溫高達華氏九十度，」莉莎說，「還那麼潮濕。」

「尊重傳統是需要做出犧牲的。」店員誇張地說，「就好像一齣悲劇。」

艾德里安張了張嘴，不用問，他肯定是想說出一些不恰當的冷嘲熱諷。

莉莎對他用力搖了搖頭，示意他閉嘴。「請原諒我的無知。不知道還有沒有別的選擇，比如無袖的款式？」

店員張大了眼睛。「從來沒有人在皇室的葬禮上穿過那麼暴露的衣服。這是不恰當的。」

「那麼短褲呢？」艾德里安問，「是不是只要打了領帶，穿短褲也可以？因為我就打算這麼做。」

店員的表情好像是被嚇到了。莉莎不滿地看了他一眼，不是因為他的話——她覺得他的話很好笑——而是因為她實在受不了他這種「醉神」的狀態。

「可是，沒有人把我當一個正式的皇室成員看待。」莉莎說著又去看其他的衣服。「現在，他們也沒有理由改變對我的看法。讓我看看妳這裡有哪些短袖的暴露服裝吧！」

店員皺著眉頭，但還是照做了。她可以為皇室提供穿著的款式建議，卻不敢命令他們能穿什麼、不能穿什麼。這是我們這個等級森嚴的世界的一部分。店員走到另一頭，去找莉莎要求的衣服。

這時，莉莎的男朋友和他的姑姑走了進來。

我心想，艾德里安應該學一學克里斯蒂安．歐澤拉現在的樣子。事實上，我有這樣的想法也蠻令人吃驚的，我居然將克里斯蒂安視爲他人的榜樣，這個世界眞是變了。不過，我確實是這樣想的。上星期，我見到他和莉莎在一起時，他看起來很穩重可靠，且盡己所能地幫助莉莎調查塔蒂安娜被殺的眞相，以及陷害我的人的身分。從他此刻的表情來看，很顯然他有很重要的消息要傳達。

他那個說話直言不諱的姑姑塔莎．歐澤拉，是另一個値得學習的榜樣，因爲她在重重壓力下，仍然能夠挺立不屈，心存善念。在克里斯蒂安的父母變成血族之後，塔莎便接手照顧克里斯蒂安的重擔，她臉上的疤痕便是與克里斯蒂安變成血族的父母搏鬥時留下的。莫里一直依賴守護者的保護，可是在那次襲擊之後，塔莎就決定要用自己的雙手改變現況。她接受各種訓練，包括貼身格鬥和使用武器，從而學會了如何戰鬥，如今她眞的是個很厲害的戰士，而且持續投身於訓練其他莫里的工作中，教他們如何戰鬥。

莉莎放下手裡正在看的禮服，迫不及待地看向克里斯蒂安。除了我，這個世界上便再沒有人能讓她那麼信任了，然而此時，克里斯蒂安是她全部的依靠。

克里斯蒂安先打量了一下商店，對於眼前這片禮服海無動於衷。「你們來買東西嗎？」他看了看莉莎，又看了看艾德里安。「來享受姊妹時間？」

「嘿，你最好也回去換一套合適的衣服。」艾德里安說，「另外，我敢打賭，你穿上露背裝會非常漂亮。」

莉莎沒有理會他們的鬥嘴，只是看著眼前這兩位歐澤拉家族的成員。「你們打聽到什麼了？」

「他們不打算追究了。」克里斯蒂安撇著嘴說，「就是說，不打算採取什麼懲罰措施。」

塔莎點點頭。「我們一直努力給他們洗腦，告訴他們他只是認爲蘿絲有危險，一時情急，才會跳出來幫她的。」

我的心臟停止了跳動。迪米特里，他們說的人是迪米特里。

接下來有一會兒，我的意識既不在莉莎的腦中，也不在我自己的牢房裡，我回到了自己被捕的那一天。當時，我在咖啡館裡和迪米特里吵架，責斥他仍然拒絕和我講話，令我們無法恢復到之前的關係。那時，我已經決定對他死心，意識到所有的事眞的都結束了，我不能讓他繼續撕裂我的心。這時，一大隊守護者向我衝過來，而雖然迪米特里一直宣稱他變成血族之後就喪失了愛人的能力，可他還是立刻以閃電般的速度衝出來保護我。守護者的人數比我們多出太多，毫無戰勝的希望，可是他並不在乎。他的表情——我總能明白——已經明白地告訴了我一切：當我遇到危險，他一定會保護我。

他確實也是這麼做的。那時的他，又變回了聖弗拉米爾學院的戰神，變回了教我如何與血族戰鬥的那個他。他在咖啡館打敗的守護者的數量，無人能夠匹敵，要不是我出面勸阻，他一定會繼續戰鬥，直到嚥下最後一口氣爲止。我當時根本不知道發生了什麼事，也不明白爲什麼會有一隊禁衛軍想要逮捕我，可我知道迪米特里的處境非常危險，他這麼做可能會毀掉自己好不容易在皇庭裡樹立起來的薄弱信任。血族能夠變回來，是一件前所未聞的事，許多人到現在都還不是百分百地相信。我求迪米特里住手，當下對他的擔心多過對自己的，因爲我根本不知道等著我的是什麼。

我的聽證會他也來了，當然是在有人看守的情況下，不過我和莉莎都沒有見到他進來。莉莎一直很努力地幫他澄清，害怕他們會再將迪米特里關起來。而我呢？我也一直告訴自己，不要對他的行爲想太多，現在最重要的是我的處境，和即將要面對的審判與裁決。可是……我還是很好奇。他為什麼要那麼做？他為什麼不惜性命也要保護我？這麼做是面對威脅時候的本能反應嗎？是為了報答莉莎的救命之恩嗎？還是他其實仍然對我有感覺，才會這麼做？

我還是想不出答案，可是看見他這麼做，看見過去那個迪米特里又回來了，又攪亂了我竭力試圖隱藏起來的情感。我一直告訴自己，要想完全從一段感情裡走出來是需要時間的，餘情未了也是人之常情。不幸的是，要忘掉一個會在危急關頭衝出來保護妳的人，可能要花上比預期還要久的時間。

無論如何，克里斯蒂安和塔莎的話，令我對迪米特里的命運點燃了希望。畢竟，我不是唯一一個遊走在生死兩界之間的人，那些認為迪米特里還是血族的人，一直想看見銀樁插進他的心臟。

「可他們又將他軟禁了起來。」克里斯蒂安說。「不過不是關在牢房，只是命令他待在房間，在門口派了幾名看守者。在所有事情告一段落之前，他們不希望他在皇庭裡亂晃。」

「總比關在牢房裡要好。」莉莎附和道。

「可這還是太荒謬了。」塔莎忿忿地說。不過，與其說她是在和別人講話，還比較像是在自言自語。她和迪米特里是有好幾年交情的老朋友，她曾經希望彼此間的關係可以更進一步，但後來兩人還是保持著朋友的關係，而她對於迪米特里遭遇的不公對待，和我們一樣感到憤怒。「他們應該立刻放了他，宣佈他的拜爾身分。一旦選舉結束，我就要為他爭取自由。」

「事情就是怪在這裡……」克里斯蒂安那雙冰藍色的眼睛若有所思地瞇了起來。「我們聽說，塔蒂安娜好像對別人說過一些事，那時她還沒有……還沒有……」克里斯蒂安有些吞吞吐吐，不安地看了一眼艾德里安。這麼猶豫很不像克里斯蒂安的性格，他經常是口沒遮攔的。

「那時她還沒有死。」艾德里安淡然地說，可是並沒有抬眼看其他人。「繼續。」

克里斯蒂安吞了口口水，繼續說：「呃，好吧。我猜——應該是在私底下——她對別人說過，她相信迪米特里已經重新變回拜爾了。她計畫等其他的事情結束，就幫助他重新融入人群。」

塔蒂安娜所說的「其他的事情」指的應該是年齡法案。這個提案是要迫使拜爾畢業的年紀提前到十六歲，然後便開始保護莫里的職業生涯。這個提案令我非常火大，可是，與眼前的許多事一樣……嗯，我對此無能爲力。

艾德里安發出一個奇怪的聲音，好像是在清喉嚨。「她根本不相信。」

克里斯蒂安聳了聳肩。「她的許多顧問都說她這麼說過。反正都是謠言而已。」

「我有一陣子也不敢相信。」塔莎對艾德里安說。她從來都沒有贊成過塔蒂安娜推行的政策，而且不只一次公開猛烈地抨擊過她。不過，艾德里安的話與政治信仰無關，他只是根據自己對她的瞭解得出這個結論的，畢竟她從沒有暗示過她想要幫助迪米特里重新恢復舊日的地位。

艾德里安沒有再說什麼，我知道這個話題多少打翻了他心裡的醋罈子。我對艾德里安說過，迪米特里已經是過去式了，我已準備好要向前看，可是艾德里安肯定也像我一樣，不知道迪米特里保護我的舉動是出於什麼動機。

莉莎開始盤算著他們要怎麼做，才能幫迪米特里解除禁令，這時店員抱來一堆禮服，但是顯然她根本不同意莉莎穿這種衣服。莉莎咬著唇，默不作聲。她決定將迪米特里的事情先擱在一旁，現在重要的是要一一試穿這些禮服，扮演一個完美的皇室女孩。

艾德里安看了一眼那些禮服。「這裡頭有露背裝嗎？」

我又回到自己的牢房，感覺陷入了越來越多的問題裡。

我要擔心艾德里安，又要擔心迪米特里，還要擔心我自己。同時，我也牽掛著那個所謂的另一個失散的德拉格米爾家族成員。我開始相信字條上的事是真的了，可是卻什麼都做不了，這真令人沮喪。我需要採取行動來幫助莉莎。塔蒂安娜在她的信裡告訴我，要小心挑選分享這件事的人，我應不應該找人幫我呢？我想要負起這個重任，可是牢房的鐵欄和令人窒息的牆壁，在在都告訴我，這些事沒有一件是我可以掌控的，甚至就連我自己的性命都是。

*兩個星期。*

我需要轉移一下注意力，於是開始看起艾比給我的書。這本書裡頭講的也是一個冤獄的故事，至少我是這麼認爲的。這本書確實很不錯，它告訴我靠裝死逃走是一種非常不可靠的越獄方法。此外，看著這本書，也令我不覺想起了別的事。我想起那個名叫羅蘭的女巫用塔羅牌替我算命的情景，後背不覺冒出一絲涼意。她是安布羅斯的阿姨，她替我算命時，曾提到我可能會碰到譭謗或官司。該死，我眞是開始痛恨那些牌了。我一直認爲那些不過是騙人的把戲，可是，塔羅牌的預言可恨地有成眞的趨勢。她的預言最後說，我還會有一次旅程，可是是去哪裡呢？是通往眞正的監獄？還是通往處死我的刑場？

這些問題全都沒有答案。歡迎來到我的世界。現在我別無選擇，也許能做的事情只有睡一覺了。我在床上伸了個懶腰，盡量不去想那些惱人的事情。這很不容易，每次我閉上眼睛，就看到法官敲著小錘子，宣佈判處我死刑的情景。我看見自己的名字出現在史書上，但不是以一個英雄的身分，而是叛徒。

我躺在床上，壓抑住自己的恐懼，開始想著迪米特里。我想著他那堅定的目光，幾乎能想像他打算怎麼教訓我。*別去擔心那些妳改變不了的事，好好休息，準備明天的戰鬥。*這種想像的對話令我冷靜下來。我終於睡著了，睡得很沉、很沉。整整一個星期，我都睡得很不好，所以這樣的睡眠還是很受歡迎的。

突然，我醒了過來。

我在床上坐起來，心臟怦怦直跳，然後看了看四周，想找出有什麼危險——任何一種可以將我從熟睡中驚醒的威脅都算。可是什麼都沒有，四周一片黑暗，寂靜無聲，而大廳傳來的搖椅嘎嘎聲，告訴我看守者還在。

是心電感應。我突然意識到，是心電感應將我喚醒的。我感應到一種強烈力量的爆發……是來自什麼呢？我又感受了下……是緊張、焦慮，是一股衝動。

我感到一陣恐慌，想要潛進莉莎的意識裡，找出究竟是什麼原因令她的情緒變得如此。

可我……什麼都沒有找到。

心電感應消失了。

# 3

好吧，其實並不是完全消失。

它很微弱，就像莉莎將迪米特里變回拜爾之後那時的情況。她的精神能力太過強大，因而暫時「燒斷了」我們之間的心電感應。可是，此刻感覺沒有魔法大爆炸，比較像是她那一頭變得漆黑一片。我還是能像以前一樣感應到莉莎：她還活著，情況很好。可是是什麼阻止我進一步感應她的想法呢？她還沒有睡覺，因爲我能夠感到牆的另一邊有一股警惕的意識。那是精神能力，將她自己藏了起來……而且還是莉莎主動這麼做的。

這該死的到底是怎麼一回事？毫無疑問的，我們的心電感應是單向的，我能夠感應到她，可她並不能感應到我。同樣的，我也能夠控制感應她的程度，通常我都會盡量避免溜進去（關在牢房裡的日子除外），試圖保護她的隱私，莉莎卻做不到這樣。有時，她也會爲此而生氣，偶爾，她也可以用精神能力躲開我，但這種情況非常罕見而困難，需要非常集中精力才行。可是今天，她卻自己關掉了心電感應，這種情況還一直持續著，而我能夠感應到她內心的緊張。將我隔絕在外不是件容易的事，可她仍然設法這麼做。當然，我絲毫不關心她是怎麼做到的，我只想知道爲什麼。

也許這是我被關起來之後，過得最糟糕的一天。我自己的問題就算了，可是要是她遇到問題了呢？那就很令人擔心了。如果眞的與我或她的命運有關，我肯定會毫不猶豫地走上刑場。但是，我必須要知道發生了什麼事情。她是學會了什麼新技能嗎？還是議會決定跳過審判，直接處決我？莉莎是不是有什麼新的消息是不想讓我知道的？可她的精神能力使用得越頻繁，對她自己的危害就越大，而要建立這種意念防護牆，需要消耗大量精神能力。到底為什麼呢？她為什麼要冒險這麼做？

此刻，我才赫然驚覺，原來自己居然這麼依賴和她之間的心電感應。事實上，我其實並不喜歡自己的腦子裡想著別人的事，雖然我已經十分努力，可她的想法仍會不時闖進來，完全不顧慮我的意願。不過這些都不是重點——我唯一關心的是她的安全。被隔絕在外的感覺，就好像被人砍斷了一條手臂一樣。

接下來的一整天，我都試圖要潛進她的意識裡，可是每次都被擋在外面。這真令人抓狂。此外，今天也沒有人來看望我，而那些雜誌和書對我早已喪失了吸引力。我又開始覺得自己像隻被困在籠子裡的野獸，於是再度花了很多時間對外頭的看守者大吼大叫——依然沒人理我。塔蒂安娜的葬禮就在明天，屬於我的審判警鐘被高聲敲響，時間已經越來越逼近了。

天黑之後，那堵將我隔絕在外的牆終於消失了——也許是莉莎睡著了。我們兩個之間的心電感應又變得清晰起來，可是因為她此刻沒有意識活動，我什麼都探聽不著，什麼答案也沒有找到。我無計可施，只好也去睡覺，同時想著不知道明天我會不會又被隔絕在外。

我沒有被隔絕在外。我和她的心電感應又恢復了，可以再次透過她的眼睛看見外面的世界。莉莎早早就起來準備參加葬禮，但我看不到也感應不到，自己昨天為什麼會被關在外面。此時她又允許我潛進她的意識，和往常一樣。我幾乎要懷疑，昨天認為她主動切斷我們之間的聯繫，是不是只是我的幻想。

不……肯定不是，這可能性太小了。在她的心底，我仍然隱隱感覺到有什麼事在瞞著我。它們很狡猾，每次我想要抓住它們的時候，都能從我手裡滑走。我很驚訝她居然還有力量將它們藏起來，而且這也更加證明了她昨天是有意將我隔絕在外的。昨天發生了什麼事？她到底爲什麼要瞞著我？除了被關在這裡，我還能做什麼事？我再次不安起來。到底有什麼壞消息是我不知道的？

我看著莉莎著裝完畢，期間沒有發現反常的可疑線索。她最後選中了一件有著泡泡袖的禮服，長度到膝蓋。當然，是黑色的。雖然這件禮服離那種夜店裝還差得很遠，可她知道，肯定有人看了會挑起眉毛。不過大家立場不同，我很喜歡她這麼做。莉莎決定將頭髮放下來，她照了照鏡子，淡金色的頭髮被黑色長裙襯托得更加閃閃動人。

克里斯蒂安在外面等著莉莎。我必須承認，他也穿得很體面乾淨，不但一反常態地穿了合身的襯衫，還打了領帶。他身上的外套非常合身，表情卻很奇怪，混合了緊張、神祕和他貫有的尖刻。不過，當他看見莉莎，表情立刻變了，他看著莉莎，臉上散放出難以置信的光芒。克里斯蒂安向莉莎露出微笑，伸出手臂抱了抱她。他的擁抱令她感到心滿意足且安慰，心裡的焦慮因而減輕了很多。他們剛剛才復合，之前分手的那段日子，令兩個人都痛苦萬分。

「會沒事的，」他小聲說道，那股焦慮又顯露了出來。「肯定會成功，我們可以做到的。」

她什麼都沒說，只是收緊了摟住他的手，過了一會兒才鬆開。他們兩個向舉行葬禮儀式的地方走去，一路上誰都沒有說話。我覺得這很可疑，莉莎攥住克里斯蒂安的手似乎非常用力。

莫里君主的葬禮幾百年來都是一樣的，不管皇庭是設在羅馬尼亞，還是如今位於賓夕法尼亞的新址。這就是莫里的生活方式，他們在情感上遵循傳統，生活上卻享受著現代科技的便利。

女王的棺材將由抬棺人員從皇宮裡抬出來，以盛大的陣容一路穿過皇庭的廣場，最後到達皇庭那富麗堂皇的教堂。在那裡，被選中的人才有資格進去做彌撒，彌撒過後，塔蒂安娜便會被葬在教堂的墓園裡，安放在其他君主和重要的皇室成員旁。

棺材行進的路線顯而易見，因爲兩旁都豎立著紅底黑字的輓聯和旗幟，而棺材必經的路上也鋪滿了玫瑰花瓣，人們擠在道路兩旁，希望能夠看前任女王最後一眼。許多莫里從很遠的地方趕來，有些是來參加葬禮，有些則是爲了幾星期以後要舉行的選舉。

由皇室成員組成的送葬隊伍，此時已經向皇宮進發了，他們大部分都穿著那個女店員所推崇的黑色天鵝絨禮服。莉莎停在外面，和克里斯蒂安道別，因爲他肯定不能代表他的家族參加如此能夠彰顯家族殊榮的活動。莉莎又熱情地和他擁抱了一下，再輕輕吻別。他們兩個人分開時，克里斯蒂安那雙冰藍色的眼睛裡閃過一抹了然的目光——他也知道莉莎瞞著我的那個祕密。

莉莎從人群中擠出來，終於來到門口，找到了送葬隊伍的集合地點。這棟建築物完全不像古代歐洲的宮殿或城堡，雖然它由大石塊組成的外牆和高高的窗戶，與皇庭其他的建築物沒什麼兩樣，可是一些很小的細節——比如說那又高又寬的大理石台階——都凸顯出它的與眾不同。突然，有人拉住莉莎的手臂，令她猛地停下來，差點和一個莫里老人撞個滿懷。

「瓦西莉莎？」說話的人是戴妮拉・伊瓦什科夫，她是艾德里安的媽媽。

戴妮拉不像別的皇室那麼壞，對於我和艾德里安談戀愛這件事，她是可以接受的——至少，在我被指控爲殺人犯之前是這樣。戴妮拉之所以接受，主要是因爲她相信我一旦接受了守護者委派的任務，便會和艾德里安分道揚鑣。戴妮拉還去拜託他的堂兄達蒙・塔魯斯擔任我的辯護律師——不過最後我拒絕了他，選擇由艾比來替我辯護。直到現在，我仍然不知道這是不是個明智的選擇，也許這會令我在戴妮拉心中的印象染上污點，這是我較爲遺憾的一件事。

莉莎擠出一抹緊張的微笑。她急著想要加入到送葬的隊伍裡，所以想要快點結束掉眼前的應酬。「嗨。」

戴妮拉也穿著一身黑色天鵝絨禮服，烏黑的頭髮上甚至還別了鑲著碎鑽的髮夾，她漂亮的臉龐露出擔心和焦慮。「妳有沒有看見艾德里安？我到處都找不到他，他也不在自己的房間裡。」

「哦。」莉莎避開她的眼神。

「怎麼？」戴妮拉幾乎是搖晃著莉莎的身子問道，「妳知道些什麼？」

莉莎嘆了口氣。「我不知道他在哪裡，不過昨晚我見到他時，他好像剛剛從某個派對上回來。」莉莎有些吞吞吐吐，好像很不好意思說出下面的話。「他……喝得很醉。我從沒見過他醉成那個樣子，而且他的身邊還有幾個女生，我一個都不認識。很抱歉，伊瓦什科夫夫人，他可能……嗯，躲到什麼地方去了。」

戴妮拉絞著手，而我則和她一樣震驚。「希望沒有別的人看見。也許我們可以說……他因爲傷心過度，所以來不了，肯定沒有人會產生疑心。妳也會對別人這麼說，是吧？妳會告訴別人他有多麼難過吧？」

我很喜歡戴妮拉，可是有時她那種皇室死要面子的個性，眞的令我很難接受。我知道她很愛她的兒子，但是現在她最關心的，不是塔蒂安娜最後是否能夠得到安息，而是別人會不會認爲他們家失了禮數，不成體統。

「當然。」莉莎說，「我也不希望別人……呃，我也不願意這種事情走漏風聲。」

「謝謝妳。好了，妳趕緊去忙吧。」戴妮拉指了指門口，看起來仍然很焦慮。「妳該去集合了。」出乎莉莎的意料，戴妮拉輕輕地拍了拍她的手臂。「別緊張，妳會表現得很出色的。記得抬頭挺胸。」

守在門口的守護者認出了莉莎，放她走了進去。塔蒂安娜的棺材就停放在大廳的中央。莉莎愣住了，突然有些不知所措，差點忘了自己來這裡的目的。

那副棺材堪稱是一件藝術品。棺材板是烏木材質，拋光上漆之後顯得很閃亮，而棺材的左右兩側和頂部，都用帶有金屬光澤的顏料描繪了許多美麗的花園場景。入目皆是奪目的金色，就連供抬棺人員抓握的把手亦然，此外，那些把手全都纏上了絳紅色的玫瑰，那些花刺和葉子似乎會使抬棺人員難以緊握住把手。看起來，他們得自己設法克服這問題。

棺材蓋還沒有釘上，塔蒂安娜靜靜地躺在裡面，身下鋪滿了厚厚一層玫瑰花瓣。這感覺很奇怪。死屍我見得多了，該死，因爲那些人是我殺的。可是，看見這樣保存完好、靜靜躺在棺材裡、綴滿各種裝飾的死屍……呃，令人毛骨悚然。莉莎對這種場景也感到很陌生，由其是她不像我常有機會見到死人。

塔蒂安娜穿著一身泛著亮光的紫色絲綢長袍，這是莫里皇室葬禮會選用的傳統顏色，她的長袍也是長袖的，上面點綴了造型精巧的珍珠。我常常看見穿紅色衣服的塔蒂安娜，那是伊瓦什科夫家族的代表顏色，而我很高興傳統規定葬禮要選用紫色，紅色裙子太過醒目了，很容易令人聯想她慘死的樣子。我在聽證會上見過現場的照片，一直不願意去回想那一幕。而她脖子上戴的項鏈，鑲著更多的寶石和珍珠，一頂鑲了鑽石和紫石英的金冠戴在她灰白的頭頂上。替她化妝的人技術非常高超，可是即便這樣也遮蓋不住她的膚色。莫里平時的膚色就已經很白了，他們死後，膚色便會變得像粉筆灰一樣——幾乎和血族沒什麼兩樣。

眼前的畫面讓莉莎非常害怕，身子忍不住晃了晃，最後不得不轉開頭去。空氣中充滿了玫瑰的芬芳，可是在這當中也混合了一絲腐臭的味道。

葬禮的籌備人員看見莉莎，急忙命她站到自己的位置——在這之前先微微地對她今天的穿著表示了一下不滿。那些刻薄的話令莉莎回到現實，她連忙和其他五名皇室成員排成一排，站在棺材的右側。莉莎盡量不去看身邊的女王屍體，目光一直看著別的地方。

抬棺人員隨即就定位，他們將纏滿玫瑰的把手放在肩頭上，慢慢地抬著棺材向外頭等候的人群走去。抬棺人員全都是拜爾，見他們穿著正式的制服，一開始我感到有些疑惑，後來才意識到他們都是皇庭的守護者。只有一個人不是，那便是安布羅斯。他和平時一樣英俊，眼睛直視前方，認眞地執行著自己的工作，臉上面無表情。

我猜安布羅斯爲塔蒂安娜感到很傷心。我一直都太專注於自己的問題，完全忘記了這裡失去了一條性命，還是一個受人愛戴的人的性命。我不滿塔蒂安娜的年齡提案時，安布羅斯曾經爲她辯護過。此刻，透過莉莎的眼睛看著他，我眞希望自己也在場，和他說幾句貼心話。那張字條上寫的事他肯定也知道，因爲字條是他在法庭塞給我的，而他不可能僅是個信差。

整個送葬隊伍向前行進而去，我不得不先將安布羅斯的事情放在一邊。

走在棺材前的是另一批送葬隊伍的成員，這些皇室成員都穿著考究的衣服，一臉悲痛，而身著制服的守護者在一旁替他們抬著輓聯。長笛樂隊走在最後，吹出悲痛的樂曲。對莉莎來說，她很擅長這種公眾場合，每一步都走得既緩慢而悲痛，卻又顯得優雅迷人，並用自信的眼光看著前方。我看不到她的外表，這是肯定的，可是很容易便能想像出她在圍觀的人群中是什麼樣子。她既美麗又莊嚴，完全繼承了德拉格米爾家族的傳統，眞希望能有越來越多的人認識到這一點。如果有人能夠按照標準程序改變投票法，會替我們省掉很多麻煩，我們也不用依靠找尋她失散的兄弟姊妹來解決這個問題了。

走完規定的路程花了很長的時間。就算太陽此刻已經落在地平線之下，可是白天的高溫仍然沒有降下來。莉莎開始流汗，可是她知道自己的不適與抬棺人員相比，完全算不上什麼。一旁觀禮的人群應該也覺得很熱，卻都沒有表現在臉上，所有人都伸長脖子，希望能夠在送葬隊伍經過的時候看清楚。

莉莎沒有很常看向一旁的人群，可是透過偶然的幾瞥，我發現女王的棺材不是人們眼中唯一的焦點，他們也在注視著莉莎。莉莎將迪米特里救回來的事，在莫里的世界裡已經傳開了，雖然許多人對她的治癒能力存疑，可也有許多人對此深信不疑。我看見人們的臉上露出好奇和敬畏，不禁猜想他們來這裡究竟是爲了要看誰：是塔蒂安娜還是莉莎？

終於，教堂就在眼前，這對莉莎來說是個好消息。太陽對莫里的影響不像對血族那麼強烈，可是任何一個吸血鬼在炙熱的陽光下都會不舒服。整個儀式已經接近尾聲，而莉莎身爲一個有資格進去教堂參加彌撒的人，終於可以享受一會兒冷氣了。

我看著周圍，不禁感嘆起命運實在很諷刺。

在教堂兩邊的廣場上，豎立著許多莫里世界裡富有傳奇色彩的君主雕像，這些國王或女王促使莫里一族變得繁榮興盛。即便這些雕像的位置離教堂很遠，可是隱隱看去，那模樣卻好像在審視著這裡的一切。靠近女王雕像的地方，有一個我非常熟悉的花園，我曾經在那裡進行社區勞動，作爲我擅自跑去拉斯維加斯的處罰。那次旅程的眞正目的——沒人知道這件事——就是要把維克多．達什科夫從監獄裡救出來。維克多一直以來都是我們的敵人，可是他和他的弟弟羅伯特——另外一個精神能力者——知道要怎麼做才能救回迪米特里。如果被守護者發現是我救走了維克多（雖然後來我把他搞丟了），那麼對我的懲罰可就不僅僅是去填表格和做苦工了。

至少我在花園裡表現得還不錯，我苦澀地想著。如果我眞的被判了死刑，那可能是我在皇庭留下的最後一點痕跡了。

莉莎盯著其中一個雕像看了很長一段時間，然後才轉頭看向教堂。此時，她額頭上已經滿是汗珠了。我突然意識到，她不僅僅是因爲太陽的炎熱，也因爲她很焦慮。爲什麼？爲什麼她這麼緊張？這只不過是個儀式而已，她要做的不過是和其他人一起走到這裡。可是……又來了。有什麼事困擾著她，而她還在努力對我隱瞞這件事，可是她太過緊張，微微透出了一點線索。

太近了，太近了，我們走得太快了。

快？我一點都不覺得。我完全沒辦法像她這樣緩慢、穩健地走路，而且還很爲那些抬棺人員感到難過。如果換成是我，我肯定會完全不理會這些見鬼的儀式，一路小跑地奔向目的地。當然了，那樣也許會將屍體顚出來。如果葬禮的籌備人員連對莉莎的穿著都會感到不滿，那麼要是讓她看見塔蒂安娜從棺材裡掉出來，反應就可想而知了。

前方的教堂輪廓越來越清楚，它的圓頂在落日的照耀下閃耀著琥珀色和橘色的光芒。莉莎離教堂還有幾碼的距離，但是站在教堂門口等候的牧師容貌已清晰可見。他的長袍幾乎能晃瞎人的眼睛，因爲全是用沉甸甸、亮閃閃的金織錦裁成，且從頭到腳都繡滿了金線，就連頭上那畫著十字架的帽子也是金色的。我覺得和女王的穿著比起來，他的品味眞是差得可憐，不過也許所有的牧師在正式場合都會穿成這樣吧！也許這樣做是爲了引起上帝的注意。他張開雙臂表示歡迎，因而展露出更大面積的豪華布料，我和其他人都禁不住被他晃得頭暈眼花。

所以，你一定可以想像，當雕像在下一秒突然爆炸時，我和人們有多震驚了。

# 4

當我說雕像爆炸的時候，意思是說它們眞的爆炸了。

當那些可憐的帝王雕像被炸成一塊一塊時，產生的火花和煙霧，看起來就像漫天飄舞的花瓣一樣。一開始，我眞是嚇傻了，感覺就好像在看一部動作片，爆炸的氣浪撼動了整個大地。這時，我訓練有素的守護者本能出場了，促使我警惕地看著四周，並在心裡評估著情況。我立刻發現雕像龐大的身軀被炸得倒向了花園的外部，小石塊和灰塵如雨滴般落在送葬隊伍成員的頭上，可是莉莎和這附近的其他人都沒有被那些較大的石塊砸中。如果說這些雕像不是自然爆炸的，那麼製造這起爆炸事件的人，時機拿捏得還眞是恰到好處。

撇開這些不談，四處迸發的巨大火球仍然十分嚇人。所有人都想要逃跑，情況一片混亂，只是，每個人逃跑的方向都不一樣，碰撞和糾纏的情況不時會發生，甚至連抬棺人都卸下了自己肩上珍貴的負擔，逃命去了。安布羅斯是最後一個放棄的，他張著嘴巴，看著塔蒂安娜的眼睛瞪得圓圓的但當他又看了一眼那冒煙的雕像時，便決定立刻加入到逃命的人群中。有幾個守護者試圖維持秩序，引導眾人沿著爲葬禮鋪設的道路撤離，可是並沒有發揮多少作用。

每個人都慌了神，已經無法理性地思考。

好吧，莉莎除外。

令我驚訝的是，她居然一點都不驚訝。

她早就期盼著這場爆炸。

她沒有立刻跑開，只是被逃跑衝撞的人群擠到一旁，她留在爆炸發生時的那個地方，看著那些雕像，查看這場爆炸造成的後果。她似乎很關心有沒有人被炸傷，不過沒有，就我目前看到的，人員的傷亡應該是零。如果眞的有人受傷，肯定也是因爲發生了踩踏事件。

莉莎滿意地轉身，混入到人群中，和他們一起行走（好吧，只有她一個人是用走的，其他人都是用跑的）。她沒有走很遠，便看見一大隊表情嚴肅的守護者匆匆向教堂趕來。部分守護者停下來幫助疏散人群，大部隊則繼續朝著爆炸發生地點衝去，想要弄清是怎麼回事。

莉莎再次停了下來，結果她身後的傢伙沒來得及收住腳步，撞在了她的後背上。不過她對此似乎沒有感覺，她目不轉睛地看著那些守護者，仔細計算究竟來了多少人，然後這才再次動身。這時，她隱藏起來的想法終於浮出了水面。終於，我能夠將她試圖隱瞞的那些碎片完整地拼湊起來了。她很高興，也很緊張，可是最重要的是，她覺得——

牢房裡的一陣騷亂拉回了我的意識。往常平靜的看守區，此刻響起了乒乒乓乓的聲響，還有各種悶哼和喊聲。我站起身，緊緊地貼著牢門，努力想要看清楚到底發生了什麼事。難道這棟建築物也發生了爆炸事件？我的牢房正對著走道的牆面，根本看不到其他地方或者入口處發生了什麼事。不過，我倒是看見總是站在走道另一頭的守護者匆匆跑過，似乎是要前去查看聲響傳來的地方究竟發生了什麼事。

我不知道這意味著什麼，對我來說是好是壞？來人是友還是敵？我唯一能猜到的是，也許是一群政治理念不同的人衝進了皇庭，打算推翻現在的莫里政府。我看了看牢房四周，默默地吞了一下口水，希望能找到一些可以用來防身的東西。唯一有可能的是艾比送我的書，可是要拿它作爲武器，實在太不好用了。如果他眞有表面上那麼厲害，就應該在裡面夾帶一個逃跑計畫，或者送我比較厚一點的書也行，比如《戰爭與和平》。

打鬥的聲音結束了，咚咚的腳步聲越來越近，而我攥緊拳頭，準備隨時揮拳擊向敵人。結果，出現在我面前的「敵人」是愛迪．卡斯托，還有米哈伊爾．坦恩。

來的人居然是朋友，這我可沒有想到。愛迪是我在聖弗拉米爾學院時的好朋友，和我一樣是新進的守護者，而且經常被我拖累，捲進一系列的意外事件中，包括將維克多．達什科夫從監獄裡救出來。米哈伊爾則是我們的前輩，大概二十五歲左右，我們救回迪米特里的整個計畫中，他幫了大忙，因爲他希望有一天，索婭．卡普也能被救回來。索婭是米哈伊爾的戀人，後來變成了血族。

我來來回回地看著這兩個人。「怎麼回事？」

「很高興能夠再看見妳。」愛迪說。因爲剛才的戰鬥，他看起來滿頭大汗，激動不已，臉上那些紫色的瘀痕，顯示剛才他也沒少挨揍，而他手中拿的武器我在守護者的軍械庫裡見過：這根像警棍一樣的東西，可以打倒任何人，卻不會傷及他們的性命。不過，相比之下，米哈伊爾手裡的東西更有價値——那是打開我牢房的門卡和鑰匙。

我的朋友們居然來劫獄，眞是難以置信。「瘋狂」這兩個字通常是用來形容我的。

「你們兩個……」我皺起眉頭。能夠從這裡出去我當然很高興，可我的頭腦仍然很清醒。很顯然，剛才外面的打鬥聲就是他們兩個造成的，畢竟能夠下到地牢，並不是一件很容易的事。「你們兩個打倒了這裡所有的守護者？」

米哈伊爾打開牢門，我沒有浪費時間，馬上衝了出去。在壓抑、憋屈了這麼多天以後，此刻我感覺好像登上了山頂，風和自由包圍了我。

「蘿絲，現在這棟大樓裡沒有守護者。好吧，也許還留了一個，剩下的就是這些傢伙了。」愛迪指了指剛才發生打鬥的地方，我猜他口中的那些人此刻正躺在地上，陷入昏迷。我打賭我的朋友們沒有殺死任何一個人。

「其他的守護者都跑去檢查爆炸現場了。」我恍然大悟，將所有的事情開始慢慢拼湊起來——包括莉莎在爆炸發生時的冷靜。「哦，不。你們讓克里斯蒂安炸了那些古老的莫里藝術品。」

「當然不是。」愛迪說。他很驚訝我居然會得出這麼離譜的結論。「如果讓他這麼做，其他的火能力者肯定能夠看出來。」

「好吧，反正是類似的事情。」我說。我應該對他們的智商更有信心。

「我們用的是C4塑膠炸藥。」米哈伊爾解釋道。

或許還是不要抱太大期待好了。

「你們到底是從哪——」

當我看見站在大廳裡的人時，頓時說不出話來了。是迪米特里。

在我被關押起來的期間，無法得知他的近況，那是一件令人非常沮喪的事情。克里斯蒂安和塔莎的談論，只是更挑起了我的好奇心。而現在，我想知道的答案就在眼前。迪米特里就站在大廳的入口旁，六尺七寸的身軀英姿挺拔，周身那威嚴懾人的氣場更讓他顯得有如神祇一般。他那雙銳利的棕眸彷彿瞬間便能洞察一切，而他那強壯、微微前傾的身子繃得緊緊的，似乎隨時準備應對任何威脅；他的表情十分專注、充滿激情，我仍然無法相信，居然還會有人認爲這樣的他是血族，迪米特里是如此燃燒著他的生命和能量。事實上，此刻看著他，令我再次回想起我被逮捕時，他是怎樣挺身而出保護我的。當時他臉上也是這樣的表情。眞的，這和我過去見過的那個人一模一樣，依舊是那個令人敬畏、受人尊重的人，是那個我愛過的人。

「你也來了？」我試圖提醒自己，我那段糾纏不清的情史，相對於此刻的混亂，並不是最重要的事。「你不是被軟禁在房間裡了嗎？」

「他溜出來了。」愛迪打趣道。我明白他眞正想說的意思是：他和米哈伊爾幫助迪米特里跑出來了。「反正，這正是那些認爲他還是血族的人希望他做的事，不是嗎？」

「而且，妳也很希望他來救妳出去吧？」米哈伊爾接話道，並繼續開著玩笑：「特別是一想到上星期他保護妳時的樣子，眞的，所有人都會認爲劫獄這件事是他一個人幹的，與我們無關。」

迪米特里什麼也沒說，他仍然仔細觀察著周圍的情況，當然也包括我。他在確定我是不是沒事，有沒有受傷，而看到我的樣子，他好像鬆了一口氣。

「走吧。」迪米特里終於說，「我們時間不多。」

他說得輕描淡寫，可是我的朋友們的這個天才計畫裡，有一件事令我很在意。

「他們不可能認爲是他一個人幹的！」當我明白米哈伊爾的意圖之後，大聲喊道，指了指腳下昏迷的守護者。「他們看見你們的樣子了。」

「其實並不算是。」一個新的聲音響起。「尤其是在受到輕微的精神能力催眠之下。他們醒來的時候，唯一記得的人，只有這個身分可疑的俄羅斯傢伙。我無意冒犯。」

「不用道歉。」迪米特里對從門口走進來的艾德里安說。

我瞪大雙眼，努力不讓自己倒吸一口氣。這兩個人居然一起出現在這裡，我生命中兩個最重要的男人。艾德里安怎麼看也不像是那種能夠衝出來打架的人，可是此時他和這裡的其他人一樣，顯得警惕萬分。他那雙迷人的眼睛目光清澈，充滿了平時旁人無法輕易察覺的狡黠光芒。我突然想起一件事：此時的他根本看不出有酗酒的跡象。難道他那天的樣子只不過是爲了蒙蔽別人的假象？還是他強迫自己恢復到了常態？不管是哪種，都讓我忍不住要露出一絲笑容。

「莉莎剛才騙了你媽媽。」我說，「你不是應該喝得爛醉，此時不知在何處睡得不省人事嗎？」

他也回給我一個玩世不恭的笑容。「哦，沒錯，此刻如果眞的那麼做，應該比較明智，也比較有趣。希望所有人都認爲我此時是在呼呼大睡。」

「我們該走了。」迪米特里變得有些急躁。

我們看著他，全都收起了玩笑的心態。我以前就發現，迪米特里是那種不惜一切代價也要贏得勝利的人，這會讓人們很容易就願意無條件地服從他。米哈伊爾和愛迪此刻愈發嚴肅的表情，表明他們確實願意。而對我來說，這種事已經習以爲常了。就連艾德里安都表現出十分相信迪米特里的樣子，而這一刻，我十分欣賞艾德里安能夠暫時放下心中的醋意，同時也感激他願意冒險來救我。特別是艾德里安曾不只一次地明確表示，他不願意與任何危險扯上關係，也不願用他的精神能力做一些不符合常規的事。比如說，在拉斯維加斯的時候，他雖然和我們一起行動，但從來都是抱持著旁觀者的態度。當然，大多數時候他其實都喝得醉醺醺的，並不清醒。

我往前走了幾步，艾德里安突然伸手拉住了我。「等一下——在妳跟我們走之前，有件事妳必須知道。」

迪米特里投過來的目光很不耐煩，似乎想要打斷他。

「她必須知道。」艾德里安坦然地看著迪米特里，堅持道。

「蘿絲，如果妳就這麼跑了……就代表妳承認了自己的罪行，此後的身分就是通緝犯。如果守護者找到妳，他們不需要任何審判或是命令，直接就可以殺了妳。」

落在我身上的幾雙目光，令我深刻感受到這句話的涵義。如果我現在跑了，再被抓住，就必死無疑；如果我留下來，還有一絲生機，也許我們可以在審判之前的短暫時間內找到新的證據，證明我無罪。這不是不可能的——可如果事情沒有轉機，我也必死無疑。不管選哪一邊，都是在下賭注，不管怎麼做，都很有可能會將我推進深淵。

艾德里安和我一樣矛盾。我們兩個都知道，我沒有其他比較好的選擇，他只是擔心我，希望我知道自己面對的風險。不過……對迪米特里來說，這種事根本不需要考慮，他的表情已經說明了一切。他是那種循規蹈矩、願意做正確事情的人，可是眼下這種狀況？在毫無勝算的情況下？那還不如頂著通緝犯的名義活著，如果眞的要死，也應該是戰死的。

我的死亡不應該是某個被寫在日曆上的行程。

「我們走。」我說道。

我們匆匆往大樓外頭走去，小心地前進。

我還是忍不住對艾德里安說道：「你催眠了那麼多人，肯定用了很多精神能力。」

「沒錯。」他說道，「而且我沒辦法長時間使用它。莉莎也許能夠做到令十幾個守護者以爲自己見了鬼，可我呢？我只能做到讓幾個人忘了他們見過愛迪和米哈伊爾。所以，才需要有個人令他們印象深刻，擔下所有的罪名，迪米特里當然是不二人選。」

「好吧，謝謝你。」我輕輕握了握他的手，一股溫暖的電流在我們兩人之間流動。我沒打算告訴他，離我眞正獲得自由的那一刻還早得很，這樣會打擊他英雄救美的自豪感。前方還有很多關要闖，但我仍然很感激他願意站出來參與劫獄，並且尊重我選擇逃跑的決定。

艾德里安瞥了我一眼。「嗯，好吧，我好像是挺瘋狂的，對吧？」他的眼中閃動著愛的光芒。「我能爲妳做的事並不多，所以越蠢的越好。」

我們來到一樓，我立刻發現在守備情況這件事上愛迪說得沒錯。大廳和所有的房間都空無一人。我們沒有多查看，便急急地跑了出去，新鮮空氣賜予了我新的力量。

「現在要怎麼做？」我對我的恩人們問道。

「現在我們要送妳去車庫。」愛迪說。

車庫並不遠，可是也不近。「那要穿過好幾個廣場。」我並沒有直說，如果被人發現，我就死定了。

「我的精神能力可以令人看不出我們的模樣。」艾德里安說。這對他的能力是項新的挑戰，他恐怕沒辦法做得很好。「只要他們不停下來盯著我們看，就認不出來。」

「這個機率很小。」米哈伊爾說，「前提是真的有人會注意我們的話。現在情況這麼亂，所有人都忙著擔心自己，不會有心思注意別人的。」

我看著遠處，知道他說得對。監獄的大樓離教堂很遠，不過此時，那些之前位在爆炸地點附近的人已經逃來了這裡，有的是想逃回自己的住處，有的是在找守護者，希望能夠得到保護，還有的和我們一樣，是往車庫跑去。

「這些嚇壞了的人也想要離開皇庭。」我明白過來。我們一行人緊緊跟著艾德里安，他完全不介意紆尊降貴地扮成拜爾。「車庫裡人肯定很多。」因爲不管是政府的公用車還是觀禮客人的私家車，全都停在同一個車庫裡。

「這對我們非常有利。」米哈伊爾說，「越混亂越好。」

不過，也因爲周圍情況這麼混亂，我完全沒辦法集中精力去注意莉莎的情況。透過心電感應匆匆一瞥，我只能知道她很安全，已經回到了皇宮。

「莉莎在這件事裡扮演什麼角色？」我問道。

相信我，我很高興她沒有捲進劫獄這種瘋狂的事情裡，雖然正如艾德里安說過的，她的精神能力在這件事上能夠發揮的作用要遠大於他的。可是，此刻回想起來，很顯然她是知道這個計畫的，這就是她對我隱瞞的小祕密。

「莉莎必須保持清白，她不能和越獄或是爆炸事件扯上任何關係。」迪米特里看著前方回答道。他的語氣非常堅定，似乎仍然視莉莎爲自己的救命恩人。「她必須和其他的皇室待在一起，暴露在眾人的視線中。克里斯蒂安也是一樣。」他近乎微笑地說道，但只是近乎。「如果有東西爆炸，這兩個人肯定是最先被懷疑的對象。」

「可是守護者一旦發現爆炸的原因並非魔法，就不會再懷疑他們。」我喃喃地說道。米哈伊爾之前的話在我耳邊響起。「可是……嘿！你們這幾個傢伙是怎麼拿到C4的？軍方對炸藥的管控是非常嚴格的，就算是你們也不可能輕易拿到。」

沒有人回答我的問題，因為突然有三個守護者出現在我們面前。顯然，不是所有人都去教堂了。我和迪米特里同時搶到前頭，動作整齊得好像是同一個人，與過去並肩戰鬥的時候沒什麼兩樣。艾德里安說過，他的幻術對那些盯著我們看的人是發揮不了作用的，所以我希望能夠讓面前的守護者第一眼就看見我和迪米特里，這樣他們也許就無法分心去注意我們身後的其他人。自衛的本能讓我毫不猶豫地衝了過去，可是就在那一瞬間，我突然意識到自己正在做的事。

我之前也曾經和守護者交過手，並且常常為此感到內疚。在塔拉索夫監獄的時候，我和他們動過手；在女王的禁衛軍來逮捕我的時候，我也和他們動過手。不過，那些禁衛軍裡沒有一個是我認識的人，而他們只不過是我的同事，我就已經有很強烈的罪惡感了……那麼現在呢？

現在，我面臨的是人生中最困難的挑戰之一，雖然表面上看起來好像沒那麼嚴重。畢竟，三個守護者對我和迪米特里來說，根本就是小菜一碟。可問題是——他們全是我認識的守護者，有兩個我畢業後仍經常遇見，他們一直在皇庭工作，而且對我也很好。至於另外那一個，已經不僅僅是認識那麼簡單了——她是我的朋友。梅瑞迪斯，我在聖弗拉米爾學院上學時，她是我們班裡為數不多的女生之一。我看見她眼中閃過一絲不安，感覺就好像從鏡中看到自己一樣，她也覺得這樣不太好。可是，她現在已經是一名守護者了，和我一樣，她必須要履行職責。她相信我是殺人犯，她也看見我逃了出來，於是準備戰鬥。

按照原則，她必須要打倒我，老實說，我也不期望她能夠做出別的選擇。如果我們互換角色，我也會選擇她現在的做法。這是生死之戰。

迪米特里此時已經和另外兩個打在一起，他一如既往地出拳迅速，無人能敵。我和梅瑞迪斯也衝向彼此，一開始，她還試著想要用體重將我撲倒，也許還希望能夠將我按在地上，等待之後會有其他人過來抓住我。只不過，我比她還要厲害，她肯定也知道這一點。我們在學校的體育館裡練習時，我們不知對打了多少次，而我幾乎每次都贏。可是，現在這不是遊戲，也不是訓練。我擋住她的進攻，一拳從下方打中她的臉頰，只希望自己沒有打斷她的頜骨。她忍著痛，仍然沒有停止進攻，但是再一次，我佔了上風。我用雙手抓住她的肩膀，將她摔在地上，她的頭用力地撞在地上，但意識還清醒著，這讓我不知道是該感到感激還是遺憾。我沒有鬆手，改掐住她的脖子，直到她閉上了眼睛。我一確定她昏了過去，馬上鬆開了手，同時覺得心臟怦怦跳個不停。

我回頭看了一眼，看見迪米特里也已經打倒他的兩個對手。我們一行人繼續前進，好像什麼事都沒有發生過一樣。我邊走邊看了愛迪一眼，知道自己的臉上一定寫滿了難過，而他雖然也很不好受，卻仍試圖安慰我。

「妳不過是做了必須做的。」他說，「她會沒事的。雖然可能要纏上繃帶，但不會有性命危險。」

「我剛才摔她摔得太用力了。」

「現在的醫學可以治好腦震盪。再說，我們訓練時也沒少受過傷。」

希望是他說的這樣。對與錯只有一線之隔，而且界線非常模糊。我暗暗想道，唯一的好處，就是我吸引了梅瑞迪斯的全部注意力，這樣一來，也許她就不會注意到愛迪和其他人了。在戰鬥過程中，他們都一直待在後方，希望我和迪米特里引開他們注意力同時，艾德里安的幻術依然有效。

我們終於走到了車庫，此時這裡的人確實比平時要多。有些莫里已經開車離開了，有一個皇室則近乎歇斯底里，因爲車鑰匙在她司機的手裡，而她此時根本不知道司機在哪裡，她逢人就問有沒有人能夠替她發動車子。

迪米特里堅定地帶領著我們往前走，完全沒有左顧右盼，似乎很清楚要去什麼地方。我意識到，這個計畫非常嚴密周詳，而大部分應該都是在昨天計畫好的。爲什麼莉莎不願意讓我知道呢？讓我提前知道的話，不是會對施行計畫比較有利嗎？

我們穿過人群，向車庫的盡頭走去，而遠遠就能看見那裡停著一台灰黃色的本田喜美，似乎隨時準備開動。一個男人站在車前，環著手臂，好像正在檢查擋風玻璃。他聽見我們的腳步聲，回過頭來。

「艾比！」我驚呼出聲。

我這個了不起的父親轉過身，露出迷人的微笑，好像沒有事能夠難倒他。

「你來這裡做什麼？」迪米特里問道。「你也在嫌疑人的名單上！你應該和其他人待在一起才對。」

艾比聳了聳肩，對迪米特里的怒氣毫不在乎。我希望那種怒意永遠都不要落在我身上。

「瓦西莉莎保證，她會讓幾個在皇宮裡的人作證，說在你們逃跑的時候見過我。」他那雙黑眸轉向我，「再說，我不能連再見都沒和妳說就走吧，不是嗎？」

我震驚地搖了搖頭。「你當我的律師時就想好這些事了吧？我可不記得考律師執照的時候，還要考爆破和劫獄。」

「哦，我相信達蒙．塔魯斯考執照的時候，肯定沒考過這兩科。」艾比仍然面帶微笑，「蘿絲，我對妳說過，只要有我在，妳就絕對不會進監獄，甚至連審判都不必參加。」他停頓了一下，

「我說得出，做得到。」

我猶豫了一下，看了看那台車。迪米特里已經拿著一串鑰匙站在車旁，耐心地等著。我又想起艾德里安說過的話。

「如果我逃跑的話，可能會被人當成是畏罪潛逃。」

「反正他們已經認定妳有罪了。」艾比說，「就算浪費時間在牢房裡等上兩星期，也改變不了。現在這麼做，能夠確保我們有足夠的時間行動，而不用擔心妳會被判死刑。」

「我們到底要做什麼？」

「證明妳的清白。」艾德里安說，「或者說，呃……證明妳沒有殺死我姑姑。我知道妳不是在所有事情上都是清白的。」

「怎麼，你們打算去銷毀證據嗎？」我無視艾德里安的弦外之音。

「不，」愛迪說，「我們必須去找出殺害她的眞正兇手。」

「你們幾個不應該插手這件事。現在我已經逃出來了，這是我的事。難道你們不是爲了這個，才救我出來的嗎？」

「問題是，妳留在皇庭也解決不了這個問題。」艾比說，「所以我們需要妳消失，還要保證妳的安全。」

「對，可是我——」

「再爭論下去只是浪費時間。」迪米特里說道，他的目光投向車庫的另一方。那裡仍然一片混亂，所有人都忙著擔心自己，沒空理我們，可這並不能減少迪米特里的憂慮。他遞給我一根銀樁，我沒有問原因。這是武器，我無法拒絕。「我知道現在看起來好像是亂成一團，可是妳肯定會驚嘆守護者令一切恢復正常的速度。到那時候，他們肯定會封鎖這個地方。」

「他們不需要這麼做。」我轉動著思緒，緩慢地說道：「我們要怎麼走出皇庭就已經是個大問題了。假設我們能夠開到大門口，還是會被攔下來，等著出去的車子肯定排了好幾英里！」

「啊，這個。」艾比無聊地看著自己的手指頭，「我可以很肯定地告訴妳，南邊的圍牆上，馬上就會開出一扇新的『大門』。」

眞相終於大白。「哦，天哪！那些C4是你提供的。」

「說得好像那是件很容易的事似的。」他皺著眉頭說，「那些東西十分不容易到手呢！」

迪米特里的耐心終於消磨殆盡。「你們幾個聽好了，蘿絲該走了，她現在的情況還很危險。如果有必要，我會把她拖走。」

「你不用跟我一起走。」我反駁道，算是對他最後一句話的抗議。最近我們經常吵架，因爲迪米特里說他已經不再愛我，甚至不想繼續和我做朋友。「我可以照顧好自己，不需要再給別人添麻煩。鑰匙給我。」

但是，迪米特里只是憐憫地看了我一眼，似乎認爲我剛才說的話十分荒唐可笑。我們好像又回到了聖弗拉米爾學院的課堂上。

「蘿絲，我已經什麼麻煩都不怕了。有人必須要爲妳的逃獄負責，而我是最佳人選。」

這點我倒是不敢苟同。如果塔蒂安娜眞的計畫說服別人相信迪米特里已經不再危險，那麼這次逃亡將毀了一切。

「走吧。」愛迪突然飛快地擁抱了我一下，「我們還要去找莉莎。」

我知道，面對這麼多人，這一仗是我輸了。現在眞的該走了。

我也抱了抱米哈伊爾，小聲地在他耳邊說：「謝謝你，眞的很感謝你來幫我。我發誓，我們會找到她的，我們會找到索婭。」

他苦笑了一下，沒有說話。

艾德里安是最難告別的。我打賭，他此刻心裡也很難受，不管表面上笑得多麼輕鬆、燦爛。他一點都不高興看見我和迪米特里一起走。我和他擁抱的時間比和其他人的要長一點，他還輕輕地吻了吻我的唇。今晚他的表現這麼英勇，我幾乎忍不住要哭出來，我希望他能跟我一起走，可是也清楚他待在這裡會比較安全。

「艾德里安，謝謝你——」

他抬起手。「這不是道別，小拜爾。我會去夢裡看妳的。」

「如果你夠清醒的話。」

他眨了眨眼，「我會試著爲妳做到的。」

一陣巨大的爆炸聲打斷了我們，右手邊出現一道沖天的火光，惹得在車庫其他地方的人全都尖叫起來。

「喏，妳看見了吧？」艾比得意洋洋地問道，「一扇新的大門。時間剛剛好。」

我不情願地也擁抱了一下他，很驚訝他並沒有立刻把我推開。

他看著我，笑得很……慈祥。「啊，我的女兒，已經十八歲了，被人指控是殺人兇手，還是罪犯的幫兇，還可能被判死刑，以任何守護者想都沒想過的方法死去。」他停頓了一下，「眞是沒有比這再令人驕傲的事了。」

我翻了個白眼。「再見，大叔。多謝。」我沒費心去問他說的「罪犯的幫兇」是什麼意思，畢竟艾比又不是傻瓜，在我問過他關於塔拉索夫的事之後，那裡就出事了，他肯定已經猜到，幫助維克多・達什科夫越獄的幕後主使是誰。

於是，就這樣，我和迪米特里上了車，全速向艾比爲我們打開的「新大門」駛去。我很遺憾沒辦法和莉莎道別。其實，有心電感應在，我們不會眞正分開，可是這仍無法代替面對面的交流。不過，如果這樣能夠換來她的安全、證明她與我的越獄無關，也値得了。但願如此。

和以往一樣，迪米特里負責開車，而我依然覺得這樣很不公平。以前我是他的學生，那也就罷了，可是現在呢？難道他就不能放棄那個方向盤一下下嗎？不過，現在似乎不是討論這件事情的好時機，而且我也不打算之後一直和他一起行動。

有幾個人跑過來查看到底是怎麼回事，但是沒有政府或軍隊的人出現。迪米特里開車從缺口衝出去時的樣子，很像愛迪開車帶著我們衝出塔拉索夫監獄時的樣子，不過本田車在這種崎嶇不平道路上的表現，沒有休旅車那麼好。還有一個問題就是，我們唯一的出口通往的地方，其實並不是一條眞正可供行走的道路。這一點恐怕連艾比都沒有想到。

「爲什麼我們逃亡坐的車子是台喜美？」我問道，「這種車子可不適合跑越野賽。」

迪米特里沒有看我，眼睛一直盯著前方，查看著是否能開到比較好行駛的路段。「因爲喜美是這裡最普通的車子，不會引起別人注意，而且這段路是唯一一段路況不好的地方。一旦我們遠離皇庭，就會換車，然後繼續上路。」

「換車——」我甩了甩頭，決定放棄爭論。

此時我們已經開到了泥土路上，在經歷過剛才那麼顚簸的路段後，這條路感覺起來就像是世界上最平坦的道路。

「聽著，現在我們已經跑出來了，我希望你知道，我剛才說的話是認眞的，你沒有必要跟我一起走。我很感謝你幫我逃出來，眞的。可是和我在一起對你沒有任何好處，他們首先要找的人肯定是我，不是你。如果你願意，你可以去人類的世界裡找一個地方生活，不用再被當成實驗室裡的白老鼠。也許有一天，你還能回到皇庭，塔莎肯定會替你說話的。」

迪米特里沉默了很久都沒有回答，那讓我幾乎快要抓狂。

我不是那種可以適應沉默的人，那只會讓我想要不停地說話，以免冷場。而且，隨著時間過去，我越來越清楚地意識到，我現在是單獨和迪米特里在一起，是他變回拜爾之後，第一次眞正和他單獨在一起。我覺得自己好像傻瓜，如果撇開我們要面對的風險不談……呃，其實我坐在他身邊眞的是有些不知所措。他的存在感太強烈了。雖然我還在生他的氣，可他仍然要命地吸引人。也許剛才那些過多的腎上腺素已經燒壞了我的腦子。

我覺得備受煎熬，但主要原因不是他的外表——雖然那也是折磨我的一部分——他的頭髮、他的樣子、他離我這麼近、他的味道……他所有的一切我都感受得到，這些全都令我熱血沸騰。同時，折磨我的還有他的靈魂，那個剛剛領著一小隊人馬將我救出來的迪米特里，也令我爲之著迷。我想了一會兒，便明白了爲什麼我的反應會這麼強烈：我又看見了原來的那個迪米特里，那個我擔心會永遠失去的迪米特里。事實上，我沒有失去他，他又回來了。

過了很久，迪米特里終於開了口：「我不會離開妳。妳那套『蘿絲式邏輯』對我不管用。如果妳試圖逃走的話，我一定會找到妳。」

我毫不懷疑他最後一定會找到我，而這讓此刻的狀況愈發地令人費解。「可是爲什麼？我不希望你跟著我。」沒錯，我對他是還有感覺，可是這也不能改變他傷了我的心，堅定地要和我分手的事實。他拒絕了我，我必須要硬起心腸，尤其是如果我想要和艾德里安繼續下去的話。澄清我的名譽、過正常的生活這種事，現在似乎離我很遙遠，可這一天總會來到的，我希望能夠重回艾德里安向我張開的懷抱。

「妳怎麼想並不重要。」迪米特里說，「我的想法也不重要。」該死。「莉莎要求我保護妳。」

「嘿，我不需要別人——」

「還有，」他繼續說，「我之前說的話，也是認眞的。我發誓要效忠於她，用我的下半輩子報答她，無論她要求我什麼事，我都會照做。如果她希望我當妳的保鑣，那我就是妳的保鑣。」他略帶威脅地看了我一眼，「妳想要很快擺脫我是絕不可能的。」

# 5



我想要離開迪米特里，不僅僅是因爲我們那段牽扯不斷的過去，而是眞的不希望他因爲我而惹上麻煩。如果守護者找到我，那麼我要面對的命運，跟原本所要面對的差不了多少。可是對迪米特里來說呢？他此刻正開始一點一點地被人們所認同。當然，此刻那些認同感已經毀得差不多了，可他仍有一線機會可以改變自己的命運。如果他不願意住在皇庭，也不願意和人類住在一起，他還可以回到西伯利亞，回到他家人的身旁。那裡地處偏僻，幾乎不可能被人找到，而且他們和鎭上的人關係友好，就算有人打算前去那裡尋找他，鎭上的人也會協助隱匿他的行蹤。和我在一起是非常不明智的選擇，我必須要說服他。

「我知道妳在想什麼。」我們上路差不多一個小時之後，迪米特里突然說道。

在這之前，我們都沒有說過什麼話，各自陷入了沉思中。在開過了幾條鄉間小路之後，我們終於開上了一條州際公路，然後駛向……好吧，我也不知道要去哪裡。我一直看著車窗外的風景，想著所遇到的各種問題，以及該怎麼以一己之力將它們一一解決。

「啊？」我瞥了他一眼，似乎看見他的唇角揚起一抹很輕的微笑。

「而且絕對不會成功。」他補充道，「妳肯定在想要怎麼甩開我，很可能是想在我們停下來加油的時候藉機逃跑。」

詭異的是，我剛才眞的想這個計畫想了很久。以前的迪米特里是路上的好夥伴，可我不確定自己是不是也喜歡，他知道我在想什麼的這種本領也一起回來了。

「你這是在浪費時間。」

「哦？妳有比從那些想要把妳關起來處死的人手裡逃出來，還更重要的事情要做？拜託不要再跟我說什麼我這麼做太危險了之類的話。」

我瞪著他。「這不僅僅是為了你考慮。逃亡不應該是我唯一關心的事，我也應該幫忙證明自己的清白，而不是躲在你要帶我去的什麼荒郊野外。答案在皇庭裡。」

「妳在皇庭裡有很多朋友，他們會幫妳做這件事。如果他們能夠確認妳是安全的，行動起來會比較容易。」

「我想知道的是，為什麼沒有人告訴我這件事──或者說，為什麼莉莎不告訴我？她為什麼要瞞著我？你不認為如果我有所準備的話，會比較好嗎？」

「要去戰鬥的人是我們，不是妳。」迪米特里說。「我們是怕妳知道以後，可能會露出馬腳。」

「我絕對不會透露一個字！」

「並不是說妳會故意告訴別人，不是的。只是如果妳顯得很緊張，或是很焦慮……那麼，看守妳的人一定會看出蛛絲馬跡的。」

「好吧，現在我們已經跑出來了，你可以告訴我我們要去什麼地方了吧！我沒猜錯吧？是某處愚蠢的郊外嗎？」

我沒有得到回答。

我瞇起眼睛看著他。「我討厭被蒙在鼓裡。」

他唇邊的小小微笑變得比較明顯了些。「哦，我個人有一個理論，就是妳知道得越少，那麼妳的好奇心便越能保證妳不會逃跑。」

「眞是荒唐。」我回道，不過說眞的，這個理論聽起來也不是沒有道理。我嘆了口氣。「該死的，這件事到底從什麼時候開始，變得我無法控制了？什麼時候開始，變成是你們幾個傢伙說了算呢？我才應該是那個想出古怪、不可能完成的計畫的人，我應該是將軍才對。現在，我連個副官都算不上。」

他想要說什麼，可是卻張著嘴沒有說話，愣了幾秒。很快地，他的表情就恢復了守護者該有的警惕和嚴肅，並用俄語說了幾句髒話。

「怎麼了？」我問道。他的情緒也感染了我，我立刻忘記了之前各種荒誕瘋狂的計畫。

借著對向道路來車的昏暗燈光，我看到他一直不停地在看後照鏡。「我們被跟蹤了。沒想到他們來得這麼快。」

「你確定？」天色漸晚，公路上的車也越來越多。我不知道怎麼有人能從那麼多車子裡看出哪台最可疑……算了，這個人可是迪米特里。

他又罵了幾句，突然間猛打方向盤，我不得不撐住副駕駛座前方的儀表板，才有辦法穩住身子。他連續切換了兩條車道，差點撞上一台小貨車，惹得車上的司機不停地按喇叭。公路的右側有一個出口，他從那裡急拐出去，差點撞上了出口的護欄，身後因而響起更多的喇叭聲。我回過頭，看見一台打著探照燈的車子也做出同樣瘋狂的舉動，跟著我們從公路上開了下來。

「皇庭的命令下達得非常快。」迪米特里說，「他們肯定有人一直監視著州際公路。」

「也許我們剛剛應該選另一條路。」

迪米特里搖了搖頭。「太晚了。我本來以爲等換了車，這些就都不成問題了，可是他們來得太快了。我們必須去前面換台新車，那是到馬里蘭州之前，我們能找到的最大的城市了。」

旁邊有一塊指示牌，顯示我們此刻在賓夕法尼亞州的哈里斯堡境內，迪米特里非常有技巧地將車開過擁擠、堵塞的公路。我回過頭，看著後面跟著我們的車，也有樣學樣地按照我們的路線行進。「你打算怎麼弄台新車？」我小心翼翼地問。

「聽好了。」迪米特里沒有理會我的問題，自顧自地說道：「妳必須按照我的吩咐去做，這非常、非常重要，不許出錯，不許頂嘴。後面的車子裡全都是守護者，現在，他們肯定也已經通知其他的守護者向這邊趕來了，甚至叫了人類的警察也說不定。」

「要是人類的警察抓住我們，接下來豈不是會很麻煩？」

「煉金術士可以幫忙，確保我們最後回到莫里的手裡。」

煉金術士。我早就應該想到他們也會捲進來，他們是人類的一個祕密組織，專門幫助維護莫里和拜爾的利益，同時向人類社會隱瞞我們的存在。當然，煉金術士這麼做並不是出於善心，他們認爲我們都是惡魔，是不正常的生物，所以希望我們不要去和人類打交道。像我這樣一個「逃跑的囚犯」對他們來說肯定是個大問題，毫無疑問地，他們會幫助莫里將我捉拿歸案。

迪米特里雖然沒有看著我，可他的聲音非常嚴厲，而且帶有命令的口吻。他此時正忙著用餘光掃視道路兩邊的狀況。「不管妳對大家替妳作的決定怎麼想，也不管妳對目前這種情況有多麼不滿，但是我知道妳很清楚，我從來沒有在生死存亡的關頭令妳失望過。既然妳過去信任我，現在也必須信任我。」

我想對他說，他的話並不完全正確。他曾令我失望過。當他被血族抓走，當他暴露出他其實也不完美，當他在我心中那無所不能、神一般的形象被打碎後，我確實對他很失望。可是在保障我生命安全這件事上呢？沒有，他從來都沒有令我失望過。就算他變成血族之後，我也從不相信他會殺死我。學院被襲擊的那個晚上，迪米特里變成血族前的那個晚上，他曾經對我說過，要無條件地服從他，而那意味著我要丟下他，去和血族戰鬥——我做到了。

「好吧。」我小聲說，「不管你說什麼我都會照做。不過記得不要看扁我，我已經不再是你的學生了。現在，我和你是平等的。」

他收回往兩旁看的目光，驚訝地看了我一眼。「我們兩個一直是平等的，蘿莎。」聽見他又用那種飽含深情的俄羅斯式暱稱喊我，我傻傻地完全不知道該怎麼反應，但是無所謂了。過了一會兒，他又開始不停地觀察起四周。「那裡，妳看見那個電影院的招牌了嗎？」

我順著路看過去。前方有許多飯店和商店的招牌，將夜色襯托得五彩繽紛。終於，我看見了他說的東西，招牌上寫著：西部電影院。

「看見了。」

「我們在那裡會合。」

我們要分開？我是想要單獨行動，可不是在這種情況下。在面對危險時，這樣貿然地分開行動似乎很不明智。不過我答應過不會頂嘴，所以繼續靜靜地聽著。

「如果我半個小時之後沒有趕到，妳就自己先走，然後打這個電話。」迪米特里從外衣口袋裡拿出一張小紙條給我。上面寫著電話號碼，字跡非常潦草，我一個字都認不出來。

如果我半小時之後沒有趕到。這句話太震撼了，這次我實在忍不住要開口：「什麼意思？什麼叫如果你——啊！」

迪米特里又一個急轉彎，我們闖了紅燈，和好幾台車子擦肩而過。更多的喇叭聲傳來，但是這種突然的舉動也令身後的跟蹤者反應不及，沒辦法及時拐過來繼續追蹤我們。我看見追兵們的車在主要道路上飛快地前行，同時車尾的剎車燈猛閃著，似乎打算找個地方掉頭。

迪米特里將車開到一間購物中心的停車場上。這裡頭停了許多車，我瞥了一眼門口的鐘，記住了現在的時間。現在差不多是人類時間的晚上八點，對莫里來說還是早上，但是對人類來說則是休閒放鬆的黃金時間。迪米特里經過幾個購物中心的入口，最後選定了其中較隱蔽的一處停下來。他二話不說推開車門，而我也緊跟著他下了車。

「我們在這裡分開。」他向一排小門跑過去。「記住動作要快，但是進去以後千萬不能奔跑，不能引起任何人的注意。混在人群裡，快速穿梭，然後隨便找一個門走出來，但絕對不能是這個門。到了大街上，也盡量挑人多的地方走，目標是電影院。」我們走進了購物中心。「快走！」

他好像怕我不肯走，輕輕將我往手扶梯的方向推了一下，而他則往大廳走去。我心裡有些不想動，想就這麼站在這裡，可是突然間，擁擠的人群、耀眼的燈光和購物中心裡各式各樣的促銷活動猛然間將我驚醒。我很快調整心情，向手扶梯走去。迅速作出反應和憑著本能行動，是我所接受的訓練的一部分，而在校內的刻苦訓練、校外的經歷磨礪，和迪米特里的調教之後，這些能力都變得更加敏銳。

過去學習過的甩敵技巧一一在我腦海浮現。此時，我最想做的就是四下張望，看看是不是有人在後面跟著我，可這樣做一定會引起別人的注意，因此大部分時候，我只能胡亂猜想著情況。目前來看，我們的時間優勢頂多只有幾分鐘，他們一定已經掉頭追來了這個購物中心，圍住我們的車子，並且猜到我們進了購物中心裡頭。在哈里斯堡這地方，莫里應該沒辦法在這麼短的時間內招集到很多守護者，而現有的人手最可能是採取分頭行動的作法，一部分在購物中心搜尋，另一部分則守在出入口。但是，這裡的出口非常多，他們不可能每個地方都派人監視，我能不能逃出去全靠運氣了。

我盡可能在合理的範圍內加快腳步，此時前面的人群裡有情侶、有推著嬰兒車的夫妻，和一群嘰嘰喳喳的年輕人。我從最後一群人裡擠過，比起我來，他們的生活看起來是那麼快樂簡單。然後，我又匆匆走過了購物中心裡的精品店，來到整個購物中心的主廳，那裡有著通往四面八方的走道。我必須盡快作決定。

我路過一家飾品店的時候，走了進去，假裝要看髮帶。其實，我是爲了藉著掩護，觀察後面的情況。沒有明顯可疑之處，沒有人停下腳步，也沒有人跟著我走進店裡。髮帶區旁是特價商品區，上面的貨色看起來也只能靠特價才賣得出去。其中有一頂非常「少女風」的棒球帽，整頂帽子是亮粉色的，前頭繡了一顆帶著彩虹尾巴的星星，說有多難看就有多難看。

我拿起它，非常慶幸守護者沒有在逮捕我的時候，將我身上這點微薄的現金拿走。也許他們認爲，這麼點錢絕不可能買通任何人。我又拿了一條束髮繩，同時仍持續觀察著外面的情況。在我離開之前，我將頭髮綁起來，戴上帽子，盡量不讓髮絲外露。這樣拙劣的僞裝看起來雖然有點蠢，不過要知道，我的頭髮可是最容易暴露身分的地方，這頭幾近黑色的深棕色秀髮，因爲最近都沒怎麼修剪過，已經長到了肩膀下方。不過呢，相較於迪米特里的身材，這點頭髮走在人群裡還比較沒有那麼突出。

我又重新融入到行人中，很快就走到了購物中心的主廳。我不想讓人覺得看起來鬼鬼祟祟，於是便向左手邊一家叫做「Macy 's」的精品店走去。我一邊走，一邊因爲頭上那頂難看的帽子感到有些尷尬，懊惱地希望下次至少能保有挑選頂漂亮點的帽子的時間。不過幾分鐘之後，我發現了一個守護者，於是便又慶幸自己剛才買下了這頂這麼「時尚」的帽子。

他站在一台所有購物中心都有的花車旁，假裝對一款手機外殼很感興趣。我之所以能夠一眼看穿他，是因爲他的站姿，還有他雖然表現得好像對手裡那個斑馬紋手機外殼很感興趣，可是同時卻在不著痕跡地觀察周圍的情況。而且，只要距離夠近，還是很容易在人群中一眼認出哪些人是拜爾。儘管人類和拜爾的外表很像，可我身爲一個拜爾，要認出自己的同類是沒有問題的。

我控制自己不要直視他，也感受到他的目光從我身上掃過。我不認識這個人，代表他很可能也不認識我，也許他只看過我的照片一眼，知道我的頭髮非常長。我自然而悠閒地從他身邊走過，看著精品店櫥窗這個動作可以令我背對著他，同時又不會令人產生我是在逃跑的感覺。但是，當我從他身邊經過時，心一直怦怦跳著。守護者接到的命令是看到我便可以直接殺了我，可是在購物中心這樣的公眾場合之下，他們還能這麼做嗎？我可不想知道答案。

走離花車區之後，我微微加快了腳步，「Macy's」裡面應該有直接通往外面的出口，現在只能賭賭運氣，看能不能從這裡逃跑了。我走進店裡，順著店裡的手扶梯下了樓，直接向大廳的出口走去，中間還經過了擺著一排可愛的貝蕾帽和軟呢帽的帽子區。看見這些帽子，我微微遲疑了一下，但並不是因爲我想要換一頂，而是這樣可以等一等後面也要出去的一票女生。

我們一起走出了商店，而我也快速適應了外面的光線。周圍雖然人來人往，但是並沒有發現可疑的人。我周圍的女生此時剛好停下腳步，站著聊起天來，而我則趁機環顧四周，希望自己沒有走丟。我發現右手邊的那條路，便是我和迪米特里來時的那條擁塞的大街，而到了那裡，我就認識去電影院的路了。我呼了一口氣，微微放下心，接著便小心謹愼地穿過停車場，打算往那邊走去。

當我走離購物中心越遠，停車場上的人便越少。這裡有路燈，並不是很黑暗，可是當周遭變得越來越冷清，氣氛不禁變得怪異起來。我的第一想法是直接衝到馬路，然後順著人行道向電影院走去，那裡照明良好，人也比較多。可是，冷靜地想了想後，我覺得那樣做的話比較顯眼，而且直接從停車場穿過去會比較快。

事實證明我的想法沒錯——當我看見電影院出現在眼前的時候，也意識到自己還是被人找到了，這個人就在前方不遠處。停車場的路燈投射在地上的影子看起來不太對勁，那影子太寬了，肯定有人藏在燈柱後面。我很懷疑有那麼巧，剛好有個守護者埋伏在這裡，等著我或者是迪米特里自投羅網，應該是有人早就發現了我，便提前趕來埋伏。

我沒有停下腳步，只是微微放慢了腳步，不過身上所有肌肉都已經進入備戰狀態。首先進攻的人必須是我，我必須是那個控制場面的人。

終於等到了，就在我認爲埋伏的人要出手的那一刻，我向前一竄，撲向他，結果發現這個拜爾我也不認識。我將他撲倒在一旁的一台車子上。沒錯，我成功地給了他一個出其不意。不過，車子的報警器響了起來，劃破寂靜的夜空時，也給了我一個出其不意。我震了下，沒有理會尖嘯的報警器，用力朝著他的下巴揮了一拳。我必須盡最大力量將他打昏。

我的那一拳令他的頭撞在汽車上，可他的反應非常令人讚嘆，幾乎立刻便清醒過來，努力要掙脫我的鉗制。他的力氣比我大，我差點被甩開，可最後仍穩住了身子。不過，雖然我在力氣上輸給他，速度上卻贏過他。我躲開了他的每一擊，但心裡並不高興，因爲那愚蠢的汽車報警器還在不停地響著，最後肯定會引來其他的守護者或是人類的警察。

我繞著汽車跑開，他在後面追趕，當我們各自跑到車子的前後兩端時，又同時停了下來，就好像在玩警察捉小偷的遊戲。我們倆像在照鏡子一樣互相探看著，他則試圖想猜出我要往哪邊逃。在昏黃的燈光下，我在他的腰間看見一樣令人驚訝的東西：手槍。我的心立刻冷了半截。守護者在訓練時學過如何用槍，但是通常很少人會將槍帶在身上，銀樁才是我們的首選武器。畢竟，守護者的職責是要殺死血族，而槍對血族來說是沒有用的。可是用來對付我呢？那就綽綽有餘了。一把手槍可以令他完美地完成任務，可我有種預感，他不太願意用槍。汽車的報警器都有可能將附近的人類招來，更何況是槍聲呢？那一定會引來警察。非到必要時刻，這傢伙一定不會開槍——可如果他別無選擇的話，最後肯定還是會使出這一招。我必須盡快結束這裡的戰鬥。

終於，我向著車頭邁了一步。他想要攔住我，可我又給了他一個出其不意，一旋身向後跳上了後車廂蓋（老實說，就算這麼做，汽車的報警器也不會響得比較小聲）。借助這幾秒鐘的優勢，我從車上跳下來，將他撲倒在地，騎在他的身上，用雙手鎖住他的喉嚨，整個人死死壓住他。他掙扎著想將我從他身上推開，而且幾乎要成功了，不過最後還是不敵缺氧的攻擊。他停止了掙扎，失去了意識，我鬆開了手。

有那麼短暫的一刻，我想起了從皇庭逃出來的時候，也是用這招打敗了梅瑞迪斯。我看見她躺在地上時，心中充滿了和現在同樣的愧疚。但是，我馬上就甩掉了這個想法。梅瑞迪斯不會有事的，她甚至不在這裡。那些事都不重要，唯一重要的是眼前這個人無法完成任務，我必須離開這裡。馬上。

我沒有再去看有沒有人追來，而是直接穿過停車場向電影院走去。在離那台警報器還在鳴叫的車子比較遠之後，我停下來，利用另一台車作掩護，看了看情況。目前還沒有人來，不過在停車場的前方，靠近購物中心的地方，似乎有一陣騷動。我沒有停下來，也沒有走回去細看。不管是什麼事，對我來說肯定都不是有利的。

幾分鐘以後，我走到了電影院。我屏住呼吸，感覺害怕的成分大於疲憊。在長跑能力和耐力這方面我精進不少，這都要歸功於迪米特里。可是迪米特里呢？電影院門口全是來看電影的人，有的在排隊買票，有的在討論要看哪部，其中有幾個還奇怪地瞥了我一眼。可是，到處都不見迪米特里的影子。

我沒有錶，距離剛才分開到現在已經多久了？肯定不到半個小時。我繞著電影院走來走去，一直留心著人群，看裡面有沒有迪米特里或是其他守護者。可是沒有。時間一分一秒地過去了，我不安地將手伸進衣服口袋，摸著那張寫了電話號碼的字條。先走，他這麼對我說，妳就自己先走，然後打這個電話。可是，我身上沒有電話，但這還只是眼前最不重要的一個問題——

「蘿絲！」

一台車子衝上人行道，周圍的人紛紛散開。迪米特里從駕駛座伸出頭來，我頓時鬆了一口氣，差點跌坐在地上。好吧，好吧，不是差點。我沒有浪費時間，急忙衝過去，跳上副駕駛座。

他沒有多說一個字，猛踩油門，飛快地掉頭，從電影院前的人行道上回到主要道路。一開始，他並沒有說話，整個人處於一種一觸即發的狀態，似乎輕輕一碰就會立刻爆發。他盡可能在不引起警察注意的情況下，將車子開得飛快，同時不停地看著後照鏡。

「我們身後還有人嗎？」我們回到高速公路上之後，我終於鼓足勇氣開口問道。

「目前沒有。他們要花一陣子，才能查清楚我們上了什麼車。」

我上車的時候並沒有仔細看，現在才發現我們開的是本田的雅哥——另外一款非常普通的車。我也發現點火器上並沒有車鑰匙。

「你是用破壞點火裝置的方法發動車子的？」我隨即換了個問法：「這台車子是你偷來的？」

「妳的道德標準倒是蠻有意思的。」他看著我說，「越獄就沒問題，可是偷車聽起來反倒是很嚴重的一件事。」

「我是驚訝，才不是像你說的覺得很嚴重。」我說著，重新靠在椅背上坐好，嘆了口氣。「我很害怕……呃，剛才在等你的時候，我很怕你不會來，很怕他們把你抓走，或是做了其他更嚴重的事。」

「沒有，我大部分的時間都用在溜出去，然後找台合適的車子上。」

我們沉默了幾分鐘。

「你沒有問我遇到了什麼事。」我指出，覺得有些生氣。

「沒有這個必要。妳現在坐在這裡，這就夠了。」

「我和人打了一場。」

「看得出來。妳的袖子破了。」

我低下頭。沒錯，是破了。我還弄丟了那頂難看的帽子，眞是損失慘重。「你不想知道當時的情況嗎？」

他一直看著前方的路。「我已經知道了。妳打敗了對手，速戰速決，表現十分出色。因爲妳就是這樣的人。」

我仔細想了想他的話。他說話時，用的是那種實事求是、公事公辦的語氣……可是，他的這些話令我會心一笑。

「好吧，那麼現在要怎麼做，將軍？你覺得他們會將所有失竊的車子都調查一遍，然後查出我們這台車的車牌號碼嗎？」

「很有可能，不過那個時候我們已經換了新車了——而且是他們絕對查不出來的一台。」

我皺起眉頭。「你怎麼能這麼肯定？」

「再過幾個小時，就會見到給我們車子的人了。」

「該死，我眞討厭什麼事都是最後一個知道。」

幾個小時之後，我們到了弗吉尼亞州的羅阿諾克。這一路基本上無風無浪，但是當城市就在眼前的時候，我注意到迪米特里一直在看旁邊的出口標示，直到找到了目標物。他拐下高速公路，並持續觀察身後還有沒有人追來，最後終於確定沒有。我們行駛上另一條位於繁華商業區的路，他一直開到一家遠離其他商店的麥當勞前面才停下。

「我猜，」我說道，「我們不是眞的來這裡吃東西休息的吧？」

「我們要在這裡換車。」他回答道。

他繞過麥當勞，將車開到停車場上，同時一直忙著找尋某樣東西，可我並不知道他要找的到底是什麼。結果，是我搶先一步看見了他要找的東西——在前方一個遠遠的角落裡，我看見一個女人靠著一台休旅車，背對著我們。她的容貌看不太清楚，但是我能看到她穿著一件深色的洋裝，留著一頭披肩的金髮。

迪米特里將車子停在她旁邊，而他剛把車子停好我就衝了出去。雖然她背對著我，我仍一眼就認出了她。

「雪梨？」雖然這是疑問句，可我知道這人肯定是她。

她轉過身，我看見了一張熟悉的面孔——一張人類的臉孔——那雙棕色的眼睛在陽光下變成了琥珀色，臉上的金色紋身泛著微光。

「嗨，蘿絲。」她說著，露出一抹玩味的微笑，手裡高舉著麥當勞的外帶紙袋。「我想妳肯定餓壞了。」

說眞的，只要細想一下，就會覺得雪梨的出現，比起我最近接二連三遇到的事情來，並不是那麼奇怪。雪梨是名煉金術士，是在我前去俄羅斯尋找迪米特里的時候遇見的，她和我年齡相仿，很討厭在俄羅斯工作，不過我眞的很感激有她的幫助。正如迪米特里之前提到過的，煉金術士肯定願意幫助莫里抓住我。不過，看見她和迪米特里兩人都神情輕鬆地上了車，顯然她是來幫助我逃亡的。

我盡了很大的努力，才暫時拋開心中的重重疑問。畢竟我們還在逃亡中，身後不確定還有沒有追兵。雪梨的車是一台全新的本田CR-V，上面掛的是路易斯安那州的車牌，車身上還貼了「汽車租賃」的貼紙。

「這到底是怎麼回事？」我問道，「難道我們這場勇敢的逃亡是由本田贊助的嗎？」見沒有人理會我的問題，我只好繼續提出下一個答案顯而易見的問題：「我們要去新奧爾良嗎？」那是雪梨最新一個執行任務的地點。旅遊觀光是我現在最不需要考慮的事情，可如果眞的必須要逃到什麼地方的話，那麼挑一個風景秀麗的地方也不錯。

「不是。」她倒車開出停車場，「我們要去西佛吉尼亞。」

我立刻看向坐在後座上的迪米特里，很希望聽到他說這不是眞的。可惜，他沒有否認。

「我猜妳說的『西佛吉尼亞』，指的其實是『夏威夷』。」我說。「或者其他類似那裡、令人興奮的地方。」

「老實說，我覺得妳現在還是不要太興奮比較好。」雪梨指出。車上的衛星定位系統指示她拐彎，將我們帶回I-81號公路。她輕蹙眉頭，說：「而且西佛吉尼亞確實很漂亮呀！」

我記得她的老家是猶他州，對西佛吉尼亞的瞭解比我多不到哪裡去，但有鑒於我很早就放棄了對這次逃亡之旅的控制權，只得繼續問下一個答案其實也很明顯的問題。

「妳為什麼要幫助我們？」

黑暗中，我感覺到雪梨好像微微笑了笑。「妳說呢？」

「艾比。」

她嘆了一口氣。「我真的開始懷疑，換到新奧爾良去到底值不值得了。」

我最近才知道，是神通廣大的艾比幫助她離開俄羅斯的。我不知道他是怎麼做到的，只知道這麼做令雪梨欠了他一個永久的人情，他一直以此要求她幫忙。有時候我會想，也許這不僅僅是一樁調動工作的交易，也許他還做了很多我不知道的事。無論如何，我都很想再次責備她，她早就應該意識到自己是在和一個魔鬼做交易。不過我馬上又改變了主意，在後面有一群守護者追兵的情況下，拿一個前來幫助我的人開玩笑也許不是個明智之舉。所以我換了一個問題。

「好吧，那麼我們為什麼要去西佛吉尼亞？」

雪梨剛要開口回答，迪米特里便攔住了她。「現在還不是告訴她的時候。」

我再次轉身瞪了他一眼。「我真是受夠了！我們已經跑出來六個小時了，可我還是什麼事都不知道。我知道我們要躲開那些守護者，可我們真的要去西佛吉尼亞嗎？需要我們自己動手搭建木屋嗎？比如說，深山裡那種連抽水馬桶都沒有的小木屋？」

雪梨又用那種招牌式的怒容看著我。「難道妳對西佛吉尼亞真的一點瞭解都沒有嗎？」

我不喜歡她和迪米特里聯手將我蒙在鼓裡的感覺。當然，就算和雪梨單獨在一起，她那種沉默寡言的性格，也不見得能告訴我多少有用的事。也許這是艾比的意思，也或許是她根本就不想和我講話。多數煉金術士都認爲拜爾和吸血鬼是來自地獄的生物，他們對我們這種人通常沒有什麼好感。不過，我們兩個在西伯利亞相處的那段時間，令她對我微微有些改觀。我是這麼希望的。但有時，我覺得她本身就不是一個好相處的人。

「妳知道我們是迫不得已的，對吧？」我問道，「其實所有事都不是我們願意的。他們說我殺了女王，可是——」

「我知道，」雪梨打斷我，「妳的事我全都聽說了。所有的煉金術士都已經知道了這件事，你們兩個現在是我們通緝名單上的頭兩名。」

她試圖用從容的語氣說話，卻仍隱藏不了她的不安。我有種感覺，比起我來，迪米特里似乎更加令她覺得緊張。這可以理解，因爲他也讓我們自己人很緊張。

「我是無辜的。」我堅持道。不知怎麼，讓她知道這點對我來說是件很重要的事。

雪梨沒有理會我的澄清，只是說道：「妳應該吃點東西，漢堡已經冷掉了。我們至少還要開三個多小時，除了加油，中途是不會停下來休息的。」

我明白她話裡的意思，當然也知道她是怎麼想的。她不想再閒聊下去。紙袋裡裝了兩份大薯條，還有三個起司漢堡，顯然她很瞭解我。此時，我有股強烈的衝動想要將這些全都塞進嘴巴裡，不過我盡了最大努力來克制，並將一個起司漢堡遞給迪米特里。

「你要吃一個嗎？用來補充體力。」

他接過去之前猶豫了幾秒，似乎覺得有些不可思議。我這才想起，吃東西對他來說仍然是一件新鮮的事情。過去幾個月裡，他都是血族，而血族唯一的食物是鮮血。我也抓了一把薯條給他，然後回過身狼吞虎嚥地吃掉剩下的。我沒有分一點給雪梨，她可是很挑食的，而且，我猜如果她想吃東西的話，應該已經在等我們的時候就吃過了。

「我想這是給妳的。」迪米特里說著遞給我一個小背包。我打開包包，看見裡面是幾件換洗衣服，還有最基本的盥洗用品。我將衣服拿出來，一件一件看了一遍。

「短褲、襯衫、洋裝……穿著這些我根本沒辦法戰鬥。我需要一條牛仔褲。」不過說實話，那件衣服很漂亮，是一條紗質的黑白條紋洋裝。可是，非常的不實用。

「這是送妳的禮物。」雪梨說，「事出突然，我只來得及找到這些。」

我回過頭，看著迪米特里檢查他自己包包裡的東西。和我一樣，他的包包裡也都是一些換洗的衣物，可是——

「風衣？」我看著他拿出一件長長的皮風衣，不禁喊出聲來。這件風衣怎麼那麼合他的身材呢？「妳能幫他帶風衣，卻找不到一條我能穿的牛仔褲？」

雪梨好像對我的憤怒不以爲然。「艾比說它是不可或缺的。再說，如果事情進展順利，妳根本沒有機會和人交手。」

我眞不喜歡這句話的意思。這代表我要躲在一個安全而偏僻的地方。有鑒於我身處的這輛車子，有可能是世界上最沉默的車子，我想接下來的三個小時裡，還是不要期待有任何實質性的對話比較好。我想，也只有在這種情況下，我才有機會去看看莉莎的情況。不過，眼前的狀況，也不允許我在她的意識裡待太久，所以這次去只能先看看皇庭此刻是什麼情況。

正如迪米特里說過的，守護者很快便讓皇庭恢復了秩序。此時的皇庭已經全面戒嚴，所有與我有關係的人都要接受長時間的審問。事實上，所有人都有不在場證明。和我一國的人當時全都在參加葬禮，這是所有人親眼見到的，至於艾比，反正也有人認爲自己見過他。有兩個女生發誓她們和艾德里安在一起，我想這是另外一個催眠的結果。透過心電感應，我能感受到莉莎很滿意這個結果，儘管守護者們的情緒變得越來越激動。

她不知道我什麼時候會去看她，卻仍然透過心電感應傳遞給我一個訊息：別擔心，蘿絲。我來處理所有的事。我們會證明妳是清白的。

我回到車子裡，不知道該對這種情況有什麼反應。一直以來，都是我在照顧她，是我保護她遠離危險，是我用盡一切手段保證沒有任何事能夠威脅到她。可是現在，我們的角色互換了。她為了我救了迪米特里，而目前這場逃亡，顯然是我被她——顯然還有其他人——牢牢地掌握在手掌心裡。這種情況完全不符合我的性格，因而深深地困擾著我，我完全不能接受處於別人的保護之下，而棄她於不顧。

審問還在繼續，不過還沒有輪到莉莎。我有種預感，我的朋友們肯定不會上鉤，不會因為我的逃跑而受到懲處。以目前的情況來說，唯一一個處於真正危險中的人是我。想到這，我覺得心裡比較好過一些了。

西佛吉尼亞也許確實如同雪梨說的那樣非常美麗，可我真的不能確定，因為我們到達該處的時候已經是午夜時分了。我只知道我們開過了好幾座大山，一直隨著盤繞的山路和隧道忽上忽下。

在經過了整整三個小時之後，我們駛進山谷裡的一個小鎮，入口只有一個紅綠燈，和一家只寫著「餐廳」字樣作為招牌的小店。路上除了我們，已經差不多一個小時都沒有看見一台車了，這非常重要，代表我們終於甩掉了追兵。

雪梨載著我們來到一家標有「汽車旅館」字樣的建築物前。這個小鎮好像只用最基本的功能來為商家命名，如果這個小鎮的名字就叫「小鎮」，我也不會感到驚訝。

我們下了車，穿過汽車旅館的停車場時，我才驚訝地發現自己的腿有多麼的痛。我身上的每個地方都很痛，睡覺變成了非常有吸引力的一件事。這場冒險從開始到現在，幾乎已經過了整整十二個小時了。雪梨用假名幫我們做了登記，昏昏欲睡的櫃檯職員完全沒有起疑。我們順著大廳往裡頭走，這裡不是很髒，不過也沒有什麼豪華的裝飾，一部空蕩蕩的清潔車停放在一面牆前方，肯定是別人不願再推動它而扔下的。雪梨突然在一個房間前面停下來，將鑰匙分給我們。我知道她肯定是住另外一個房間。

「我們不一起住一間嗎？」我問道。

「嘿，如果你們兩個被抓住了，我可不想受牽連。」她微笑著說。我想，除了這個原因，也因爲她不願意和「行走在黑夜中的惡魔」共處一室吧。

「不過我就在你們附近。有什麼話我們明天早上再說吧。」

這令我明白了另外一件事。我看著迪米特里。「我們兩個要住同一間？」

雪梨聳聳肩。「這樣比較有利於你們防守。」她說完就丟下我們走了。

在進房間之前，我和迪米特里看了彼此一眼。裡面就像這間汽車旅館的其他地方一樣，雖然不怎麼豪華，但是還可以住人。地毯已經破了，可是仍然牢牢地鋪在地上。我很感激他們至少還願意稍微裝飾一下，雖然牆上掛著的畫是一幅畫得很爛的梨子。小窗戶看起來已經夠悲慘了，最可怕的是居然只有一張床。

迪米特里扣上了門上的安全栓，坐在房間裡唯一一把椅子上。那是一把很簡單的直背木椅，可他的樣子卻好像是全世界最舒服的椅子。他還是保持著那種常年不變的警惕表情，不過我看得出他也疲倦至極，這對他來說也是漫長的一晚。

我坐到床邊，說：「接下來呢？」

「現在我們只能等。」他說。

「等什麼？」

「等莉莎和其他人證明妳的清白，找出殺死女王的眞兇。」

我等著他往下說，可是我等到的只有沉默。一種不舒服的感覺在我心裡蔓延。今晚我一直保持耐性，是因爲一直以爲迪米特里會帶領我去執行協助幹掉眞兇的祕密任務。可是，當他說我們居然只能等的時候，肯定就是說我們不會……呃，先等一下。

「那我們要做什麼？」我問道，「我們要怎麼幫助他們？」

「之前我們已經告訴過妳了：在皇庭裡妳根本什麼線索都找不到。必須讓妳離開，必須保證妳的安全。」

我的下巴幾乎要掉了下來。我伸手指著這間簡陋的房間問：「什麼？就在這裡等嗎？這就是你要我待的地方？我以爲……我以爲來這裡會有事做，有可以幫得到他們的事情讓我做。」

「待在這裡就是在幫他們了。」他仍然以那種該死的冷靜口吻說道，「雪梨和艾比已經查看過這個地方，認爲這裡是最適合藏身的地方。」

我從床邊跳了起來。「很好，夥伴，你的邏輯裡有一個非常嚴重的問題。你們好像認爲，只要讓我置身事外就是在幫忙。」

「最重要的問題是，這種對話我們已經重複了一遍又一遍。是誰殺死塔蒂安娜的答案在皇庭，而此時此刻在皇庭裡的是妳的朋友們，他們會找出答案的。」

「我經過一場生死追逐，越過好幾個州，不是爲了要藏身在某間破爛的小旅館裡！你所謂的『待在這裡等』是要等多久？」

迪米特里雙手環胸。「需要多久就等多久。我們擁有的錢就算要在這裡住到死也夠。」

「我自己口袋裡的零錢，也許就夠我們在這裡住到死了！但我不會讓這種事發生！我必須做點什麼，我不可能就這樣逃走，坐在這裡乾等。」

「逃命沒有妳想得那麼容易。」

「哦，天哪。」我呻吟道，「你現在和艾比是一國的了，是嗎？你知道的，在你還是血族的時候，曾經對我說過要離他遠一點，也許你應該接受自己的建議。」

這些話一說出口我就後悔了，從他的眼中我看到了深深的傷害。也許在這場逃亡中，他表現得確實像是以前的那個迪米特里，可是成爲血族的那段日子仍然折磨著他。

「對不起，」我說，「我不是想——」

「討論到此結束。」他嚴厲地說，「莉莎說我們要留在這裡，那我們就要留在這裡。」憤怒瞬間取代了我的內疚。「所以這就是你幫我的原因？因爲是莉莎要你這麼做的？」

「當然，我發過誓要效忠於她，竭盡全力地幫她。」

就是這句話令我完全失控。我已經受夠了，自從莉莎將他變回拜爾，迪米特里就一直拒絕我，可是卻接受莉莎對他的關照。且不論千里迢迢奔赴去西伯利亞的人是我，也不論是我查出原來維克多的弟弟羅伯特知道救回血族的辦法……好吧，很顯然這些事都已經不重要了。看起來，唯一重要的是莉莎用銀樁的那一刺，迪米特里現在已經將她視爲下凡的天使或女神，一個令他像古代的騎士一樣願意永遠效忠的主人。

「別想了。」我說，「我才不要留在這裡。」

我走了三步來到門口，想要解開安全栓，但幾秒後，迪米特里便從椅子上站起來，將我拉回到牆邊。說眞的，這個反應時間有點太長了，我本以爲在邁出兩步的時候，他便會衝過來阻止我了。

「妳必須留在這裡。」他攥著我的手腕冷冷地說。「不管妳願不願意。」

現在，我面前有幾種選擇。我可以留在這裡，在這個小旅館待幾天，甚至幾個月，留到莉莎證明了我的清白那天爲止。前提是，莉莎一定可以證明我的清白，而我還沒有被餐廳的食物毒死。這是最安全的選擇，不過對我來說，也是最無聊的選擇。

還有一個選擇就是打敗迪米特里。這個選擇既不安全，也不容易辦到，卻是最有挑戰性的，因爲我必須要試著找到一種方法能夠令我逃出去，卻又可以不殺死他，或者造成我們兩敗俱傷的後果。

又或者，我可以拋棄所有的顧慮，用盡全力去拚命。該死，這傢伙可是同血族戰鬥過，而且打敗了一票皇庭守護者的人。此外，我會的一切都是他教給我的，他對我的一舉一動都瞭若指掌，我們在聖弗拉米爾學院的時候也交過幾次手。如果我全力以赴的話，能不能成功逃跑呢？現在是時候找出答案了。

我用膝蓋狠狠頂了他的肚子一下，他顯然沒有想到我會這麼做，可能還因爲有點痛，驚訝地張大了眼睛，這讓我找到一個可以趁機掙脫他鉗制的機會。可是，這個機會只來得及讓我拉開門栓，在我握住把手之前，迪米特里再次抓住了我。他用力抓著我，將我丟到床上，我趴倒在床上，他隨後撲上來用身體的重量壓住我，以防止我的腿又不老實地給他出乎意料的一擊。這是我在戰鬥中面臨的最大問題：我的對手通常都是男生，所以他們的力量和體重都要勝過我，在這種情況中，我的速度是最大的優勢，可是這樣被壓在床上，我根本閃躲不開，也逃不出去。不過，我還是努力掙扎，令他沒有辦法輕輕鬆鬆地壓制住我。

「別再反抗了，」他在我耳邊說，唇瓣幾乎要碰到我的耳朵。「妳至少應該理智思考一次。妳是不可能打敗我的。」

他壓著我的身體溫暖而又強壯，不久，我便嚴厲地責罵起自己不爭氣的身體。別亂想。我在心裡說道，妳應該想的是怎麼擺脫現在這種局面，不是去想他有什麼感受。

「不理智的人不是我！」我喊道，想要轉過臉看著他，「你才是，抱著一個看似清高的誓言死守，根本就不可理喻。我知道你也和我一樣，根本不願意坐在這裡什麼都不做。幫我找出眞兇，做點有意義的事！」我停止掙扎，假裝被吵架分了心。

「我不願意坐在這裡乾等，可我也不願意盲目去做根本就不可能辦到的事！」

「完成不可能完成的任務是我們的使命。」我直接指出。同時，我也試著接受他抓住我的這件事。他沒有鬆開手，可是我希望這番對話能夠令他分心。通常，迪米特里是不會輕易被這種事情分心的，可我知道他也很累了。而且也許，只是也許，他會有一絲輕率，因爲他面對的對象是我，而不是血族。

可是沒有。

我猛地掙扎起來，希望能夠掙出一絲縫隙，從他身子底下溜走。在他重新制伏我之前，我盡了最大的努力翻過身，讓自己轉換成躺在床上的姿勢。我和他離得這麼近……他的臉、他的唇……他貼著我的溫暖的皮膚。好吧，很顯然，我所做的事情令我陷入了更加惡劣的情況。至於他，當然不會被我們這樣的親密接觸所影響，那種貫有的冷毅表情還在。明知道這麼想顯得很蠢，明知道我不應該再在意，因爲他已經不愛我了……可，我還是很介意。

「一天，」迪米特里說，「妳連一天都等不了嗎？」

「也許我們可以換一間好一點的酒店，有有線電視可以看的那種。」

「現在沒時間讓妳開玩笑，蘿絲。」

「那就讓我做點什麼，隨便什麼事都行。」

「辦、不、到。」

顯然，他說這句話的時候也很痛苦。我突然想通了一件事——我因爲太氣他，太執著於他居然就想讓我這麼坐在這裡什麼也不幹，只要保證安全就好，結果忽略了他其實也得這麼做。我怎麼能夠忘記我們兩個有多麼相像呢？我們全都是行動派，全都希望能成爲一個有用之人，去幫助我們關心的人。他只是被自己效忠於莉莎的誓言困住，才會一直留在這裡做這種無聊的保母工作。他一直對我說，就算回到皇庭也幫不了什麼忙，可我有種感覺，如果他能做主——好吧，是認爲他能做主——他也一定會馬上就趕回去。

我仔細地看著他，他那雙目光堅定的深色眼眸和表情堅毅的臉孔，因爲那棕色的髮絲從馬尾辮裡鬆脫而顯得溫柔起來。此刻，那幾綹淘氣的髮絲垂落在他臉龐，幾乎要碰觸到我的臉上。我再次嘗試掙扎，可是最後只得絕望地放棄。他下了決心，想要保證我的安全。我想，就算我把認爲他也想回到皇庭去的說法講出來，也不會發揮什麼作用。

不管是不是眞的，他肯定認爲我會用那種「蘿絲式的邏輯」同他爭論。畢竟，這個人是迪米特里，所有事都在他的預料範圍之內。

不過，只是幾乎所有事。

我突然靈機一動，完全沒有細想它的可行性，便立刻付諸行動。我的身體也許動不了，可我的頭和脖子還有自由，能夠抬起來——吻住他。

我的唇貼住他的，這令我意識到幾件事。第一件事，是這樣做完全出乎他的意料，令他猝不及防，他的身體繃緊了，被這突如其來的舉動震住了。第二件事，是他依然如我記憶中的一樣，是一個很擅長接吻的人。我們上次接吻的時候，他還是血族，雖然那時的吻有一種異樣的性感，可是卻仍然無法同一個活生生的人那炙熱而充滿力量的吻相比。他的唇和在聖弗拉米爾學院時的觸感一樣，既溫柔又饑渴，他回吻我的時候，電流在我的身體中流竄，這感覺既舒服，又令人感到高興。

然後，我意識到了第三件事。他在回吻我。也許，只是也許，迪米特里並沒有像他自己說的那樣，完全不懂得愛。也許，在他那充滿罪惡感，甚至是眞的不能再愛的一顆心底下，他仍然想要我。我很想找到答案，可是我現在沒有這個時間。

因爲，我打了他。

是的，沒錯，我確實在與人接吻的時候揍過不少人，可是我從來沒有揍過我很想繼續和他吻下去的人。迪米特里仍然牢牢抓著我，可是這突如其來的一吻令他愣住了，放鬆了警戒。我的拳頭掙脫出來，打中他的臉，然後我沒有浪費一秒鐘，隨即用力推開他，跳下床向房門跑去。我開門的時候，聽見他追過來的腳步聲，我衝出房間，使勁甩上門，根本沒來得及看他下一步要做什麼。反正也沒有這個必要，他一定會來追我。

我沒有一絲猶豫，將那輛清潔車推過去抵住房門，然後掉頭全速沿著走道跑下去。過了幾秒鐘，身後的房門砰地被推開，我聽見一陣懊惱的咆哮——似乎是一句非常難聽的俄語髒話——因爲他撞上了清潔車。但是，他三兩下就將清潔車推到一邊，不過這點時間也夠我用了。我順著樓梯衝下去，跑到簡陋的大廳裡。櫃檯後面，一個無聊的職員正在看書，他看見我衝出來，幾乎從椅子上跳了起來。

「有壞人在追我！」我一邊向大門口跑去，一邊喊道。

這個店員看起來根本不像是能夠攔住迪米特里的人，而且我也知道，就算這個店員要他站住，迪米特里也不會聽。可是在這種情況下，大部分的人都會選擇呼叫警察。不過，在這個小鎭上，警察的概念大概會包括一個人和一條狗。

不過，這不是我要關心的事了。我已經從小旅館裡逃了出來，置身於這個位於沉睡的深山中的小鎭裡，此刻街道已被兩旁建築物的影子所吞噬。迪米特里也許就在我身後，可當我跑進附近的小樹林裡，我知道，事情對我來說變得容易了許多，我可以趁著黑暗甩掉他。

# 7

接下來，可想而知的問題是，我自己也在黑暗中迷路了。

有了在蒙大拿的荒山居住的經驗後，我已經很習慣了那種全然的黑夜，那種只要你膽敢從有人類文明的地方邁出一小步，便會立刻被吞噬的夜晚。我甚至習慣了在這種曲折蜿蜒的黑暗森林裡行走。可是，那是因爲聖弗拉米爾學院的周邊我已經熟悉得不能再熟悉了。西佛吉尼亞的這片森林對我來說，是全新的、陌生的，這讓我幾乎快要崩潰。

當我很肯定自己離開汽車旅館很遠之後，便停下來查看四周的情況。於夜間活動的蟲子嗡嗡地鳴唱著，夏天特有的潮濕沉悶感壓抑著我，透過繁密的樹冠縫隙，我得以看見澄淨閃亮的星空，它的光芒完全沒有受到城市燈光的影響。我感覺自己好像一個必須在野外生存的遇難者，於是仔細地觀看起星空，終於認出了北斗星，找出了哪邊是北方。雪梨帶我們進來的群山貫穿整個東方，所以我也不知道究竟要往哪走，最可行的計畫應該是一直向北走，那樣我最終會走到州際公路上，要嘛搭順風車，要嘛用走的回到人類的文明世界。這個計畫雖然不嚴謹，可對我來說並不算最壞的情況，我之前遇到的那些事比這糟糕多了。

我身上的衣服並不適合長途跋涉，所以在適應了黑暗的光線之後，我便設法避開樹木和其他的障礙物，避免衣服被刮壞。

沿著小鎮外的小路走其實會比較容易——可那正是迪米特里認爲我會選的辦法。

我以一種堅定、不自覺充滿節奏的步伐向北邊走去。我想現在是去看看莉莎的好時機，現在有大把的時間，身後也沒有想要把我抓回去的守護者。

於是，我便潛進她的意識裡，發現她此時正坐在守護者總部走道裡的那排椅子上。她旁邊坐著幾個莫里，其中還包括克里斯蒂安和塔莎。

「他們問妳的時候一定會不留情面。」塔莎小聲說道，「特別是你。」後面這句是對克里斯蒂安說的。「如果發生這種違法的爆炸事件，你肯定是我第一個懷疑對象。」

似乎大家都這麼想。從她臉上那種嚴肅的神情來看，我可以看出塔莎對我逃獄這件事也感到很吃驚。就算我的朋友們沒有令她捲入到這件事當中，可是她很可能已經將所有的事都拼湊出來——至少，她猜得出來幕後策畫的人是誰。

克里斯蒂安用力擠出一抹迷人的笑容，就像一個孩子試圖在躲避事實眞相那樣。「他們現在肯定已經知道爆炸不是魔法導致的。」克里斯蒂安說，「守護者一定將那些雕像全都檢查過了，一寸都沒有放過。」他在公開場合沒辦法說得太仔細，不過莉莎心裡此時也正在想著同樣的事。

守護者肯定已經知道，這次的爆炸不是因爲魔法造成的。就算我的朋友們是重要的嫌疑人，可是那些當官的肯定也會如同我之前那樣，想要知道這幾個孩子是怎麼弄到這麼多C4的。

莉莎同意地點點頭，伸手握住克里斯蒂安的手。「我們會沒事的。」

她的心思現在轉移到我和迪米特里身上，想知道我們是不是已經按照計畫逃跑了。在確認我們是安全的之前，她沒辦法集中精力去調查是誰殺死了塔蒂安娜。跟我一樣，越獄對她來說也是一個很艱難的選擇：放了我，可能會令我陷入到比被囚禁起來更加危險的境地。她的情感波動非常大，似乎比我還要敏感和痛苦，我意識到這是因爲精神能力，她使用了太多的精神能力了。在學校的時候，她還可以透過藥物治療來壓制這種副作用，自行慢慢地恢復控制。可是，隨著我們的處境越來越危急，她便也放任自己無節制地使用精神能力。最近，她使用精神能力的頻率高得驚人，這對我們來說是很大的負擔。遲早，莉莎使用精神能力的副作用會吞噬她，吞噬掉我們兩個人。

「公主殿下？」莉莎對面的門打開，一個守護者探出頭來。「我們已經在等您了。」

守護者說完站到一旁，莉莎聽見房間裡傳來一個熟悉的聲音——

「漢斯，和你說話一直是很愉快的事，我們應該經常聚一聚。」接著艾比便出現在莉莎面前，他一如既往大搖大擺地走了出來。他從門口的守護者身旁經過時，向莉莎和兩個歐澤拉露出一種勝利的、世界仍正常運轉的笑容。然後，他一言不發地從他們身前走過，一直向走道的出口走去。

莉莎幾乎要笑出來，但是馬上便收住了，換了個理智的表情，和她的同伴們一起走進房間裡。他們一進屋，房門就關上了，在莉莎對面有一張桌子，桌子後面坐著三名守護者。其中一個我經常見到，可是談不上眞正認識，他好像姓斯蒂爾。另外兩個人都是熟人，其中一個是漢斯．克洛福特，他負責管理皇庭的守護者。眞正令我驚訝的是坐在他旁邊的人，居然是奧伯黛，她負責管理聖弗拉米爾學院的守護者和所有實習生。

「有意思！」漢斯低叫道，「這麼多護衛。」克里斯蒂安堅持要陪著莉莎進行審問，而塔莎則一定要陪著克里斯蒂安。如果艾比知道他們什麼時候接受審問，很可能也會要求陪同，而毫無疑問地我媽媽會陪他一起……漢斯不知道他其實避過了一場家庭聚會。

莉莎、克里斯蒂安和塔莎坐在三個守護者對面。「彼得羅夫守護者，」莉莎沒有理會一臉不高興的漢斯，「妳怎麼會來這裡？」

奧伯黛對著莉莎微微一笑，但是很快又恢復了專業的守護者模樣。「我是來參加葬禮的，克洛福特守護者希望能有一個比較客觀的外人來參與調查。」

「最好這個人還非常熟悉海瑟薇和她的……呃，同夥。」漢斯補充道。漢斯是那種說話開門見山的人，他的這種態度常常令我覺得很惱怒——其實對這種有權勢的人我經常都有這種感覺——不過我願意尊重他的調查方式。「本來今天的會面是只邀請您一個人的，公主殿下。」

「我們不會多嘴。」克里斯蒂安說。

莉莎點點頭，繼續維持溫和有禮的表情，雖然她的聲音有一絲顫抖：「我很希望能夠幫上忙……我眞是這麼想的，可我……一下發生了這麼多事，太令人震驚了。」

「我相信。」漢斯的聲音澀澀的，「雕像爆炸的同時妳在哪裡？」

「和送葬隊伍的成員在一起。」莉莎說，「我也是其中一員。」

斯蒂爾的面前有一疊攤開的文件。「沒錯，當時有很多目擊者。」

「這很有說服力。那麼之後呢？」漢斯問，「群眾發生動亂的時候，妳在哪裡？」

「我回到議會大樓去了，其他人也都跑去了那裡，我想那裡應該是最安全的地方。」我看不見她的表情，但是能夠感受到她試圖讓自己看起來很膽怯。「我很怕事情會變得一發不可收拾。」

「這一點也有證人能夠證明。」斯蒂爾說。

漢斯的手放在桌子上，輪番敲著手指。「那麼妳事前知道這些事嗎？關於爆炸的事？或者是關於海瑟薇越獄的事？」

莉莎搖著頭。「不！我毫不知情。我根本不知道原來還有人能從牢房裡逃跑，我以爲那裡的守備非常森嚴。」

漢斯沒有理會莉莎話裡指責他失職的暗示。「妳們兩個之間有心電感應，對不對？難道妳不曾透過它得知一二嗎？」

「我沒辦法知道她在想什麼。」莉莎解釋道，「她可以知道我的想法，可是我不能透過心電感應去感知她的。」

「這一點，」奧伯黛終於開口說，「是眞的。」

漢斯沒有反駁她，可也沒有就此認定我的好朋友是無辜的。「妳知道，如果發現妳有任何的隱瞞，或是有協助她的事實，那麼妳要面臨的後果和她一樣嚴重。還有你們幾個，皇室的身分並不能替你們擺脫謀反的罪名。」

莉莎垂下了眼簾，好像被他的話嚇到了。「我只是不敢相信……我只是不敢相信眞的是她做的。她是我最好的朋友，我以爲我瞭解她，這些事都不可能是她做的……我從沒想過她會去謀害什麼人。」如果不是有心電感應的存在，我可能眞的會有被人背叛的感覺。不過，幸好我知道實情，她其實是在假裝要和我劃清界限。這麼做眞聰明。

「眞的？可是不久以前，妳還逢人便發誓說她是無辜的。」漢斯一針見血地指出。

莉莎抬起頭，張大眼睛。「我當時確實是那麼想的！可是……可是當我聽說她逃跑時對那些守護者做的事情……」這次她的不安並不完全是裝出來的，她雖然還在演出認爲我確實有罪的戲碼，可是當她聽說梅瑞迪斯的遭遇之後，也確實被嚇了一跳。不過，這也讓我知道梅瑞迪斯現在沒什麼大礙。

漢斯懷疑的目光挑戰著莉莎心臟的承受能力，不過最後他還是饒了她。「那麼貝里科夫呢？妳之前發誓他已經不再是血族了，可是很顯然，事實證明這點還值得存疑。」

克里斯蒂安坐在莉莎旁邊，猛地一挺身子。身爲迪米特里的擁護者，克里斯蒂安一聽到別人對這件事的質疑，和我們其他人一樣憤慨。可是莉莎搶在他之前開了口。

「他不是血族！」莉莎剛才談論到我時的那種心虛不見了，取而代之的是爲迪米特里辯護的堅定。她沒想到今天會被人問到關於迪米特里的事情，只在「庇護我」和她自己的不在場證明這方面做了心理準備。

漢斯似乎很高興見到她有這樣的反應，湊上前來咄咄逼人地盯著她看。「那妳怎麼解釋他的行為？」

「那也不代表他是血族。」莉莎強迫自己恢復冷靜，她的心臟猛烈地跳動著。「他已經變回來了，他的身上不再有血族的因子。」

「可他襲擊了很多守護者——已經超出了合理範圍。」

現在，看起來塔莎也要衝出來為迪米特里辯護了，因為她緊緊咬住了嘴唇。這很有意思，要知道歐澤拉這家人總是想到什麼說什麼，像現在這種沉穩機智的情況實在不多。

「那也不是因為他還是血族。」莉莎回答道，「他並沒有殺掉那些守護者，一個都沒有。至於蘿絲做的那些事……好吧，其實我也不明白為什麼。我猜，可能是因為她恨塔蒂安娜。每個人都知道。可是迪米特里……我必須告訴你，他並不是因為身上還有血族的因子才這麼做。他幫她是因為他曾經是她的老師，他認為蘿絲遇到了麻煩。」

「這麼做已經超出了一個老師該做的，特別是對一個在變成血族之前本領出色、行事理智的人來說。」

「對，可他沒有辦法理智思考，因為——」莉莎突然閉上了嘴，意識到自己好像說漏了嘴。

漢斯在這場談話開始不久後，似乎便意識到，如果莉莎和最近這幾起事件有關——雖然我覺得他對此不是特別肯定——那麼她一定進行了周密的安排。不過，和她的談話，倒是得以讓他有機會探知在我的逃亡事件中一個比較令人費解的問題：為什麼迪米特里要捲進來？迪米特里犧牲了他自己來蹚這一淌渾水，哪怕這麼做會再次失去所有人的信任。莉莎覺得她可以用一名前老師的保護本能來解釋他的動機，可是很顯然，沒人買帳。

「他沒辦法理智思考是因為？」漢斯目光凌厲地追問道。在謀殺案發生之前，漢斯已經相信迪米特里真的已經再次變回拜爾了，直覺告訴我，他此刻仍然是這麼想的，但是又覺得這裡面大有隱情。

莉莎仍然沉默不語。她不希望讓人們認爲迪米特里還是血族，想要大家相信自己的力量眞的可以救回這個不死之族，可是如果迪米特里是爲了幫助自己的學生這個理由無法說服眾人，那麼所有人便會再次對他產生懷疑。

莉莎看著眼前的調查員，隨即撞上了奧伯黛的目光。這位年長的守護者什麼都沒說，她臉上依然是那副公正、仔細審度的守護者表情。不過，她同時也散發出一種睿智的氣息。莉莎用精神能力很快地查看了一下奧伯黛的靈光，她的靈光顏色很漂亮也很穩定，充滿了能量，莉莎發誓，她在奧伯黛的眼睛裡看到了一個訊息，那是一種了然的目光。

告訴他們，那個訊息似乎在說，雖然可能會引起麻煩，可比起眼下的麻煩，一定要小得多。莉莎盯住她，想要知道她剛剛是不是把自己的想法強加在奧伯黛的身上了。不過，究竟是誰的想法已經不重要了，莉莎知道這麼做是對的。

「迪米特里會幫助蘿絲，是因爲……因爲他們兩個的關係。」

正如我所料，奧伯黛聽了似乎並不驚訝，這個說出口的事實反而讓她有種鬆了口氣的感覺。但是，漢斯和斯蒂爾非常驚訝，而我見到漢斯露出驚訝表情的次數屈指可數。

「妳說的『關係』，是指……」他停了一下，才又說：「是指那種男女之間的關係嗎？」

莉莎點點頭，感覺有點驚恐。她剛剛說出了一個大祕密，一個她發誓會替我保守的大祕密，可我並不怪她。在這種情況下，我沒辦法怪她，我也希望愛情可以成爲解釋迪米特里行爲的動機。

「他愛她。」莉莎說，「她也愛他。如果他幫助她逃跑——」

「不是如果，是確實。」漢斯更正道，「他襲擊了守護者，還炸掉了那些從歐洲帶來的、有幾百年歷史的珍貴雕像！」

莉莎聳聳肩。「好吧，正如我說過的，他沒有辦法保持理智。他想要幫她，也許是因爲覺得蘿絲是無辜的。他願意爲她做任何事——這和他是不是血族無關。」

「看來愛情可以成爲所有犯罪的理由。」漢斯顯然是一個不解風情的人。

「她還未成年！」斯蒂爾喊道。這一點並沒能逃過他的眼睛。

「她已經十八歲了。」莉莎更正道。

漢斯瞥了她一眼。「公主殿下，我自己會算。除非他們在過去的幾個星期裡才產生了這美麗動人的愛情——大部分時間迪米特里其實一直是獨處——不然這件事情便是在妳們在校的時候發生的，而某人理應彙報給我們。」

莉莎沒有說話，不過她偷偷用餘光看了看塔莎和克里斯蒂安。他們都盡量保持面不改色，可是顯然這個消息並沒有嚇到他們，這更加證實了漢斯的懷疑，這段不倫的戀情早就開始了。

我其實並不清楚塔莎知不知道我和迪米特里之間的事，爲此常感到一絲抱歉。她知不知道迪米特里拒絕她的原因，有一部分是因爲我呢？如果她知道，那麼還有多少人也已經看出來了呢？克里斯蒂安大概已經從她那裡得到提示了，可是我覺得，可能還有更多人都看出了端倪。自從學校發生襲擊事件之後，我的反應應該是洩露我對迪米特里感情的最大線索。也許讓漢斯知道並不是什麼大不了的事，反正這個祕密已經不再是祕密了。

奧伯黛清了清喉嚨，最後說，「比起這種有可能存在、也有可能不存在的戀情，我想我們此刻還有更加重要的事情要擔心。」

斯蒂爾難以置信地看了奧伯黛一眼，伸手用力地拍了一下桌子。「這件事非常重要。妳早就知道這件事嗎？」

「我唯一知道的事情是，我們此刻已經偏離了主題。」奧伯黛回答道，很靈巧地躲過了這個問題。奧伯特比斯蒂爾要大差不多二十歲，而她看著斯蒂爾的那種嚴肅表情，好像在控訴她是一個正在浪費她時間的孩子。「我以爲我們在這裡的原因，是要找出海瑟薇小姐是不是有同夥，而不是糾纏她的過去。到目前爲止，我們唯一能夠確定的人是貝里科夫，他這麼做完全是被愛情沖昏了頭，除了會令他被人通緝以外，還顯得他非常愚蠢，完全不是一個血族會做的事。」

我從來沒有想過，我和迪米特里會是那種「被愛情沖昏頭」的人，不過奧伯黛的說法獲得了認同。漢斯和斯蒂爾的表情令我明白了一件事：不久後，我們兩個的事全世界都會知道，不過這比起謀殺罪來說根本算不了什麼。如果這種說法能夠洗清人們對迪米特里還是血族的懷疑，那就代表一旦他被抓到，等著他的會是永久的監禁，而不是被用銀樁刺入心臟。不幸中的萬幸。

對莉莎的審問又持續了一會兒，比想像中的時間要長一點。終於，幾個守護者同意她可以走了，他們相信她與我越獄的事件無關（這是他們可以證明的）。莉莎整場表現都十分出色，該驚訝的時候驚訝，該困惑的時候困惑，甚至在她承認看錯我的時候還掉了幾滴眼淚，她在表演的時候也加了點催眠術在裡面，雖然沒到給別人洗腦的程度，但是已足以令斯蒂爾之前的憤怒轉化爲同情。從漢斯的表情看不出他是怎麼想的，不過當莉莎他們幾個離開的時候，他提醒塔莎和克里斯蒂安，稍後他會再找他們一一談話，而且最好不要有人陪同。

現在，等在走道裡，即將坐上這個滾燙位置的下一個人是：愛迪。莉莎朝他微笑了一下，對待他的態度就像對待其他人一樣，完全看不出他們兩個曾經共同參與過一個陰謀。愛迪也點點頭，起身走進房間接受對他的調查。莉莎很擔心他，可是我知道，愛迪身上那種身爲守護者的自制力，不會令他露出馬腳。他雖然不見得會像莉莎一樣掉眼淚，可是很可能也會像她一樣，裝出對我的「叛變」感到震驚的樣子。

他們一走出來，塔莎便轉身看著克里斯蒂安和莉莎，警告他們要小心。「目前爲止你們已經洗脫了罪名，可是我並不認爲那些守護者就完全不懷疑你們了。特別是漢斯。」

「嘿，我能夠照顧好自己。」克里斯蒂安說。

塔莎翻了個白眼。「對，我等著看輪到你單獨面對他們的質詢時，會怎麼做。」

「嘿，別這樣好不好？不就是因爲我們沒有告訴妳嘛！」克里斯蒂安喊道，「情況緊急，而且這種事肯定是越少人知道越好。再說，這個瘋狂計畫裡該由妳負責的部分，妳早就完成了。」

「沒錯。」塔莎同意道。她也不是一個墨守成規的人。「只不過現在事情變得比之前還要複雜了。蘿絲已經被通緝了，現在迪米特里又……」她嘆了口氣，不用她說完我也能猜到她是怎麼想的。她的眼裡有隱隱的悲傷，這令我覺得更加內疚。和我們其他人一樣，塔莎也希望迪米特里能夠重建他的威望，而如今，就算他不會被指控爲謀殺女王的刺客，卻也徹底毀了可以被人們接受的機會。我眞的希望他沒有捲進來，希望眼前這個逃跑計畫沒有付諸實行。

「所有的事都會水落石出的。」克里斯蒂安說，「妳等著看好了。」他的表情可沒有他說的那麼有信心，不過塔莎還是朝他微微笑了笑。

「要小心。眞的，我可不想看見你也被關進牢房。要處理的事情這麼多，我可沒時間去監牢裡探望人。」她臉上的玩笑表情消失了，又換上那副直言不諱的激動模樣。「你知道我們的家族有多麼荒唐嗎？你相信他們居然眞的在討論要選埃斯蒙德來統領我們嗎？我的天哪！悲劇眞是一件緊接著一件。我想，至少我們可以做點什麼，來彌補這亂糟糟的一切。」

「我不記得認識一個叫埃斯蒙德的人。」克里斯蒂安說。

「眞是個白癡。」她以就事論事的語氣說道，「我指的是他，不是你。我們家族裡必須有人站出來做點明智的事，以免他們做出令自己蒙羞的事。」

克里斯蒂安微微一笑。「讓我猜一猜，妳說的『有人』指的就是妳自己吧？」

「當然。」塔莎說道，她的眼睛裡閃過一絲頑皮的光芒。「我已經列出一份理想候選人的名單，家族的人只要等著被說服就可以了。」

「如果他們不再是混蛋，我會替他們感到遺憾。」克里斯蒂安看著他的姑姑走遠，自言自語道。這麼多年來，塔莎臉上那道因克里斯蒂安變成血族的父母而留下的傷疤，仍然沒有消退。不過她已經能比較平和地接受了——雖然她仍有怨言——如果這樣能夠令她在歐澤拉家族中擁有更大的發言權。克里斯蒂安的態度卻沒有那麼平和。不能和其他的莫里一樣被人平等對待、無法像其他有頭銜的皇室那樣擁有自己的守護者，已經夠糟了，可是如果這些不公平是來自於他的家人呢？這令人更加難以接受。他不願裝出自己能夠平靜接受的樣子。

「他們會慢慢改變的。」莉莎的語氣聽起來比她實際的感受更加樂觀。

不管克里斯蒂安想要怎麼回應，他都必須把話吞進肚子裡了，因爲另外一個人向他們走來，那便是我父親。他的突然出現顯然令我的兩個朋友都大爲震驚，不過我倒是不驚訝。他也許一直守在大樓外面，等著莉莎結束審問後和她談話。

「能出來散散心眞好。」艾比看著周圍的樹和花，好像他們三個是在皇庭散步時偶然遇見，正自然地攀談一樣。「但是太陽一出來，馬上就會變得很熱了。」

黑暗令我在西佛吉尼亞的樹林裡遇上許多麻煩，根本稱不上愉悅，可黑夜對那些按照吸血鬼作息時間生活的人來說，卻是「正午」所需的必備條件。

莉莎瞥了艾比一眼。她良好的夜間視力，令她得以輕易就看見他裡面穿著一件閃亮的孔雀藍襯衫，外面套了一件米色的運動外衣。他穿成這樣，就算盲人都能看見他。

「你來這裡不是爲了談論天氣吧。」莉莎揶揄艾比假裝偶遇的舉動。這是他的習慣，在談論正事之前，總要有一個小小的開場白。

「只是想要顯得有禮貌些而已。」說完，他便不再做聲，等著幾名莫里女生從他們身旁走過。她們一走到聽不見他們說話的地方，艾比便壓低了聲音問道：「妳的小會談進行得還順利吧？」

「還好。」她回答道，沒有打算告訴他關於「被愛情沖昏了頭」的事。她知道，艾比唯一關心的事，是他們的計畫沒有被洩露。

「現在那些守護者在審問愛迪。」克里斯蒂安說。「他們還希望過幾天能找我去問話。不過我想，他們能做的也只有這麼多了。」

莉莎嘆了一口氣。「老實說，我有種預感，比起接下來要面臨的事，審問只是小事而已。」她指的是要找出殺死塔蒂安娜真正兇手的事。

「一步一步慢慢來。」艾比小聲說，「沒必要現在就看清楚全局。我們才剛開始而已。」

「問題就在這裡。」莉莎說著，懊惱地踢著腳下鵝卵石小路上的樹枝。「我根本不知道該從哪裡開始。不管是誰殺了塔蒂安娜，他都做得很好，消滅了自己的罪證，把所有的線索都引到蘿絲身上。」

「一步一步慢慢來。」艾比又說了一遍。

我有時候很討厭他說話時那種狡猾的口吻，對今天的莉莎來說，他這種說話的方式非常刺耳。這段時間，她的所有精力都只放在怎麼把我救出來，將我送到一個安全的地方。這是她一直努力達成的目標，也令她得以在我逃跑後支撐到現在。

此時此刻，在最初的緊張退去之後，所有的壓力開始一起湧向她。克里斯蒂安知道她的不耐煩，伸手摟住她的肩膀。他轉頭看著艾比，表情異常的嚴肅。

「你有頭緒嗎？」克里斯蒂安問艾比道，「現在，我們手裡確實沒有任何真憑實據。」

「但是我們有合理的假設。」艾比回道，「比如說，殺了塔蒂安娜的人肯定是獲准進入到她臥室的人，能這樣做的人並不多。」

「可是也不少。」莉莎扳起手指數了數，「皇室的禁衛軍、她的朋友和家人……這還是在假設守護者沒有更改她的訪客記錄的情況下。我們現在唯一知道的是，有的訪客是完全不需要登記的，她可能一直都有在自己的房間裡召開祕密會議的習慣。」

「可是她不會穿著睡衣在自己的臥室開祕密會議。」艾比細心地說，「當然了，我想這也要取決於是哪種會議。」

莉莎踉蹌了一下，突然想到了一個人。「安布羅斯。」

「誰？」

「他是個拜爾……長得非常英俊……他和塔蒂安娜，呃……」

「有關係？」克里斯蒂安微笑著說，他又想起了審問時的事。

現在，艾比也頓住了腳步。莉莎停下來，艾比則看向她。「我見過他，很像救生員。」

「他可以進入她的臥室。」莉莎說，「可我無法——我不知道，他不像是會做這種事的人。」

「外表是會製造假象的，」艾比說，「在法庭的時候，他對蘿絲很有興趣。」

莉莎更加驚訝了。「你說什麼!?」

艾比邪惡地摸了摸下巴。「他好像是在和她講話……或是給了她什麼暗示。我不是十分清楚，不過他們兩個之間一定有所互動。」聰明的、警戒心十足的艾比，他已經注意到安布羅斯給了我字條，可是卻不知道具體發生了什麼事。

「那我們應該找他談談。」克里斯蒂安說。

莉莎點點頭，心裡五味陳雜。她很高興終於有了線索，可是又很不安，這可能意味著善良、溫柔的安布羅斯也有可能是嫌疑犯。

「我來負責好了。」艾比輕快地說。

我感覺到莉莎很嚴肅地看著他。雖然我看不見莉莎的表情，可確實看見艾比下意識地往後退了一步，眼中露出一絲幾不可見的驚訝，就連克里斯蒂安也縮了縮身子。「你去的時候我也要去。」莉莎說道，語氣不容質疑。「別以爲你可以甩掉我，然後進行你那種折磨人的瘋狂審問。」

「妳想到場一起接受折磨嗎？」艾比反問道，以掩飾剛才的失態。

「你不會有機會的。我們和安布羅斯談話時，要像個文明人一樣，懂嗎？」她再次嚴厲地看著他。

艾比終於聳聳肩，算是同意了她的話，好像聽一個比自己年紀小上一半的小女生的話，並不是什麼大不了的事。「好吧，我們一起去。」

莉莎有些懷疑他言不由衷，而艾比顯然也看出了這一點。「我們一起去。」他說著，繼續往前走。「這是個進行調查的好時候。好吧，其實任何時候都是好時候。隨著君主的競選，皇庭會變得越來越亂，這裡的每個人都會忙碌起來，還會有新人不斷湧入。」

「選舉是什麼時候？」莉莎問。

「等他們處理好親愛的塔蒂安娜的事之後。後續的事情會進行得很快，我們需要重新建立一個政府。明日她將會被安葬在教堂，雖然還有儀式和禱告，可是應該不會再有送葬的過程了。他們還是很擔心。」

我爲塔蒂安娜到最後沒能用完整的女王規格儀式來下葬而感到遺憾，不過如果這樣能夠找出眞兇，也許她也會很樂意吧。

「一旦葬禮結束，選舉就要開始了。」艾比繼續說，「每個想要提出候選人、參加爭奪皇冠之戰的家族，都會參與。妳從沒見過皇室的選舉，對嗎？那眞是一道奇景。當然，在投票之前，所有的候選人都要接受考驗。」

他說「考驗」這個詞的時候，給人一種很不祥的感覺，不過莉莎正在想別的事情。

雖然塔蒂安娜是她唯一一個認識的女王，但她仍知道政權更替的影響是驚人的。「新上任的國王或是女王可以改變所有事，有可能更好，也有可能更糟。我希望能選出一個好的領導人，最好是選一個歐澤拉家的人，或者是塔莎的人。」她充滿希望地看了克里斯蒂安一眼，可是他只是聳聳肩。「或者是阿里亞娜・澤爾斯基，我喜歡她。不過不管我希望誰當選，都不重要。」她痛苦地又補充了一句：「反正我又不能投票。」

「提名階段還有很多工作要做。」艾比解釋道，沒有回應她最後說的那句話。「每個家族都希望選出來的人能維護自己的利益，可是勝利所需要的票數也有可能從那些——」

「哦！」

我被粗魯地從莫里政治家們精打細算的世界裡拽出來，回到西佛吉尼亞的郊外——非常痛。有某樣東西結結實實地打在了我的臉上，讓我因而重重地摔到地上，樹枝和樹葉劃破了我的臉和手。一雙有力的手將我按在地上，耳邊響起的是迪米特里的聲音。

「妳應該老老實實藏在小鎭上。」迪米特里半開玩笑地說，他的體重和姿勢令我完全沒有反抗的餘地。「因爲那是我最後一個才會去找的地方。不過，我早就知道妳會去哪裡。」

「少來。別一副自己很聰明的樣子。」我咬牙道，同時努力想要掙脫他的控制。眞是該死，他確實很聰明，而且和他這麼接近，再次令我心慌意亂。也許之前，他也爲此感到有些意亂情迷，不過顯然他已經吸取了教訓。「你只不過是碰巧猜中了而已，就這樣。」

「我完全不需要碰運氣，蘿莎。我總是能夠找到妳。所以，情況的複雜度完全取決於妳。」他說話時的語氣幾乎像是在和人閒聊，這讓此刻的情形顯得更加荒謬。「這個遊戲我們可以一遍一遍地玩，或者妳也可以做點有理性的事，就是老老實實地跟我和雪梨待在一起。」

「這才不叫有理性，這叫浪費時間。」

他在流汗，既因爲炎熱的天氣，毫無疑問也因爲他必須用跑步的方式來追趕我，而且是奮力地跑。艾德里安的古龍水味經常令我興奮，可感受到迪米特里溫暖的皮膚貼著我，也同樣令人陶醉。我居然還能注意到這種小事，而且還沉醉其中，眞是神奇，我甚至還在氣惱他一直壓制著我，讓我動彈不得。也許，憤怒對我來說是一個隨時可切換的開關。

「我要解釋多少次我們這麼做的意義？」他喘著氣問。

「直到你放棄爲止。」我用力推著他，希望能夠微微掙脫開來，可是這麼做的後果卻令我們貼得更近。我有種預感，這次親吻這種小把戲不會發揮作用了。

他猛地將我拉起來，將我的手臂反剪在身後。這樣的姿勢，比我被壓制在地上時的活動空間要大一點，可仍然不足以令我掙脫他的控制。接著，他開始推著我往來時的方向走去。

「我不會讓你或雪梨，因爲和我在一起而惹上麻煩。我會照顧好自己，所以就放我走吧！」我說著，同時賴著不肯走。我看見前方有一棵高瘦的樹，便伸出一條腿勾住樹幹，令我們兩個誰都走不了。

迪米特里呻吟了一聲，換了隻手抓我，再用另一隻將我的腿從樹上扳下來。這麼做令我有機可逃，可我還沒逃離兩步遠，他就又抓住了我。

「蘿絲。」他無奈地說，「妳贏不了的。」

「你的臉感覺怎麼樣？」我問道。在這種昏暗的光線下我看不到他臉上的傷，卻知道我剛剛揍他的地方明天一定會出現瘀傷。害他的臉變成這樣確實令人有些愧疚，可是反正會好起來的，也許這也可以給他好好上一課，讓他不要小瞧了蘿絲・海瑟薇。

但也可能不會產生效果。

他繼續拖著我往前走。「我已經在考慮將妳扛在肩膀上走回去了。」他警告我。

「你可以試試看。」

「如果妳死了，妳覺得莉莎會怎麼樣？」他將我抓得更緊了。我有種預感，他剛才說要扛著我走的話是認真的，而且他可能也很想要用力搖晃我，他此刻非常火大。「妳能想像如果她失去了妳，會變成什麼樣嗎？」

有那麼一刻，我完全沒辦法像平時那樣伶牙俐齒地回嘴。我不想死，但即使真的要拿生命來冒險，也應該拿我自己的，不應該扯上其他人。可是，我知道他說得對，如果我有事，莉莎肯定也會變得消沉。可是……這個險我一定要冒。

「你有點信心好不好，夥伴？我不會死的。」我倔強地說，「我還活著。」

這不是他想聽到的答案。他換了個姿勢。「不管妳現在在想什麼，肯定還會有別的方法能夠幫助她。」

突然，我的身子放鬆了下來。

迪米特里踉蹌了兩下，非常驚訝我突然間放棄了反抗。「怎麼了？」他問道，既迷惑又警惕。

我在黑暗中瞪大眼睛，可事實上什麼都看不見。但是，我眼前又出現了莉莎和艾比在皇庭的那一幕，想起了莉莎無助的感覺，還有對投票權的渴望。塔蒂安娜的那張字條又湧上我的心頭，有那麼一刻，我幾乎能聽見她的聲音在我腦中迴響。她不是德拉格米爾家族的最後一員。他們家族依然有在世的成員。

「你說得對。」我終於開口說。

「對什麼？」迪米特里完全被我搞糊塗了。

「殺回皇庭也沒辦法幫助莉莎。」

一陣沉默。我雖然看不太清楚他的表情，可是他此刻應該顯得非常震驚。

「我和你回旅館，也不會再跑回皇庭。」另外一個德拉格米爾家族成員，必須要找出這個人。

我深深吸了一口氣。「可我不會枯坐在這裡。我必須要爲莉莎做些什麼，而你和雪梨必須要幫助我。」

# 8

看起來，我之前認爲這裡的警察只有一人一犬的推測是錯的。我和迪米特里回到旅館的時候，看見閃著紅藍色警燈的警車停在停車場裡，旁邊還站著幾個圍觀的人。

「整個鎮子都被翻過來了。」我說。

迪米特里嘆了口氣。「妳剛才肯定和櫃檯的人說了什麼，沒錯吧？」

我們在遠處停下來，藏在一棟荒廢屋子的陰影裡。「我以爲這樣會拖住你。」

「現在，我們全被拖累了。」他看著前面，借著閃耀的車燈，將所有的細節盡收眼底。「雪梨的車開走了。至少我們還沒有走到絕路。」

我之前的趾高氣揚不見了。「眞的嗎？我們的代步工具沒有了耶！」

「她不會丟下我們的，不過她很聰明，在警察還沒有去敲她的房門時就跑了。」迪米特里轉身看著小鎭的主要道路。「來吧，她肯定就在附近，如果警察確定眞的有人在追一個毫無自我保護能力的女生，他們很有可能會展開搜查。」他在說「毫無自我保護能力」這幾個字時，感覺好像在講一個軍團。

迪米特里立刻決定掉頭，朝我們進入小鎭的來路走去，他認爲雪梨會想要從原路逃離。警方的介入令我們的處境變得複雜起來，不過我對自己的行爲卻沒有很後悔。我很激動，畢竟我的計畫已經成功讓我跑進樹林，而且像往常一樣，讓事情往我希望的方向前進。如果我能夠把我們三人帶出這個鳥地方，就更好了。

迪米特里關於雪梨去向的直覺是對的。我們向鎮外走了半公里，就看見路肩上停著一台CR-V，車子是熄火的，車燈也沒有開，可是我看清這台車掛的是路易斯安那州的車牌。我走到駕駛座旁敲了敲車窗。雪梨坐在裡面，嚇得抖個不停，她搖下車窗，一臉驚疑不定。

「妳到底做了什麼？算了，不用告訴我，上車。」

我和迪米特里乖乖上了車，雪梨那種不贊同的目光令我覺得自己好像一個淘氣的小孩。她什麼都沒有說，發動了車子，沿著來時的方向開去，慢慢地順著小路開到了州際公路上，這令我看到了一絲曙光。可是，我們只開了幾公里，她便再次停下車。這一次，她將車子在一處黑漆漆、看起來什麼都沒有的出口停下。雪梨將車子熄火，回頭看著坐在後座的我。「妳逃跑了，對吧？」

「對，可我是因爲——」

雪梨舉起手，示意我安靜。「別，別說話，現在別說。我希望妳下次再逃跑的時候，不要引起警方的注意。」

「我也是。」迪米特里說。

我繃著臉看著他們兩個。「嘿，我已經回來了，不是嗎？」迪米特里聽了揚起一邊眉毛，很顯然在質疑我回來的自願程度。「而且，現在我也知道我們要怎麼做，才能幫助莉莎了。」

「我們現在要做的，」雪梨說，「就是找個安全的地方待著。」

「我們要先回到文明世界，然後找間飯店，要有客房服務的那種。那裡可以作爲我們進行下一個計畫的基地。」

「我們可是千辛萬苦才找到那個村子的！」雪梨喊，「別的地方不能隨便去——至少這附近不行。我想他們應該沒有記下車子的牌照號碼，但是他們可以打電話通知別人注意這種型號的車子，如果別人已經知道了車子的型號和我們的樣貌，再彙報給警方，那麼肯定會傳到煉金術士協會的耳朵裡，那麼——」

「冷靜點，」迪米特里輕碰她的手臂說道。雖然這句話裡什麼曖昧都沒有，可我還是忍不住有一絲妒忌，特別是我剛經歷過被他拖著走出樹林的「粗暴關愛」之後。「這些事會不會發生我們都不知道，爲什麼不乾脆打電話給艾比呢？」

「好吧。」她悶悶地說，「這也是我最想做的——告訴他還不到二十四小時，我就搞砸了全盤計畫。」

「好吧。」我說，「如果這會讓妳感覺好受點的話，我告訴妳，反正這個計畫早晚都是要改變的——」

「閉嘴。」她猛地說，「你們兩個都閉嘴。我要好好想想。」

我和迪米特里對看了一下，誰都沒有說話。我剛才對他說我知道如何才能幫助莉莎時，已經勾起了他的興趣，我知道他現在很想聽細節，可是我們兩個都得先看雪梨要怎麼做。

她打開車內昏暗的閱讀燈，拿出一張美國地圖，在仔細研究了一會兒之後，她將地圖折好，盯向前方。我看不見她的臉，不過也能想像出她緊皺眉頭的樣子。終於，她同往常一樣不悅地嘆了口氣，關掉閱讀燈，看向車內。我瞄到她在面前的GPS輸入的地名：西佛吉尼亞，奧斯伍德。

「奧斯伍德有什麼？」我問道，很失望她輸入的不是類似大西洋城的地方。

「什麼都沒有。」她說著，重新將車子開上公路。「只不過GPS上顯示，那是我們能去的離這裡最近的地方。」

一旁路過的車燈照出迪米特里的樣子，我在他臉上也看到了好奇。所以，我不再是這裡唯一一個狀況外的人了。GPS顯示，我們距離目的地還有一個半小時的車程。他沒有問雪梨爲什麼選那裡，反而轉過頭來看著我。

「莉莎的事要怎麼處理？妳的偉大計畫是什麼？」他瞥了雪梨一眼。「蘿絲說，有一件很重要的事必須要我們配合。」

「我知道了。」雪梨冷冷地說。

迪米特里又回頭看著我，充滿好奇。

我深吸了一口氣。現在，是時候說出自聽證會之後就藏在我心裡的祕密了。「呃，就是……有證據表明莉莎還有個弟弟或妹妹。我認爲，我們應該把這個人找出來。」

我盡量裝出很酷的樣子，漫不經心地將這件事說出來，可是我的心其實揪得緊緊的。就算塔蒂安娜那張字條我已經看了許多遍，可是當我將這些話大聲說出來時，才終於感覺到這件事的眞實感。這個事實震撼了我，令我得以眞正認識到這件事的意義，並且推翻了我們曾經相信的所有事。

當然，我的震驚比起另外兩個人算不了什麼。蘿絲終於贏回一分，使用的「魔法」是「驚喜」。雪梨根本沒有試圖掩飾自己的驚訝，她倒抽了一口冷氣，就連迪米特里的臉色也微微變了一下。

他們從震驚中恢復過來之後，我看出他們想要說些什麼，有可能是要說這件事要有憑據，也有可能很簡單地就評斷這種說法完全是無稽之談。我立刻搶在爭論開始之前做出了反應，我拿出塔蒂安娜的字條，大聲地讀給他們聽，讀完之後還將字條遞給迪米特里。我告訴他們我的通靈能力，告訴他們是女王還沒有得到安息的靈魂，令我相信這張字條是眞的。不過，我的兩個同伴仍存有疑慮。

「妳沒有證據可以證明，這張字條是塔蒂安娜親手寫的。」迪米特里說。

「煉金術士協會裡也沒有關於另一個德拉格米爾家族成員的記錄。」雪梨說。

這兩個人說的話我早已經預料到了。迪米特里是那種隨時都準備好面對花樣和陷阱的人，所有沒有有力證據的事他都懷疑；而雪梨是生活在一個只有事實和資料的世界裡，且非常相信煉金術士協會和他們所提供的情報。如果煉金術士協會不相信某事，那麼她也不會相信。鬼魂的證詞對他們來說不具有說服力。

「我眞的看不出來塔蒂安娜的鬼魂有騙我的必要。」我反駁道，「而煉金術士協會也不是無所不知的。字條上說這是個需要嚴格保守的祕密，所以如果連煉金術士協會也不知道，是非常說得通的。」

雪梨哼了一下，不喜歡我剛才「無所不知」的說法，不過她倒也沒有說什麼。至於迪米特里，仍拒絕在沒有更多其他證據的情況下相信任何事。

「妳之前也說過，鬼魂想要表達的事情並不是很清楚。」他指出，「也許妳誤解了她的意思。」

「我不知道……」我再次回想了一下她那張嚴肅、透明的臉。「我認爲這張字條就是她寫的。我的直覺告訴我，是她寫的。」我瞇起眼睛，「你知道我的直覺一向正確，這次你相信我嗎？」

迪米特里瞪著我看了一會兒，我堅定地迎著他的目光。按照以往的模式，我可以猜出接下來會怎樣。眼前的情況看起來似乎是我在強詞奪理，不過他知道我說的關於我的直覺的話是對的。過去的每一次，我的直覺都得到了驗證。不管他是什麼樣的人，不管目前我們兩個如何針鋒相對，可憑他對我的瞭解，最後還是會相信我的。

迪米特里緩慢地，幾乎是不情願地點點頭。「如果我們決定去找這個不知道存不存在的人，就要違背莉莎希望我們找一個安全的地方待著的意願。」

「你認爲字條是眞的？」雪梨喊道，「而且還考慮按照那上面的話去做？」

我的心裡飛快地冒出一股怒火，不過隱忍著沒有表露出來。當然，下一個問題當然會是它：迪米特里對莉莎的言聽計從。雪梨害怕艾比，這點我還可以理解，可是迪米特里關心的仍然是他發誓要絕對忠誠於莉莎這件事。我做了個深呼吸，知道告訴他我覺得他的做法有多麼荒謬，並沒有辦法達到我的目的。

「從技術面來看，是這樣。可如果我們眞的能夠證明她不是德拉格米爾家族的最後一員，就可以幫她很大的忙。我們不能任這個機會溜走，如果你能夠確保我們在行動時，不會讓我遇到麻煩——」我說到這裡時，盡量不讓自己皺起眉頭，「那麼就不會有什麼問題。」

迪米特里在考慮我的話。他瞭解我，也瞭解我爲了達成目的，必要時也會使用迂迴的邏輯。

「好吧。」他最後說道，表情也有了改變。一下定決心，他便立刻滿心都是這件事了。「可我們要從哪裡開始呢？除了那張神祕的字條，妳沒有別的線索。」

這種似曾相識的情景，令我想起之前莉莎和克里斯蒂安和艾比的對話，他們也在討論要從哪裡開始著手調查眞兇。我和她都遭遇到同樣的處境，都憑藉著一個粗略的線索在追尋一個不可能解開的謎底。我仔細回想了一下他們的對話，試著用艾比用過的推論法：沒有線索，就從顯而易見的結論開始。

「很顯然，這是一個祕密。」我說，「一個大祕密，是他們特別想要隱瞞住的，這足以令這些人想盡辦法去偷與此有關的文件，好將德拉格米爾家族阻擋在權力中心之外。」有人闖進了煉金術士協會的大樓，拿走了一份書面文件，上面記載了艾瑞克・德拉格米爾將一大筆錢存進一位神祕女子戶頭裡的事實。我對他們兩人說，這個女人肯定是他愛子或愛女的媽媽。「妳可以順著這件案子查下去。」最後這句話是對雪梨說的。也許她不在乎是不是有另外一個德拉格米爾家族成員，可是煉金術士協會肯定想知道是誰偷走了這份文件。

「哇哦，嘿，你們作這個決定的時候怎麼沒問問我？」她還是不能接受我們的談話瞬間演變成她沒有置喙餘地的情況。當今晚的事情演變到眼前的地步後，她看起來不是很高興得參與我的另一個邪惡計畫。「也許違背莉莎的命令對你們兩個來說不算什麼，可我不能違背艾比的命令。他可不是寬宏大量的人。」

她說得沒錯。「我可以以女兒的身分幫妳說話。」我向她保證，「而且，那個大叔很喜歡祕密，他肯定也會贊成的，相信我。而且，妳已經發現了最重要的一條線索。我的意思是，如果艾瑞克眞的送錢給一個來歷不明的女人，那爲什麼這個女人不可能會是他的地下情婦和他孩子的媽媽呢？」

「重點就是來歷不明。」雪梨說道，似乎仍然對茲米的「寬容」抱有疑慮。「如果妳的說法是對的——好吧，先跳過這部分——可是我們還是不知道這個情婦是誰。那份失竊的文件上面可沒有說。」

「那麼其他與那份文件有關的文件上有沒有提到呢？或許妳可以調查一下他存錢進去的那個戶頭？」煉金術士協會只對誰偷了他們的文件感興趣，因此雪梨的同事們找出了被盜的文件是哪些，可是對其中的內容並不是特別在意。我敢打賭，他們肯定沒有去找與此相關的其他文件，雪梨的表現便可以證明這一點。

「妳眞的不知道『翻查文件』的工作量有多大，對不對？不是那麼容易的事，」她說，「怎麼樣也要花一陣時間。」

「哦……我想這就是我們爲什麼需要跑到某處……呃，安全的地方的理由，對吧？」我問道，腦子全是我們需要時間一起進行下一步行動，並開始爲剛才失去了一個偏僻的藏身之所感到遺憾。

「安全的……」她搖了搖頭，「好吧，我們等著瞧。希望我不是在做蠢事。」

這些話一出口，我們誰都沒再說話。我想更瞭解我們要去哪，可是又有種感覺，不應該因爲這小小的勝利就得意——至少，我覺得我獲得了勝利——我沒把握是不是完全勸服了雪梨，但十分確定迪米特里已經完全站在我這邊了，所以現在最好還是不要激怒她。我盯著GPS，剩下的時間足夠我去看望莉莎了。

我花了幾分鐘才認出莉莎在什麼地方，這是因爲我原本以爲她會回到自己的房間，可是沒有。她目前所處的地方我也去過一次：艾德里安父母的房子。眞是個意外的驚喜。不過，我很快就感應出來她爲什麼會在這裡，她是來這裡做客的。在我逃跑所引起的恐慌過後，原本和她住在同一棟大廈的諸多客人，此時都紛紛打算離開，而伊瓦什科夫家的房子蓋在住宅區，這裡比較安靜一點，也沒有那些準備逃命的鄰居。

艾德里安坐在一把搖椅上，雙腳隨便地翹在一張非常昂貴的咖啡桌上，這應該是某位室內設計師幫他媽媽挑選的。莉莎和克里斯蒂安剛剛趕到這裡，她聞到空中的煙味，不禁猜想艾德里安剛才在他們還沒來的時候，可能偷偷在抽煙。

「如果我們走運的話，」他對莉莎和克里斯蒂安說，「大人的聚會還需要一段時間，這可以讓我們清淨一會兒。妳的審問過程還好嗎？」莉莎和克里斯蒂安坐在沙發上，這張沙發看上去雖然漂亮，坐著卻不太舒服。莉莎靠在他身上，嘆了口氣。「不算太壞。我不知道他們是不是眞的完全相信了我們和蘿絲的逃跑沒有關係……不過他們手裡肯定沒有證據。」

「我們最大的麻煩可能是來自塔莎姑姑。」克里斯蒂安說，「她好像有點生氣我們沒有把計畫透露給她知道。我想她可能希望自己親手去炸雕像。」

「我認爲她生氣，比較可能的原因是因爲我們把迪米特里捲進來了。」莉莎指出，「她認爲我們毀了他重新被人接受的機會。」

「她是對的，」艾德里安說。他拿起一個遙控器，打開前方那一台相當大的電視。艾德里安關掉電視的聲音，隨便切換著頻道。「可是沒有人強迫他這麼做。」

莉莎點點頭，暗自希望自己沒有在無意中強迫迪米特里。他宣誓要效忠於她已經不是祕密了。克里斯蒂安似乎接收到了她的擔心。「嘿，我們都知道，他永遠不會——」

敲門聲打斷了他的話。

「該死。」艾德里安站起來，「這清淨也太短了吧。」

「你父母回家可不會敲門。」克里斯蒂安說。

「沒錯，但很可能是他們的某個朋友想來這裡躲躲，順便八卦一下今天逃跑的那位年輕兇手。」艾德里安走去開門。

莉莎聽見大門打開，緊跟著一陣低語聲傳來。過了一會兒，艾德里安帶著一個莉莎不認識的年輕莫里走了進來。

「沒關係，」來人說著，不安地看了看周圍，「我可以一會兒再來。」他看見莉莎和克里斯蒂安之後愣住了。

「不，不。」艾德里安說著，他原本暴躁的態度轉爲熱情，變臉速度奇快無比。「我保證她過幾分鐘就回來了。你們彼此認識嗎？」

那個人點點頭，看了看屋裡的另外兩位客人。「當然。」

莉莎皺著眉說：「可我不認識你。」

艾德里安的臉上一直掛著微笑，可莉莎立刻意識到此刻好像要進行一件很重要的事。「這是喬，就是幫我作證，證明塔蒂安娜姑姑被謀殺時，我沒有和蘿絲在一起的看門人。他在蘿絲住的大樓裡工作。」

莉莎和克里斯蒂安全都站了起來。「你出現在聽證會上眞好。」克里斯蒂安謹愼地說。

起初，伊瓦什科夫家的人很怕艾德里安會牽涉進來，不過後來因爲有了喬的及時出現，證明他看見我和艾德里安在我的房間時，塔蒂安娜已經死了。

喬快走幾步退回到門廳前。「我眞的該走了。請轉告伊瓦什科夫女士我來過了——而且我要離開皇庭了。不過，所有事情都已經安排好了。」

「什麼事安排好了？」莉莎慢慢地站起來問道。

「她——她知道。」我知道莉莎的樣子看起來並不嚇人，她苗條又美麗，可是從喬恐懼的神色來看——哦，她肯定是用非常嚴厲的表情看著他，這令我想起之前她看艾比的樣子。「眞的。」喬補充道，「我眞的該走了。」他剛想走，可是突然，我感覺到一股精神能力從莉莎心中升起。喬停住了腳步，她則走向他。

「你有什麼事必須要對伊瓦什科夫女士講？」莉莎問道。

「冷靜點。」艾德里安小聲道，「妳不用耗費這麼多精神能力來獲取答案。」

莉莎正在對喬催眠，她的力量大到足以令喬變成她手裡的提線木偶。

「錢。」喬喘著氣，眼睛張得大大的。「錢已經都安排好了。」

「什麼錢？」她問道。

喬猶豫了一下，雖然有些抗拒，可不久便放棄了。他是敵不過這樣的催眠術的。「就是……就是證明……他在哪裡的錢。」喬猛地抬頭看向艾德里安。

艾德里安原本冷靜的表情變得有些不自然。「你說證明我在哪裡是什麼意思？我姑姑死去的那晚嗎？你是說……」

克里斯蒂安接下艾德里安說不出口的話：「是不是伊瓦什科夫女士買通你，要你作證說見過艾德里安？」

「我確實見過他。」喬喊道，他已經滿頭大汗了。艾德里安說得對：莉莎使用了太多的精神能力了，這對喬的身體也是有害的。「我只是……我只是……記不清時間而已……一點都想不起來了，我對別人也是這麼說的。後來，她給我錢，告訴我一個時間，說當時你在那裡。」

艾德里安不喜歡這番話，一點都不喜歡。不過為了他的名譽，他仍然保持著冷靜。「你說的『別人』是指什麼人？」

「還有誰？」莉莎也問道。「還有誰和她在一起？」

「沒有了！伊瓦什科夫女士只是想保住自己兒子的清白，我只是幫她在細節上說了謊。我說的別人是指……後來另外有人來找我……希望知道海瑟薇當時在哪裡。」

門口傳來啪嗒一聲，緊跟著響起了大門打開的聲音。

莉莎湊過去，更用力地催動催眠術。「是誰？他是誰？他想要什麼？」

喬現在看起來真的很痛苦，他吞了口口水。「我不認識這個人！從來沒有見過。他也是莫里，只是希望我能夠作證，說什麼時候看見了海瑟薇。他給的價錢比伊瓦什科夫女士還要多，反正也沒差……」他絕望地看著莉莎，「幫一個也是幫，幫兩個也是幫……特別是海瑟薇確實做過……」

「艾德里安？」戴妮拉的聲音在門廳響起。「你在家嗎？」

「退後。」艾德里安壓低聲音警告莉莎，語氣裡沒有一絲玩笑的成分。

莉莎的聲音變得溫柔起來，可她的注意力還在喬身上。「那個莫里他長什麼樣？形容一下。」

門廳的木頭地板上響起高跟鞋的聲音。

「和普通人一樣！」喬說，「我發誓！普通人，非常普通，除了那隻手……拜託放過我吧……」

艾德里安將莉莎推到一邊，打斷了她和喬之間的魔法。喬幾乎要癱在地上，可是又被艾德里安緊緊攝住了目光，繼續被催眠——不過當然比不上莉莎的力量。

「忘記這一切。」艾德里安斷啞地說，「我們從來沒有進行過這場談話。」

「艾德里安，你在——」戴妮拉站在客廳的門口，看著這奇怪的一幕。

克里斯蒂安仍然坐在沙發上，艾德里安和莉莎站在喬身邊，喬的衣服已經被汗水浸透了。

「這是怎麼回事？」戴妮拉喊道。

艾德里安退後兩步，用那種迷倒過無數女人的笑容看著他媽媽，「媽，這個人說他路過，想前來拜訪妳，我們就邀請他進來坐坐，陪他一起等妳回來。現在，我們要出去了。」

戴妮拉看了看她兒子，又看了看喬。她對目前的情景明顯感到非常不安，可同時又很疑惑。

莉莎聽見「要出去」這幾個字很驚訝，可也照著艾德里安的話做。克里斯蒂安也一樣。

「見到妳很高興。」莉莎試圖像艾德里安一樣擠出微笑。

喬整個人則完全搞不清狀況。在艾德里安下完最後的命令之後，這個可憐的看門人已經完全忘了他在伊瓦什科夫家經歷過什麼事了。

莉莎和克里斯蒂安快速地跟著艾德里安走出去，令戴妮拉沒有辦法再多說什麼。

「這到底是怎麼一回事？」他們幾個一走出屋子，克里斯蒂安便問道。我不確定他是指莉莎那嚇人的催眠術還是指喬剛才說的話。

「不知道。」艾德里安沉著臉，一點笑容都看不見。「不過我們應該去找米哈伊爾談談。」

「蘿絲。」

迪米特里溫柔的聲音將我帶回了他和雪梨的身邊，帶回了車子裡。毫無疑問，透過我臉上的表情，他知道我剛才在做什麼。

「那裡都還好嗎？」他問道。

我知道他說的「那裡」是指皇庭，而不是我坐的後座。我點點頭，不過不知道「好」這個字是不是適用於我剛才看見的事。我剛才看見了什麼？有人承認給了假口供，並且提供對我不利的證詞。我不是特別在乎喬撒謊是為了保住艾德里安的這部分，只要艾德里安沒有被牽扯進來，被人當做殺死塔蒂安娜的兇手，我很希望他保住自由和清白。可是另外那部分呢？那個付錢給喬，讓他撒謊的「普通」莫里，那個令我失去了不在場證明，害我被關進牢房裡的人呢？

還來不及細想這件事，我們的車子便停了。我只好暫時將喬的事擱下，努力將精力集中在我們目前的情況上。雪梨正不停地滾動著滑鼠，而她放在前座上的筆記型電腦正閃爍個不停。

「我們在什麼地方？」我看著車窗外問道。在車燈的照射下，我看見了一個破破爛爛、已經關閉的加油站。

「奧斯伍德。」迪米特里說。

可是我看了又看，這裡除了加油站什麼都沒有。「比起來，我們剛才住的小鎮簡直就像是紐約。」

雪梨關上筆記型電腦後，將它遞到後面，我接過來，和身旁她的背包放在一起。這個背包是她在離開汽車旅館之前，奇跡般地搶救出來的。她又發動車子，將車子開出停車的地方。我看見不遠處有高速公路，希望她是要往那邊開去，可是，她卻開過加油站，往更加黑暗的地方開去。和上個地方一樣，周圍都是群山和樹林，我們以蝸牛的速度爬上山，直到雪梨發現一條消失在森林深處的小石子路。這條路窄得只能容下一台車，可不知怎麼地，我並不認為會在前方碰見別的車。小路帶著我們愈走愈深入，雖然我看不見雪梨的臉，可是透過車子的行進狀態，就可以知道她心裡的緊張。

在過了像幾小時一樣的幾分鐘後，狹窄的小路終於變得寬敞，前方出現一塊很大的空地，上頭停著幾台老式汽車。想到一路走來看到的全是黑漆漆的森林，這個地方會出現當停車場還眞是奇怪。

雪梨熄了火。

「我們是在露營的營地嗎？」我問道。

她沒有回答，反而看著迪米特里。「你是不是眞的有你說的那麼有本事？」

「什麼？」他驚訝地問。

「打鬥。每個人都說你很危險，是眞的嗎？你眞的那麼厲害？」

迪米特里想了想。「很厲害。」

我冷笑著說：「是非常厲害。」

「希望如此。」雪梨說完去摸車門的把手。

我也打開門。「妳不打算也問問我嗎？」

「我已經知道妳很厲害了。」她說。「我親眼見過。」

她的恭維我聽了一點都不覺得舒服。我們穿過停車場時，我問道：「爲什麼要停在這裡？」

「因爲從現在開始，我們要靠雙腳前進了。」她打開手電筒，照射著停車場四周。終於，手電筒找到了一條通往樹林裡的羊腸小徑。這條路很小，很容易被忽略，因爲兩邊的雜草和其他的植物幾乎完全將它掩蓋住。「那邊。」她說完便朝著小路走去。

「等一下。」迪米特里說著，搶在她前面帶路，我立刻自覺地擔任起斷後的位置。這是標準的守護者模式，我們將她守護在中間，像是保護莫里一樣。之前關於莉莎的事此刻全都被我拋到了腦後，我的注意力全都集中在此時此刻，身上所有的感官也都警覺起來，以應付潛在的危險。迪米特里也和我一樣，我們兩個全都拿出了銀樁。

「我們要去什麼地方？」我問道。我們小心翼翼地避開擋在路上的樹根和窪洞，樹枝經常劃到我的手臂。

「去見我保證過不讓妳見到的人。」她說道，聲音非常的鬱悶。

我還有一肚子的問題要問，可是眼前突然閃過一道亮光，晃得我什麼都看不見。我的眼睛本來已經適應了完全的黑暗，而這突如其來的亮光令我在短時間內完全無法適應。樹林裡響起窸窸窣窣的聲音，我們被許多人圍在中間，等到我終於可以看清時，發現四周站滿了吸血鬼。

幸運的是，這些都是莫里。

可我仍高舉起了銀樁，貼近雪梨。沒人襲擊我們，所以，我只是緊守著自己的位置，不管這麼做有沒有用。待我看得比較清楚之後，便發現將我們包圍的人約有十個。我們之前向雪梨保證過我們很厲害，這是事實：我和迪米特里完全可以打倒這一群人，哪怕場地的狹小增加了這麼做的困難度。我同時也發現，這十個人並不都是莫里，離我們最近的幾個是莫里，可在他們身後的都是拜爾。而我認爲可能是火把或手電筒發出來的那抹光，其實是從其中一個莫里手掌中的火球發出來的。

一個莫里男人向前走了一步，他和艾比年紀相仿，留著一把棕色的大鬍子，手裡也拿著一根銀樁。我分心看了一眼，發現這根銀樁的做工比我手裡的粗糙，可是磨得尖尖的頂端同樣具有威懾力。這個人看了看我，又看了看迪米特里，放下了手。雪梨成了這個人仔細查看的目標，他突然伸過手，想要抓她。我和迪米特里立刻上前制止，可是其他人又衝過來打算制止我們，我本可以將他們全部打倒，但是雪梨突然悶悶地喊了一聲「等等」，令我停住了手。

那個留鬍子的莫里抓住她的下巴，扭過她的頭，以便讓火光能夠照清楚她的臉頰。看見她臉上閃閃發光的金色紋身，他鬆開手，退了回去。

「百合女孩。」他咕噥道。

其他人也微微放鬆了繃緊的神經，不過他們手裡的銀樁仍然沒有放下，似乎隨時準備投入戰鬥。那個莫里的領頭人轉頭，將注意力從雪梨身上重新移回到我和迪米特里上。

「你們兩個是來投奔我們的？」他謹慎地問。

「我們需要一個藏身處。」雪梨說著，輕輕揉了揉自己的喉嚨。「他們正被——被惡人追殺。」

那個手掌裡還托著火球的女人面帶懷疑。「看起來更像是惡人派來的奸細。」

「惡人的女王已經死了。」雪梨說完，揚起下巴朝我們點了點。「他們認爲是她幹的。」

我的好奇心令我想要張嘴講話，可是想想又立刻將嘴巴閉上了。現在這種詭異的情況，最好還是交給雪梨來處理。我不明白她話中的意思。當她說惡人在追殺我們的時候，我以爲她是想讓這群人以爲我們被血族追殺；現在，她提到了女王，我便不太確定了。我也不知道將我描述成一個潛逃中的殺人犯是不是明智，我唯一知道的是，棕鬍子有可能會把我抓起來，然後捉去舉報，從他的穿著來看，他可能曾經這麼幹過。

可出乎我意料的是，他臉上堆滿了笑容。「這麼說，又一個強權倒掉了。現在成立新政權了嗎？」

「還沒有。」雪梨說，「他們不久後會進行選舉，選出新的君主。」

聽到選舉，這群人臉上的笑容變成了不屑，同時還伴隨著不贊成的低語聲。

我實在是忍不住了。「不然他們還能用什麼方法選出新的國王或者女王？」

「用最實際的辦法。」一旁一個拜爾說道，「過去一直沿用，很早之前就已經有的辦法——戰鬥至死。」

我等著他繼續說自己是在開玩笑，可是顯然他是認眞的。我想要問雪梨，她究竟帶我們來到了一個什麼樣的地方，可是此刻，我們顯然已經通過了考驗。只見他們的領頭人轉身，順著小路往前走去，其他人跟在後面，我們也跟著他們一起走。

聽著他們的談話，我禁不住微微皺起了眉頭——不是因爲我們此刻可能命懸一線，而是覺得他們的口音很奇怪。汽車旅館的接待員有很重的南部口音，很符合所在之處的風格。可是，這些人的口音雖然聽起來差不多，但是裡面混雜了好幾種發音方法，甚至有點像迪米特里的口音。

我很緊張、很焦慮，完全不知道我們走了多久。漸漸地，小路引領著我們來到一個很隱祕的營地。空地上燃著一堆巨大的篝火，火堆旁坐滿了人，不過這些人似乎有意空出其中一邊，那裡正對著延伸進樹林、此時已經變得很寬闊的小路。其實，這並不能算是一條眞正的路，不過這裡還是給人一種這是個小鎭的錯覺，至少也是個村落。這裡的建築物都很小、很破舊，顯然已經歷史悠久了。篝火的另一邊，陸地陸地升高起來，融進阿帕拉契山脈，擋住了天上的星星，借著閃動的篝火，可以看清山脈表面裸露的粗大石塊，還有零散的樹木，以及滿山黑乎乎的山洞。

我的注意力又轉到活人身上。這群圍坐在篝火旁的人——大約有二十四個——全都默默地看著前方的護衛隊領著我們走過來。

起初，我只看得見人影。戰士的本能讓我計算起對手的人數，盤算著要如何展開進攻。接著，就和方才一樣，我漸漸地看清了他們的樣子。大部分都是莫里和拜爾，還有——我被自己看見的驚呆了——人類。

不過他們並非餵食者。好吧，不是我印象中的餵食者。就算是在夜裡，我也能看到這些人類的脖子上那些隱約的咬痕。不過，看見他們好奇的樣子，我敢肯定他們並不是經常提供血液給莫里，因爲他們並沒有表現出亢奮的樣子。他們和莫里以及拜爾混在一起，或坐或站、或閒聊或談笑——很顯然這群人住在一起，好像一個小社團。我很好奇，這些人類裡有多少是煉金術士，也許他們在這裡是爲了處理公事。

我們周圍緊張的氛圍逐漸散去，我靠近雪梨。「妳以上帝的名義發誓，這到底是怎麼回事？」

「守舊黨。」她壓低了聲音說道。

「守舊黨？什麼意思？」

「意思就是，」棕鬍子莫里說，「我們不像你們，我們仍然保留著舊時的方式，延續著我們本來就應該延續的方式生活。」

我看了這些「守舊黨」一眼，看著他們破破爛爛的衣服，和那些髒兮兮、光著腳丫的孩子，這些都顯示出他們離現代文明有多麼遙遠。想到沒有篝火照耀的地方有多麼的黑暗，我甚至敢說他們連電力設備都沒有。我本來想說，人不應該按照這種方式生活，可馬上又想起這些人在談論到「戰鬥至死」這四個字時的隨意，便決定還是不說為妙。

「他們來這裡做什麼，雷蒙？」坐在篝火旁的一個女人問。她是人類，可是和棕鬍子莫里說話的方式卻很隨意，好像家人一樣。這可不是一個陷入幻境中的餵食者對莫里會有的說話方式，甚至不像我們和煉金術士說話的方式。「他們是來投奔我們的嗎？」

雷蒙搖了搖頭。「不是。惡人在追殺他們，因為他們殺死了女王。」

雪梨見我要否認，急忙用手肘捅了我一下。

我咬緊牙關，等著被群毆。可是，我驚訝地發現，這些人看著我的目光竟帶著敬畏和讚許，就好像是要為我開一個歡迎會。

「我們要替他們找一個藏身的地方。」雷蒙解釋道。他微笑地看著我們，可我不知道他這麼高興是因為我們是殺人兇手，還是僅僅因為他喜歡獲得別人注意的感覺。「不過，很歡迎你們加入我們，和我們一起住在這裡。我們的山洞裡有很多房間。」

山洞？我猛地抬頭看向篝火後的峭壁，終於明白了那些黑乎乎的山洞是什麼。就在我專注地看著的時候，有幾個人起身告辭，順著那條上山的小路走遠，然後消失。

雪梨趁我還沒有回過神、仍然一臉震驚的蠢樣時，替我回答道：「我們只需要在這裡……」她支吾著，「躲幾天。」

「你們可以住在我家。」雷蒙說，「妳也可以。」這句話是對雪梨說的，不過他說話的語氣卻像是在幫她的忙。

「謝謝。」雪梨說，「如果能讓我們在你家過夜，那便感激不盡了。」我意識到，她強調「家」這個字的時候，是針對我說的。在泥土路旁的那一排木房子看上去一點都不奢華，可是住那裡總比住在山洞裡要好。

這個村子或社區或者不管是什麼地方的人，都因爲我們幾個陌生人的到來而變得興奮。他們問了我們一連串的問題，從一些平常的小事比如我們的名字這種問題，迅速地銜接到一些較深入的問題，比如我是怎麼殺死塔蒂安娜的。在我不知該怎麼回答的時候，那個先前跟雷蒙講話的人類女人救了我，她跳出來將我們三個護住。

「夠了。」她對其他人說，「現在太晚了，相信我們的客人已經都餓了。」

我確實是餓了，可是不知道我自己夠不夠膽子強撐著吞下燉負鼠，或是鬼知道是什麼的在這裡被傳遞著的食物。那個女人的話一說完，其他人都顯露出失望的神色，不過她向大家保證，明天可以和我們聊個夠。我看了看四周，見到了一塊平坦的紫色，那應該是東方的天空。太陽要升起來了。這群嚴守「傳統」的莫里，作息可能也是按照在夜間活動的規律，這代表再過幾小時，這些人就該上床睡覺了。

那個叫莎拉的人類女子領著我們沿泥土路走去，雷蒙在後面喊著，說一會兒就去看我們。我們行走著，看見這排房子周邊有幾個人影，很可能是要回去睡覺，也可能是被剛才的混亂吵醒了。

莎拉看了一眼雪梨。「妳有帶東西來給我們嗎？」

「沒有。」雪梨說，「我來這裡只是爲了保護他們。」

莎拉看上去有些失望，但仍點點頭。「這是件很重要的任務。」

雪梨皺著眉頭，顯然變得越發不安。「距離我們的人上次送東西給你們，過了多久了？」

「幾個月了吧。」莎拉想了想說。

雪梨聽了，臉色沉了下去，可是什麼都沒有說。

莎拉終於帶我們走進一間比較大、看起來比較好的房子裡，但其實這間木房很簡陋，連油漆都沒有塗。房子裡面一片漆黑，我們等著莎拉點亮一盞古老的油燈。我猜的沒錯，這裡沒有電。我突然又好奇起來，不知道這裡有沒有抽水馬桶。

地板和牆一樣是硬木材質，上面鋪了一條又大又鮮豔的幾何圖案地毯，而我們現在身處的地方，是一個兼具廚房和客廳功能的地方。這個房間正中央有一個很大的壁爐，壁爐的一邊擺放了木頭桌椅，另一邊放了一個很大很大的軟墊，我想可能是當沙發來用。壁爐上面吊著幾把曬乾的草，房間裡滿是混合了這些刺鼻的香草和燃燒後的木頭氣味。後方的牆上開了三扇門，莎拉指了指其中一扇。

「你們可以睡女孩的房間。」她說。

「謝謝。」我說，心裡其實不是很願意進去看我們的客房是什麼樣。我已經開始想念那間汽車旅館了。我好奇地看著莎拉，她看上去年紀和雷蒙差不多，穿著一件很樸素的藍色及膝連身裙。她將金髮梳起來，在脖子後面用橡皮筋紮起來，個子則像所有的人類一樣，比我要矮一點。「妳是雷蒙的管家嗎？」這是我能想到的唯一適合她的身分。她脖子上有幾處咬痕，可顯然又不是餵食者。至少不是專職的餵食者。也許在這裡，餵食者還要兼任照顧莫里起居的責任。

她微微一笑。「我是他妻子。」

這應該是我在自制力上的一大突破，因爲我居然還能設法做出回應：「哦。」

雪梨嚴厲地看著我，似乎在警告我說：別再問了。我再次閉緊嘴巴，向她點點頭，讓她明白我知道了。

不過，我還是不明白。拜爾和莫里一直都可以結合，因爲拜爾沒有別的選擇，可是那種長期的關係也是醜聞——不過也並非不可能。可是莫里和人類？這已經超出了我能理解的範圍。這兩個種族在過去的幾百年裡根本就沒有牽連。他們在很早以前造出了拜爾族，可是隨著世界文明的發展，莫里已經完全撇清了和人類的關係（僅指肉體上的親密關係）。

沒錯，我們是和人類生活在一起。莫里和拜爾和人類一起分享這個世界，買下人類的房屋和他們做鄰居，而且還安排了像煉金術士這種神祕的組織存在。當然，莫里也要從人類身上獲得食物——不過，那是另外一回事。如果你讓一個人類一直待在你身邊，那麼只會因爲他是餵食者。你們兩個之間的關係只能到此爲止。餵食者是食物，就這麼簡單。沒錯，是被訓練得很好的食物，可你肯定不會和食物交朋友。莫里和拜爾上床？還好。莫里在和拜爾上床的時候還吸血？骯髒，令人蒙羞。可是莫里和人類上床——也許會吸血，也許不會？眞是太不可思議了。

很少有事情能夠令我驚訝，或是令我覺得排斥，而在涉及到愛情的問題時，我其實是個觀念很開放的人，可是人類和莫里的婚姻實在不在我的接受範圍之內。這與這個人類是不是餵食者無關——莎拉顯然就是——也與這個人是不是雪梨這樣的「特殊人」無關。人類和莫里就是不應該在一起。這是原始的，是不對的，所以這麼久以來才沒有人繼續這麼做。好吧，至少我生活的地方是這樣。

我們不像你們，我們仍然保留著舊時的方式。

有意思的事情是，不管我覺得這種行爲錯得有多離譜，對吸血鬼持有偏見的雪梨，肯定比我還不能接受。不過我猜，她已經做好了心理準備，所以現在才能像沒事人一樣，沒有表現得像我和迪米特里那樣傻眼。我知道迪米特里肯定也和我有一樣的感覺，只不過他掩飾得比較好罷了。

門口傳來的一陣聲響將我的心思拉了回來。雷蒙回來了，可不是自己一人。一個八歲左右的拜爾男生騎在他的脖子上，而他身邊還帶著一個差不多也是八歲大的莫里小女孩。此外，還有一個不到二十歲、長得很漂亮的莫里女生，而她身邊則站著一個很可愛的拜爾男生，他應該和我一樣大，要不也差不了幾歲。

緊跟著就是一陣介紹。男孩叫菲力，女孩叫莫莉，而那個莫里女生叫莫蘭。很顯然，他們都住在這裡，可我不知道他們之間是什麼關係，除了和我一樣大的那個男生。他是雷蒙和莎拉的兒子，叫約書亞。他看見誰都是笑嘻嘻的，特別是看著我和雪梨的時候，那雙眼令我想起了歐澤拉家那銳利、如水晶一般的眼睛。只是，克里斯蒂安的家族特徵是深色的頭髮，而約書亞的頭髮是像沙灘一樣的金色，在光線照射下會變成淡金色。我不得不承認，這是很有吸引力的一種組合，可是我那部分仍處在震驚中的大腦提醒我，他可是人類和莫里的孩子，不是我這種拜爾和莫里的孩子。雖然結果一樣，可是其中的意義是不一樣的。

「我讓他們睡妳們的房間。」莎拉對莫蘭說。「妳們可以和其他人一起睡在閣樓上。」

過了好一會兒，我反應過來「妳們和其他人」指的是莫蘭、莫莉、約書亞和菲力。我抬頭看了看，發現上面確實有個類似閣樓的地方，大概有整個房子的一半那麼寬。不過看起來，睡四個人好像還是不太夠。

「我們不想給你們添麻煩。」迪米特里想的也和我一樣。他自從走進樹林後就一直沒有說話，似乎想將體力保留給行動，而不願浪費在說話上。「我們住外面就好。」

「別擔心。」約書亞說著又朝我一笑，「我們不會介意的。安琪琳也不會介意的。」

「誰？」我問道。

「我妹妹。」

我努力不讓自己皺起眉頭。要讓他們五個人擠在一起，好爲我們騰出房間，這可不太好。

「謝謝你。」雪梨說，「我們感激不盡。不過我們眞的不打算待很久。」拋開煉金術士對吸血鬼世界的厭惡不說，如果一定要密切接觸的時候，他們也可以表現得很禮貌，很迷人。

「眞是太遺憾了。」約書亞說。

「別鬧了，約書亞。」莎拉說，「睡覺之前，你們三個想要吃點東西嗎？我可以再把剛才燉的東西熱一熱。剛才我們就著莫蘭烤的麵包吃過了。」後面的話是對我們說的。

聽見「燉」這個字，我之前所有的恐懼又回來了。「不用麻煩了。」我飛快地說，「給我一點麵包就好了。」

「我也是。」迪米特里說。我很好奇，不知道他是眞的不願意麻煩人家，還是和我一樣也有食物恐懼症。也許不是後者。迪米特里是那種爲了生存，在野外什麼都可以吃下去的人。

莫蘭顯然烤了很多麵包，他們允許我們自己在小臥房裡享用食物。像是去野餐一樣，他們爲我們拿來了整整一條麵包，還有一碗奶油，這奶油很可能是莎拉親手做的。整個房間只有我在聖弗拉米爾學院時的宿舍那麼大，牆邊放了兩個大床墊，被子整整齊齊地鋪在上面，不過按照上面的溫度來看，也許幾個月都沒有人用過了。

我一邊用力大嚼著這出乎意料美味的麵包，一邊摸著這些被子。「這令我想起在俄國見到的那些。」

迪米特里也仔細看著上面的圖案。「很像，可不完全一樣。」

「這便是文化的演變。」雪梨說。她很累了，可仍然沒有放棄自己的教科書模式。「傳統的俄羅斯文化傳到了這裡，漸漸地融進美洲文化，才有了這樣的被子。」

哇哦。「呃，謝謝妳的教學。」我看了那嘎嘎作響的房門一眼。外面的聲音很大，所有人都在做自己的事，然後準備睡覺，我們的對話不太可能被偷聽去，不過我還是壓低了嗓子問：「妳準備再教教我們，這些到底是什麼人嗎？」

她聳了聳肩。「守舊黨。」

「對，這個我已經知道了。我們是惡人。聽起來，這個名字比較適合血族。」

「不對。」雪梨往後一仰，靠在木牆上。「血族是迷失的人。你們是惡人，是因爲你們加入了現代世界，接受了他們那些落後的制度，同時把自己的傳統也搞丟了。」

「嘿。」我回敬道，「穿工作褲跟彈五弦琴的人又不是我們。」

「蘿絲，」迪米特里指了指門口對我說：「小聲點。再說，我們只看見一個人穿著工作褲。」

「如果這能讓你們覺得好過點的話。」雪梨說，「我還比較喜歡你們的方式。看見人類也和他們住在一起……」她剛才一直向守舊黨展現的微笑和專業的表情不見了，又恢復回那種冷淡的本性。「令人噁心。我無意冒犯。」

「沒關係。」我顫抖了下說，「相信我，我也這麼認爲。眞是不敢相信……我沒辦法相信他們居然就這麼生活。」

她點點頭，知道我和她持相同意見似乎很高興。「我比較喜歡你們這種涇渭分明的方式。只是……」

「只是什麼？」我問道。

她看起來像隻小羊。「就算你們的世界不允許和人類通婚，可是仍然會和人類混居，住在人類的城市裡。可是這些人不會。」

「那麼煉金術士比較偏向於哪種呢？」迪米特里揣測道，「妳不贊成這群人的風俗，可是好像又很喜歡他們偏居於主流社會之外。」

雪梨點點頭。「我覺得，越多這種自己住在森林裡的吸血鬼越好，哪怕他們的生活方式很瘋狂。這些傢伙自給自足——而且不允許外人進入。」

「他們仇視外人嗎？」我問道。我們已經見識過一場作戰派對了，她也見到了。不管是莫里、拜爾還是人類，他們都隨時準備要與之對戰。

「希望不要太仇視。」她避重就輕地說。

「他們接受了妳。」迪米特里說，「他們也知道煉金術士的存在。為什麼莎拉問妳有沒有帶東西給他們？」

「因為這就是我們的任務。」她說，「每隔一段時間，我們就會給這群人添購一些補給品——比如給所有人的食物，還有給人類的藥品。」再一次，我聽到她語氣裡的嘲諷，可是緊接著她便顯得有些不安。「問題是，如果莎拉說的沒錯，那麼他們可能正盼望著有煉金術士前來。所以我們現在能待在這裡，只是因為運氣好而已。」

我本來想安慰她，我們不會在這裡待太多天，可是又突然想起她剛才的話。「等一下，妳剛才說『這群人』。這種與世隔絕的人到底有多少？」我轉頭看著迪米特里，「這些人和煉金術士不一樣，對不對？這些事是不是也只有少數人知道？」

迪米特里搖了搖頭。「這些事，我也是和妳一樣剛剛聽說。」

「你們的一些領導人可能隱約知道有守舊黨的存在。」雪梨說，「可是並不清楚具體的細節，比如地點之類的。這些人把自己的行蹤隱藏得非常好，一旦引起別人注意，便會馬上搬走。他們一直遠遠地躲開你們，而且也不喜歡你們。」

我嘆了一口氣。「這就是他們沒有阻擋我們進入的原因嗎？也可以解釋爲什麼一聽說我殺了塔蒂安娜，他們就那麼興奮。順便一提，多謝妳了。」

雪梨沒有爲自己辯護。「我這麼說，只是爲了保護我們幾個。」她說著，打了個哈欠。「現在要怎樣？我累了，如果我再不睡覺，那麼不管是妳還是艾比，反正哪個瘋狂計畫我都不會參加。」

我知道她已經很累了，可是現在才知道她有多麼累。雪梨跟我們不同，我們也要睡覺，可是如果有需要，可以忍很久不睡也沒關係，但她已經一整晚都沒有睡，而且還被迫捲入了她完全不會覺得自在的情況裡。她好像靠著牆就已經睡著了。我看著迪米特里，他也看著我。

「我們輪流睡嗎？」我問道。我知道我們兩個誰都不會放心，沒有防備地就在這個地方睡過去，就算他們把我們當做是殺死女王的英雄也一樣。

他點點頭。「妳先睡，然後我——」

門砰地一聲打開了，我和迪米特里都差點跳起來準備攻擊。門口站著一個拜爾小女生，她正盯著我們看。她比我小幾歲，可能和吉兒·馬斯特諾，我那個在聖弗拉米爾學院、很想成爲一名莫里鬥士的朋友差不多。從這個小女生站在門口的姿勢來看，她也很像個鬥士。她的身材和大多數拜爾一樣，強壯、結實，而她全身上下的架勢都好像準備要將我們打倒；她的頭髮直直地垂到腰際，深紅的髮色如果在陽光下，肯定會發出琥珀色的光澤。此外，她也和約書亞一樣，有雙藍色的眼睛。

「所以，」她說道，「妳就是那個佔領我房間的大英雄嘍？」

「妳是安琪琳？」我想起約書亞提到過他妹妹，猜測道。

她瞇起眼睛，好像不喜歡我猜中她的身分。「是的。」她毫不避諱地仔細打量著我，似乎並不喜歡她見到的，緊跟著那雙銳利的眼睛又看向迪米特里。我本來以爲她的目光會變得柔和，以爲她會和其他女人一樣拜倒在他英俊的外表下。可是，沒有。迪米特里也收到了懷疑的審視。安琪琳最後又看向我。

「我不相信，」她宣佈道，「妳太軟弱，太乾淨了。」

乾淨？眞的嗎？我可不這麼想，特別是我的牛仔褲和T恤已經破損得不成樣子。不過看著她的樣子，我倒是可以理解她爲什麼會露出這種態度。她的衣服很乾淨，可是牛仔褲的兩個膝蓋都磨破了；上身的襯衫很簡單，褪色的圓領說明這件衣服很可能是她家裡自行縫製的。我不知道這件衣服原來的顏色是不是白色，但相較之下，我確實是顯得太乾淨了。當然，如果一定要說某個人太乾淨的話，那麼這個人肯定是雪梨。她的衣服就是穿去參加商務談判也可以，而且她最近也沒有進行過任何打鬥，或者是越獄之類的活動。

可是，安琪琳根本就沒有看她第二眼。我有種感覺，煉金術士在這裡也是一種很奇怪的存在，是有別於與守舊黨混居的人類之外的一類人。煉金術士替他們送來補給品之後便離開，可以說他們幾乎是這些人的餵食者，眞的，雖然聽起來很不可思議。這些守舊黨對他們的敬意，要比我們的人給予的還多一點。

不過，我不知道該對安琪琳說什麼好。我不喜歡被人說軟弱或者質疑戰鬥能力。我有些生氣，可是又不想因爲和房東的女兒開戰而給自己惹麻煩，但也不想編幾個關於我是殺死塔蒂安娜兇手的謊話。最後，我只是聳了聳肩。

「人不可貌相。」我說。

「沒錯，」安琪琳酷酷地說，「人不可貌相。」

她走到角落的一個小箱子旁，從裡面拿出一件很像睡衣的衣服。「妳最好別弄亂我的床。」她警告我，然後她又看了看坐在另一張床墊上睡著的雪梨。「不過你們怎麼對莫蘭的床，我就不管了。」

「莫蘭是妳姊姊嗎？」我問道，想要弄清楚這些人的關係。

我覺得這不是什麼能讓這個小女生覺得被人冒犯的話，但……

「當然不是！」安琪琳喊完，就甩上門離開了。

我目瞪口呆地瞪著門。

雪梨打了個哈欠，躺在床上。「莫蘭可能是雷蒙的……呃，我不知道該怎麼說，情婦，或者小老婆。」

「什麼？」我喊道。一個莫里娶了一個人類，可是卻和另一個莫里有關係。我不知道自己還能再承受多少「驚喜」。「和他的家人住在一起？」

「別問我。我知道這麼多已經夠了，你們那種變態的生活方式我不想再知道得更多了。」

「才不是我的生活方式。」我反駁道。

莎拉過了一會兒走進來，爲安琪琳的行爲道歉，同時也看看我們還有沒有別的需要。我們向她保證，一切都很好，再次感謝她的盛情款待。莎拉一離開，我和迪米特里就開始輪流值班。我其實更想要我們兩個一起值班，特別是我總有種預感，安琪琳可能是那種會趁別人熟睡時割斷他們喉嚨的人。可是，我們需要休息，而且如果有人衝進來，我肯定也會立刻跳起來的。

所以，我便任由迪米特里先值班，自己則爬上安琪琳的床，同時試圖不要「弄亂它」。這床出人意料的舒服。

或者，也許我只是太累了。我幾乎已經忘記了對被判死刑的擔心，忘記了莉莎失散的親人，忘記了這些生活在南部的鄉巴佬吸血鬼。我沉沉地睡去，開始作夢……可並不是普通的夢。這是我內心世界的投射，有點眞實，卻又不太眞實。我被拉進了一個由精神能力製造出來的夢。

艾德里安！

這個想法令我很激動。我很想他，很想在皇庭發生那麼多事之後，能和人面對面地談話。我在逃跑的時候，能夠和人說話的時間並不多，而在闖進了這個奇怪的森林裡後，我眞的需要回到一個正常、文明的世界。

這個夢裡的世界開始在我周圍形成，變得越來越清晰。這個地方我從來沒有見過，是一個很普通的客廳，裡面有沙發、椅子，還擺放著薰衣草顏色的毛毛坐墊，牆上掛了一排油畫，角落裡還擺著一架大豎琴。我早就習慣了艾德里安這種毫無預警的舉動——或者說，是他給我創造的驚喜。幸運的是，我穿著T恤和牛仔褲，脖子上還帶著護身符。

我焦急地回過頭，想查看他在哪裡，準備給他一個熊抱。可是，當我環顧房間的時候，看見的並不是期望見到的艾德里安。

而是羅伯特・德魯。

還有維克多・達什科夫。

# 10

當妳的男朋友是一個夢行者的時候，妳會學會幾件事，其中最重要的一件是，在夢中做的事情產生的感覺，和在現實中是一模一樣的。比如說，親吻。我和艾德里安有過許多在夢中親吻的經驗，那些吻都能夠激發出我身體的火花，讓我渴望更多。雖然我從來沒有在夢裡打過人，不過我很想要試試看，看他們會不會像在現實中一樣痛。

我毫不猶豫地衝向維克多，不過還沒想好是要用拳頭揍他，還是直接掐死他。這兩種想法好像都不錯。可是，我哪樣都沒能做，在我打中他之前，已經先撞上了一堵看不見的牆——結結實實地撞上去。這堵牆既令我無法打中他，也將我彈了回來。我踉蹌了幾步，想要站穩，可最後還是重重地跌在地上。沒錯——在夢裡感受到的痛楚和現實中一樣。

我瞪著羅伯特，既憤怒又不安，不過我盡量將後一種情緒隱藏起來。「你是能用意念控物的精神能力者？」我們雖然知道有這種事，可莉莎和艾德里安都還沒學會。我眞的很不喜歡羅伯特有這種能力，可以用念力來移動物品，還能創造出一道看不見的牆。這種劣勢我們不需要。

羅伯特的回答模稜兩可：「我可以控制夢境。」

維克多低頭看著我，依然帶著那副他擅長的自大、算計的表情。我意識到現在的姿勢十分有損尊嚴，立刻站了起來，擺出強硬的姿態，全身肌肉緊繃，做好準備。我懷疑羅伯特能夠一直維持住這道牆。

「妳鬧完脾氣了嗎？」維克多問，「如果妳肯表現得像個文明人，我們的談話會比較愉悅。」

「我對和你談話沒興趣。」我怒道，「現在我唯一想做的事，就是在現實世界裡抓到你，把你交給警方。」

「眞不錯，」維克多說，「我們可以共用一間牢房。」

我忍不住顫抖了下。

「沒錯，」他繼續說，「我已經知道發生什麼事了。可憐的塔蒂安娜，多麼不幸，多麼大的損失。」

他那種嘲諷、誇張的語氣令我心中一驚，警惕起來。「你……你和這件事沒什麼關係吧？」

維克多從監獄裡逃跑的事，引發了莫里世界莫大的擔心和恐慌。他們一直認為他會回來，向他們這些人復仇，可我知道他逃跑的眞相，所以對這種說法並不以為然，覺得他肯定會找個地方藏起來。現在，想到他曾經想要在莫里的世界裡發動一場革命，我禁不住要想，也許殺死女王的眞兇就是我們全都熟知的這個大惡棍。

維克多聽了嗤之以鼻。「當然沒有。」他雙手背後，在客廳裡踱著步，假裝在欣賞油畫。我再次開始好奇地想，不知道羅伯特的防護牆能堅持多久。「我有更聰明的辦法來達成我的目標，才不屑於用這種手段——妳也不會。」

我本來想指出，他擾亂莉莎心智的做法也稱不上聰明，可是他最後那句話引開了我的注意力。

「你不相信我是兇手？」

他本來正欣賞著一幅畫著戴禮帽、拄手杖的男人的油畫，現在回過頭來看著我。「當然不信。妳從來不會做這種前期需要周密準備的事情。而且，如果我聽到的關於犯罪現場的描述是眞的，妳也不像是會留下那麼多證據的人。」

這番話裡既有對我的侮辱，又有對我的褒獎。「哦，謝謝你的信任。不過我比較關心的是現在你在想什麼。」這番話說完，我微微一笑，雙手環胸。「你們是怎麼知道皇庭發生的事情的？你們派了間諜嗎？」

「這種事很快就會在莫里的世界裡傳開。」維克多說，「我還沒有那麼與世隔絕。她遇害不久我就收到消息了，妳那令人印象深刻的逃跑也是。」

我的注意力全都放在維克多身上，可是偶爾也會飛快地偷瞄一下羅伯特。他仍然一言不發，從他那茫然、放空的眼神裡，我覺得他可能根本沒有注意到我們在說什麼。看見他經常會讓我脊背發涼，他是證明精神能力副作用的最好例子。

「你爲什麼關心這件事？」我問道，「還有該死的你爲什麼要費心闖進我的夢裡？」

維克多踱步走到豎琴前，伸出手用指尖在豎琴光滑的木質表面滑動著。「因爲我對莫里的政治有非比尋常的興趣。我很想知道到底是誰殺了塔蒂安娜，而他們的目的又是什麼。」

我假笑了下。「聽起來，你好像很嫉妒別人替你完成這件事。我沒有別的意思。」

他的手猛地垂下來，落回身旁，而那雙銳利的目光又落在我身上，那雙和莉莎一樣的淺綠色眼眸。「任憑妳再能說會道也改變不了什麼。現在妳只能選擇幫我們還是不幫。」

「我最不想幫的人就是你。我不需要。」

「沒錯。事態的發展對妳會非常有利，現在妳是一個通緝中的殺人犯，身邊還跟著一個大部分人仍然相信他是血族的男人。」維克多有意頓了一下，「當然，我很確定妳不會介意最後那句話。妳知道，如果我找到你們兩個，把你們殺了，便很有可能會像個英雄一樣被人迎接回去。」

「別太一廂情願。」我心裡感到非常火大，既因爲他的暗示，也因爲過去他替我和迪米特里製造了許多麻煩。我盡自己最大努力，用非常有威脅性的低沉聲音說：「我會先去找你，而你將活不到去見警察的那天。」

「我們的殺人犯身分可不是靠妳幫忙得來的。」維克多說著坐在一張有軟墊的椅子上，調整了一個很舒服的姿勢。羅伯特仍然站著，臉上仍然是那種狀況外的表情。「現在，我們首先要做的是弄清楚爲什麼有人想要殺死我們的上一任女王。她那個容易與人發生摩擦的性格肯定不足以構成動機，所以我相信肯定不是因爲這個。人們做這種事，一般都是爲了取得權力和利益，以此達成自己的目的。根據我聽到的，塔蒂安娜最近最富有爭議的舉措便是年齡提案——沒錯，就是這個。這個令妳大皺眉頭的提案，作爲兇手殺害她的動機，是站得住腳的。」

我根本就不想回應維克多，也不想和他有什麼理性的討論。我唯一想做的，是找出他在眞實世界裡的藏身地點，然後，還想再找機會撞一下這堵看不見的牆。如果這麼做能夠造成一些裂痕，還是值得一試的。所以，當我聽見自己說出什麼的時候，也有些詫異。「或者，這麼做的人想要推動比這更惡劣的提案——對拜爾更加不公平的提案。他們認爲她的辦法太溫和了。」

我承認，能夠看見維克多．達什科夫毫無防備的樣子，是我人生中最大的樂事。看著他震驚地揚起眉毛，我現在就有這種滿足感。說出像他這種老奸巨猾的人沒有考慮到的事，不是件容易事。

「有意思。我也許低估了妳，蘿絲。這是妳說過最聰明的話。」

「呃，嗯……其實這並不完全是我的推論。」

維克多充滿期待地等著我的下文。就連羅伯特也突然轉過頭來看著我，眞噁心。

「這是塔蒂安娜的想法。我是說，不是她的推論，是她直接告訴我的——好吧，其實是她在留給我的字條上寫到的。」我爲什麼要跟他們兩個說這麼多？好吧，最起碼我再次嚇到了維克多。

「塔蒂安娜．伊瓦什科夫留給妳一張寫了祕密內容的字條？寫了什麼？」

我咬著嘴唇，看向維克多身後的一幅油畫。上面畫了一位非常優雅的莫里女士，她那碧綠色的眼睛和達什科夫家族和德拉格米爾家族的眼睛一模一樣。我突然想到，也許羅伯特構築的這個夢境是他們小時候居住過的達什科夫家的公寓。這時，我視線之外的動靜讓我立刻又將注意力轉回到這對兄弟身上。

維克多站起身來，向我走了幾步，似乎充滿了好奇和盤算。「肯定不只這些。她還對妳說了什麼？她知道她自己情況很危險，知道這個法案是危險來源的一部分……但肯定不只這樣，還有什麼？」

我仍然沉默不語，但是一個瘋狂的想法開始在我心裡形成。我是認眞在考慮，維克多是不是可以幫我。當然，按照過去的經驗來看，這其實也沒有那麼瘋狂，我曾經爲了要他幫忙，而將他從監獄裡救了出來。

「塔蒂安娜說……」我應該說嗎？我應該將這個連莉莎都不知道的祕密告訴他嗎？如果維克多知道了還有另外一個德拉格米爾家族成員，他也許會利用這件事完成自己的計畫。怎麼辦？我不是很確定，可是卻早就知道他身上總有讓人意想不到的事。

維克多知道很多莫里的祕密，而我毫不懷疑，維克多會知道許多關於德拉格米爾家族和達什科夫家族的祕密。我吞了口口水。「塔蒂安娜說，德拉格米爾家族還有另外一個成員，是莉莎爸爸的私生子，如果我能夠把這個人找出來，那麼莉莎就可以重新奪回她在議會的權利。」

看見維克多和羅伯特驚訝地彼此對看，我知道我的計畫落空了。維克多知道的並不會比我多。可是，我卻提供了他一個這麼有價值的訊息。該死，該死，該死。

維克多看著我，面帶懷疑。「這麼說，艾瑞克．德拉格米爾並不像他平時裝的那樣，像個聖人。」

我攥緊了拳頭。「不許侮辱她爸爸。」

「眞是作夢都想不到，我現在開始喜歡艾瑞克了。不過……如果這是眞的，那麼塔蒂安娜說得對。瓦西莉莎確實可以代表她的家族回到議會，而她開放的理念肯定會對這個保守頑固的議會造成改變。」他咯咯笑了起來，「對，我已經可以看見那些人有多麼生氣了……包括那個想要打壓拜爾的兇手。我能想像得到他或者是她，絕不會希望這件事洩露。」

「已經有人想要毀掉能夠證明莉莎爸爸有情婦的文件記錄了。」我再次不經大腦地說出這句話，眞是恨不得割下自己的舌頭。我不想再向這對兄弟透露更多，也不想表現得好像我們已經達成合作協議了般。

「讓我猜一下。」維克多說，「這就是妳打算做的事，對不對？找出德拉格米爾家族的那個小雜種。」

「嘿，不許——」

「這只是個修辭而已。」他打斷我，「如果我對妳們兩個的瞭解沒錯——對此我很有自信——瓦西莉莎一定十分想要在皇庭替妳澄清名譽，而妳和貝里科夫則可以卿卿我我地上路去找出她的弟弟或者妹妹。」

「你對我們兩個根本就什麼都不瞭解！」我喊道。特別是那句卿卿我我。

他聳聳肩。「妳臉上全寫著呢。而且說眞的，這個主意也不錯，雖然不是最好的，不過也不差。讓德拉格米爾家族擁有法定的人數，妳在議會裡就有了一個替妳講話的聲音。我猜，妳還沒有線索吧？」

「我們正在努力尋找。」我模稜兩可地說。

維克多看了看羅伯特。我知道這兩個人肯定沒有心電感應，可是他們彼此對視的一瞬間，我有種預感，他們似乎在想同樣的事，而且正在互相確認。最後，維克多點點頭，轉回來看著我。

「那麼好吧，我們同意幫助妳。」他說的好像是勉強同意幫我一個天大的忙似的。

「我們才不需要你們的幫助！」

「你們當然需要。妳已經不再是你們那個陣營裡的人了，蘿絲。妳已經陷入了醜陋、複雜的政治糾葛裡——這是妳從來沒有經歷過的。承認這一點沒什麼好丟臉的，我也不會羞於承認這是一場沒有理性、變態、赤裸裸的戰鬥，而妳肯定是有優勢的一方。」

又一個諷刺帶恭維。「我們可以靠自己的力量，還有煉金術士在幫我們。」沒錯，這樣才能讓他知道，到底誰不再是那個陣營裡的人，而我發誓，他看起來確實好像有稍微被震撼到的樣子。只是稍微而已。

「比我想像的好。妳的煉金術士發現確切的地點，或者是別的線索了嗎？」

「她正在努力。」我又說了一遍。

他有些挫敗地嘆了口氣。「我們還需要時間，對不對？瓦西莉莎需要時間在皇庭調查，而妳也需要時間去找那個孩子。」

「你說的好像沒有你不知道的事情似的。」我指出，「我猜這件事你多少也應該知道一點吧？」

「我也很懊惱，答案是不。」聽上去維克多似乎沒有說眞話，「不過我向妳保證，一旦找到線索，我肯定會馬上搞清楚一切。」他走向自己的弟弟，安慰地拍了拍他的手臂。羅伯特崇拜地看著他。「我們還會再來找妳的。如果妳找到了有用的線索，記得告訴我們，這樣我們會去找妳。」

我張大了眼睛。「你肯定不會——」我猶豫了。在拉斯維加斯的時候，維克多從我手裡逃跑了，可是現在他主動說要來找我，那麼我也許可以彌補這個錯誤，繼續我之前想要威脅他的計畫。很快，我便改變了口形：「我怎麼知道你值得信任？」

「沒有別的辦法。」他慢慢地說，「妳必須相信，妳敵人的敵人就是妳的朋友。」

「我一直很討厭這種說法。你一直都是我的敵人。」

看到羅伯特突然有了生氣，我有些驚訝。他瞪著我，走了過來。「我哥哥是個好人，影吻者女孩！如果妳敢傷害他……如果妳敢傷害他，妳就試試看。妳再死一次可就活不過來了，死神的世界不會給妳第二次機會。」

我很清楚，最好把這些威脅的話當成瘋言瘋語，可是他最後那句話還是令我心裡發寒。「你哥哥是個瘋子——」

「好了，好了。」維克多再次安慰地拍拍羅伯特的手臂。這個年紀比較輕的達什科夫仍然對我怒目而視，不過他退了回去，而我則在想，那道看不見的牆肯定又豎了起來。「這對我們都沒有好處，這樣是在浪費時間——而我們的時間已經禁不住這麼浪費了。我們需要搶時間，此時此刻，君主選舉隨時都可能召開，而殺死塔蒂安娜的兇手肯定可以趁機插手，如果這後面眞的有著大陰謀的話。我們必須延後選舉——不光是要找出兇手，還要讓我們有時間去完成自己的任務。」

我已經聽得很厭煩了。「哦？那你說我們應該怎麼做？」

維克多微微一笑。「我們可以提名瓦西莉莎作爲下任女王的候選人。」

鑒於目前和我打交道的人是維克多．達什科夫，我眞的不應該驚訝他說出來的任何話，可是剛才的話，眞的切切實實地證明了他發瘋的程度，也再一次驚得我措手不及。

「這件事，」我嚴正地說，「完全不可能。」

「不見得。」他回答道。

我憤怒地攤開手。「我們剛才說的話你難道都沒有注意聽嗎？整件事的關鍵在於讓莉莎在莫里世界恢復他們家族的權利。她沒有投票權！那她怎麼能夠競選女王？」

「事實上，根據法律規定，她是可以的。根據目前現存的提名規則，只要這個人擁有皇室血統，就可以競選君主的位置。每個家族都可以派人競選，但是並沒有提到家裡必須有多少人，這和在議會的投票權不一樣，她只需要有三個提名人，而法律也沒有特別對這三個提名人的家族做出規定。」

維克多講話時這種精準、乾脆的方式，令人覺得他好像是在背誦法律典籍。我很想知道他是不是將所有的法律條文都記住了。我猜，如果某人想鑽法律的漏洞，那麼肯定得熟知這些東西。

「寫下這部法律的人可能認爲，每個候選人家裡肯定都不只有一個成員，所以根本沒有費心把這點寫下來。如果莉莎參選的話，肯定有人會這麼說。他們一定會反對。」

「隨便他們怎麼反對都沒關係。那些否決了莉莎在議會席位的人，引用的法律條文提到了她的家族必須有另外一個家庭成員。如果這是他們的根據，那麼所有法律條文的細節便都要算數，他們必須對選舉的法律也一視同仁。而正如我說過的，選舉法裡對此並沒有做出過規定，這是一個很美麗的漏洞。她的對手不能有雙重標準。」維克多微微翹起嘴角，自信至極，「我向妳保證，在條文上肯定沒有能夠阻止她參選的地方。」

「那她的年紀呢？」我問道，「參與競選的王子和公主，年紀往往都很大了。」王子和公主的頭銜一般都會由每個家族裡最年長的人獲得，按照傳統，這個人才有資格參與國王或者女王的競選。雖然每個家族也可以提出自己認爲更加適合的人選，不過就算這樣，就我所知，這些人也通常都是比較年長、經驗豐富的人。

「對年齡的唯一規定就是要成年。」維克多說，「她已經十八歲了，完全夠資格。其他的家族可能有很多可供挑選的人選，所以很自然，他們會選那些看起來比較有經驗的。可是對德拉格米爾家族來說呢？哦，他們沒有辦法這麼做。現在明白了？再說，也不是沒有過年紀很輕的人當選爲君主的先例，史上最有名的女王愛麗珊德拉，她當選時的年紀就比瓦西莉莎大不了多少。她非常受人愛戴，表現非常卓絕，她的雕像就豎立在皇庭的教堂旁邊。」

我不安地動了動。「事實上……那個……呃，已經不在了。應該說，是被炸掉了。」

維克多頓時目瞪口呆。顯然，我逃跑的事他並沒有聽到全部的細節。

「這不重要。」我飛快地說，覺得有些內疚，因爲這個受人愛戴的女王雕像會被炸掉，我也得負間接責任。「重點是利用莉莎這個主意很荒唐。」

「妳不是唯一一個會這麼想的人。」維克多說，「他們也會這麼說，也會反對，但最後，還是要交由法律判定。他們必須同意讓莉莎參加競選。她要通過種種考驗，而且通過的可能性很高，然後，等到投票那刻來臨時，相關法律規定，需要候選人的其中一位家人來協助候選人投票。」

目前爲止我的腦子還跟得上，但聽著這些法律漏洞，研究怎麼鑽漏洞的技巧，令我的大腦感覺很累。「拜託你講得直接一點，換成通俗易懂的語言。」我不客氣地說。

「就是等到投票的時候，她的參選就喪失了合法性，因爲在眞正得投票的時候，她沒有能夠按照規定履行職責的家人。換句話說，法律規定她可以參選，可以接受考驗，可是，人們不會眞的選她，因爲她沒有家人。」

「這……眞是太蠢了。」

「沒錯。」維克多說完停了下來。我從來沒有想過，我們兩個會對一件事達成共識。

「莉莎肯定不願意，她從來都沒有想過要當女王。」

「妳聽不懂嗎？」維克多喊道，「她不會成爲女王的，她不能。這就是這部法律的缺點，對於未來沒有遠見，漏洞百出。不過，這樣會令選舉的過程變得非常緩慢，我們就有足夠的時間去找瓦西莉莎的手足，找出殺死塔蒂安娜的眞兇。」

「嘿！我剛才說過，沒有什麼『我們』。我不會——」

維克多和羅伯特又對視了一眼。

「讓瓦西莉莎參選！」維克多喊道，「我們會再來，和妳敲定什麼時候見面，商量去找德拉格米爾家族的人的事。」

「這不——」

我醒了。

我的第一反應是髒話連篇，可是，一想起自己置身於何處，最後只能將這些髒話在心裡默唸一遍。我看見角落裡迪米特里值守的側影，警惕、細心，可我不想讓他知道我醒了。我閉上眼睛，換了個比較舒服的姿勢，希望這次可以眞正睡去，便不用受達什科夫兄弟和他們荒唐計畫的困擾。讓莉莎去競選女王？這太瘋狂了。可是……比起我做過的事情來說，其實也不是那麼瘋狂。

我將這些事拋到一邊，放鬆身體，感覺眞正的睡意開始籠罩我。要注意，只是開始，因爲突然間，我感覺到另外一個以精神能力構築的夢境籠罩了我。

顯然，今晚注定是一個繁忙的夜晚了。

# 11

我鼓起勇氣，準備看到達什科夫兄弟再次出現，回來給我幾句「最後的忠告」。可是，我看見的人卻是——

「艾德里安！」

我跑過夢裡的花園，張開手臂摟緊他。他也緊緊地抱著我，甚至將我整個人都抱了起來。

「小拜爾。」他說著將我放下來，但是仍用手臂環著我的腰。「我很想妳。」

「我也想你。」我是認真的。過去幾天發生的稀奇古怪的事情，已經完全打亂了我的生活，而和他在一起——哪怕是在夢裡——令人覺得十分安慰。我踮起腳吻他，享受著我們親吻時這短暫、溫暖而平和的一刻。

「妳還好嗎？」我們分開之後，他問道，「沒有人告訴我關於妳的消息。妳家大叔說妳很安全，如果有問題，那個煉金術士會立刻通知他。」

我不打算告訴艾德里安這恐怕不是事實，艾比肯定不知道我們已經逃到某個全都是吸血鬼的森林裡來了。

「我很好，」我向艾德里安保證，「幾乎是無聊。我們躲在一個很偏僻的小鎮上，我想應該不會有人想到要到這來找我們，而且他們可能也不會想來。」

艾德里安那張英俊的臉上露出放鬆的神色，我這才意識到他有多麼擔心。「我很高興，蘿絲，妳肯定想像不到我們的情況。他們剛剛把所有與那件事有關的人都審問了一遍，守護者還制定了各種去逮捕妳的計畫，那些人被稱為『奪命部隊』。」

「哦，他們找不到我的。我所處的地方很偏僻。」非常偏僻。

「眞希望我能和妳一起走。」

他看上去還是很緊張，我豎起手指壓住他的嘴唇。「不，別這麼說。你現在這樣很好——別再因為我的事給自己惹麻煩。他們也找你去問話了嗎？」

「對，可他們沒有在我身上問到什麼有價值的事，我的不在場證明太完美了。他們找我的時候，我正要去找米哈伊爾，因為我們見到了——」

「我知道，喬。」

艾德里安驚愕了一下。「小拜爾，妳一直在監視我們。」

「很難不這麼做。」

「妳知道，雖然我很喜歡遇到麻煩時會有另外一個人知道這件事，不過還是很高興沒有人跟我有心電感應。我可能不會想要有人偷偷在我的意識裡看著我。」

「我也不認為有人想要溜進你的意識裡，和實體的艾德里安·伊瓦什科夫相處已經很不容易了。」他的眼睛裡閃動著笑意，不過當我將話題引到公事上時，那笑意便不見了。「不管怎麼樣，嗯，我是偷聽了莉莎的……呃，對喬的問話。這件事很嚴肅。米哈伊爾怎麼說？如果證明喬說謊，那就可以顯示我的清白。」但這同時也意味著否定了艾德里安的不在場證明。

「呃，其實也不算。如果喬能證明妳在塔蒂安娜死的時候是在自己的房間裡，而不是說他忘記了時間，那樣還比較有利。而如果他不是在莉莎的催眠之下坦誠這一切，事情也會比較有利。米哈伊爾沒辦法將這件事彙報上去。」

我嘆了口氣。和這些精神能力者在一起，我總是認為催眠是件很容易的事，所以很容易就會忘記，在莫里的世界裡這是個禁忌，是很容易給自己惹來麻煩的事情。事實上，莉莎也許不僅會因爲這樣替自己惹禍上身，很可能還會被指控她催眠了喬，讓他按照她的想法修改口供。不管他說的事情對我多麼有利，都會受到懷疑，沒有人會相信的。

「還有，」艾德里安補充道，語氣聽來似乎非常不高興，「如果喬說的話傳了出去，那麼全世界的人都會知道，我媽媽基於母愛做了不對的事。」

「對不起。」我說著摟住他。雖然他總是不停地在抱怨自己的父母，可其實他還是很關心他的媽媽的。發現她做這種事，對他來說很難受，而我知道塔蒂安娜的死也讓他很心痛。最近我似乎總是覺得對不起別人。「不過，我眞的很高興她能夠讓你置身事外。」

「她太傻了。如果有別人知道，她肯定會遇到大麻煩的。」

「後來米哈伊爾有什麼建議嗎？」

「他說會去找喬再私下問問。除此以外，我們現在沒有別的事情可以做。這個訊息對我們很有用……可是在法庭上卻用不上。」

「沒錯。」我說，努力讓自己不要灰心。「但我想這總比什麼都不知道要好。」

艾德里安點點頭，一如既往地調整好自己的心態，將壞心情一掃而光。他摟緊我，低頭笑看著我。「順便說一句，洋裝很漂亮。」

他突然轉換話題令我有些錯愕，不過跟他在一起以後，我已經很習慣他這樣了。順著他的目光，我看見自己今天穿的是一條以前的舊洋裝，那件維克多對我和迪米特里下情慾符咒的時候，穿的那件黑色性感洋裝。自從艾德里安不再在夢裡替我選衣服，我的外表便由我的潛意識決定。所以，看到它選了這件，我有些震驚。

「哦……」我突然覺得有些尷尬，可是也說不清是爲什麼。「我自己的衣服都有些隨意，所以可能是叛逆期，想要改變一下。」

「哦，不過妳穿起來很漂亮。」艾德里安的手指沿著肩帶遊走。「眞的很漂亮。」就算是在夢裡，他指尖的碰觸仍使我的皮膚泛起微微的雞皮疙瘩。「聽著，伊瓦什科夫，我們現在可沒時間做這種事。」

「我們在睡覺。不然我們還有別的事可做嗎？」

我的抗拒融化在他的吻裡，我深深地沉迷其中，他的一隻手滑到我的大腿，來到裙底的邊緣。我花費了很大的力氣才說服自己，他把我剝光了也對洗清我的罪名於事無補，然後不情不願地往後退開。

「我們要找出是誰殺了塔蒂安娜。」我努力平復著呼吸。

「沒有『我們』。」他說道，這句話我剛才也對維克多說過。「只有我、莉莎和克里斯蒂安，還有其他那些怪咖朋友們。」他撩撥著我的頭髮，再次將我拉近，輕輕地吻著我的臉頰。「別擔心，小拜爾。妳照顧好自己，老實地留在那個地方就好。」

「可我做不到，」我說，「你還不明白嗎？我沒辦法什麼事都不做。」在我能夠阻止自己之前，這些話已經說了出來。我在迪米特里面前不反駁是一回事，可是和艾德里安在一起，我必須要讓他和在皇庭的其他人，相信我是可以做「對的事」的。

「妳必須這麼做，我們會幫妳。」

我意識到，他還是不明白，不明白我多麼想要幫上忙。他認爲照顧好我是一件大事，他希望能夠保證我的安全，可是他並不明白我是多麼迫切地想要行動。

「我們會找出這個人，阻止他做的事，不管他們想要做些怎麼。也許這樣會花很長一段時間，可我們最後會找到的。」

「時間……」我靠在他胸口小聲說，不再和他爭論。我沒有辦法說服他我現在多麼想要幫助自己的朋友們，而且，我自己現在其實也有很多問題要解決。要做的事情這麼多，可是時間卻這麼少。我瞪著他在夢裡創造出來的花園，看見周圍的樹和花，才突然明白我們是在教堂外面的花園裡——就是艾比沒炸掉之前的那個樣子。愛麗珊德拉女王的雕像還在，她長長的頭髮和和善的雙眼被這些石頭永久地留存下來。現在，調查兇手的重任的確是握在我的朋友們手中，而艾德里安說得對：這可能要花很長一段時間。我嘆了口氣。「時間，我們需要爭取更多的時間。」

艾德里安輕輕推開我一點。「嗯？妳說什麼？」

我抬頭看著他，咬著下嘴唇，腦子裡轉著無數種想法。我再次看了看愛麗珊德拉的雕像，下定決心，希望自己不會創造出做蠢事的新紀錄。我看著艾德里安，握住他的手。

「我們需要爭取更多的時間。我知道有個辦法可以辦到，可是……你必須幫我做這件事。而且，最好先不要告訴莉莎……」

我只來得及把怎麼做告訴艾德里安，他的反應和我想像的一樣震驚。這時，迪米特里喚醒我，輪到我值班了。我們兩個換了個位置，稍微聊了兩句。他還是維持著那種嚴肅的神色，可是我能看出他臉上微微疲憊的線條。我不想告訴他我見到維克多和羅伯特的事，不想讓他再操心——不過只是現在。我也沒有告訴他我剛才要艾德里安做的事，之後還有很多時間可以慢慢說。

迪米特里不一會兒便睡著了，而雪梨整個晚上都沒有醒。我很嫉妒她能夠睡一整晚，不過看著外面的天色變得越來越亮，也禁不住微笑了起來。經過這一整個晚上的顛簸，她的作息時間不小心也換成了吸血鬼的。

當然，莉莎的作息時間也是一樣的，這意味著我現在沒辦法借助心電感應過去看她。這樣也好，我需要好好觀察一下這票令我們感到困惑的可怕的人。雖然那些守舊黨沒有企圖阻擋我們，不過這並不代表他們就無害。我沒有忘記，雪梨對這次以煉金術士名義前來拜訪的意外行程有多麼擔心。

當傍晚降臨在這個世界的時候，我聽見外面傳來一陣騷動。我輕輕地碰了碰迪米特里的肩膀，他猛地張開眼醒過來。

「放鬆放鬆，」我來不及藏起自己的笑容，「只是叫你起床而已。聽起來，我們那幾個鄉下朋友已經全都起床了。」

這次，我們的談話聲吵醒了雪梨。她翻了個身，瞇著眼睛，看著從窗戶漏進來的陽光。「現在幾點了？」她伸著懶腰問。

「不知道。」我又沒有錶。「應該過中午了吧。三點？四點？」

她坐起來，速度幾乎和迪米特里剛才一樣快。「已經下午了？」外面的陽光給了她回答。「你們這些該死的傢伙，還有你們這該死的邪惡的作息時間。」

「妳剛才說了『該死』嗎？難道這樣做不會違反煉金術士的規矩嗎？」我揶揄地問道。

「有必要的時候，是可以的。」她揉揉眼睛，看著房門。剛才的輕微起床聲現在變大了，就連她的耳朵都能聽見了。「我想我們要制定個計畫。」

「已經定完了。」我說，「去找莉莎的手足。」

「可我從來沒有眞正同意過。」她提醒我道，「而且你們兩個一直認爲，我可以像電影裡無所不能的駭客那樣，幫你們找到答案。」

「哦，至少這是個方向——」我突然想到一件事，一件很可能將全盤計畫毀掉的事。「該死。妳的筆記型電腦在這裡沒辦法用。」

「裡面有衛星接收器，我們唯一要擔心的就是電池還能夠用多久。」雪梨嘆了口氣站起來，很不高興地飛快整理好衣服。「我需要找個咖啡館之類的地方。」

「我記得來的時候，路上有個山洞。」我說。

她聽了幾乎要笑出來。「附近肯定會有個能夠讓我使用這台電腦的小鎮。」

「可是在這個州內開著那台車跑來跑去，似乎不太好。」迪米特里說，「就怕之前的旅館有人記住了妳的車牌號碼。」

「我知道。」她微微一笑，「這點我也正在考慮。」

我們的腦力激盪時間被敲門聲打斷。不等我們應門，莎拉便探進頭來，笑著對我們說：「哦，眞好，你們都起床了。我們已經準備好了早餐，你們要不要出來一起吃？」

透過門縫，傳來一股很普通的早餐的香味，有培根、雞蛋……昨晚的麵包讓我撐過了一個晚上，不過我已經準備好去吃些算得上眞正食物的東西，不管雷蒙一家人準備什麼給我吃，我都樂意接受。

來到外面的客廳，我們看見了一幕準備早餐時的熱鬧景象。雷蒙顯然正在壁爐上煮著東西，而莫蘭則在佈置餐桌，桌子上已經擺好了一大盤很普通的炒雞蛋，還有很多昨天晚上的那種麵包。雷蒙從壁爐旁站起身，手裡端著一大片金屬板，上面鋪滿了培根。他看見我們，從大鬍子裡露出一抹微笑。

我看著這些守舊黨，發現一件事：他們從沒有試圖藏起過自己的尖牙。從小，我的莫里同學就被要求在微笑和講話時要盡量把尖牙藏起來，尤其是他們前去人類的城市時。這裡的情況一點都不一樣。

「早安。」雷蒙說著，小心地將手裡的培根倒在桌上的另一個大盤子上。「希望你們都餓了。」

「你猜，這些是眞正的培根嗎？」我小聲對雪梨和迪米特里說，「不是用松鼠肉什麼做的吧？」

「我覺得是眞正的培根。」迪米特里說。

「我也這麼想。」雪梨說，「不過，我想這應該是他們自己養的豬做成的，不是從外面的商店裡買回來的那種。」

我不知道自己的表情看起來如何，不過迪米特里看著我笑了起來。「我一直很希望看見能有什麼事情讓妳感到害怕。妳害怕血族嗎？答案是不。可是來路不明的食物？答案是沒錯。」

「血族怎麼了？」

約書亞和安琪琳走了進來。約書亞手裡端著一碗藍莓，而安琪琳則牽著一頭小山羊。從他們的動作和髒兮兮的臉蛋看來，顯然他們剛從外面回來，而剛才問問題的人是安琪琳。

迪米特里替我做了解釋。「我們只是在談論蘿絲殺死過的血族。」

約書亞立刻停下來看著我，那雙漂亮的藍眼睛裡閃動著驚訝。「妳殺死過迷失的人？呃……我是說血族？」我很欣賞他試圖使用「我們的」語言。「殺死過多少個？」

我聳了聳肩。「我其實也記不清了。」

「你們沒有使用標記嗎？」雷蒙不屑地說，「我想惡人是不會放棄那些東西的。」

「標記……哦，對。你是說我們的紋身吧？當然有。」我轉過身撩起頭髮。我聽到一陣悉悉索索的腳步聲，然後感覺到一根手指摸上我的脖子。我打了個寒顫，猛地回過身，剛好看見約書亞害羞地放下手。

「對不起。」他說，「我以前從來沒見過這些紋身，我只見過閃電紋身。我們是用那個來計算殺死多少個血族的。妳好像……有很多。」

「那個S型的紋身是他們那群人在用的。」雷蒙微皺起眉，不過那神情很快被讚賞所代替。「其他的是『紮茲達』。」

我和約書亞、安琪琳聽了，都不約而同地問道：「什麼意思？」

「就是戰鬥的紋身。」迪米特里說，「現在還用『紮茲達』來叫這種紋身的人並不多了，它的意思是『星星』。」

「哈，這我就明白了。」我說。事實上，這種星形的紋身只有參加過很大型的戰役，而且殺死過許多血族的人才能擁有。畢竟，你的脖子上沒辦法容納那麼多的閃電紋身。

約書亞微笑地看著我，他的笑令我有些不安。不過，這並不能改變他還是令人覺得好看的事實。「現在我明白妳怎麼有本領殺死惡人的女王了。」

「這也可能是假的。」安琪琳說。

我本來是不想承認殺死女王這件事的，可她的說法激怒了我。「才不是！這些紋身是血族襲擊我們學校時，我憑本事贏得的。在那之後，我也殺死過很多血族。」

「不過這些紋身其實也沒有那麼難獲得。」迪米特里說，「你們的人肯定也會每隔不久就和血族展開一場大戰。」

「其實沒有。」約書亞回答，可他的眼睛仍然看著我。「我們大部分人從來都沒有和迷失的人戰鬥過，甚至也沒有見過。他們並沒有對我們造成困擾。」

這眞是出人意料。如果說會有什麼能夠成爲血族的目標的話，那麼一票生活在蠻荒之地的莫里、拜爾和人類，肯定是首當其衝的。「爲什麼？」我問道。

雷蒙朝我眨眨眼。「因爲我們會反擊。」

我還在想他這句謎樣的話是什麼意思時，所有人都已經在桌旁坐好，準備吃飯了。再一次，我想起我們剛抵達這裡的時候，好像整個村子的人都打算站出來戰鬥。這樣做就能夠嚇跑血族嗎？也許還不至於嚇退他們，不過可能有某種特殊的理由，讓他們覺得很棘手吧！不知道迪米特里是不是也在好奇這件事，他自己的家人也住在一個偏離莫里主流生活的小鎮。不過，他們和這票人一點都不一樣。

我腦子裡雖然想著這些，不過仍然沒有耽誤我吃飯和與他人交談，守舊黨對我們和塔蒂安娜的事有很多問題。唯一沒有說話的人便是安琪琳。她和雪梨一樣吃得很少，且一直帶著怒意看著我。

「我們需要一些幫助。」雪梨突然打斷我講到一半的可怕故事，猛地說道。我不介意，可是其他人顯然很失望。「離這裡最近的有咖啡館的小鎮在什麼地方……或者餐廳也行？」

「哦，」莫蘭說，「往北走的話，盧比村離這裡約一個小時多一點。不過我們這裡有很多食物，足夠你們吃的。」

「跟食物無關。」我飛快地說，「你們的食物已經很好了。」我看了雪梨一眼。「一個小時可以接受，對吧？」

她點點頭，又猶豫地看了看雷蒙。「有沒有可能……有沒有可能借台車子給我們？我……」說出下面的話顯然令她很痛苦，「我可以把我們的車鑰匙交給你，作爲抵押。」

雷蒙揚起眉毛。「你們的車子很好啊。」

雪梨聳聳肩。「不過我們還是盡量少開著它在這附近出沒比較好。」

最後，雷蒙說可以把他自己的卡車借給我們，而他「很可能」也不會有需要用到那台CR-V的地方。雪梨勉強報以他一個感激的笑容，可我知道，她此刻也許正想像著這些吸血鬼開著她的車子到處兜風的畫面。

我們不久後就出發了，希望能夠趕在太陽下山之前趕回來。村裡的人則都從家裡走出來，聚集在一起，唱起讚美詩，或者做其他的日常活動。一群孩子圍坐在一個拜爾的身邊，他正拿著一本書講故事給他們聽，這令我不免好奇起他們的教育方式。

每個路過的守舊黨看見我們，不管那人當時在做什麼，都會停下來好奇地看著我們，向我們微笑。我偶爾也會笑一笑，不過大部分時間都看向前方居多。約書亞護送我們回到「停車場」，當我們又踏上那條狹窄的小路時，他一直想方設法要與我並肩而行。

「希望你們不會去很久。」他說，「我很想和妳多聊幾句。」

「當然，」我說，「和你聊天很愉快。」

他眼睛一亮，像騎士一樣替我撥開兩旁低垂下來的樹枝。「也許我可以帶妳去看看我住的山洞。」

「你的——等一下，你不是和你爸爸住在一起嗎？」

「那只是現在。我正在整理我的山洞。」他的語氣中透著一股自豪。「當然，那地方沒有他的那麼大，不過這是一個好的開始，裡頭幾乎已經要整理乾淨了。」

「這眞的……嗯，很不錯。我們回來以後，你一定要帶我去看看。」話說的很容易，可我心裡一直想著雷蒙的木屋眞的很「大」。

帶我們來到雷蒙的卡車旁後，約書亞就回去了。這台紅色小卡車的座位，勉強能坐進我們三個人，而考慮到守舊黨不常走出森林，這台卡車的里程數已經很高了，但也可能已經棄置在這裡好幾年了。

「妳不應該那樣對待他。」我們開了差不多十分鐘的車後，迪米特里說。雪梨出乎意料地同意由他開車，我猜她是認爲這樣一台很男人的車，應該由一個眞正的男人來開。

此刻，我們行走在路上，腦子卻一直停留在我們目前的任務上：找到另外一個德拉格米爾家族成員。「什麼？」

「約書亞。妳不應該和他調情。」

「我沒有！我們只是在聊天而已。」

「妳不是和艾德里安在一起嗎？」

「對！」我喊道，怒氣衝衝地瞪著迪米特里。他仍然看著前方的路。「所以我才說我沒有和他調情。你是怎麼看出來的？約書亞可能對我根本就沒有那方面的想法。」

「事實上，」坐在我們中間的雪梨說，「他有。」

我難以置信地轉頭看著她。「妳是怎麼知道的？他在課堂上偷偷傳了一張紙條給妳嗎？」

雪梨翻了個白眼。「沒有，但是妳和迪米特里在那票人眼裡像神一樣。」

「我們可是外來者。」我提醒她道，「是惡人。」

「不，妳是血族的惡夢，還是殺死女王的人。也許妳可以說他們是出於南方人的熱情和好客，可是這些人骨子裡還是很原始，他們對成爲強者有著非常強烈的渴望。想到他們大部分人都不怎麼稱頭，你們兩個……呃……可以說是他們那裡現在最有人氣的兩個人。」

「妳不是嗎？」我問道。

「這是兩回事。」雪梨說，因爲我的話而有些激動。「煉金術士根本就不在他們關切的範圍之內。我們又不參與戰鬥，他們覺得我們都很弱。」

我回想了一下剛才那些人狂喜的樣子，不得不承認，大部分人看起來確實都是一副飽受風吹雨淋的滄桑模樣。

「雷蒙一家長得卻很好看。」我指出。我聽到迪米特里哼了一聲，無疑地他認爲這是我和約書亞調情的證據。

「對。」雪梨說，「因為他們算是這個村裡最重要的一個家族。他們吃的都比較好，而且可能也不需要做太粗重的工作。也因此，他們的外表看起來會和別人比較不同。」

接下來的路程，我們沒有再談論到關於調情這個話題。我們到達盧比村的時間還很早，這裡看上去很像是我們先前去過的那個小鎮。我們在盧比村唯一的一個加油站停下來，雪梨走進去問了幾句話，回來之後，她說這裡確實有類似咖啡館的地方，可以讓她用筆記型電腦幫我們查找需要的資訊。

來到咖啡館後，雪梨點了咖啡，而我們坐在她身旁。我和迪米特里因為早上吃得太飽，所以並沒有再點其他東西。服務生不滿地看了我們好幾眼，可能認為我們是來佔便宜的，所以我和迪米特里決定到鎮上去轉一轉。雪梨對此的反應幾乎和服務生一樣高興，我想她可能不太喜歡有我們在旁邊。

起先聽到西佛吉尼亞的時候，我確實沒有給雪梨好臉色看，可我不得不承認這裡的風景很漂亮。周圍的大樹高聳入雲，綠蔭蔽天，好像將這個村子圍繞在懷中一樣，樹林後則群山隱隱。這裡的山和我在聖弗拉米爾學院周圍見到的很不一樣，這裡的山連綿不絕，綠油油的，大部分都被樹木所覆蓋；而在聖弗拉米爾學院周圍的山呈鋸齒狀，外表有著裸露的石塊，山頂常年被積雪所覆蓋。一股陌生的鄉愁向我襲來，令我回想起蒙大拿——我很有可能此生再也見不到那裡的山了。如果我的後半生都會在逃亡中度過，那麼聖弗拉米爾學院肯定是我最不能去的一個地方；如果我被抓住，哦……那我此生絕對再也見不到蒙大拿了。

「或是任何地方。」我下意識地脫口而出。

「嗯？」迪米特里問。

「我剛剛在想，守護者會不會找到我們。我從來都不知道自己還有那麼多事沒做，有那麼多地方沒有去。可是突然間，這些全都湧上來了，你知道嗎？」一台橘色的卡車經過，我們閃到路旁。正在放暑假的孩子們坐在車斗裡，正又叫又笑著。「好吧，如果我永遠不能證明自己的清白，我們也永遠找不到眞正的兇手，那下一個最佳方案會是什麼？我的答案是：逃一輩子，躲一輩子。這就是我的人生。我知道，我絕對不會和那些守舊黨生活在一起。」

「我不認爲會是那樣的結果。」迪米特里說，「艾比和雪梨會幫妳找個安全的地方。」

「有地方是安全的嗎？眞正的安全？艾德里安說守護者正在竭盡全力搜捕我們，他們找了煉金術士，還可能找了人類的警察一起幫忙。不管我們去哪裡，都得冒著被人發現的危險，一旦被發現，我們就要繼續流浪，這種情況會一再重演。」

「可妳還活著。」他說道，「這才是最重要的。享受妳擁有的，哪怕只有一點點。別去想那些妳沒有的東西。」

「說得對。」我同意，並且想要遵循他的建議。天空似乎藍了許多，鳥兒的啼叫也似乎嘹亮了許多。「我想我不應該爲那些看不到的夢中的地方傷心，應該感激自己已經能見到的這些。還有，至少我不用住在山洞裡。」

他看了我一眼，微微笑了，眼裡閃動著莫名的光芒。「妳想去什麼地方？」

「什麼？這附近嗎？」我看著四周，細數著我們能有的選擇。我們周圍有一間賣釣魚用品的商店，一家藥局，還有一家霜淇淋屋。我覺得在離開這裡之前，有必要去最後一家店裡待一會兒。

「不，是全世界。」

我小心翼翼地看了他一眼。「如果我選擇伊斯坦堡那種地方，雪梨一定會發瘋。」

回應我的是朗聲的大笑。「這我倒是沒想過。跟我來。」

我跟著他向那家看上去像在賣釣魚用具的店走去，發現店後面還有一間小小的建築物。通常，他那一雙銳利的眼總能看見我看不見的——也可能是因爲霜淇淋吸引了我的目光。那裡是盧比村公共圖書館。

「哇哦，嘿。」我說，「畢業爲數不多的好處，就是可以逃開這樣的地方。」

「不過這裡面可能會有冷氣。」他特別指出來。

我低頭看了看自己被汗浸濕的領口，發現自己裸露的皮膚上已經泛起一小塊淡淡的紅色。雖然我把自己包得很嚴實，不太會曬傷，可是現在的陽光非常大——哪怕現在已經是傍晚了。

「帶路。」我對他說。

謝天謝地，圖書館裡面非常涼爽，不過比起聖弗拉米爾學院的圖書館還是要遜色一點。憑著某種不可思議的直覺（或者是因爲他知道杜威十進分類法），迪米特里帶著我來到旅遊分類的區域，這個區域裡有十本書，三本是關於西佛吉尼亞州的。他皺了皺眉。

「沒有我想像得那麼多。」他來來回回在書架上看了兩次，然後抽出一本很大、顏色非常明豔的書——《全世界值得去的100個地方》。

我們盤腿坐在地板上，他把這本書放在我手裡。

「別想，夥伴。」我說，「我知道看書是一次想像之旅，可是我今天實在沒有心情做這種事。」

「拿著就好。」他說，「閉上眼睛，隨便翻開一頁。」

想到我們身處的現實生活，這麼做好像很傻，可是他的臉色表明他是十分認眞的。我只好順著他，閉上眼，從中挑了一頁，然後打開。

「南達科塔州，米沙鎭？」我喊道，馬上記起這是在圖書館，於是壓低聲音。「全世界這麼多個地方，這裡也能排進前一百名？」

他再次微微一笑，我已經忘記了自己有多麼想念他的笑容。「讀讀看。」

「距離達科塔瀑布九十分鐘的路程，米沙鎮上有最著名的玉米宮。」我難以置信地抬頭看他，「玉米宮？」

他走過來坐在我身旁，湊過來看著書上的圖片。「我想這應該是用玉米的外皮搭建的宮殿。」他說道。圖裡的建築物看上去像是中東風格——甚至是俄羅斯風格，都有著塔樓和大圓頂。

「我也這麼想。」我不情不願地又說了一句，「我會去看看的，我想那裡應該有很不錯的紀念T恤。」

「還有，」他的眼中露出一抹狡猾的目光，「我想守護者肯定猜不到我們會去那裡。」

我沒有試圖掩飾自己的笑聲，一邊笑一邊想像著我們逃亡到玉米宮度過餘生的情景。我的笑聲換來圖書館管理員的斥責，我們於是不再做聲。接著輪到迪米特里，他翻到的地方是巴西的聖保羅，然後又輪到我，我翻到的是夏威夷的檀香山。我們就這樣把這本書傳來傳去，沒多久，我們倆就一起躺在地板上，肩並著肩，好像喝醉了一樣，繼續我們的「想像環球之旅」。我們的手臂和腿之間只有一點點空隙，很輕易就會碰觸到。

如果有人在四十八小時以前跟我說，我會和迪米特里躺在圖書館的地上，一起看一本旅遊書，我肯定會說這個人瘋了。哪怕只是想像能自在地和他在一起，做一些非常普通的事，我也會這麼認爲。自從我們相遇後，我們的生活就變得神祕而危險。眞的，如今這些仍是我們生活中的主要部分。可是在這幾個小時裡頭，時光彷彿靜止了，我們平靜地相處，像朋友一樣。

「義大利，佛羅倫斯。」我唸道。書上的圖片是精美的教堂和畫廊。「雪梨肯定會想要去這裡。事實上，她想去那裡上學，如果艾比能夠幫她實現，我想她可能願意一輩子都替他辦事。」

「她眞是很聽話。」迪米特里評論道，「雖然我對她瞭解不多，可我十分確定艾比一定對她有大恩。」

「他將她從俄羅斯調回到美國。」

迪米特里搖搖頭。「肯定不只是這樣。煉金術士對自己的使命是十分忠誠的，他們和我們不一樣。她雖然盡力隱藏，可是和守舊黨在一起的每一分鐘都讓她覺得痛苦，他們就是被這麼教導的。從她幫助我們逃跑，背叛她的上級，就可以看出她一定欠了艾比一份很大的人情。」我們都不說話，思索著我爸爸是不是還派給了她其他的神祕任務。「這麼說可能不太恰當，畢竟她此時此刻是在幫我們，這點才最重要……我們應該回去找她了吧。」

我知道他說得對，可我實在不願意走。我想要留在這裡，留在這個平靜、安全的幻覺裡，讓自己相信，有一天我眞的可以去北極或者是玉米宮。我把書交給他。「最後一次。」

他隨便翻開一頁打開，臉上的笑容不見了。「聖彼德堡。」

我心裡頓時百感交集。懷念，因爲那座城市太漂亮了；悲傷，我的那趟旅程因爲那件不得不完成的可怕任務而有了瑕疵。

迪米特里看著這一頁看了良久，臉上帶著愁容。這使我想起，撇開他之前說的那些振奮人心的話，他心中肯定也對蒙大拿懷有那種感覺：我們已經回不去那些曾經居住過、喜歡的地方了。

我輕輕捅了捅他。「嘿，享受你現在擁有的。還記得嗎？不要想你沒有的。」

他不情願地合上書，別開眼。「妳怎麼變得這麼有智慧了？」他揶揄地問道。

「因爲我有個好老師。」我們相視一笑。這時，我心中突然一動。一直以來，我都以爲他幫助我逃跑是因爲莉莎要他這麼做，但也許不只有這個原因。「所以這也是你和我一起逃跑的原因？想要跑遍世界各地嗎？」

他似乎很驚訝。「妳不用我的教導也很有智慧，蘿絲。妳自己就已經很聰明了。是的，這也是一部分原因。也許我會漸漸被別人接受，可是我不敢冒這個險，在變成……變成血族之後……」他似乎有些不知道該怎麼往下說。「……我對生活有了新的體認。我並沒有變回原來的我……我們剛才一直說要重視現在，不要管將來——可是困擾我的是我的過去，那些人，那些惡夢。我離死神的世界越遠，就越渴望擁抱生命。這些書的味道，妳身上噴的香水味，陽光透過窗戶的樣子……甚至連和那些守舊黨一起共進早餐，都讓我感到很渴望。」

「你現在變成詩人了。」

「不，我剛剛只是意識到一個事實。我尊重法律，也尊重我們社會的秩序，可是我不願意在剛找到生命的意義之後，再冒險在一個小牢房裡丟掉生命。我也想逃跑，所以才會同意幫助妳，除此之外，還有——」

「什麼？」我仔細看著他，打心底希望他不要這麼善於隱藏自己的情感。我很瞭解他，可他仍然可以對我隱瞞住一些事情。

他坐起來，不敢看我的眼睛。「沒什麼。我們回去找雪梨吧，看看她有沒有什麼發現……雖然我不願意這麼說，不敢我想希望不大。」

「我知道。」我也站起來，心裡仍然在想他剛才要說什麼。「她可能已經放棄，開始玩踩地雷了。」

我們回到咖啡館，在霜淇淋店短暫地停留了一會兒。拿著霜淇淋邊走邊吃，是一個很大的挑戰，雖然太陽已經落到地平線上，將所有的事物都染成橘紅色，可是熱度仍然在。享受現在，蘿絲。我對自己說，這些顏色，這巧克力的味道。當然，我一直都很愛巧克力。我的人生令我不需要在享受甜點這方面設置底線。

我們到了咖啡館，看見雪梨彎腰對著電腦，她身邊放著一塊沒吃幾口的丹麥酥，還有可能是她點的第四杯咖啡。我們走到她旁邊坐下來。

「妳查的——嘿！妳居然在玩踩地雷！」我想湊近點去看電腦螢幕，可是她卻將電腦轉開了。

「妳不是應該在找與艾瑞克的情婦有關的線索嗎？」

「我已經找到了。」她飛快地說。

我和迪米特里震驚地對看了一眼。

「不過我不知道它是不是有用。」

「任何線索都是有用的！」我喊道，「妳查到了什麼？」

「我在調查了所有銀行記錄和交易記錄之後——我得說，這件事一點都不好玩——終於發現了一個小線索。我們現在知道的那個銀行戶頭其實是比較新的，是五年前從另外一家銀行轉過來的。原來那個戶頭的所有人仍然是珍妮・朵依，但後來因故委託給了她的直系親屬。」

我幾乎無法呼吸。我對交易記錄什麼的完全不感興趣，可也許我們會發現一些很重要的事。

「這個人用的是眞名嗎？」

雪梨點點頭。「她叫索婭・卡普。」

# 12

我和迪米特里聽見這個名字，都愣住了。

雪梨來回看了看我們，冷冷一笑。「看來你們兩個知道這個人？」

「當然！」我喊道，「她當過我的老師，後來發瘋了，就變成血族了。」

雪梨點點頭。「我知道。」

我的眼睛張得更大。「她不是……她不是跟莉莎爸爸有曖昧的人吧，嗯？」哦，我的天哪。這可眞是我人生中又一意想不到的轉折，我甚至不敢聽雪梨的回答。

「不太像。」雪梨說，「那個戶口在她繼承之前已經空置了好幾年——那是合理的，因爲要等她年滿十八歲。所以，如果說這個戶口是孩子一生下來就開設的，那麼她的年紀就太小了。索婭應該是她的親戚。」

我之間的震驚此刻已經變成了興奮，我發現迪米特里也和我一樣。「妳肯定有索婭整個家族的檔案吧！」迪米特里說，「就算沒有，別的莫里手裡也肯定會有。誰和索婭關係最親密？她有姊姊嗎？」

雪梨搖了搖頭。「沒有，但是我們肯定會往這個方向調查。不幸的是，她確實還有親人——但是人數眾多。她的父母都出身於大家族，所以她有很多兄弟姊妹，就連她的幾個阿姨輩的人，年紀都和這個珍妮很吻合。」

「我們可以一個一個調查，對吧？」我問道，全身上下都充滿了期待。老實說，我眞的沒想到會一下子得到這麼多資訊。眞的，雖然這個資訊看起來不起眼，但是意義重大。如果索婭・卡普和艾瑞克的情婦是親戚，那麼肯定會有我們能夠追查的線索。

「可是人太多了。」雪梨聳聳肩，「我的意思是，對，我們是可以查，可是要查出每個人的詳細經歷要花很長時間——特別是如果這件事的保密措施做得夠好的話——我們要從中篩選出誰才是我們要找的女人，會很困難。」

「有個人肯定知道這個珍妮・朵依是誰。」迪米特里的聲音低沉，若有所思。

我和雪梨都充滿期待地看著他。

「索婭・卡普。」他答道。

我舉起雙手。「對，可我們沒辦法找到她，她已經失蹤很久了。米哈伊爾・坦恩花了將近一年的時間去找她，都找不到。如果連他都找不到，我們肯定也沒有辦法。」

迪米特里轉過頭，看著窗外。他的棕眸裡充滿了悲傷，思緒顯然已經飄向了遠方。我不是很明白發生了什麼事，可是之前在圖書館他笑著和我分享普通人的白日夢的平靜時光不見了，不僅僅是那個時刻，那個迪米特里也一起不見了。他又回到了原先那種堅毅的樣子，好像將整個世界都背負在自己的肩頭。最後，他嘆了口氣又看向我。「那是因爲米哈伊爾和她沒有關連。」

「米哈伊爾是她的男朋友。」我對他說，「他與她的關係比任何人都要緊密。」

迪米特里沒有理會我的話，反而又陷入了沉思。我在他的眼底看到了掙扎，看見了一場內心的交戰。終於，他好像作出了決定。

「妳的電話在這裡有訊號嗎？」他問雪梨道。

雪梨點點頭，伸手從包包裡拿出手機交給他。迪米特里拿著手機猶豫了一會兒，好像在掙扎到底要不要打，最後，他又嘆了口氣，走到咖啡館的門口。我和雪梨交換了一個質疑的目光，便跟著他走出去。雪梨走在我後面，扔了幾張鈔票在桌上，然後抓起筆記型電腦。此時，我已經走到外面，迪米特里剛好撥完號碼，正將手機貼近耳朵。雪梨此時也趕了過來，過了一會兒，電話那頭似乎有人接聽了。

「伯里斯？」迪米特里問道。

這是我唯一能聽懂的，因爲接下來他說的是一連串的俄語。我看著迪米特里講電話的樣子，心裡升起了一股奇怪的感覺。我很疑惑，迷失在這陌生的語言裡……可不僅僅是這些。我突然打了個冷顫，心臟因爲害怕而劇烈地跳動起來。那種聲音……我認得那種聲音，那是他的聲音，可又不是，它來自我的夢魘，冰冷而殘酷。

迪米特里正在扮演一個血族。

好吧，「扮演」這個詞好像比較溫和，不如說是假裝來得好。不過，不管是哪種，都該死的非常逼眞。

身邊的雪梨皺起眉頭，我不知道她是不是和我有一樣的感受，畢竟她從來都不知道他曾經變成過血族，所以沒有那些可怕的記憶。迪米特里態度的改變非常明顯，我看了她一眼，發現她正仔細聽著電話的內容。我忘了她懂俄語。

「他在說什麼？」我小聲問道。

雪梨的眉頭皺得更厲害了，既因爲電話的內容，也因爲我打擾了她。「他……聽上去好像在和一個很長時間沒聯絡的人在講話，迪米特里正在罵這個人，說他在自己離開的時候打混摸魚。」說完她就沉默了，繼續聽下去。這時，迪米特里的語調因爲憤怒而升高，我和雪梨都不禁打了個寒顫。我用詢問的目光看著她。「他對自己的威嚴受到質疑很生氣，我不確定，不過現在……對方好像在求饒。」

我很想知道每個字的涵義，可是雪梨很難做到一邊聽又一邊替我翻譯。迪米特里的語調又回到了平常的樣子——不過雪梨好像仍然很害怕——在這一連串話裡，我聽見了「索婭．卡普」和「蒙大拿」。

「他在問卡普夫……索婭？」我小聲問道。她很早就不是我的老師了，所以我想現在可以叫她索婭。

「對。」雪梨說道，她的目光仍然沒有離開迪米特里。「他在請——呃，是命令——這個人幫他找個當地人，看看他能不能找到索婭。這個人……」雪梨停頓了一下，聽了一會兒，「這個和他講話的人，好像認識很多索婭上次出現時和她住在一起的人。」

我知道這裡的「人」，在這段對話裡指的應該是「血族」。迪米特里在血族中的地位提升得很快，在那一群人中確立了他的威嚴和權力。大部分的血族都是單打獨鬥的，很少集體行動，可是就算是單獨的血族也知道誰對自己有威脅，會服從比較強大的血族。那時的迪米特里正在擴大自己的王國，正如他之前說過的那樣。如果有血族聽說他已經變回了拜爾——而且也眞的相信——他們也不可能將這個消息很快地散播出去，因爲他們的組織太過鬆散了。所以事情就是這樣，迪米特里出面，要他們幫自己去找那些可能知道索婭下落的人。

迪米特里的音量再次加大，顯得非常氣憤，而且口氣變得更加邪惡。我突然覺得自己好像中計了，就連雪梨現在也變得很害怕，她吞了口口水。

「迪米特里對這個人說，如果明天晚上之前沒有答案，就要過去找他，把他撕成碎片……」雪梨沒有說完，她的眼睛張得大大的。「用一下妳的想像力，眞是太可怕了。」我這時很慶幸這場對話不是使用英語來交談的。

迪米特里打完電話，將手機還給雪梨的時候，那血族的面具也摘了下來。他又變回了我的那個迪米特里，那個拜爾迪米特里。沮喪和絕望爬上他的臉，他猛地靠在咖啡館的牆上，抬頭望著天。我知道他在做什麼，他想要平復一下自己的心情，努力控制剛才那股激動的情緒。他剛才做的事很可能會幫我們找到所需要的線索……可是這對他來說付出的代價太沉重了。我絞動著手指，想碰碰他的手臂安慰一下他，或者拍拍他的肩膀，這樣他便不會覺得自己是孤獨的。可是，我縮回了手，認爲他可能不喜歡這樣。

最後，他收回目光看著我們。他已經整理好了自己的心緒——至少從外表看是這樣。「我已經派人去找她了。」他虛弱地說，「可不一定能夠找到。血族不是那種會留心別人的人，不過偶爾也有人會注意一下別人的舉動，但也只是出於保護自己的需要。我們很快就能知道這個方法行不行得通。」

「我……哇哦。謝謝你。」我實在不知道該說什麼好。我知道他不需要我道謝，可對我來說卻覺得應該這麼做。

他點點頭。「我們應該回去守舊黨那裡了……還是妳認爲這裡也是可以留下來的安全地方？」

「我寧願躲開有文明的地方。」雪梨說著向卡車走去。「而且，我還想要拿回我的車鑰匙呢。」

回程的路好像長了十倍。迪米特里的情緒塡滿了整個車內，他的絕望幾乎令我們窒息，就連雪梨都能感覺到。她還是同意由迪米特里來開車，我不知道這是好事還是壞事。這條路會微微令他分心，不再去想血族的事帶給他的折磨嗎？還是他可能會無法集中注意力開車，將車開到溝裡？

幸運的是，我們還是安全地回去了。停車場上有兩個守舊黨在等我們，其中一個是莫里女人，另一個是人類男人，兩個人看上去都很勇猛。我還是無法接受這兩個種族變得這麼鬥志昂揚，感覺怪怪的。不知道這兩個人是不是一對。

回到營地，我們發現中央的篝火又重新燃起，人們圍坐在一旁，有的在吃東西，有的在和別人聊天。吃早餐的時候，我得知這個篝火是為那些想要和別人來往的人準備的，還有很多人其實是在自己家裡做飯的。

我們回到雷蒙的房子，但是屋裡只有莎拉和約書亞。莎拉正在洗盤子，而約書亞則百無聊賴地坐在椅子上。他一看見我進門，就立刻衝過來，咧開嘴露出燦爛的笑容。

「蘿絲！妳回來了。我們都開始擔心了……不是說你們會遇到危險，妳那麼厲害肯定不會有事，我們是擔心也許你們不會回來了。」

「我們不會開著不屬於自己的車子走掉。」雪梨說著，將卡車的鑰匙放在桌子上。那台CR-V的車鑰匙已經擺在了桌子上，她拿起鑰匙，明顯鬆了一口氣。

莎拉說還有飯，問我們要不要吃，我們謝絕了，說在盧比村的加油站已經吃了很多小吃。「好吧，」她說，「如果你們不吃東西的話，也許可以到外面的篝火旁，和人們聊一會天。如果他們能成功把傑西．麥霍爾灌醉，她今天晚上可能會同意唱幾首歌。不過，不管是喝醉還是清醒的時候，這個女人的歌聲都是我聽過最美妙的。」

我看了看迪米特里和雪梨。我承認，我有點好奇這群野人是怎麼生活的，就算月光和民間小調並不是我的消遣首選。迪米特里還是維持打完電話後那種頹廢的樣子，我想他可能想要自己一個人回去房間待著。不過，當雪梨說她願意去篝火旁坐一會兒時，他立即反射性地說道：「我也去。」我立刻明白他在想什麼。成為血族的那段日子在折磨著他，剛才和血族的通話在折磨著他。也許……不，是他肯定想要逃避，想要拒絕這種折磨，可他是迪米特里。迪米特里總是保護那些有需要的人，就算在篝火旁聽別人唱歌並沒有生命危險，可是這對雪梨這樣的人類來說，仍具有一定的危險性，他不能容許這種事。再說，他也知道如果他和我都在，雪梨會覺得比較有安全感。

我剛要說我也去，可是約書亞搶先開口了：「妳還想去看看我的山洞嗎？外面還有一點光線，比起用火把照，可以讓妳看得比較清楚一點。」

我已經忘了之前和約書亞的約定，剛打算開口拒絕，可這時，迪米特里的眼中有什麼一閃而過，那代表了一種不贊成。沒錯，他不希望我和這個年輕的帥哥在一起。這是出於對守舊黨的偏見嗎？還是出於嫉妒？不，肯定不會是後者。我們已經確認過很多、很多次，迪米特里不願再和我維持戀人的關係。稍早之前，他甚至還站出來爲艾德里安說話。這是前男友應該做的事嗎？在盧比村的時候，我已經相信我和迪米特里還可以做朋友，可是如果他想要控制我和我的感情生活，那麼我就不可能當他是朋友。我知道有些女生會這麼做，可我不會，我想和誰出去是我的自由。

「當然。」我說。迪米特里的臉色沉下去。「我很樂意。」

我和約書亞離開，留其他人在屋子裡。我知道我的這個決定，有一部分原因是要證明我是獨立的。迪米特里說過我們是平等的，可是他在逃跑的過程中，卻擅自作了很多令人討厭的決定。此刻換我佔上風的感覺非常好，而且，我喜歡約書亞，出於好奇很想多瞭解一點他們的生活方式。我想雪梨可能不大喜歡我離開，可迪米特里會照顧好她的。

我和約書亞走著，途中經過許多在外頭或是剛要出門的守舊黨。和之前一樣，我收到了許多注目禮。所以，約書亞最後決定帶我繞到小山的後面，而沒有選擇走他父親小屋前面那條路。其實這座山並不小，可是自從在洛磯山山脈附近生活過之後，阿帕拉契山對我來說感覺就很小了。我覺得自己好像一個超級勢利鬼。

不過，眼前的山還是綿延了數十里，我們離守舊黨的營地也越來越遠。這邊的森林變得茂密起來，太陽的餘暉終於開始隱沒在地平線之下了。

「我住的地方比較靠近郊外。」約書亞對我道歉道，「我們的人越來越多，所以小鎮附近已經沒有那麼多空間了。」我覺得使用「小鎮」這個字似乎有點太過樂觀了，但是並沒有說出口。沒錯，我就是個徹頭徹尾的勢利鬼。「不過這些山洞很多，所以我們還有地方住。」

「這些山洞是自然形成的嗎？」我問道。

「有的是，有的是廢棄的礦洞。」

「那年代一定相當久遠了。」我說。我很喜歡這些落葉樹。我是很懷念蒙大拿，可是這裡的闊葉樹比起松柏來，眞是有天壤之別。「再說，至少你可以擁有很多私人空間，不是嗎？」

「沒錯。」他笑著說，「我本來以爲妳會說……我不知道，可能是太粗陋，或者是太原始了。妳可能會認爲我們是原始人。」

他的觀察力嚇到了我。大部分守舊黨都很堅定地捍衛著他們的生活方式，我想可能沒有人想過一個外人會對此感到質疑，也或許他們根本就不在乎我們的想法。

「只是不同的生活方式而已。」我用上了外交手段，「這裡有很多東西都和我以前接觸到的不同。」此刻，我猛地想起了之前遇見過的所有人，和住過的所有地方。莉莎、艾德里安，還有其他的朋友，皇庭，還有聖弗拉米爾學院。我很快甩掉這種想法，我沒時間憂鬱，而且我至少還能去看看莉莎。

「我曾經在人類的小鎮上住過一段日子。」約書亞繼續說，「還有其他惡人住的地方。我能明白爲什麼妳會喜歡他們。」他忽然顯得有點羞澀。「我不介意用電。」

「爲什麼你們不用電呢？」

「如果能用的話，我們早就用了。只不過我們住得太偏遠了，沒有人知道我們住在這裡。那些百合人說，這樣我們可以隱藏得比較徹底。」

我從來沒想過，他們忍受這樣的條件，僅僅是爲了能將自己隱藏得比較徹底。我開始懷疑，他們的選擇到底有多少是來自於那些所謂的舊時方式，又有多少是受了煉金術士的影響。

「我們到了。」約書亞的話將我從沉思中拉出來。

他指了指前方一個底部和地面齊平的黑洞，洞口足以容納一個成年人走進去。

「眞不錯。」我說。之前的那些山洞都在山上比較高的位置，住在裡面的人要嘛就得徒手攀岩爬上去，要嘛就得自己搭建梯子，相比之下，這種方便出入的山洞似乎比較舒適。

約書亞聽見我的誇獎很驚奇。「眞的？」

「眞的。」

我們到達的時候，天色已經暗得幾乎什麼都看不見了，於是約書亞點燃了火把，我跟著他走進山洞裡面。一開始，我們還要微蹲，但是越往裡走，天花板便漸漸挑高，裡面是一個寬闊的圓形空間。地板上是夯實的土地，石牆有些粗糙割手，似乎是一個天然的山洞，不過還是可以看出人工修整的痕跡。地上乾淨又平整，我看見角落裡堆著一些石塊，應該是在整修這裡時清理出來的。山洞裡已經擺放了幾件傢俱，有一條很窄的木凳，還有一個不知道能不能躺人的床墊。

「妳是不是覺得這裡比較小啊？」約書亞問。

確實沒錯，不過這裡已經比我在聖弗拉米爾學院的宿舍要大了。「呃……對，但我想說的是，你多大了？」

「十八。」

「和我一樣。」我說。他聽了似乎非常高興。「能在十八歲的時候就有自己的房……呃，山洞，眞是太酷了。」如果裡面有電、有網路、有抽水馬桶就更酷了，不過這裡似乎用不到抽水馬桶。

他那雙藍眼睛忽然發亮了。我不禁發現，他的這雙眼睛和那古銅色的皮膚形成的對比眞是太鮮明了。我立刻打消了這個念頭，我來這裡不是爲了找男朋友的。但是，顯然只有我這麼想。約書亞突然往前走了幾步。

「如果妳願意，可以留下來。」他說，「那些惡人永遠不會知道妳在這裡。我們先結婚，然後生很多孩子，然後再蓋一間像我父母那樣的木屋，接著——」

結婚這個詞嚇得我往門口跑去，那種震驚和恐慌好像是被血族偷襲一樣。不過，我在這樣做之前，依慣例是要先發出聲明的——

「哇哦，哇哦，等一等。」不，我不認爲這是個求婚。「我們才剛認識！」

謝天謝地，他沒有走過來。「我知道，可有時事情就是這樣。」

「什麼？結婚不是要等兩個人對彼此都有很深的瞭解再談嗎？」我難以置信地問。

「當然，一直都是這樣。不過說眞的，雖然我們認識時間不長，可我知道我喜歡妳。妳太出色了，這麼美，而且顯然是個出色的戰士。妳說話的樣子……」他搖了搖頭，臉上露出崇拜，「我從來沒見過這樣的人。」

我眞希望他不是這麼可愛，這麼善良。被那些噁心的傢伙表白，拒絕起來要比被自己喜歡的男生表白要容易得多。我記得雪梨說過，我在這裡炙手可熱，很顯然，熱得都快冒泡了。

「約書亞，我眞的很喜歡你。可是……」我看見他眼中露出的希望之後，便飛快地補充道：「我太小了，沒辦法結婚。」

他皺起眉頭。「妳剛才不是說妳也十八歲了嗎？」

好吧，也許不要和他爭論這個問題比較好。我在迪米特里老家的時候，見過那些很早就生小孩的人，在這種地方，也許他們還會有指腹爲婚那種事。

我試著換一個角度說：「我也不知道自己是不是想結婚。」

可是這並沒有打消他的念頭。他表示理解地點點頭。「這很對。我們可以先同居，然後看看我們相處得怎麼樣。」他認眞的表情中微微帶了點笑意。「不過我其實是個很好相處的人，如果吵架的話，肯定每次都讓妳贏。」

我忍俊不住地哈哈大笑。「好吧，那我要先贏這一回。告訴你，我還沒有準備好……什麼都沒有準備好。而且，我已經有男朋友了。」

「是迪米特里嗎？」

「不是，是另外一個人。他在惡人的皇庭。」我眞不敢相信自己居然會說出這種話。

約書亞再度皺起眉頭。「那爲什麼不是他保護妳到這裡來？」

「因爲……他不必這麼做。我可以照顧自己。」我從來都不喜歡被人認爲我是需要被拯救的。「而且，就算沒有他，我也不會在這裡久留。你和我是絕對不會有結果的。」

「我懂了。」約書亞看上去有些失望，不過已經接受了被拒絕的事實。「也許等妳在外面闖盪夠了，會願意回來。」

我本來想告訴他不要等我，他應該再找別的人結婚（先不管他小小年紀就要結婚有多麼荒唐），不過這時，我意識到其實這些話說了也是白說。在約書亞的想法裡，他現在隨時都可以找個人結婚，如今只不過是在他的後宮當中又多加了一個我而已，就像莎拉和莫蘭那樣。於是，我只是回道：「也許吧。」我急於轉移話題，於是到處找尋能夠令我們分心的東西。我看見木凳上有葉子形狀的雕刻。「這眞漂亮。」

「謝謝。」他說著走了過去。我鬆了口氣，看樣子他似乎沒有打算再繼續之前的話題。他伸手輕輕地撫摸著那雕了花紋的原木長凳，那些葉子像是辮子一樣。「是我自己做的。」

「眞的？」我眞的很驚訝，「這……眞了不起。」

「如果妳喜歡……」他伸出手，我很怕他會衝過來吻我或者抱我之類的，不過，他只是將手伸進衣服口袋裡，拿出一只很精緻的木雕手鐲。手鐲的設計很簡單，上頭的圖形也是葉子，但是眞正令人驚奇的是，他怎麼能把一塊木頭整個剜空，雕刻成這麼細緻精美的手鐲，手鐲的表面做了抛光處理，非常晶亮。「給妳。」他把手鐲交給我。

「這是送我的嗎？」我伸出手指撫摸著手鐲光滑的邊緣。

「如果妳想要的話。這是今天妳出去之後我做的，這樣等妳離開以後，還會記得我。」

我有些猶豫，不知道接受這只手鐲是不是會給他不必要的鼓勵。應該不會，我心想。我仔細看著眼前這個十幾歲就想結婚的孩子，不管怎樣，他顯得非常緊張，我不忍心再傷害他的感情，於是將手滑進了手鐲裡。

「我當然會記得你。謝謝。」

從他高興的樣子來看，收下這個手鐲似乎稍稍彌補了我之前拒絕的舉動。他又帶著我仔細參觀了一下這個山洞，然後聽從我的提議，和我一起往篝火旁走去，去找其他人。還沒走到那，我們就聽見歌聲在森林裡迴蕩。這首歌的風格實在不是我的菜，不過這種集體生活令我有溫暖和友好的感覺，雖然我從來沒有去過夏令營，不過透過這樣可以想像出夏令營的情景。

雪梨和迪米特里坐在這群人的旁邊，他們靜靜地聽著看著，其他人全都在唱歌、拍手、聊天。我再次驚嘆於拜爾、人類和莫里居然可以這麼輕鬆自在地處在一起。到處都是情侶，其中最引人注意的一對是一個人類和一個莫里，每隔不久，男生便會親吻女生的脖子及吸血。我不得不掉頭看向別的地方。

我回頭看著自己的朋友。雪梨看見我，似乎比較安心了。迪米特里的表情還是難以捉摸。如同以往，隨著我的走動，有很多目光追隨著我，令我驚訝的是，我看見其中幾個人明顯表現出妒忌。

希望他們不是認爲我和約書亞剛才在山洞裡彼此赤裸相見了，我可不想給別人留下這種印象。

「我要去找雪梨談談。」我對他說道。我決定最好還是在流言傳開之前和他保持距離，而且說眞的，雪梨看起來很希望我能坐在她身旁。約書亞點點頭，我便轉身走開了。我剛走了兩步，一個拳頭就突然向我的臉揮過來。

我沒有防備，所以只來得及在意識到之後偏過頭，那個拳頭打中了我的臉頰，不過總比打斷鼻梁骨要好。在最初的驚訝之後，我之前接受的所有訓練都發揮了作用，我飛快地往旁邊閃開一步，避過攻擊，然後往來人的方向撞過去。音樂和歌聲停止了，我轉頭去看襲擊我的人是誰。

居然是安琪琳。

她站著的樣子很像我，拳頭攥得緊緊的，眼睛直勾勾地盯著我。「好了，現在是時候看看妳到底有多厲害了。」

這時，不是應該會有個人——比如說她的父母——衝出來把她拉走，然後狠狠教訓她一頓怎麼能對客人出手呢？令人驚訝的是，居然沒有人想要出手阻止她。不，其實也不是一個都沒有，有一個人站了起來。迪米特里看見我有了危險，本能地立刻做出反應。我希望他能過來拉走安琪琳，可是那群守舊黨裡立刻有一個人站起來，走到他耳邊和他說了幾句話，但我根本聽不見說了什麼。他們沒有想要對他不利，可是他們在對他說話的同時，便令迪米特里沒有辦法趕過來。我很好奇他們到底對他說了什麼，可是安琪琳再次向我衝過來。看起來，我只能指望自己了。

安琪琳個子很矮，哪怕是作爲一個拜爾也太矮了些，可是她全身都非常有力量，速度也很快，不過還沒有快到能打中我。我輕輕一閃，和她保持距離，不希望和這個女孩繼續打下去。也許她在打鬥中確實能夠構成威脅，可這威脅還是很有限，她確實是個拳手，但只是經驗豐富，並沒有接受過正規的訓練。

「妳瘋了嗎？」我喊道，同時避開另一拳。「別再打了，我不想傷害妳。」

「當然。」她說，「妳就是希望大家都這麼想，不是嗎？如果妳不用眞正動手，那麼所有人都會相信妳的那些記號是眞的。」

「它們是眞的！」說我的紋身是假的這種侮辱激起了我的怒火，可我還是不願陷入這種荒唐的纏鬥中。

「證明給我看。」她說著，又向我衝過來，「證明妳有妳說的那麼厲害。」

我一直和她保持著距離，感覺就像是在跳舞，我可以這樣躲一整晚。人群裡發出幾聲不滿的呼喊，他們要求我——「衝上去和她打！」

「我不一定非要證明給妳看。」我對她說。

「那麼妳就是在說謊。」她的呼吸此刻已經十分粗重了，顯示她用力過度。「妳這個惡人說的所有話都是假的。」

「才不是。」我說。爲什麼迪米特里還不來？我用餘光看著他，希望他能來幫我，可他居然在笑。

與此同時，安琪琳還在不斷地進攻，想要打中我。「妳是個騙子。你們都很弱，特別是妳的那些『皇室朋友』，他們是世界上最差勁的。」

「妳根本就不認識他們，對他們的事一點都不瞭解。」

她還想繼續說下去，可是已經開始上氣不接下氣。如果不是我心裡很肯定她絕對打不中我，我早就一拳打倒她，然後轉身走人了。「我知道的已經夠多了。」她說，「我知道他們都很自私、腐敗，自己什麼都不做，也不關心別人。這些人都是一樣的。」

我其實相當同意有的皇室確實就是安琪琳說的那樣，可不同意她一竿子打翻一船人。「不要說那些妳根本就不明白的事。」我生氣地說道，「並不是所有的皇室都那樣。」

「就是。」她好像很高興看見我發怒。「我希望他們全都死光光。」

這句話並不足以令我失去防備，可是我腦子裡一直想著她的話，居然讓她突破了我的防守，但也只有那麼一下。如果面對的是血族，我絕對不會讓這種事發生，可我低估了這個野丫頭。她的腿猛地伸出來踢中我的膝蓋，這就像點燃了煤氣，瞬間所有的東西都爆發了。

我挨了這一腿，略微往後退了退，她趁機繼續發動進攻。戰鬥本能冒了出來，我毫無選擇，只能在她打中我之前回擊。人們開始歡呼，因爲戰鬥此刻才眞正開始。之前我一直在防守，想要勸服她，也就是說我們兩個的肢體接觸屈指可數。毫無疑問，即便那樣我也比她要強，因爲我雖然沒有朝她撲過去，可一直和她保持著距離。

她打中了我幾拳，可這沒什麼，因爲我後來便一拳將她打倒在地上了。我本以爲事情到此爲止，可她在我按住她之前還是設法反擊，我們翻滾在一塊，她則想要壓在我上頭。我肯定不能允許她這麼做，於是一拳打中她的臉頰，這一拳比之前的那一拳力道稍微加大了一點。

我以爲這樣就可以結束戰鬥了，正準備站起來，可是這個小賤人居然抓住我的頭髮，又將我拉倒在地上。我掙扎著擺脫了她的手，不過肯定也被她揪下了一大把頭髮。這次我用力朝她撲過去，用盡全身的力氣死死地將她壓在身下，我知道這樣肯定會很痛，可我眞的不在乎。她瞪著我，因爲這種姿勢令她毫無還手之力。揪別人的頭髮是很下三濫的招數。

安琪琳又試著掙扎了幾次，不過顯然完全沒有用。旁觀的人開始吹口哨、歡呼，過了一會兒，安琪琳臉上陰沉、暴怒的表情不見了，取而代之的是認命。我謹愼地看著她，沒打算鬆開手。

「好吧。」她說，「我想已經可以了。隨妳便吧。」

「啊？什麼事情可以了？」我問道。

「妳可以嫁給我哥哥了。」

# 13

「這一點都不有趣！」

「妳說得對。」雪梨同意道，「是不有趣，根本就是可笑死了。」

我們回到雷蒙的家，回到我們自己的房間裡。從熱鬧的篝火處走到這裡好像花了一輩子的時間，特別是在我們知道了這些守舊黨可怕的習俗之後。好吧，至少我認爲是很可怕的。事實顯示，如果這裡有個人想和另外一個人結婚，那麼男方和女方必須各派出一名和準新人同性別的至親，和準新人打上一架。初見面時，安琪琳看出了約書亞的心思，而她看見我手上的手鐲後，以爲我們兩個之間已經做出了某種約定，所以，身爲約書亞的親妹妹，她責無旁貸地要來檢驗看看我是否夠格。雖然她仍然不是很喜歡我，也不是完全相信我的事蹟，不過這一架已經證明了我是合格的戰士，是值得她尊重的，所以她也默認了我們的「約定」。我花了很多口舌才說服所有人——包括約書亞在內——根本就沒有什麼約定。我還知道，如果這種約定眞的存在的話，迪米特里便要代表我的「親戚」挑戰約書亞。

「你笑夠了吧？」我惱怒道。迪米特里斜倚在房間的一面牆上，雙手環胸，看著我揉著臉頰上被安琪琳打到的地方。這和我以往受過的傷比起來，只能算是小傷，可是明天肯定也會形成一大片瘀青。迪米特里臉上掛著一絲微笑。

「我跟妳說過了，不要給他鼓勵。」迪米特里冷靜地回應道。

「隨你怎麼說，反正這種事你不會再見到了，你只是不想我——」我急忙收住口。不能將自己的眞實想法說出來：迪米特里吃醋了。或者是他的佔有欲。或者是別的什麼。我就是知道他見到我和約書亞關係這麼好，非常惱火……而且看見我被安琪琳的突襲弄得狼狽覺得很高興。我只得轉頭去看雪梨，她和迪米特里一樣擺出一副看好戲的神情。事實上，我非常確定，她從來都沒有笑得這麼開心過。「這種風俗妳是不是早就知道？」

「不不，」她老實說，「不過我一點都不吃驚。我告訴過妳了，他們都是野人，很多日常問題都是用打架解決的。」

「太蠢了。」我說，毫不在乎自己贏了這一架。我摸摸頭頂，很希望現在有面鏡子能讓我看看安琪琳有沒有把我揪禿一塊。「不過……她也不賴啊。雖然戰鬥技巧未經雕琢，不過身手確實不錯。他們都這麼驃悍嗎？那些人類和莫里也是？」

「我是這麼認爲的。」

我思考著這句話。剛才發生的事確實讓我覺得惱怒且尷尬，可我必須承認，守舊黨突然間變得比較有吸引力了。多諷刺啊，這麼原始的一群人居然能有這樣的見識，知道要教會每個人如何戰鬥，無論他們是什麼種族。與此同時，我身處的「先進」文化，卻拒絕教導群眾如何自保。

「所以說，這就是血族不會找他們麻煩的原因嘍？」我想起早餐時候的事，喃喃自語道。而直到發現迪米特里的微笑不見了，我才意識到自己說了什麼。他看向窗外，面色沉重。

「我再去聯絡伯里斯，看看他有什麼發現。」他說著看向雪梨。「不會講很久，所以不用所有人都去。我能借用妳的車子一下嗎？因爲我可能要走遠一點才會有訊號。」

雪梨聳聳肩，伸手去拿車鑰匙。稍早之前我們已經知道，雪梨的電話在離小鎭十分鐘車程的地方才接收得到訊號。他說得對，我們沒必要三個人一起出動，只爲了打一通兩三句就能講完的電話。剛才我在戰鬥中的表現，足以保證我和雪梨的安全，現在不會有人想要找我的麻煩了。不過……我還是不希望讓迪米特里獨自再體驗之前的血族身分。

「妳和他一起去吧。」我想了想，對雪梨說，「我要去看一下莉莎。」這不完全是謊話。我的朋友們從喬那裡探聽到的事，仍然讓我很介意。「不過周圍發生什麼事，我還是會知道的。再說，妳最好還是跟他一起去——特別是，煉金術士協會的人也有可能隨時會到這裡來。」

雖然我的邏輯並不嚴謹，不過她的同僚仍是值得擔心的。「我很懷疑他們會在這麼晚的時候來這裡。」雪梨說，「不過，我也確實不願意和放空狀態的妳待在一起。」她雖然沒有說出口，而我也無需問，但可以隱約感覺到她可能不願意讓別人開她的車子。

迪米特里認爲她沒必要跟去，勸了又勸，可是很顯然，他沒辦法像掌控我一樣掌控雪梨。所以，最後他們兩個人還是一起離開，留我單獨在房間裡。我擔憂地看著他們的背影。雖然他之前的嘲諷讓人很火大，可我還是很擔心他。我看得出上一通電話對他的影響，也希望自己能夠立刻就去安慰他。我有種預感，他不會允許我這麼做，所以我將雪梨能與他同行，看做是一次小小的勝利。

他們離開之後，我覺得眞的要去看看莉莎了。我這麼說不是要給自己找藉口，可是說實話，這確實能夠打消我別的念頭，比如到外面去和別人哈拉。我不需要有人過來恭喜我，很顯然，約書亞將我說的「也許」和接受了手鐲的這個舉動，解讀爲實質上的允諾。其實，我仍然認爲他超級可愛，可是卻無法接受他的愛慕。

我盤腿坐在安琪琳的床上，讓自己進入感應狀態，查看莉莎此刻正經歷著什麼。她正穿過一座大廈的大廳，起初我並沒有認出來這是哪裡，過了一會兒才看出來，這是皇庭那座擁有美容院和美容沙龍的建築物，當然也是那個吉普賽人羅蘭的藏身之地。想到莉莎要去找人算命感覺怪怪的，可是我瞥見她的同伴之後，才知道她到那裡是爲了別的事。

通常，有可能和她在一起的就只有這兩個人：艾德里安和克里斯蒂安。我的心臟在看見艾德里安之後開始猛跳——特別是在經歷了約書亞的求婚之後。我上一個靈夢的時間實在太短暫了。

他們往前走的時候，克里斯蒂安拉著莉莎的手，他的手令人感覺溫暖又有安全感。他看上去自信滿滿，又意志堅定，不過臉上仍然帶著他那半笑不笑、充滿嘲諷的招牌式表情。莉莎是三人中最緊張的一個，她一直不斷地替自己打氣，我能夠感覺到她很懼怕這次的任務，可她明白這件事必須要做。

「是這裡嗎？」她在一扇門前停下來，問道。

「應該是。」克里斯蒂安說，「前台的接待生說是這扇紅門。」

莉莎只遲疑了一會兒，便敲了門——可是沒有人來開。如果不是裡頭沒人，就是她被人無視了。莉莎抬起手又敲了兩下，門開了。安布羅斯站在門口，一如既往地帥到令人眩暈，哪怕他只是穿著一件普普通通的藍色T恤和牛仔褲。衣服緊緊包裹住他的身體，展示出他每塊肌肉的形狀，他幾乎可以去拍GQ雜誌的封面了。

「嘿。」安布羅斯打了個招呼，顯然很意外。

「嘿。」莉莎也打了個招呼，「我們來這裡，是想知道能不能找你談談？」

安布羅斯微微揚起頭向屋子裡點了點。「我現在有些忙。」

在他身後，莉莎看見一位莫里女性正趴在按摩凳上。她的下半身蓋著一條毛巾，赤裸著後背，身體因為塗了按摩油而在昏暗的燈光下閃閃發光。房間裡擺放著點燃的芳香蠟燭，同時屋中響著輕柔的新世紀風格的音樂，幫助人舒緩心情。

「哇哦，」艾德里安說，「你真是一點時間都不會浪費，對不對？她才剛躺進墓地裡幾個小時，你就已經找到了新歡。」塔蒂安娜今天一早終於下葬了，就在日落之前，整個出殯過程比起之前的那次要冷清許多。

安布羅斯瞪了艾德里安一眼。「她是我的顧客，這是我的工作。你忘了，我們有些人是必須要靠工作才能生存的。」

「拜託，」莉莎央求道，她匆匆攔住艾德里安，「不會耽誤你很久的。」

安布羅斯看著我的朋友一會兒，嘆了口氣。他回頭看看身後。「洛林，我有事要出去一會兒，馬上就回來，可以嗎？」

「可以。」那個女性回道。她動了動身子，看向他。她比我想的要老一點，大約四十五、六歲的樣子。我猜，如果你是單純想花錢請人按摩，沒理由不找一個比年紀自己小一半的按摩師。「快去快回。」

安布羅斯朝她粲然一笑，然後關上門。當他獨自面對我的朋友們時，臉上的笑容立即退去。「好吧，什麼事？我不喜歡你們的表情。」

安布羅斯也許徹底脫離了一個拜爾族男性的正常生活，可他接受的訓練和任何一名守護者是一樣的，他非常善於觀察，總是能發現潛在的威脅。

「我們……呃，想和你談談關於……」莉莎吞吞吐吐的。口頭說要調查是一回事，可是實際取證又是另外一回事。「關於殺死塔蒂安娜兇手的事。」

安布羅斯揚起眉毛。「啊，懂了。除了說我不認爲是蘿絲幹的以外，我不知道還能說些什麼。不過，最近發生了這麼多事，我想妳肯定不會相信。所有人都在談論妳有多麼震驚和憤怒，很多人都很同情妳，居然被這麼一個危險又邪惡的『朋友』給耍了。」

莉莎雙頰騰地一下紅了。莉莎透過公開譴責我、斬斷我們的友誼的方法，來令自己置身事外。這是艾比和塔莎的建議，莉莎知道他們說得對，可是，雖然只是做戲，她仍然有愧疚感。

克里斯蒂安站出來爲她辯護。「夠了，這不是重點。」

「那什麼是重點？」安布羅斯問。

莉莎搶著開口，生怕克里斯蒂安和艾德里安會惹怒安布羅斯，令詢問之事變得更加困難。「艾比・馬祖爾告訴我們，在法庭的時候，你曾和蘿絲說了什麼，或者是……嗯，對她做了什麼。」

安布羅斯顯出震驚的樣子，我不得不嘆服他的演技十分令人信服。「對她做了什麼？這話是什麼意思？難道馬祖爾先生認爲我……比如說，當著那麼多人的面襲擊了她嗎？」

「我不知道。」莉莎老實說，「他只是看到了一些事，僅此而已。」

「我是要祝她好運。」安布羅斯仍然表現得好像受到了冒犯一樣，「這樣都不行嗎？」

「當然，當然。」莉莎本來希望能搶在艾比之前找安布羅斯談談，她害怕艾比會給予他言語和肢體上的恐嚇。可是現在，她開始懷疑自己的方式是否行得通。「聽著，我們只是想找出殺死女王的眞兇。你是她很親近的人，如果你知道有什麼事情——任何事——是能夠幫到我們的，我們會對此感激不盡，我們需要知道。」

安布羅斯好奇地看了看這幾個人，突然間明白了。「你們認爲是我幹的！這才是重點。」其他人沒有說話。「我眞是不敢相信！那些守護者懷疑我就算了……可是妳？我還以爲妳比較瞭解我。」

「我們根本就不瞭解你。」艾德里安淡淡地說。「我們只知道你和我姑姑經常會面。」他指著那扇門，「可很顯然，這並不妨礙你馬上開始新生活。」

「你難道沒聽到我說這是我的工作嗎？我是在幫她按摩，僅此而已。不是所有事都是骯髒不堪的。」安布羅斯憤怒地搖了搖頭，伸手攏了攏他那頭棕髮。「我和塔蒂安娜之間的關係也沒有那麼骯髒。我很關心她，永遠都不會做出傷害她的事。」

「統計學上不是經常說，兇手往往就是被害者身邊最親近的人嗎？」克里斯蒂安問道。

莉莎望向他和艾德里安，瞪了他們一眼。「停，你們兩個都別說了。」她又看回安布羅斯。「沒有人指責你。可是，你經常陪在她身邊，而且蘿絲也跟我說過，你對年齡法案很不滿。」

「沒錯，我第一次聽到時是很不滿。」安布羅斯說，「可是，我也對蘿絲說過，這裡面可能有誤會——肯定有什麼事是我們不知道的。塔蒂安娜絕對不會沒有理由就讓那些拜爾身處險境。」

「比如說，讓她可以討好那些有權有勢的貴族？」克里斯蒂安嘲弄道。

「說話當心點。」艾德里安警告他。莉莎不知道究竟是哪件事比較令人生氣：是她的兩個隊友總是挑釁安布羅斯，還是他們自己沒事也會互相諷刺一下。

「當然不是！」安布羅斯的聲音在狹窄的走道裡迴盪。「她不想這麼做。可是如果她不這麼做，可能會有更惡劣的事情發生。有很多人都希望——他們現在也這麼希望——要召集起所有不願戰鬥的拜爾，強迫他們成爲守護者。塔蒂安娜希望利用年齡法案阻止他們這麼做。」

一陣沉默。我已經從塔蒂安娜的字條裡得知了這件事，可是這對我的朋友們來說，仍是一個爆炸性的新聞。安布羅斯見自己掌握了主動權，便繼續說了下去。

「她其實對很多事的看法都很開放。她希望能夠探索精神能力的力量，而且也支持莫里學習如何戰鬥。」

這句話讓艾德里安有了反應。他臉上仍是那種嘲諷的表情，可是我能夠從他的表情中看出一抹痛苦和難過。早先的葬禮他一定很難過，而聽到別人說出一些跟深愛之人相關的事情，自己卻不知情，一定感覺很受傷。

「好吧，雖然我不像你那樣曾和她同床共枕過，」艾德里安說，「可我也很瞭解她。你剛才說的那些事，她根本從沒提起過。」

「在公開場合沒有。」安布羅斯同意道，「甚至私底下也沒有，只有少數幾個人知道。她自己有一群祕密接受訓練的莫里成員，男女老少都有。她想知道莫里究竟能夠學習到什麼地步，想知道他們是否有可能學會保護自己，可是她也知道旁人一定會反對，所以要求這些人保守祕密，不得聲張。」

艾德里安沒有接話，我能夠看出他內心的糾結。老實說，安布羅斯說的事情並不是壞事，可是艾德里安仍然感到很難過，他的姑姑居然有這麼多事都瞞著他。與此同時，莉莎正在消化這些事情，努力接受、分析安布羅斯說的每個字。

「那些人是誰？那些接受訓練的莫里。」

「我不知道。」安布羅斯說，「塔蒂安娜也不肯透露。我從來都沒有聽過那些人的名字，只知道他們的老師是誰。」

「是誰？」克里斯蒂安追問道。

「格蘭德。」

克里斯蒂安和莉莎震驚地對看了一眼。「我的那個格蘭德嗎？」莉莎問，「塔蒂安娜分派給我的那個格蘭德？」

安布羅斯點點頭。「這就是她將他分派給妳的原因。她信任他。」

莉莎沉默不語，可我能夠清晰地聽見她的想法。她一直對格蘭德和塞琳娜——就是接替我和迪米特里的守護者——願意教她和克里斯蒂安基本的防守技巧，感到既高興又驚訝。莉莎原本以爲她只是碰到了兩個思想開明的守護者，卻沒想到其中一個是願意教導莫里戰鬥的先鋒人士。

雖然我們兩個沒辦法透過心電感應交談，但我和莉莎都非常確定這些事很重要。莉莎仍然在消化這個消息，沒辦法阻止艾德里安和克里斯蒂安繼續提問。在詢問過程中，安布羅斯仍然顯露出覺得倍受侮辱的模樣，可是他卻捺著性子一一回答他們的問題。聽起來，他有不在場證明，而且對塔蒂安娜的感情和敬意從來都沒有動搖過。

莉莎相信他，可是克里斯蒂安和艾德里安仍對此存疑。

「所有人都懷疑我和她的死有關，」安布羅斯說，「可是沒有一個人這樣問過布雷克。」

「布雷克？」莉莎問道。

「布雷克・樂澤。另一個和她……」

「有關係的人？」克里斯蒂安翻了個白眼，替他找了個合適的詞。

「他？」艾德里安厭惡地說，「不可能。她絕對不會那麼沒品。」

莉莎在大腦裡將樂澤家的家譜回想了一遍，也沒有想起這個名字。樂澤家族的成員太多了。

「他是什麼人？」

「一個白癡。」艾德里安說，「有他的襯托，我就像是社會上的菁英分子。」

這句話令安布羅斯的臉上露出一絲笑容。「我同意。可他是個很英俊的白癡，塔蒂安娜就喜歡那種型的。」我聽得出他在說到塔蒂安娜的名字時，聲音中透露出的愛慕之情。

「她也和他有關係？」莉莎問道。艾德里安聽見別人提起她姑姑的閨房祕事，臉部肌肉微微抽動了下。多一個情人，就意味著多一個嫌疑人。「你難道不會吃醋嗎？」

安布羅斯的戲謔表情消失了，他嚴厲地看了莉莎一眼。「我的醋意還不足以讓我殺死她，如果這是妳想說的。我和她走得很近——好吧，是『有關係』——可是我們兩個都還有別的情人，我們彼此間都有默契。」

「等一下。」克里斯蒂安說。我有種預感，此刻他真的覺得很有意思。查找殺死塔蒂安娜的眞兇這件事確實不容開玩笑，可是眼下展露在他們面前的，分明就是一齣精彩的肥皂劇。「你也和其他人有關係？這眞是令人難以理解。」

可對莉莎來說不是。事實上，事情的眞相越來越清晰，那就是殺死塔蒂安娜的兇手的動機，爭風吃醋這一點的可能，要遠遠大於政治上的動機。就像艾比說過的，能進入她寢室的人都有嫌疑，而一個非常嫉妒塔蒂安娜和她共用同一個情人的女人呢？這可能是到目前爲止最有說服力的犯罪動機——只要我們知道那個女人是誰。

「她是誰？」莉莎問道，「你還在和誰約會？」

「反正不是會殺害她的人。」安布羅斯堅定地說。「我不會告訴你們她們的名字。我有自己的隱私權——她們也是。」

「可如果她們因爲爭風吃醋而殺死了我的姑姑，就沒有了！」艾德里安咆哮道。約書亞很看不起艾德里安，因爲他沒有「保護」我，可是此刻，爲了捍衛他姑姑的名譽，他的勇猛不輸任何一名守護者或是保留黨的戰士。看起來還眞是蠻性感的。

「她們不會這麼做，我敢保證。」安布羅斯說，「雖然我看不起布雷克，可我也不認爲會是他幹的。他沒有那麼聰明，能把罪名都栽贓到蘿絲身上。」安布羅斯指了指門，他咬緊牙，英俊的臉部線條顯得很緊繃。「聽著，我不知道還能說什麼令你們相信，可我眞的要回去了。如果我表現得很頑固的話，我很抱歉，可是這件事對我來說也很不好受，好嗎？相信我，如果你們能夠找出眞兇，我也會很高興的。」他的眼中閃過一抹痛楚。他吞嚥了一下，低頭看了地面一會兒，好像不願意讓我們知道他有多麼關心塔蒂安娜。當他再次抬起頭來時，臉上的表情再度變得堅毅。「我希望你們能夠找到兇手，也會盡己所能地幫助你們。不過，我要告訴你們，去找那些懷有政治動機的人，而不是那些和她有緋聞的人。」

莉莎心裡仍然有數百萬個問題。安布羅斯也許相信兇手不是因爲嫉妒和男女關係殺人，可是她不信。她眞的很想知道和他有關係的那些女人是誰，可是又不願意逼問得太緊。有一瞬間，她甚至考慮像之前催眠喬一樣催眠他。可是不行，她不能再做越界的事了，特別是對被她當做朋友看待的人。至少現在不行。

「好吧。」莉莎勉強自己說道。「謝謝你，謝謝你協助我們。」

安布羅斯似乎很驚訝她這麼客氣，所以表情也柔和了許多。「我會看看能不能再打探到能協助你們的消息。他們雖然封鎖了她的房間，查封了她的財產，可是我也許還能想辦法混進去。有線索的話，我會告訴你們的。」

莉莎發自內心地露出感激的笑容。「謝謝你，這眞是太好了。」

有人碰了碰我的手臂，將我拽回到西佛吉尼亞州的小房間裡。雪梨和迪米特里正低頭看著我。

「蘿絲？」迪米特里問道。我有種感覺，這不是他第一次想要喚起我的注意。

「嘿。」我說著，眨了好幾次眼睛，以便令自己適應眼前的現實。「你們回來了。你打完電話給血族了？」

他沒有對這個字眼表現出明顯的反應，可是我知道他討厭聽見這個詞。「是的，我和伯里斯聊了一會兒。」

雪梨雙手環抱在胸前。「眞是瘋狂的對話，有些時候是講英語，比上次那通電話還要嚇人。」

我下意識地打了個寒顫，很高興自己沒有聽到。「你們打聽到什麼了嗎？」

「伯里斯告訴我一個認識索婭，還可能知道她在什麼地方的血族的名字。」迪米特里說，「這個人我也見過。可是，血族通常不怎麼使用電話，除了親自去一趟，沒有別的辦法能夠聯絡到他，伯里斯只有他的住址。」

「在什麼地方？」我問道。

「肯德基州，萊星頓市。」

「哦，有沒有搞錯？」我呻吟了一聲。「他怎麼不是住在巴哈馬？或者是玉米宮？」

迪米特里試圖藏起自己的笑容。如果我犧牲形象搞笑可以令他開心，那我很高興。「如果我們現在動身，天亮之前應該可以找到他。」

我看了看四周。「眞是艱難的選擇。要丟下這些，奔向有電和抽水馬桶的地方？」

現在輪到雪梨笑了。「可是不會再有求婚之類的事了。」

「而且我們也許還能和血族打一仗。」迪米特里補充道。

我跳了起來。「我們最快什麼時候可以走？」

# 14

守舊黨得知我們要走，心情很複雜。通常他們是很樂於見到外來者離開的，特別是像我們還有雪梨這種身分的人，可是在那場「決鬥」之後，他們好像將我視爲了某種超級英雄，非常願意我嫁到他們的這個「大家庭」裡。

在見識到了我的本領之後，現在，某些守舊黨的女性也已經開始將目光放到了迪米特里身上。我沒心情去看她們調戲他——特別是得知，根據他們的風俗，如果他有了準未婚妻，那麼我將是必須出去挑戰的人之後。

自然，我們不會告訴守舊黨其他的計畫，不過確實透露了類似要去會會血族之類的事情——這激起了他們很大的迴響。大部分人都表現得十分激動和敬佩，這令我們那「堅毅戰士」的形象得以繼續發揚光大。不過，安琪琳的反應完全出乎我們的意料。

「帶我一起去。」她抓著我的手臂說。我正要踏上森林裡的小路，往車子所在處走去。

「抱歉。」我說，想到她之前表現出來的敵意，現在這樣感覺怪怪的。「我們必須自己去。」

「我可以幫忙！妳雖然打敗了我……可是妳也見識到我的本事了。我很優秀，對付一個血族綽綽有餘。」

從她激動的樣子來看，我知道安琪琳肯定不清楚，當她遇見一個眞正的血族時要面對的是什麼。守舊黨裡少數幾個脖子上有閃電紋身的人，對我們這次出擊都緘默不語，面如死灰。他們才是眞正理解的人，可安琪琳不懂。她也沒有意識到，聖弗拉米爾學院任何一個高中實習生都可以將她打倒。沒錯，她非常有潛力，可是還需要多加訓練。

「也許妳是可以打倒血族。」我不想傷害她，「可是肯定不能跟我們一起走。」我本來可以撒謊，含糊地跟她說「也許等到下次吧」，可是考慮到我這種曖昧的態度，曾令約書亞誤以為他跟我是半訂婚的狀態，我決定最好還是不要這麼做。我本來也想再多誇獎一下她的戰鬥能力，畢竟我聽說她是這個營地裡年輕一輩中最優秀的戰士，可是看著她現在的表情，她一定已經聽過很多讚美了，多得可以從她腦袋裡溢出來，她想必很樂意高談闊論，說她能打敗任何人或者任何事。我再一次想起了吉兒。在理解戰鬥的眞正意義這方面，吉兒還有很多東西要學，可她仍然躍躍欲試。不過，比起安琪琳，吉兒更沉穩、更謹愼，所以安琪琳的下一句話，徹底不在我的意料之內。

「拜託，我不只是想去打血族，我還想見識一下外面的世界！我必須去看看這裡以外的世界是什麼樣子！」她的聲音壓得低低的，這樣別人便無法聽見。「我只去過兩次盧比村，而他們說那個地方與別的城市根本就沒辦法相比。」

「是沒辦法相比。」我同意道，我甚至從不認爲盧比村算是個城市。

「拜託。」她再次央求，這一次她連聲音都開始顫抖。「帶我一起去。」

突然間，我很替她難過。他的哥哥同樣對外面的世界流露出渴望，可是完全不像安琪琳這麼強烈。他曾經開玩笑說，也許有電的地方也不錯，可我知道，即使不生活在裝腔作勢的現代世界裡，他也過得很高興；可是對安琪琳來說，這種生活卻令人窒息。我也知道被困住的滋味，所以對我不得不說出口的話感到由衷的抱歉。

「我不能，安琪琳。我們必須自己上路。很抱歉，我是說眞的。」

那雙藍色眼睛中的光芒暗了下去，她在我看見她的眼淚之前跑進了樹林。我的心情糟透了，在和別人道別的時候也一直忍不住在想她，我甚至心不在焉到同意讓約書亞以擁抱的方式說再見。

重新上路令我鬆了一口氣。我很高興能夠離開守舊黨，也準備好了要大戰一場並展開協助莉莎的計畫。萊星頓市是我們邁出的第一步，接下來有六個小時的車程在等著我們，而雪梨一如既往地不願意讓別人碰她的車子。我和迪米特里在做了幾次無用的抗爭之後，終於放棄，因爲我們意識到不久後便要面對血族，也許休息一下、積攢力量是最好的選擇。

多諾萬——就是那個據說認識索婭的血族——只有晚上才會待在他提供的那個地址，這意味著我們要趕在日出前趕到萊星頓市，才能在那人回到自己白天的小窩前找到他。同時，這也意味著我們要在黑暗中和血族碰面。在確認了一路上不會遇到意外之後——特別是我們離開西佛吉尼亞州的範圍之後——我和迪米特里一致同意，我們可以稍稍打個盹，因爲我們兩人誰都沒好好睡過一整晚的覺了。

儘管車子帶來的顚簸令人昏昏欲睡，我還是睡不安穩，隔一會兒就醒來一次。這樣過了幾個小時後，我最後乾脆直接進入出神狀態，前去看莉莎。這麼做眞是太明智了，我剛好碰上了對莫里來說最重大的一件事：選舉新任國王或女王的候選人推薦會正要開始。這是眾多流程中的第一步，所有人對於終於能夠親身經歷難得一遇的君主選舉都很興奮。我的朋友們都沒料到，能夠在這麼年輕的時候便見識到這種重大事件，而考慮到最近發生的事……好吧，我們都特別有興趣。莫里的將來就要靠今天決定。

莉莎坐在椅子邊緣，此刻她正身處於皇室的舞會大廳中，這個大廳空空蕩蕩的，拱形的穹頂上到處是金光閃閃的裝飾物。我曾經來過一次這個令人眩目的地方，知道這裡的牆上滿是精緻的雕刻，枝形的吊燈在頭頂閃閃發光。這裡曾經舉辦過歡迎畢業生的午餐會，當時新進的守護者都表現出自己最好的一面，希望能夠吸引別人的注意，分派到一個很好的工作。長桌的對面是一排又一排的椅子——這些都是爲了前來旁聽議會的觀眾而準備的。不過，現在這裡的椅子數量是平時的四倍，不過這也顯示出這間大廳的容量。每張椅子上都有人坐，事實上，甚至還有人擠在空隙中站著，眞正是密不透風。面無表情的守護者在人群中穿梭，確保入口處的淨空，同時確保這些旁觀者能在合理的安全範圍內，得到最合適的安排。

克里斯蒂安坐在莉莎旁邊，而艾德里安便坐在克里斯蒂安旁邊。令我驚喜的是，愛迪和米婭也坐在附近。米婭是我們的莫里朋友，她後來離開了聖弗拉米爾學院，在那些願意自我保衛的莫里中，地位幾乎和塔莎一樣。我親愛的父親倒是不見蹤影。他們並沒有交談，畢竟在這麼多人又嘈雜的地方，要聊天很困難，而且，我的朋友們全都被即將要發生的事情搞得很緊張。有太多要看、要感受的事物，沒有人意識到周圍的人居然有那麼多。艾比曾經說過，一旦塔蒂安娜下葬，後續的事情便會飛速進行，看來確實如此。

「你知道我是誰嗎？」

一個大嗓門引起了莉莎的注意，這聲音連現場的嘈雜都蓋了下去。莉莎順著自己這排看過去，看向距離艾德里安幾個座位遠的地方。

那裡並排坐著兩名莫里，一男一女，此刻他們全都抬起頭看著一個十分憤怒的女人。她手扠腰，粉色的天鵝絨連身裙在那一對莫里的T恤和牛仔褲面前顯得十分突兀。一旦離開有冷氣的房間，那身衣服便會令人不那麼好受了。

她怒目橫眉。「我是馬塞拉・巴蒂卡。」看見這個名字並沒有引起那一對男女的特殊反應，她又補充了一句：「巴蒂卡王子是我的哥哥，而前任女王是我上上一輩那代的三表姊。現在已經沒有空位了，可我這種身分的人，是不可能和那群平民一起站在牆邊的。」

那一對莫里男女對視了一下。「我想您應該早些到場，巴蒂卡女士。」那個男莫里說。

馬塞拉氣得倒吸一口氣。「你剛才難道沒聽清我是誰嗎？你知不知道現在該怎麼做比較好？你們必須把位子讓給我。」

「這次會議是開放的，所有人都可以來，而且我上次確認過，這些座位並沒有特別分配給任何人。」莫里女人說，「我們和妳一樣有資格坐在這裡。」

馬塞拉轉身，怒氣衝衝地看著身邊的守護者。他的職責是保護她不受到威脅，可是不會強迫別人讓出他們的椅子，尤其是那些人並沒有任何違法的行爲。馬塞拉傲慢地「哼」了一聲，猛地轉身走開了，毫無疑問是想繼續傷害其他人那可憐的靈魂。

「今天，」艾德里安說，「可有一場好戲看了。」

莉莎笑著回過頭，仔細打量著大廳內的其他地方。她在研究的同時，我也意識到了一個令人震驚的情況。我雖然沒辦法一一叫出名字，可是這群人裡並非全都是皇室——大多數時候，來參加的議會全都是皇室，可此刻這裡有無數的「普通人」，就像坐在我朋友附近的那對夫婦一樣。大部分莫里都不願費心來皇庭，他們散居在世界各處，過著自己的生活，在皇室成員們在皇庭裡漫步、制定法律時，試圖生存下來。可是今天不一樣，即將要選出一個新的領袖，這是所有莫里都關心的事。

萬頭攢動、吵吵嚷嚷的情況持續了數分鐘，直到終於有一個守護者站出來宣佈，這裡再也擠不下人了。那些還在外面的人都很生氣，可是他們的喊聲很快就消失了，因爲守護者關上了大門，將整個大廳封閉起來。過了一會兒，十一個議會的議員各就各位，而令我震驚的是，艾德里安的父親南森・伊瓦什科夫坐在了第十二把椅子上。皇庭的司儀大喊著，要求所有人肅靜。他之所以被人們選爲司儀，是因爲他宏亮的嗓音，可我一直搞不懂，爲什麼在這種時候他們不準備一把麥克風就好。我猜，這又是那種舊世界的傳統之類的，此外，也因爲這裡具有非常好的迴音效果。

南森見房間裡的人們安靜下來，便開始講話：「在我們敬愛的女王缺席……」他停下來，悲傷地低下頭，以便給大家時間表達自己對女王的敬意，然後才繼續講話。

如果換做其他人，我會懷疑他的難過是裝出來的，特別是在見到了他在塔蒂安娜面前有多麼卑躬屈膝之後。可是不，南森和艾德里安一樣，深愛著他這個不好相處的姑姑。

「而這可怕的噩夢即將醒來的時候，我終於得以調整好自己，準備面對即將到來的審判和選舉。」

「我說過什麼來著？」艾德里安小聲說道。他對自己的父親也毫不留情。「一場好戲。」

南森先敘說了下即將發生的事情的重要性，又說了關於莫里傳統的事。很顯然，這裡的其他人都和我一樣，眞正在意的只有一件事：提名候選人。南森似乎也意識到了這點，加快了那些繁文縟節進行的速度，一會後終於提到了重點。

「每個皇室家庭都可以提出一個候選人來競爭皇位，候選人得要接受從開朝以來，歷任君主都要經歷的考驗。」我認爲「開朝以來」這句話有點不嚴謹，而且有誇大其詞之嫌，不過無所謂。「唯一不在此列的是伊瓦什科夫家族，因爲法律不允許連續兩任君主都出自同一家族。至於候選人的資格，只要有三個適齡的莫里皇室一起提名，便可以成立。」他又補充了一些其他的事，比如如果一個家族有兩個以上的候選人時該怎麼辦。可即便是我都明白，這種事情發生的機率根本是零，每個皇室家族都希望自己能夠獲得最大的利益，而這就必須要齊心協力地輔助同一個候選人。

南森滿意地看到所有人都明白了，便點點頭，大手一揮，指向觀眾席。「現在，提名開始。」

起初的一會兒，沒有人站出來提名。這令我想起在學校的時候，每當老師說出類似的話，比如「誰願意第一個給大家看看他的論文」，所有人都會等著別人站出來。終於，有人站出來了。一個我不認識的男人站起來，說：「我提議阿里亞娜．澤爾斯基。」

阿里亞娜因爲是公主，所以坐在議員席裡，她正等著被人提名。她優雅地向那個人微微頷首。

第二個人，可能也是他們家族的，也站起來進行第二次提名。第三個站起來提名的是另一個澤爾斯基——一個非常令人意想不到的人。他是阿里亞娜的弟弟，一個常年環遊世界，幾乎從不在皇庭居住的人，而且這個人也是我媽媽負責守護的人。我意識到，珍妮・海瑟薇也很可能在這間大廳裡。我很希望莉莎能夠四處看看，找尋一下她，可是莉莎太專注於眼前的這一切了。在經歷了這麼多事之後，我突然間非常渴望能夠見到我的媽媽。

有了三個提名者，南森宣佈道：「阿里亞娜・澤爾斯基公主進入候選人名單。」他在身前的一張紙上草草寫了幾筆，整套動作十分誇張。「請繼續。」

在這之後，提名人接二連三地站起來。許多候選人都是王子或公主，其他的人身分地位也都很高，是家族裡德高望重的人。可歐澤拉家的候選人羅奈爾得，既不是家族長老會的成員，也不像其他的候選人那樣有地位。「他不是塔莎姑姑理想中的候選人，」克里斯蒂安小聲對莉莎說，「不過她也承認，他不是個白癡。」

其他的候選人我不是很瞭解，只除了少數幾個。比如阿里亞娜・澤爾斯基給我的印象很深刻，還有幾個人，我則一直認爲他們是大笨蛋。第十個候選人是達蒙・塔魯斯，戴妮拉的堂兄。她是從塔魯斯家族嫁進伊瓦什科夫家的，所以很高興看見她的堂兄入選。

「我不喜歡他。」艾德里安說著扮了個鬼臉。「他老是跟我說，我的人生應該過得有意義一點。」

南森寫下了他的名字，然後將那張紙捲了起來。除了這種古老的習俗，我懷疑觀眾席裡可能還有一個祕書，將所有的名字都鍵入了筆記型電腦裡。

「好，」南森宣佈道，「這裡面涵蓋了——」

「我提名瓦西莉莎・德拉格米爾公主殿下。」

莉莎猛地抬頭看向左邊，透過她的眼睛，我看見了一個熟悉的身影——塔莎·歐澤拉。她站起來，大聲地說出那句話，自信滿滿，同時用那雙冰藍色的眼睛掃視周圍，好像在看有誰膽敢不同意她的話。

整個大廳都愣住了。沒有竊竊私語，沒有椅子挪動的聲音，只有徹底的沉默。看起來，在聽見塔莎的話之後，歐澤拉家族的候選人是第二震驚的人。當然，第一名是莉莎自己。

過了好一會兒，南森才有辦法說話。「這不——」

莉莎身邊的克里斯蒂安也突然站起來。「我第二個提名。」

就在克里斯蒂安要坐下的時候，艾德里安也站了起來。「我第三個提名。」

房間裡所有的眼睛都望向莉莎和她的朋友們，然後，這些眼睛又好像是長在同一個人身上一樣，齊刷刷地看向南森·伊瓦什科夫。他再一次覺得開口說話變得很困難。

「這個嘛，」他終於擠出一絲聲音，「並非是合法的提名。考慮到目前的議會成員結構，德拉格米爾家族是沒有合法推舉候選人的資格的。」

塔莎這個永遠都不會害怕在人前講話、不怕驚世駭俗的人，又重新站了起來。我打賭，她早就想這麼做了。她非常善於演講，也很善於挑戰整個體制。「競爭君主寶座的候選人提名，不需要擁有議會席位和家族的合法人數。」

「簡直是一派胡言。」南森說。底下響起嗡嗡的贊同聲。

「你可以去翻翻法典，內特——我是說，伊瓦什科夫閣下。」

沒錯，他終於來了。我那個老狐狸爸爸終於加入了這場辯論。艾比斜倚在靠近門邊的牆上，穿著華麗的黑色西裝，同色的祖母綠襯衫和領帶。我媽媽站在他旁邊，臉上帶著微微的笑意。有一刻，我看著他們肩並肩地站在一起，感到非常茫然。我的媽媽，有著非常完美的守護者模樣，優雅而彬彬有禮；我的爸爸，始終不達目的不甘休，為此不惜扭曲一切事實。我惴惴不安地開始明白，為什麼我會擁有如此奇特的性格了。

「被提名的候選人無需考慮其家族有多少成員。」艾比快活地繼續說，「他們只需要有三個皇室的提名人就可以了。」

南森憤怒地指了指他叛逆的兒子和克里斯蒂安的座位方向。「他們根本就不是她家族的人！」

「他們不需要是！」艾比繼續說，「他們只需要是皇室家族的人就可以了，而他們全都是。她的候選資格是符合法律規定的——只要公主殿下自己同意即可。」

所有人的視線此刻又一起轉向莉莎，好像他們這時才突然注意到她的存在一樣。莉莎從一開始就沒有任何動作，她實在是太過震驚了。她的思緒轉動得既快卻又慢——她反應不過來她身上到底發生了什麼事，可是同時她的心裡卻又飛速地浮出許多疑問。

這是怎麼回事？是開玩笑嗎？還是因為精神能力而產生的幻覺？她終於發瘋了嗎？還是說這是在作夢？這是個陷阱嗎？如果是，為什麼她的好朋友也會參與其中？為什麼他們要這樣對自己？敬愛的上帝啊，這些人能不能不要再盯著她看了啊？

她可以面對這些注視，因為她生下來就注定是要承受這一切的，就像塔莎一樣，莉莎也可以站在一群人中間滔滔不絕地演講——在她要支持這些人，而且做好準備的情況下。可是現在這種情況她從來沒有遇見過，這是她最不願意遇到或是想像的事情了。所以，她無法鼓起勇氣做出回應，甚至連思索怎麼回應都辦不到。她只是坐在那裡，默默地躲進自己的殼裡。

這時，有什麼猛地將她拉了出來。是克里斯蒂安的手。他握住莉莎的手，與她十指緊扣，他輕輕地握了握莉莎的手，傳遞過去的溫暖和力量賦予了莉莎生命。慢慢地，她抬頭環視四周，迎上每一雙望向她的眼睛——她看見塔莎堅定的目光，看見我爸爸狡猾的眼神，甚至看見了我媽媽帶著期許的眼神。最後這一個人是最令她震驚的。珍妮・海瑟薇，這個一直只做正確的事，很少開玩笑的人，怎麼也會和這件事扯上關係呢？她的這些朋友怎麼會和這件事扯上關係呢？難道他們不是愛她、關心她的人嗎？

蘿絲，她想，真希望妳能在這裡告訴我該怎麼做。

我也是。這該死的單向心電感應。

她相信我勝過這世上的任何人，可是她也意識到，她必須信任她這些朋友——好吧，也許艾比除外，這可以理解——他們這麼做，肯定是有理由的，對吧？

對吧？

莉莎還是想不通，可是她的腿替她作了決定。莉莎站了起來，恐懼和疑惑仍然在她心裡打轉，可是她發現自己的聲音無比清晰、自信地響徹了整間屋子。

「我接受這個提名。」

# 15

我不喜歡看見維克多‧達什科夫說的話被證明是對的。可是，哦，他向來都沒說錯過。

莉莎的話音剛落，大廳裡始終屛住呼吸的人們瞬間哄鬧起來。我很好奇，莫里的歷史上是否曾有過比較平和的會議過程，還是我碰巧遇上了幾次爭論較激烈的會議。接下來發生的事情，令我想起那天通過拜爾年齡法案時的情況。大喊、爭吵、人們紛紛站起來……平時總是沿著牆站成一排的守護者，此刻也擠到人群中，臉上關切的表情，顯示他們已經準備好要應付任何超出口頭爭論範圍的行爲。

如同莉莎成爲這裡的焦點時那樣迅速，整個大廳的人又瞬間把她遺忘了。她坐了回去，克里斯蒂安又握住她的手。莉莎緊緊地回握，她是那麼用力，我懷疑克里斯蒂安可能會被握得血液循環都不暢通了。莉莎直直地盯著前方，腦子裡仍然飛快地轉動著，她的注意力並沒有放在周圍的混亂上，可是周圍的情況不斷透過她的眼睛和耳朵傳達給我。我的朋友們唯一注意到的事情，就是戴妮拉走過來，責罵艾德里安居然提名自己家族以外的人。艾德里安像往常一樣毫不在乎地聳了聳肩，戴妮拉則像洩了氣的皮球般，意識到——像我們其他人一樣——眞的不應該試著和艾德里安講道理。

你以爲身處在這個大廳裡的人，都會爭相維護他們自己家族的利益，因而對莉莎的提名提出質疑嗎？哦，那你就錯了，因爲今天在場的人並不全都是皇室。正如我之前提到過的，世界各地的莫里都趕來這裡，見證這件會決定他們未來的大事，而有一些人對這個德拉格米爾家族的女生感到很好奇，因為據說這位從死亡關頭回來的公主可以創造奇跡。他們雖然沒有誇張地吟誦她的名字，卻和人們展開激烈的爭論，說她絕對有資格代表她的家族參選。我心裡有些懷疑，她的這些平民支持者，也許只是抱著讓皇室下不了台的看好戲心理，畢竟剛才那對和巴蒂卡女士起衝突的年輕夫婦，不是這裡唯一一個被教訓過「該怎麼做比較好」的人。

可是最令人吃驚的是，也有很多皇室為莉莎講話。他們也許忠於自己的家族，可並不是所有人都是沒有良心、自私自利的，有許多人還是能明辨是非——如果莉莎的提名有法律支持，那麼她就有資格參加競選。此外，還有很多皇室支持她，純粹是出於對她的喜愛和尊敬。阿里亞娜就是其中一個支持莉莎的提名合法的人，哪怕日後她們兩個會成為競爭對手。阿里亞娜非常熟知法律，很清楚法律的這個漏洞確實允許莉莎參選，可是她在最後的投票時刻肯定會輸。儘管如此，阿里亞娜站在那裡的姿態令我更加喜歡她，等到真正大選的那一天，我希望她能夠贏得王冠。她既智慧又公正——這是莫里世界現在迫切需要的。

當然，阿里亞娜不是唯一一個熟識法律的人。其他人也找到了別的漏洞，質疑提名一個不可能獲得投票的候選人毫無意義。通常來說，我也會同意。辯論風暴仍持續著，可是我的朋友們卻靜靜地坐在颶風的中心。終於，過了許久之後，這件事還是決定用解決大部分事件的方法來處理：投票。鑒於莉莎仍然被議會拒於門外，便讓另外十一個人來決定她的將來——總共有六個人同意她的提名，確立了這件事的合法性。她可以參加競選了。我想這些投票給她的人，可能都不是真心希望她參選，可是他們最後還是選擇尊重法律。

但是，許多莫里根本就不在乎議會到底說了什麼，他們的表現明顯宣告了這件事還沒有結束。這更加證明了維克多的話：這場風波還會持續一陣子，而如果莉莎真的通過了考驗，進入到投票階段，那麼情況肯定會變得更嚴重。眼下，人群逐漸散掉了，所有人似乎都鬆了一口氣——這不是因爲能夠逃離這個亂哄哄的地方，更因爲他們想要將這個轟動的消息告訴別人。

莉莎和我們的朋友起身離開時，仍然沒怎麼說話，就連經過那些伸長了脖子等著看她的人們身邊時，她都保持著莊嚴和冷靜，就好像她已經當上了女王。可是，當她終於得以逃離這一切，和其他人回到自己的房間後，所有被壓抑、被冷凍的情緒立刻爆發了出來。

「你們這幾個人到底該死的在想什麼？」她大喊道，「你們都對我做了什麼？」

在艾德里安、克里斯蒂安和愛迪身後，其他的共犯也出現了：塔莎、艾比還有我媽媽。所有人都因甜美的莉莎居然會有這種反應而嚇呆了，誰都沒辦法馬上回答。莉莎見他們沉默不語，便趁勝追擊。

「你們陷害我！你們將我推入到了一場政治惡夢裡頭！你們認爲我想這麼做嗎？你們眞的認爲我想要當女王嗎？」

艾比是第一個清醒過來的。「妳不會當上女王的，」他說，聲音柔和得根本就不像他。「那些認爲這麼做有爭議的人是對的：人們不會眞的投票給妳，妳還是需要家族勢力的支持。」

「所以說這就是重點嘍？」莉莎喊道。她很憤怒，而她絕對有這個權力。可是，那種憤怒、那種暴躁……某種東西似乎更加刺激了她的情緒。此刻，精神能力帶來的副作用令她變得更加狂怒。

「重點是，」塔莎說，「妳剛才在議會現場看到的所有瘋狂的事。每一回爭論、每一次有人重新把法典搬出來討論，都能讓我們爭取到更多的時間來救蘿絲，找出殺死塔蒂安娜的眞正兇手。」

「不管是誰幹的，這個人一定對寶座有興趣。」克里斯蒂安解釋道。他一手搭上莉莎的肩頭，卻被莉莎猛地甩開。「不管對兇手來說，還是對兇手認識的人來說，我們拖延他們計畫的時間越長，能夠找出眞兇的機會就越大。」

莉莎暴躁地用手扯了扯頭髮。我嘗試著想將她的怒火吸收到自己身上，雖然只吸取了一點點，不過這已經足以讓她放下手了。可她還是很火大。

「如果我被那些愚蠢的測試纏得脫不開身，怎麼有辦法去找出兇手呢？」莉莎問道。

「不用妳去找，」艾比說，「由我們來。」

莉莎的眼睛瞪得圓圓的。「這樣的計畫絕不可能！我不想在蘿絲需要我的時候，被那些皇室的東西絆住。我必須要幫助她！」

眼前的情況幾乎讓我想笑。幾乎。無論是我還是莉莎，都不能忍受在對方需要幫助的時候，自己卻袖手旁觀。我們都想要衝上前，用實際的行爲來解決問題。

「妳正在幫她。」克里斯蒂安說。他的手動了動，可是沒有試圖再碰她。「只不過這和妳想像的方式不同，可是歸根究柢，妳是在幫她。」

同樣的詭辯這些人也對我說過，而聽到這些話，莉莎幾乎和我一樣火大。我用力將那些持續侵擾她的不穩定精神能力吸收到自己身上。

莉莎看了看四周，用責難的目光看了看每個人的表情。「這到底是誰的主意？」

眾人再次沉默，氣氛更加凝重了。

「是蘿絲。」最後，艾德里安說。

莉莎猛地轉身瞪著他。「她不會的！她不會這麼對我！」

「確實是她，」艾德里安說，「我去她的夢裡和她談了談，這就是她出的主意……而且還是個好主意。」我眞的不喜歡他對此表現出很驚訝的樣子。「再說，某種意義上妳也將她推入了一個惡劣的情況裡。她一直在抱怨她待的地方有多麼無聊。」

「好吧。」莉莎怒道，沒有理會我的困苦處境。「就算這是眞的，是蘿絲將這個『天才』的主意告訴你，那爲什麼你們沒人打算費心告訴我一聲？你們不覺得事先提醒我會比較好嗎？」再一次，這情況就像我抱怨他們不告訴我要越獄的事一樣。

「其實不見得，」艾德里安說，「我們已經想到妳會有這種反應了，而且也給妳時間自己取捨。我們在賭妳會不會接受這樣的安排，結果妳同意了。」

「這似乎有點冒險吧。」莉莎說。

「可是卻很管用。」塔莎坦言道，「我們知道妳一定會和我們站在同一邊的。」她眨了眨眼睛。「而且這麼做很值得，我相信妳會是一位偉大的女王。」

莉莎瞪了她一眼，我又努力將她的負面情緒吸收過來一些。我集中精力在那些激動的情緒上，想像著它們在我身體裡，而不是在莉莎的身體裡。雖然我沒能把它們全都吸收過來，可是也足以令莉莎脫離了戰鬥狀態。一陣怒火突然在我心中燃燒起來，暫時蒙蔽了我的眼睛，不過我最後還是將它們推到了意識的某個角落。莉莎突然覺得很疲倦。我也是。

「第一場考驗就在明天。」她小聲說道，「如果我沒通過，就退出。這個計畫宣告失敗。」

克里斯蒂安再次試圖觸碰她的手臂，這一次，她沒有甩開他。「妳不會失敗的。」

莉莎沒有再說什麼，我看到所有人臉上都露出鬆了一口氣的表情。一秒鐘之前，還沒有人敢相信她會有這種表現，可是他們似乎認為她已經不會退出競選，而這正是他們希望的。

我媽媽和愛迪在整個過程中一直沒有開口。這對守護者來說非常正常，他們一直居於幕後，努力在莫里處理事務的時候，以影子的狀態存在。當一切風平浪靜後，我媽媽往前走了一步，她向愛迪點點頭。「整個考驗過程中，我們兩人之中，會有一個人一直守在妳附近。」

「為什麼？」莉莎吃驚地問。

「因為我們知道，暗地裡肯定有某個人會為了達成自己的目的，不惜殺人。」塔莎說，她向我媽媽和愛迪點了點頭。「他們兩個和米哈伊爾是我們唯一可以信任的守護者。」

上。」

「妳確定？」艾比狡黠地瞥了塔莎一眼。「我很驚訝妳沒有把那個特殊的守護者『朋友』也算

「什麼特殊的朋友？」克里斯蒂安問道，但是他馬上就明白了這裡面暗指的意思。

令我震驚的是，塔莎的臉居然紅了。「肯定是一個我認識的人。」

「那個總用小狗一般的眼神看著妳的人是誰？」艾比繼續說，「他叫什麼來著？伊凡？」

「伊森。」塔莎更正道。

我媽媽看起來像是被這種無聊的對話激怒了，很想要趕緊結束——因爲看起來克里斯蒂安似乎也有話想說。

「別逗她了。」她警告艾比，「我們沒時間開玩笑了。伊森是個不錯的小伙子，不過知道這件事的人越少越好。不過，米哈伊爾有固定的職務走不開，保全工作就由我和愛迪來負責。」我媽媽說的我幾乎全都同意，可是仍然想不明白，我媽媽怎麼會攪和進這件事裡，有可能是某人——比如說艾比——將她拉近最近這一系列的違法行動裡頭的。要不是他眞的很會說服人，那就是我媽媽很愛我。我不情不願地想，也許這兩種原因都有。莫里待在皇庭裡的時候，他們的守護者便不用如影隨形地跟著他們，這意味著我媽媽在澤爾斯基閣下位於皇庭期間，可以暫時休息一下。愛迪目前還沒有接到任命，這令他也成爲了一個自由人。

莉莎似乎正想說些什麼，可是現實中一陣猛烈的顚簸，將我從她的意識裡拉了出來。

「抱歉。」雪梨說。她猛地踩了剎車，就是這個動作把我拉了回來。「該死的帽子擋住我了。」這不是雪梨的錯，可我卻對被人打斷感到很懊惱，非常想要對她吼叫。我深吸了一口氣，提醒自己我不過是受到了精神能力的負面影響，所以不能允許自己表現得這麼無理取鬧。慢慢地，和往常一樣，這種情緒退了下去，而我心底則悄悄升起一個念頭——我不能永遠將莉莎身上的負面情

緒吸收到自己身上，我並不是每次都可以掌控它的。

不過，既然我已經回到了自己的身體裡，便往車窗外看去，打算欣賞一下新風景。我們已經離開山區，到了城鎮上，雖然路上的車子並不多（因爲現在仍然是人類的午夜），但是已經比我們之前在路上見到的車子要多很多了。

「我們到哪兒了呢？」我問道。

「在萊星頓市的郊區。」雪梨說。她將車子往附近的加油站駛去，這樣我們既能夠替車子加滿油，又可以將多諾萬的地址輸入到GPS裡面。他的所在地離這裡還有五英里遠。

「據我所知，不是一個太受到重視的區域。」迪米特里說，「多諾萬開了一間只在晚上營業的紋身店，有幾個血族替他工作。他們招攬的客人通常都是夜店常客、喝醉的孩子……這種即使失蹤也沒關係的人。這些人是血族的最愛。」

「可警方還是會慢慢注意到，每當有人去紋身，結果都會失蹤這件事。」我指出。

迪米特里發出嘲諷的笑聲。「哦，『有趣』的是，他們並不會殺死來店裡的每個人。有時候，他們替人紋完身就會放他們走了。這間店也做走私毒品的勾當。」

我好奇地看著他，這時雪梨也回到車上。「你知道的還眞多。」

「我將收集情報視爲日常的工作，我需要盯緊他們。其實我曾經見過多諾萬一回，這些都是聽他自己說的，我唯一不知道的是他住在哪兒，不過現在知道了。」

「好吧，這麼說，我們得從他嘴裡套消息了。我們要怎麼做？」

「引他出來，派一個『顧客』去替我捎個口信，說我要見他。我不是那種他可以不理會的角色——好吧，過去是這樣——一旦他出來，就把他帶到我們埋伏好的地方。」

我點點頭。「這我可以做到。」

「不，」迪米特里說，「妳不能去。」

「為什麼？」我問道，猜想著這個多諾萬是不是真有這麼厲害。

「因為他們一看見妳，就會發現妳是拜爾，也許還沒見面，他們就先聞出來了。血族不會用拜爾替自己跑腿——他們只用人類。」

車裡頓時陷入一陣令人不安的沉默中。

「不要！」雪梨說，「我才不要去！」

迪米特里搖了搖頭。「我也不希望這麼做，可是我們沒有別的選擇。如果他知道妳替我工作，是不會傷害妳的。」

「是嗎？如果他不相信的話，會發生什麼事？」雪梨追問道。

「我覺得他不會有這個機會。他很可能會跟妳一起出來看看情況，他應該會想，如果發現妳說謊，再殺掉妳也不遲。」

這句話似乎也不能讓雪梨覺得比較好受。她呻吟了一聲。

「你不能派她去。」我說，「他們一定會發現她是個煉金術士，那些人也不會為血族做事。」

令人驚訝的是，迪米特里居然沒有考慮到這點，我們又重新陷入沉默。

這時，雪梨卻出人意料地提出了一個解決辦法。

「我剛才走進加油站的時候，」她慢吞吞地說，「發現那裡有在賣化妝品，也許我可以用粉底蓋住我的紋身。」

於是我們照著她說的做了。加油站裡賣的唯一一種粉餅，顏色和她的膚色並不一樣，不過我們還是塗了厚厚一層，蓋住了她臉頰上的金色百合花紋身，又把她的頭髮稍稍弄亂一點，以遮掩色差。全都弄好之後，我們非常滿意，便掉頭駛向多諾萬的小店。

那件店確實是位在這個城鎮比較荒涼的區域。在距離紋身店幾條街的地方，我們看見了一處像是夜店的地方，不過，這附近看起來顯然沒有人居住。然而，我沒有被這景象騙過去。這裡可不是那種你願意在夜裡孤身前來的地方，這條街好像在喊著「搶劫」。或者可能更糟。

我們檢查了整片區域後，迪米特里終於找到了一個他滿意的地方。這是離紋身店不遠處一條位於兩棟房子間的後巷，一邊是歪七扭八的柵欄，而另一邊則是低矮的磚造建築物的側面。迪米特里教雪梨怎麼樣把血族引到這裡來，她一字不差地全都記下來，用力點了點頭，可我還是能夠從她眼中看到恐懼。

「妳要表現出敬畏的樣子。」迪米特里對她說，「替血族做事的人類對他們都是很崇敬的，幾乎是刻意地討好，而且他們在血族身邊待久了，不會覺得驚慌或者害怕。當然，還是會有一點點懼怕，但絕對沒有妳現在的表情這麼誇張。」

雪梨吞了口唾沫。「我也沒辦法。」

我很替她難過。她異常堅信所有的吸血鬼都是惡魔，而我們卻要將她送進吸血鬼裡最壞的一種的老窩，讓她冒極大的風險。我還知道，她只見過一個活的血族，因此雖然迪米特里很努力在教導她，卻仍然無法令她放鬆戒備。如果她在多諾萬面前出了差錯，所有事就都搞砸了。我出於衝動過去抱了抱她，令我驚訝的是，她並沒有拒絕。

「妳可以做到的，」我說，「妳很堅強。再說，他們都非常害怕迪米特里。好嗎？」

雪梨做了幾個深呼吸，點了點頭。我們又叮囑了幾句鼓勵她的話，然後她便拐過街角，向那頭的街道走去，最終消失在視野裡。

我看了迪米特里一眼。「也許我們是送她去赴死。」

他臉色沉重。「我知道——可是現在我們什麼都做不了。妳最好趕緊去自己的位置上防守好。」

在他的幫助之下，我設法攀上那棟低矮的建築物的屋頂。在他將我托上去的整個過程裡，我們並沒有什麼親密接觸，可是只要和他有肢體接觸，我仍然不自覺地有觸電的感受，再次記起我們的合作是多麼有默契。待我在自己的位置上趴好，迪米特里便走向對面那棟雪梨剛剛拐過去的建築物，他在角落裡來回踱步。現在，我們只能等待。

等待的過程很痛苦——這不僅僅是因爲我們即將要進行一場戰鬥。我一直掛念著雪梨，想著我們要求她做的事。我的職責應該是保護無辜的人不受血族的侵害——而不是將他們送入虎口。如果計畫失敗了怎麼辦？

幾分鐘之後，我終於聽見有腳步聲傳來，同時還有喃喃的低語，而同時一股熟悉的反胃感也開始在我體內湧動。我們成功將血族引了出來。拐過街角的一共有三個血族，雪梨走在最前面帶路，他們剛一露面，我就知道了誰是多諾萬。他是三人裡面個子最高的——因爲他在變成血族之前是莫里——而他的黑髮和大鬍子令我想起了艾比。迪米特里曾經告訴過我他的樣子，以確保我不會錯殺他（但願如此）。多諾萬的隨從在他左右保護著他，每一個都小心翼翼。我立刻緊張起來，右手緊緊握住了銀樁。

「貝里科夫？」多諾萬粗聲問道，「你來了？」

「我來了。」迪米特里回答道——又是那種冰冷、可怕的血族聲音。他從建築物的另一個拐角轉出來，但是一直待在陰影裡。

多諾萬認出是迪米特里，微微放鬆了些——就算是在黑暗中，他也能夠看清楚迪米特里的樣子。他不由得又緊張起來，因爲突然間看見了這麼可怕的人就在自己面前。可是，有一件事似乎令他非常不解，感到不太合理。就在同時，他的其中一個手下猛地一抬頭。「是拜爾！」他喊道。並不是迪米特里的外表暴露了身分，是身上的氣味出賣了我們。我微微喘了口氣，默默感謝他們居然過了這麼久才發現。

接著，我從屋頂上跳了下去。要從這個高度跳下去不是很容易，不過還不至於會摔死，再說，我的完美落地被一個血族破壞了——我跌在了多諾萬一個手下的身上，將他也撞倒在地，我用銀樁瞄準他的心臟，可是他的反應很快，我的體重壓不住他，所以被他推開了，我早就有所準備，於是設法站穩腳跟。我用餘光掃見雪梨正弓著身子急急忙忙跑離這裡，這也是我們之前教她的。我們希望她能夠遠離戰場，於是告訴她要跑回車子裡，如果情況變得不利，隨時都要準備逃跑。

當然了，凡是和血族有關的事都很糟。多諾萬和他的另一個手下一起撲向迪米特里，將他視作是這裡最大的威脅，而我的對手則露出尖牙微笑著，似乎完全不把我當做一回事。他咆哮著撲向我，我往旁邊一閃，但是在這之前，我還設法往他的膝蓋猛地踹了一腳。我的攻擊似乎沒有傷到他，卻令他失去了平衡，我用銀樁再施予一擊，卻再次被甩了出去，這次重重跌在地上。我裸露的腿部摩擦著粗糙的地面，擦破了皮——因為之前那條牛仔褲又髒又破，我被迫換上了雪梨給我的包包裡的那條短褲——我沒有理會疼痛，立刻站起來飛快地衝過去，完全出乎血族的意料。我的銀樁對準了他的心臟，雖然這一擊失去了我原有的力道，可是仍足以將他擊倒，我便趁此機會再次將銀樁刺進去，了結了他的性命。我甚至沒來得及看他摔倒在地，便拔出銀樁衝向另外兩個。

之前我從沒有在參戰的時候猶豫過，可是這一次，我因為眼前所看見的停了下來。迪米特里的表情非常……恐怖，還有猙獰。當時，他保護我不讓別人把我抓走時的表情也是這樣——那種超級無敵厲害的戰神表情，訴說著他完全可以獨自搞定情況。而他現在的表情……哦，那種厲害程度似乎又提到了一個全新的水準。我意識到，他還抱有個人的目的。同這些血族戰鬥，不僅和找到索婭及幫助莉莎有關，還與贖罪有關，他試著透過親手幹掉這些惡魔，來洗清自己罪惡的過去。

在他將銀樁刺進另一個嘍囉的心臟時，我跑過去加入他。這一擊的力道之重，遠遠超過了迪米特里對付血族需要的，他將這個嘍囉按在磚牆上，用力刺穿他的心臟。雖然不太可能，可是我能夠想像出他的銀樁刺穿這個嘍囉的身體，一直碰到了牆壁。迪米特里用在這一擊上的專注力和力道遠遠超過他平時太多了，他應該像我一樣，解決掉眼前這一個之後，立刻轉身面對下一個對手。可是，迪米特里仍然專注於自己的手下敗將，完全沒有注意到多諾萬此時正打算偷襲。幸運的是，迪米特里還有我。

我向多諾萬撲過去，將他從迪米特里身邊推開。與此同時，我看見迪米特里拔出銀樁，將手上的屍體再次扔到牆上。而這時，我已經成功地吸引了多諾萬的注意力，正艱難地和他周旋，卻沒有辦法殺死他。

「迪米特里！」我大喊，「幫幫我！我需要你！」我沒有看見迪米特里此時在做什麼，可是只有幾秒，他便來到了我的身邊。他發出近似咆哮的聲音，衝向多諾萬，拿出銀樁，一下就將這個血族按倒在地。我嘆了口氣，微微放下心，跑過去想幫他，卻看見迪米特里正將自己的銀樁對準多諾萬的心臟。

「不要！」我跪在地上，試圖在確保多諾萬不會逃跑的情況下，推開迪米特里的手臂。「我們需要他！別殺他！」從迪米特里的表情看來，我不知道他有沒有聽見我的話。他的眼神裡帶著死亡的氣息，他想要殺死多諾萬，那種慾望控制了他。

我一隻手努力按著多諾萬，另一隻手則輕輕拍了拍迪米特里的臉——是那天晚上沒被我打過的另一邊。我不希望他在這麼激動的時候受到疼痛的刺激，只想要喚起他的注意力。「別殺他！」我又說了一遍。

這一回，他終於聽進去了。不幸的是，我們倆的爭執給了多諾萬可乘之機，他想趁機掙脫我們，不過我和迪米特里有默契地同時撲在了掙扎著的多諾萬身上。我又想起了上次在俄國追殺血族的時候。通常一大群拜爾才能對付一個血族，可是迪米特里似乎天生有一種非凡的神力。

「通常，我們在審問的時候都——」我的話被打斷了，顯然迪米特里希望用他自己的方法來審問。

「索妍・卡普在什麼地方？」迪米特里咆哮著問道，他抓住多諾萬的肩膀用力搖晃，多諾萬的頭一直不斷地磕著地面。

「我不——」多諾萬剛說了個開頭，可迪米特里沒有耐心聽他耍花招。

「她在哪兒？我知道你認識她！」

「我——」

「她在哪兒？」

我在多諾萬的臉上，見到了過去從未在血族臉上看過的表情：恐懼。我想這是他們唯一不能克服的情緒，或者說只有當他們在戰場上碰見強者時，才會知道。他們從不會浪費時間去害怕那些低等的拜爾。

可是很顯然，多諾萬害怕迪米特里。說實話，我也是。

那雙紅眼睛張得大大的，充滿絕望和恐懼，當多諾萬囁嚅著說出下面的話時，直覺告訴我他說的是真的。他的恐懼不允許他說謊，他太過震驚，完全沒有準備好面對這種情況。

「在巴黎。」他喘著氣說，「她在巴黎！」

「天啊！」我喊道，「我們不可能開車去巴黎。」

多諾萬用力搖頭（他在迪米特里不斷搖晃他的時候，盡可能地做到這點）。「是個小城——離這裡一小時。那裡有一個小湖，很少有人去。一棟藍色的房子。」

非常有價值的資訊，而我們需要更多一些。「你有沒有具體的地——」

迪米特里顯然不像我一樣還需要知道更多，我還沒有說完，他的銀樁就刺了下去——直中多諾萬的心臟。這個血族發出一聲可怕的、令人毛骨悚然的尖叫，在死神帶走他以後，那聲音才消失。我顫抖了一下。距離有人聽見這聲音，找來警察還要多久？

迪米特里拔出銀樁，然後再次刺進多諾萬的屍體。然後又一次。我難以置信地瞪著他，覺得恐怖，完全愣住了。過了好一會兒，我才抓住迪米特里的手臂，用力搖晃他，雖然我覺得這麼做不如再多用點力氣去搖身後的牆來得有用。

「他已經死了，迪米特里！他死了！住手吧，求你了。」

迪米特里臉上仍然帶著那種超級可怕的表情——憤怒，現在還帶了一絲絕望。這種絕望告訴他，如果他可以消滅多諾萬，那麼也許也能消滅掉他人生中其他的罪惡。

我不知道該怎麼辦。我們必須離開這裡，還得要雪梨來幫忙處理這些屍體。時間緊迫，我只能不斷重複剛才的話。

「他死了！住手吧，求你了。他死了。」這時，不知怎麼回事，不知怎麼做到的，我終於喚醒了迪米特里。

他的動作慢下來，終於住了手，那隻握著銀樁的手虛弱地垂在了身旁，他瞪著此時此刻的多諾萬——實在是有點慘不忍睹。迪米特里的憤怒終於完全變成了失望……最後變成了絕望。

我輕輕碰了碰他的手臂。「已經結束了。你已經做得夠多了。」

「永遠都不會夠的，蘿絲。」他小聲說道。那種悲傷的聲音差點殺了我。「永遠都不會夠。」

「至少現在夠了。」我說著，將他擁向我。他沒有抗拒，扔掉了手裡的銀樁，將臉埋在我的肩膀上。我也扔掉自己的銀樁，抱住他，將他又摟緊了一些。他也抱住我，尋求另一個活生生的個體的觸碰，一個我早就知道他需要的觸碰。

「妳是唯一一個。」他將我抱得更緊一些。「唯一一個理解的人，唯一一個見過我過去樣子的人。我永遠都不會對別人解釋……妳是唯一的，唯一一個我能說這些的——」

我閉上眼睛，被他的話深深打動了。他也許發誓要效忠莉莎，可是這不代表他會完全對她敞開心扉。這麼久以來，我和他一直都有著完美的默契，一直都彼此瞭解，如今依然一樣，而這與我們是不是還在一起無關，與我是不是和艾德里安在一起無關。迪米特里一直都緊閉著自己的心扉，直到他遇見我。我原本以為他又將自己的心鎖起來了，可是顯然他還相信我，願意向我坦露不斷吞噬他內心的情緒。

我張開眼睛，迎上了一雙誠摯的黑色眼眸。「沒事了，現在已經沒事了。我在這裡，我會永遠在你身邊。」

「妳知道嗎？我夢見了他們，夢見了我殺死的那些無辜的人。」他的眼睛又看向多諾萬的屍體。「我一直在想……也許只要我殺了夠多的血族，那些惡夢便不會再來，而我也不會再被別人認為是血族的一員。」

我撫摸著他的下巴，將他的臉轉過來，讓他看著我，不再去看多諾萬。「不是的，你必須要殺死血族，是因為他們是魔鬼，因為這是我們必須要做的事。如果你希望不再做惡夢，就必須活著，這才是唯一的方式。我們剛才也可能會死，可我們還活著。也許，我們明天就會死，我也不知道。可重要的是，我們現在還活著。」

我開始漫無邊際地閒扯。我從沒有見過迪米特里情緒這麼低落，就算他變回拜爾之後，也沒有這樣過。他曾經親口承認，變身成為血族過後，他的許多情感也沒有了。可事實上不是，我意識到那些感情還在，他過去所有的每種感情都還在，只是在等一個爆發的時機——就像今天的這種憤怒和絕望。也或許，在保護我不被守護者逮捕的那天就已經開始了。那個原來的迪米特里沒有消失，他只是被關了起來，而我不知道該怎麼把他放出來。可是，這種事從來都不歸我負責，一直以來，他才是那個總說一些有智慧、有見識的話的人。不是我。可是，他現在還在聽我說，他的注意力還在我身上，而我該怎麼說？什麼才能說服他？

「還記得你之前說過什麼嗎？」我問道，「在盧比村的時候？活著就會有煩惱，而你終有一天會欣賞這些煩惱。這是你唯一能夠打敗血族對你做的那些事的辦法，唯一一個能變回過去那個眞正的你的方法。你自己也說過：你和我一起逃跑，是爲了能夠再次感受到這個世界。它很美。」

迪米特里想要再次去看多諾萬的屍體，可我沒有鬆手。「那邊一點都不美，只有死亡。只有你相信，它才能眞正成眞。」我有些絕望，眼前時間眞的不多了。「找樣東西，一個你認爲美麗的東西。隨便什麼都好，只要能證明你不再是血族。」

他的目光落在我身上，靜靜地看著我的臉。我的內心惶恐地大喊，這樣根本沒用，我辦不到，但我們必須要離開這裡，不管他目前處於什麼狀態。我知道他會同意的——如果我此刻能肯定什麼事，那就是迪米特里身上那種戰士的本能還在，如果我說馬上會有危險，那他一定會立刻做出反應，不管他此刻的內心禁受著多麼痛苦的折磨。可我不想這麼做，我不想他就這樣絕望地離開。我希望他離開時，能夠稍微恢復成我之前認識的那個男人。

我希望他離開時，能夠少些惡夢。

可這已經超出了我的能力範圍，我不是心理醫生。我剛想告訴他說，我們必須離開，剛想喚醒他的戰士本能時，他突然開口說話了。

「妳的頭髮。」他的聲音近似呢喃。

「什麼？」有那麼一秒，我不知道他說的到底是什麼。我摸了摸自己披散下來的頭髮，不，這裡沒什麼問題，除了有點亂。我在戰鬥的時候都把頭髮梳起來，以防血族將它們抓在手裡，就像上次安琪琳做過的那樣，不過此刻它們已經因為先前的戰鬥而鬆開了。

「妳的頭髮。」迪米特里重複道，他瞪大眼睛，幾乎是敬畏地說道：「妳的頭髮很美。」

基於目前的狀況，我可不這麼認為。當然，考慮到我們身處在周圍全是屍體的漆黑巷道裡，選擇實在有限。「你明白了吧？你不是他們，血族是不懂什麼叫美的。他們只懂死亡。你找到了美麗的東西，至少有一樣東西是美的。」

他有些猶豫，又有些緊張，他的手指纏著我剛才抓過的那綹髮絲。「這樣就夠了嗎？」

「至少對此刻來說夠了。」我在他額頭吻了一下，拉著他站起來。「對此刻來說。」

# 16

處理死屍對雪梨來說已經是家常便飯了，所以看見她被我們此刻的樣子嚇一跳，還是多少令我覺得訝異。也許死去的血族對她來說僅僅是樣物品，我和迪米特里則是活生生的，而且外表一團糟。

「我希望你們倆不要弄髒車子。」她將屍體處理完畢，和我們一起往回走的時候說。我想她的本意是想要說一個蹩腳的笑話，來掩飾她對我們身上破破爛爛、滿是血漬的衣服的不安。

「我們要去巴黎嗎？」我扭頭看著迪米特里問道。

「巴黎？」雪梨問道，似乎嚇呆了。

「現在還不行。」迪米特里說著往後一仰，將頭靠在座位上。他又回到了那副自制的守護者模樣，先前所表現出來的低落已經不見了，可我仍不願忘掉我們去找雪梨之前發生的那一幕。彷彿微不足道……可又具有巨大的意義，而且感覺很私密。此刻，他的樣子像是很疲倦。「我們最好等到白天。我們本該現在就去多諾萬說的那個地方，可如果索婭眞的有個住所，那麼她很有可能整天都會待在裡面，白天去對我們來說比較安全一點。」

「你怎麼知道他沒有撒謊？」雪梨問。她漫無目的地開著車，僅僅是爲了將我們以最快的速度載離這個是非之地，希望在人們報警說聽到尖叫和打鬥聲之前跑得遠遠的。

我又想起了多諾萬那張驚恐的臉和顫抖的身體。「我不覺得他是在撒謊。」雪梨沒有再多問別的，只問了應該往什麼地方開。迪米特里建議我們可以先找一間旅館，把自己清理乾淨，然後在明天的戰鬥來臨前先休息一下。幸運的是，萊星頓市可供選擇的旅館，比我們上次去過的那個小鎮要多很多。我們沒有去很豪華的大酒店，而是選擇了一家外觀現代的大型連鎖酒店，既乾淨又漂亮。雪梨幫我們辦理了入住手續，領著我們從側門進去，這樣便不會嚇到那些深夜仍留連在外的客人。

我們走進一間雙人房，沒有人對此發表看法。我想經過之前和血族的那一場惡鬥，我們三個應該待在一起比較好。迪米特里的情況比我還糟，這全拜他對多諾萬的舉動所賜，所以我讓他先去洗澡。

「妳做得很好。」我們在外面等待的時候，我對雪梨說。我坐在地板上（這裡比我們上一次待的房間要乾淨得多），這樣便不會弄皺床單。「妳當時眞的很勇敢。」

她勉強擠了一絲笑容出來。「算是吧。妳被打得這麼慘，還差點被殺死，誇獎的人卻是我？」

「嘿，我可是一直都是這麼做的。只是，像妳那樣獨自一人闖進去……哇哦，確實很了不起。而且，我也沒有輸得很慘。」我揉著自己受傷的地方，想著迪米特里也會這麼做。雪梨看著我，也發現了。我腿上的傷比我想得還要嚴重，表皮已經擦破了，血從我靠在地上的傷口裡頭不停流出，而我的腳踝也在抱怨著從屋頂往下的那一跳。此外，我身上還有很多劃傷和瘀青，到處都痛，可我根本想不起來這些傷是怎麼來的。

雪梨搖了搖頭。「我常在想你們這些傢伙怎麼不會感染壞疽。」

其實我們都明白，這是因爲拜爾獨有的一種自然抗體，因爲我同時具備兩個種族的基因。莫里雖然身體也很健康，可偶爾也會生一些只有莫里才會生的病。維克多便是個例子，他患上的慢性病便是他強迫莉莎替他治療的原因，而莉莎的精神能力當時雖然治癒了他，可是這疾病漸漸地又回來了。

迪米特里出來之後，我也去洗了個澡，然後雪梨爲我們兩個的傷口做了簡單處理。她替我們消毒、包紮傷口，直到完全滿意爲止，才打開自己的筆記型電腦，從地圖上找到了肯德基州的巴黎。我們三個全都縮在電腦螢幕前。

「這裡住著很多克裡克人，水系很發達。」雪梨喃喃地說著，一邊往下拖曳著滑鼠。

「這一路上的湖也太多了吧。」我指著電腦螢幕說，「妳覺得會是這個嗎？」

這是一小潭池水，上面寫著「蘋果森林池塘」。

「也許吧。啊，這裡還有一個池塘，而且也很可疑——哦！是這裡嗎？」雪梨指著螢幕上的另外一片水域，這裡比其他的池塘都略大點：馬丁湖。

迪米特里坐直身子，揉了揉眼睛，打了個哈欠。「這裡還比較有可能。不過就算不是，我想開到其他的湖邊也用不了多長時間。」

「這就是你的計畫？」雪梨問。「到處亂開，然後找一棟藍色的房子？」我和迪米特里對視了一下，聳了聳肩。雪梨也許是在這次旅行中顯示出她非凡的勇氣，可我知道她心裡對「計畫」的定義和我們有點不同。她是一個很有條理，做事深思熟慮，非常清楚自己目的的人。當然，還有細節。

「這比我們其他的計畫都可靠多了。」我最後說。

太陽還有一個小時左右就要升起。我迫不及待地想要出發去找索婭，可是迪米特里卻堅持我們必須睡到中午才出發。他自己佔了一張床，而我和雪梨共用另一張。我雖然並不覺得需要像他說的那樣睡那麼久，可我的身體卻背叛了我，一躺下去，我幾乎立刻就睡著了。

如同以往，過沒多久，我就慢慢被人拉進一個由精神能力創造的夢裡。我希望是艾德里安來找我繼續上次沒有說完的話，可是，身邊漸漸浮現的是一間音樂廳，裡面放了一把豎琴和許多有墊子的傢俱。我嘆了一口氣，抬頭面對達什科夫兄弟。

「好極了，」我說。「又一個討論會。我眞的開始考慮把你放進黑名單裡了。」

維克多微微一鞠躬。「非常樂意，蘿絲。」

羅伯特和上次一樣，只是愣愣地盯著前方。看見有些事仍然不會改變，還眞令人高興。

「你想做什麼？」我問道。

「妳知道我想要做什麼。我們來這裡，是要協助妳一起幫助瓦西莉莎的。」

我根本一個字都不信。維克多確實在我的計畫裡，可我希望的是在他造成更多的傷害之前，把他抓回去。

他充滿期待地看著我。「妳找到另一個德拉格米爾家族的人了嗎？」

我難以置信地盯著他。「才過了一天而已！」說完，我差一點想要重新數一下日期。感覺好像已經過了十年一樣。不過，距離我上次和維克多說話只隔了一天而已。

「然後呢？」維克多問。

「然後？你以爲我們眞的本領通天嗎？」

他想了想。「差不多。」

「該死，謝謝你這麼信任我們，可是這件事完全沒有表面上看起來那麼簡單。事實上……考慮到這件事被隱匿得這麼好，根本就是一點都不簡單才對。」

「不過妳應該知道了些什麼吧？」維克多追問道。

我沒有回答。

他的眼中閃過一道熱切的光芒，然後往前走了一步。我立刻往後退了一步。「妳肯定知道了什麼事。」

「算是吧。」再一次，我有了之前的那種不確定感。維克多這個老奸巨猾的人，眞的知道能幫上我們的事嗎？上一次，他什麼都沒告訴我，而現在我們知道的更多了。他會怎麼說？如果我們有了線索，他會替我們解開謎底嗎？

「蘿絲。」維克多和我講話的語氣好像我是一個小孩子一樣，和他常常對羅伯特使用的語氣一樣，這令我起了一身雞皮疙瘩。「我之前就對妳說過，妳相不相信我和我的目的，這都不重要。此時此刻，我們短期內的目標和興趣都是相同的，不要讓無謂的擔心毀掉妳的機會。」

眞好笑，可是我這輩子大部分的時間，都是按照和這個差不多的準則在做。活在當下，馬上就做，後果什麼的留給以後去操心。此刻，我猶豫著，試圖在作決定之前把事情好好想一想。終於，我還是決定冒險，再次懷抱著也許維克多能夠幫上忙的希望。

「他認爲那個媽媽……就是莉莎的手足的親生母親……可能跟索婭．卡普是親戚。」

維克多挑起了眉毛。

「你知道她是誰？」

「當然。她變成了血族——據說是因爲瘋掉了。可我們都知道事實不僅僅是這樣。」

我不情不願地點點頭。「她也是一個精神能力者，不過沒有人知道。」

羅伯特猛地轉過頭來，讓我差點嚇得跳起來。「誰是精神能力者？」

「一個前精神能力者。」維克多說著，立刻換了一種溫和的態度。「她爲了擺脫這個能力，變成了血族。」

方才羅伯特看著我們兩個的那種銳利目光，突然又融化在溫柔的夢幻裡。「是的……這種誘惑一直都在……殺人是爲了活著，活著是爲了殺人。從這些枷鎖中解脫出來，變成非凡的、自由的，可是……哦，這要付出多麼大的代價……」

這些都是很荒唐的呢喃，可有時又有一種怪異的熟悉感，和艾德里安有時候會說的話很像。我一點都不喜歡這樣。

我假裝羅伯特不存在，轉頭看著維克多。「你知道關於她的事情嗎？還有誰可能和她有關係？」

維克多搖了搖頭。「她家可是一個大家族。」

我憤怒地攤開雙手。「你還能說些再沒用一點的嗎？你一直裝出自己好像知道很多的樣子，可是你剛才說的又是我們已經知道的！你根本一點忙都幫不上！」

「幫忙可以有很多種方法，蘿絲。妳找到索婭了嗎？」

「是的。」我再三考慮之後說。「好吧，並不完全是。我們知道她住的地方，打算明天去找她問話。」

維克多的表情表現出，他覺得這個辦法有多麼的可笑。

「我相信她會願意合作的。」我聳了聳肩，「迪米特里是個很會問話的人。」

「這我知道。」維克多說，「可是索婭．卡普並不是一個容易感動的青少年。」

我很想揍他一頓，可是又擔心羅伯特會再次用他的能力對付我。維克多顯然看出了我的憤怒。

「告訴我你們在哪兒，我們去找你們。」

再一次，他拋給我一個難題。我不認爲這對兄弟來能幫上什麼，可是也許能夠給我一個抓住他的機會。再說，如果他眞的在我們身邊，也許他就不會一直再闖進我的夢裡了。

「我們在肯德基州。」我最後說，「肯德基州的巴黎。」然後我把關於藍色小房子的事情也跟他說了。

「我們明天就到。」維克多說。

「你們現在在什麼地方——」

和上次一樣，羅伯特突兀地就結束了這個夢，只留下我一個人。我到底是怎麼和他們混在一起的？在我還沒能好好想清楚之前，又立刻被拖進了另外一場精神能力製造的夢裡。老天啊，這情景也太熟悉了吧，每個人都想在我睡覺的時候跟我聊天。幸運的是，和上次一樣，緊跟著來的人是艾德里安。

這回的夢境是在召開議會的大廳。大廳裡沒有椅子也沒有人，我踩在硬木地板上，腳步聲迴蕩在大廳裡。這個擠滿人的時候看起來宏偉、威嚴的大廳，此刻卻給人一種孤寂、不祥的感覺。艾德里安站在一扇高大的拱形窗戶前，我走過去抱住他時，他又向我露出那種壞壞的笑容。比起現實世界裡的骯髒和血腥，他看起來是那麼單純和完美。

「你成功了。」我輕輕地啄了一下他的嘴唇，「你說服他們提名莉莎當候選人了。」經過我們上次的夢中相見，我意識到也許維克多的主意還是有點價值的，於是我就竭力遊說艾德里安，說提名莉莎當候選人是一個好主意。可是，這是不是眞的是一個好主意，連我自己都不確定。

「對，說服他們和我同一條戰線是小事一樁。」他似乎很享受我的恭維，可是在仔細思考過我的話以後，臉色又沉了下來。「但是，莉莎很不開心。天哪，後來她把怒氣全都發洩在我們身上了。」

「我都見到了。你說得對，她確實是不喜歡——不過這不是唯一的原因，也因爲精神能力的副作用。我雖然吸走了一點負面情緒，不過……還是很嚴重。」我回想起將她的怒火吸走後，自己卻變得火冒三丈的情景。精神能力對我的影響不像對莉莎那麼厲害——但這也只是暫時的。如果我繼續這麼做，漸漸地，也會達到一個臨界點。我一把抓住艾德里安的手，用我自認最誠懇的神情看著他。

「你們一定要照顧好她，我也會盡己所能。不過，你和我一樣瞭解，哪怕一點點的壓力和焦慮都能對精神能力造成影響，我怕那種負面情緒會像之前一樣又出現。眞希望我能在她身邊親自照顧她，拜託你——幫幫她。」

他替我把一束鬆脫下來的頭髮塞回耳後，一雙深邃的綠眸裡閃耀著關心。一開始，我以爲他只是在爲莉莎擔心。「我會的，我會盡己所能。可是蘿絲……我身上也會發生這樣的事嗎？我以後也會變成這樣嗎？像她和其他的精神能力者一樣？」艾德里安從來沒有像莉莎那樣受過副作用的嚴重影響，大部分原因是因爲他使用精神能力的機會不多，也因爲他經常用酒精自我麻痺。可是，我不知道這種情況能維持多久。據我所知，能夠拖延瘋狂到來的方法只有幾種：一種是自我約束，一種是服用抗抑鬱藥物，一種是和某個人產生影吻者那樣的心電感應。艾德里安對這幾種辦法似乎都不感興趣。

雖然很奇怪，可是在這種關鍵時刻，我居然想起了之前在迪米特里身上發生的事。這兩個男人，都在各自的領域表現出同樣的強壯和自信，可是他們卻都需要我的支持。*妳才是最堅強的，蘿絲。*一個聲音在我心底悄悄響起。

艾德里安的眼神飄開，「有時候……有時候我寧願相信那些瘋狂只不過是別人想像出來的。妳知道嗎？我從來不覺得自己會像其他人那樣……比如說莉莎或者老弗拉米爾。可是每隔一陣子……」他停頓了一下，「我不知道，我覺得自己已經很接近了，蘿絲。離崩潰的邊緣是那麼的接近，就好像如果我再往前走一小步，就會墜入無底的深淵，再也回不來，就好像我可能會失去自己一樣。」

我從前也聽他說過類似的話，就是他被某些奇怪的事情撼動，處於半瘋狂狀態的時候，這也是最能證明精神能力的副作用，對他的意識也有影響的事情。我從來沒有想過，他會察覺到這些跡象，還清楚它所代表的意義。

他低頭看著我，「我喝醉的時候……就不用擔心這些，不用擔心自己是不是也會發瘋。可是接著我又會想……也許我已經瘋了，可是因爲我喝醉了酒，所以沒人分得清。」

「你沒有瘋。」我將他拉近，堅定地對他說。我很喜歡感受他貼著我的皮膚那種溫暖的感覺。「你會沒事的，你很堅強。」

他將臉頰貼在我的額頭上。「我不知道，我只知道妳是我力量的泉源。」

這眞是甜蜜又浪漫的表白，可是我突然想到了別的事。「這麼說不是很準確，」我說，心裡暗暗祈禱說出來的話，能夠準確無誤地表達我的意思。我知道我有能力幫助我的戀人，我可以替他們打氣、支持他們，可是不能每件事都替他們做。「你必須要從自己身上找到——」

酒店的鬧鐘響了起來，打斷了我的美夢。我很生氣，既因爲我想念艾德里安，又因爲我沒能把自己要說的話說完。好吧，現在沒有什麼事是我能爲他做的了。我只能希望他可以自己想明白，從他自己身上找到力量。

我和雪梨全都顯得懶洋洋、睡眼惺忪。她的疲倦還容易理解，因爲她這種一定要按時睡覺的人的睡眠時間被打亂了。可我呢？我的疲倦是心理上的。我心裡想著，這麼多人……這麼多人都需要我……可是要幫助所有人也太難了一點吧。

和往常一樣，迪米特里已經起來了，做好了出發的準備。他比我們先醒來，就好像昨天晚上並沒有崩潰過一樣。很顯然，他現在非常渴望來一杯咖啡，可是又不得不耐心地等我們起床，不願讓熟睡中的我們處於毫無防備的情況下。我將他趕走，二十分鐘以後，他帶著咖啡和一盒甜甜圈回來。同時，他還在街角的一家五金店買了一根上等的鐵鏈。「這是等我們找到索婭後要用的。」他這種解釋令我很不安。這時，我和雪梨已經做好了出發的準備，所以我決定將自己的問題埋在心底。我不想再穿著這條短褲，尤其是我的腿處於這種情況之下，可我太想要早點找到索婭，所以沒有提出在某個商場裡停留一會兒的要求。

不過，我倒是決定趁現在，說點能令我的同伴們加快速度的事情。

「呃，」我假裝不經意地說，「維克多・達什科夫說不定很快就會來找我們。」

雪梨沒有將車子開進路邊，算是保住了她的一世英名。「什麼？那個逃跑了的傢伙？」

我從迪米特里的眼神看出他也很吃驚，可是他仍然同以往一樣，顯現出一副一切盡在掌控中的冷靜模樣。「爲什麼？」他緩慢地說道，「維克多・達什科夫是要加入我們嗎？」

「啊，這件事說起來還蠻有趣的……」

有了這個開場白，我簡單地和他們說了下事情的整個經過，先從羅伯特・德魯的背景開始介紹起，最後以這對兄弟最後一次到我夢中拜訪我做結。幾個星期以前，我還假裝維克多「神祕」的越獄事件不關我事，不過我的直覺告訴我，就憑我們兩人之間的瞭解程度，迪米特里多少猜出了整個事情的眞相。我和莉莎都對他說過，爲了救他我們經歷了很多，可是從來沒有把事情的經過完整地對他說過——特別是把維克多救出來，讓他帶我們去找他弟弟的部分。

「聽著，不管他能不能幫上忙，這都是我們抓住他的好機會。」我迫切地補充道，「所以這是件好事，對吧？」

「這件事我們稍後再……討論。」我認得迪米特里的這種語氣。他在聖弗拉米爾學院的時候就經常用這種語氣說話。通常，這代表他要找我私下談談，然後拷問我更多細節。

我們前往巴黎的途中，發現肯德基州是一個很漂亮的地方，地勢連綿起伏，出了城市就是滿眼的綠色，很容易讓人忍不住想像，在這裡找間小房子永遠住下來的情景。我無聊地開始猜想，不知道索婭是出於什麼原因要住在這裡，可是很快就打消了這個念頭。我不久前才跟迪米特里說過，血族是看不見事物的美麗的。難道我錯了嗎？也許這片漂亮的景色對她來說也很重要？

當GPS帶我們到達馬丁湖畔的時候，我找到了答案。湖邊零星散落著幾棟房子，在這些房子裡，只有一棟是藍色的。我們在距離那棟房子很遠的地方停了下來，雪梨盡可能將車子停得靠邊一點。這條路很窄，路肩被樹木和長長的草覆蓋住，我們下了車，走了一段距離，但是仍然沒敢走近目標。

「好吧，前面就是那棟藍色的房子。」雪梨果斷地說，「可這是她住的地方嗎？我沒看見這裡有郵筒什麼的。」

我往前面的花園裡又看了看——裡面長滿了玫瑰叢，怒放的粉色和紅色的玫瑰花爭相從枝頭冒出來，屋頂上垂吊下幾個籃子，裡面種滿了我不認得的白色鮮花，籬笆格子上爬滿了藍色的牽牛花。房子周圍，木柵欄若隱若現，上頭纏滿了一種開著橘色喇叭狀花朵的藤蔓植物。

這時，一幅畫面在我腦中飛快閃現：卡普夫人提著水壺，正在澆灌她在教室裡種的鮮花，那些花瞬間長得又快又高，簡直不可思議。那時的我比較青澀，只想著怎麼逃避作業，所以沒有太過注意這件事。不過後來，在看見莉莎測試精神能力的時候，能令植物一長出來就馬上開花，我立刻明白了發生在卡普夫人教室的那一幕是怎麼回事。如今，雖然失去了精神能力，靈魂還被惡魔佔據，可是索婭・卡普仍然在照顧她的那些花兒。

「沒錯，」我說，「這裡就是她的住處。」迪米特里走到前面的門廊，仔細觀察著每個細節。我剛想跟在他後面走過去，又縮了回來。「你幹什麼？」我壓低了嗓音說，「她可能會看見你。」

他走回我身邊。「那些全都是全黑的窗簾，一點光都透不進去，所以她什麼都不會看見的。這也說明了她大部分時間都是在一樓待著，很少到地下室去。」

我輕易地就明白了他的邏輯。「這對我們來說是好消息。」我去年被血族抓起來的時候，我和我的朋友都是被關在地下室，這不僅僅是爲了方便躲避陽光，同時也意味著可供逃離的出口變少了。將獵物關在地下室對血族來說是最方便的，而對我們來說，四周的門窗越多越好。

「我去看看後面。」他說著往後院走去。

我急忙追上去，抓住他的手臂。「我去吧。我可以感應出血族——不管她是不是在裡面，我們還是小心爲好。」

他猶豫了一下，我又開始心急起來，認爲他不信任我的能力。就在這時，他開口說：「好吧，但是一定要小心。」我這才明白他剛才只是在擔心我。

我盡量悄悄地快速繞過房子，馬上發現那道木柵欄圍得很高，看不清後院的情況。我怕翻過去會驚動索婭，只好盤算著下一步應該怎麼做。當我看見柵欄旁躺著一塊大石頭之後，終於想出了辦法。我把那塊石頭搬過來，踩在上面，雖然還不能完全探出頭去看清楚，不過已經可以讓我雙手扒著柵欄，悄悄地踮著腳往裡看了。

那裡面好像伊甸園一樣，和這裡比起來，前院的花簡直就是小意思。這裡種著玫瑰、木蘭和蘋果樹、鳶尾花，和好多種我不認識的花，索婭的後院簡直就是一個五顏六色的天堂。我完成了自己的任務，很快便回到迪米特里身邊。雪梨還站在車子旁等我們。

「後院有一扇天井門和兩扇窗戶。」我彙報道，「全都拉上了簾子，還有一套實木桌椅，一把鏟子和一輛獨輪手推車。」

「沒有耙草的叉子嗎？」

「很遺憾，沒有。不過柵欄外面有一塊特別大的石頭。不過，要翻過柵欄很難，我們最好踩著石頭翻過去比較好。柵欄沒有門，她把那裡弄得像碉堡一樣。」

他點點頭表示知道了，沒有再說什麼，而我知道下一步該怎麼辦。我們從車子裡拿出鐵鏈，把它交給雪梨，囑咐她留在外面等我們，並且十分嚴肅地告訴她，如果半個小時之內我們沒有出來，她就必須馬上離開。我討厭交代這種事——雪梨的表情說明她也不愛聽——可這是必須做的。如果我們在某段時間內沒能制伏索婭，那麼就永遠都不可能制伏她了，也不可能活著離開。如果我們設法制伏了她，那麼就會發信號讓雪梨帶著鐵鏈進來。

雪梨琥珀色的棕眸裡滿是焦慮，她就這樣看著我們頭也不回地向藍色的房子走去。我幾乎想要揶揄她說，她居然開始關心起在夜間行走的惡魔了，可是我及時地把話又嚥了回去。她也許討厭世界上任何一個拜爾或莫里，可是這一路走來，她是喜歡我和迪米特里的，這種事不應該拿來開玩笑。

迪米特里站在大石頭上，看了看後院裡面，然後他小聲地做了最後一次叮囑，就拉著我的手，將我推上去，隔著柵欄扔進了院子裡。他的身高可以令他輕輕鬆鬆、盡可能小聲地完成這一切。緊跟著，他也跳下來落在我身邊，濺起了一些泥巴。

接著，我們絲毫不做停留地向房間移動。如果索婭聽見了我們的動靜，就更沒有道理浪費時間了，我們需要搶得先機，哪怕一點點也好。迪米特里抓起鏟子，用力往窗戶玻璃上敲去——一次，兩次。第一次擊中玻璃的地方大概和我差不多高，第二次低了一點，每敲一下，玻璃上便產生很多裂縫，而就在第二下敲完之後，我用力推著獨輪小推車往大門撞去——把小推車舉起來往玻璃上砸，看起來會比較酷，可是這車子太沉了，我舉不了那麼高——小推車撞上門以後，原本就已經有了裂縫的玻璃立刻碎開了，窗戶上出現一個洞，正好夠我們兩個鑽進去。不過我們兩個都必須要貓著腰，特別是迪米特里。

如果能從房子的前後兩個門同時攻進去是最理想的，不過索婭好像並沒有打算從前門逃跑。我一走進天井，胃裡立刻翻江倒海，當我們走進客廳以後，這種感覺變得更加厲害。我努力不去想胃裡的動靜，盡最大努力讓自己以最佳狀態迎接即將要面臨的戰鬥。我們闖進來的速度很快，可是沒有眞的快到能夠令血族措手不及。

索婭・卡普已經在客廳裡準備「迎接」我們了，不過她盡可能地避開了灑進客廳的陽光。我第一次見到變成血族的迪米特里時，因爲太過震驚而忘記了行動，因此才令他有機可趁，抓住了我。所以這次，我一直在心裡告誡自己，因爲知道當自己看見以往的老師變成血族時，也還是會那麼震驚。令人意外的是，索婭和迪米特里的情況一樣，外表仍有許多地方和從前一樣：那頭紅褐色的秀髮、那高高的顴骨……可是她的美麗因爲其他可怕的特徵而變調了，比如她那像石灰一樣蒼白的皮膚，紅色的眼睛，還有所有血族都有的那種冷冰冰的表情。

假使她認出了我們的話，她也沒有表現出來，她只是怒吼一聲，衝向了迪米特里。血族的策略通常都是先打倒對自己威脅比較大的敵人，令我感到氣憤的是，他們通常都會相信迪米特里是那個人。迪米特里將銀樁別進腰間，手裡只拿著鏟子。鏟子不能殺死血族，不過只要力量和衝撞力道夠，絕對可以有效地鉗制住索婭。迪米特里避過索婭的第一擊之後，用鏟子擊向她的肩膀，索婭並沒有被擊中，她隨即靜待機會進行第二次的攻擊。他們兩個相持不下地繞著圈圈，就像兩匹準備大戰一場的狼，索婭肯定是在評估雙方的實力差距，她看準一個空檔，憑著自己在力量上的優勢，將迪米特里撲倒在地，不在乎他手裡還拿著鏟子。

這一切都只發生在一瞬間，可是索婭並沒有算到我的存在，這也是我的機會，我從另一邊向她衝過去。不過，她用餘光看見我後，立刻做出了反應，在將我按倒的同時，眼睛則沒有離開過迪米特里。我眞希望自己手裡有鏟子，這樣就可以用鏟子攻擊她，迫使她退開到一定的安全距離之外。我唯一有的武器就是銀樁，我必須要很小心地使用，才能保證不會殺死她。我飛快地掃視了一下她這間陰森可怕的普通客廳，卻看不到什麼能用來當武器的東西。

她作勢要進攻，迪米特里等的就是這個時候，但他剛調整好自己的姿勢，索婭便又撲過來，並重新取得優勢，她一把將迪米特里扔到牆上，將他壓制在牆上，用力將他手中緊抓住的鏟子撞掉。她伸出手，準備攻向迪米特里的喉嚨，他則奮力掙扎著，想要掙脫出來。如果這時我衝過去把她拉開，應該是可以和迪米特里合力掙開她的，可我希望這一切能盡快結束，於是決定奮力一擊。

我跑向索婭，將手裡的銀樁刺進索婭的右肩胛骨，同時心裡暗自祈禱刺進去的位置不要太靠近她的心臟。這個充滿魔法的銀樁對血族來說非常有效，索婭痛得叫出聲，神奇的是，她居然還有力氣推開我，力氣之大，即使是對一個血族來說都是很驚人的。我跌跌撞撞地往後退去，頭撞在了一張咖啡桌上，視線變得有些模糊，可是本能反應和激起的腎上腺素令我立刻又站了起來。

我的攻擊給了迪米特里喘息的機會。他將索婭撲倒在地，抓過我的銀樁，用它抵著索婭的喉嚨。她尖叫著、掙扎著，我跑過去想要幫助他，因爲知道要將血族這樣按在地上有多麼困難。

「去找雪梨……」他低吼道，「拿鏈子……」

我用最快的速度跑出去，同時感覺眼冒金星。我打開前門的鎖，然後一腳踢開，以此作爲給雪梨的信號，然後又跑回迪米特里身邊。索婭正試圖慢慢掙脫他的控制，我跪下來，和迪米特里一起將她重新按住。迪米特里的眼神裡又冒出戰鬥的慾望，顯示出他現在就想將她殺死在身下，可是，那裡頭還夾雜著別的東西，那令我相信他能夠控制住自己，我在小巷裡的話對他產生了作用。不過，我還是出聲提醒了他。

「我們需要她……記住我們需要她。」

迪米特里向我微微一點頭，這時雪梨正好拿著鐵鏈出現在客廳。她張大眼睛看著這一幕，只愣了一會兒就馬上跑過來。我們把她也變成了戰士，我心想。

我和迪米特里開始進行下一個任務。我們已經找到了一個綑綁索婭的最佳地點：牆角那把沉重的躺椅。我們扶起她——這麼做很危險，因爲她還在瘋狂地掙扎——然後將她扔進躺椅裡。接著，迪米特里一邊用銀椿抵住她的咽喉，一邊試圖把她按在椅子上，而我則拿著鐵鏈站在一旁。

已經沒時間想該怎麼捆綁比較好了，我拿著鏈子就開始繞，先是繞住她的雙腿，然後盡最大努力纏住她的身子，希望能將她反綁住。謝天謝地，迪米特里買了很多鏈子，我瘋狂地匆匆把她捆在椅子上，用盡一切辦法確保她無法站立起來。

當我終於把所有的鏈子都用完後，索婭也被牢牢地困在了椅子上。她有可能掙脫掉這些鏈子嗎？絕對有可能。如果有一根銀椿抵住她的咽喉呢？那就比較費工夫了。兩者都用上的話……好吧，我們現在已經將她制伏了，我們已經盡力了。我和迪米特里疲憊地交換了一個眼色。我覺得頭有點暈，可是我知道我們的任務還遠沒有結束。

我嚴肅地說道：「審問時間到了。」

# 17

這場審訊進行得並不順利。

哦，當然，我們用盡了各種威脅，還用銀樁作爲逼供的刑具，可是完全沒有用。迪米特里在和索婭戰鬥時仍然有些害怕，因爲自從他殺死多諾萬，導致情緒崩潰之後，就很小心地避免再讓自己陷入那種狂暴的情緒之中。這麼做對他本身比較好，可是對我們從索婭口中套話卻很不利。

事實上，我們也不清楚該問哪些具體的問題，而這也同樣無助於審問。我們只是把問題一古腦地丟給她，比如她認不認識其他的德拉格米爾家族成員？她和那個私生子的媽媽是什麼關係？那對母子（女）現在在什麼地方？而當索婭意識到她對我們很重要，我們肯定不會殺死她之後，情況就變得更糟，不管我們怎麼用銀樁逼問，都問不出來了。

我們就這樣耗了一個小時，覺得疲累不堪。至少我已經很累了。想到手裡的銀樁隨時都可以刺出去，我決定靠在一旁的牆上，不再站得直挺挺的。我們都沉默了好一會兒，就連索婭都停止發出威脅性的喊叫聲。她只是靜靜地等著、觀察著，肯定是在想要怎麼逃跑，也許是認爲我們會比她先感到疲倦吧。這種沉默比世上所有的威脅加起來還要可怕，我已經習慣了血族用語言來激怒我，從來沒有想過只要默默地用眼神互相瞪視，也能產生如此強大的力量。

「妳的頭怎麼了，蘿絲？」迪米特里突然瞥了我一眼。

我愣了一會兒，才意識到他是在跟我講話。「啊？」我撥了撥擋在額頭的頭髮，手指沾上了黏稠的血，這才想起剛剛撞在咖啡桌上的事。我聳了聳肩，沒有理會從那之後一直感覺到的頭暈。

「我沒事。」

迪米特里很快地看了雪梨一眼。「扶她躺下來，幫她處理一下。在我們確定她沒有腦震盪之前，別讓她睡著。」

「不，我不要。」我爭論道，「我不能讓你一個人面對她……」

「我可以的。」他說，「妳好好休息一下，這樣晚點妳還能幫到我。如果妳就這麼暈倒了，對我來說一點忙都幫不上。」

我還是很抗拒，可是雪梨走過來輕輕拉住我的手臂時，我差一點摔倒。她帶著我走到房子裡其中一間臥室，這令我十分不自在。想到我正躺在血族的床上，心裡總有些彆扭，哪怕床上鋪著藍白花色相間的被子。

「天哪。」我說著，一頭倒在枕頭上，雪梨走來幫我處理額頭上的傷。雖然剛剛我心裡還是很抗拒，可能夠休息一下感覺眞好。「我還是不習慣一個血族住的地方居然這麼……正常。妳覺得呢？」

「我覺得還好。」雪梨說。她抱著雙臂，不舒服地看了看這裡，「跟血族比起來，你們似乎顯得沒有那麼邪惡了。」

「好吧，至少這個結論還算不錯。」我評論道。雪梨雖然在開玩笑，可我知道她其實很害怕。我不覺閉上了眼睛，可是雪梨又拉了拉我的手臂，把我搖醒。

「不能睡。」她告誡我，「醒醒，跟我說說話。」

「我又沒有腦震盪，」我小聲說，「我倒是希望我們能想個計畫，撬開索婭的嘴巴。」

雪梨看著床腳，皺起眉頭。「我不是想打擊妳，可我眞的覺得她不會說的。」

「只要過幾天，沒有血喝了，她就會說了。」

雪梨臉都白了。「過幾天？」

「嗯，不管要等——」這時，一陣情緒波動透過心電感應傳了過來，我愣住了。

「怎麼了？」雪梨跳了起來，眼睛四處看著，好像是在防備會不會有一大群血族衝進來。

「我要去看看莉莎。」

「可妳不能睡——」

「這又不算睡覺。」我咕噥道。說完，我就離開索婭的臥室，潛進了莉莎的意識。

她正和另外五個人一起坐在一台廂型車裡，我立刻認出那是其他幾位皇室候選人。包括開車的那個守護者，和坐在副駕駛座上，背對著莉莎和其他人的那個守護者，車子裡總共坐了八個人。

「到了郊外的森林，你們就要下車，每個人下車的地點都不同，我們會發給你們一張地圖和一個指南針。你們的任務是到達地圖上標示的地點，然後等待天亮，直到我們來接你們。」

莉莎和其他候選人彼此看了看，然後所有人都很一致地看向車窗外。現在將近中午，陽光普照，「等待天亮」這句話聽起來並不是令人感覺很愉快，但也不是不可能完成的事。莉莎無聊地撥弄著手臂上的OK繃，但是很快便停止這麼做。我很快從她的意識裡瞭解到，她的手臂上有一個幾乎不會引起別人注意的小紋身，這個紋身和雪梨的很像：都是用鮮血和土元素再加上一點點催眠術製成的。催眠術雖然是莫里禁止使用的魔法，可是現在是特殊情況，那個紋身咒語可以阻止那些候選人將考驗的過程告訴其他人，今天便是他們的第一次考驗。

「你們要把我們帶到什麼地方去？」馬庫斯・樂澤問道，「我們的生理條件都不一樣，如果有人比較具備優勢，這對其他人不公平。」他說著看了莉莎一眼。

「是要走很多路，」那個守護者表情嚴肅地說，「不過走路的程度，是所有候選人——所有年紀的人——都可以承受的。而且，老實說，要想勝任國王或者女王，充沛的體力是不可或缺的條件之一。年紀的增長雖然可以增加智慧，可是一位君主也應該有健康的身體。這並不是要你們成為運動員。」守護者看見馬庫斯張嘴要反駁，立刻補充道，「對莫里來說，如果選出來的君主不到一年就死了，這可不是什麼好事情。雖然這話不太中聽，卻是事實。此外，你們也必須能夠忍耐艱苦的環境。如果你們沒辦法忍受在太陽底下度過一天，那麼也別想控制住議會的場面。」我想他的本意是想開個玩笑，可是看他一本正經的表情我又不敢確定，「不過，這並不是比賽。你們可以視個人需求慢慢地走到終點，地圖上還標示了很多藏著特殊物品的地點——如果你們能破解線索的話，那些東西可以令這趟旅途變得好過一些。」

「我們可以使用魔法嗎？」阿里亞娜・澤爾斯基問道。她的年紀也不小了，可是整個人看起來很結實，好像準備接受任何挑戰。

「可以。」守護者一本正經地回答。

「我們在那裡會面臨危險嗎？」另一名候選人羅奈爾得・歐澤拉問道，「除了太陽以外？」

「這一點，」守護者神祕兮兮地說，「是需要你們自己去發現的。不過，只要你們想退出……」他拿出一袋手機，一一發給候選人，同時也把地圖和指南針發了下去。「只要撥打上面儲存好的電話，我們就會來接你們。」

這句話背後隱藏的意思，不用問也知道。如果你撥通了那個號碼，就會令你先前那些漫長的忍耐都前功盡棄，同時也意味著沒有通過這次考驗，不能繼續參加競選。莉莎看了看她的手機，有些驚訝這裡居然有訊號。他們已經離開皇庭大約一個多小時了，此刻正位於郊外，外頭的一排排樹木令莉莎明白，他們應該已經接近目的地了。

所以，這是一場關於體力和耐力的測試。這和她想的並不一樣。這麼久以來，競選王位的考驗過程一直都蒙著一層面紗，令人覺得非常神祕。今天這場測試卻非常實際，雖然馬庫斯不明白它的意義，但是莉莎明白。這確實不是一場賽跑比賽，守護者想訴求的重點是，身爲未來的君主，應該擁有一個健康的身體。她低頭看了看手中的地圖，上面標示著許多線索，莉莎意識到這也是考驗之一，在考驗他們的邏輯推理能力。這些都是最基本的特質——卻也是統治一個國家不可或缺的條件。

廂型車讓他們一個一個在不同的地方下車。每下去一位候選人，莉莎的焦慮便多一分。沒什麼可擔心的，她心裡想，我只要等待白天過去就好了。她是倒數第二個下車的，最後一個人是阿里亞娜。阿里亞娜拍拍莉莎的手臂，然後車門便打開了。

「親愛的，祝妳好運。」

莉莎朝她笑了一下。參加這場測試對莉莎來說也許只是策略的一部分，可是阿里亞娜卻是相當認眞看待的，莉莎祈禱這個長輩能夠順利過關。

車子開走，只剩下她一個人後，莉莎開始覺得不安。這個簡單的耐力測試突然間變得令人害怕，感覺困難重重。眼下她只能靠自己，而這種情況並不多見。從小到大，她的身旁大部分的時間都有我的陪伴，就算我不在，還有別的朋友。可現在呢？這裡只有她、地圖和手機，而那部手機還是她的敵人。

她走到森林的邊緣，開始研究手裡的地圖。起點的地方畫了一棵大橡樹，方向直指西北。莉莎看著身邊的樹，有三棵楓樹，一棵杉樹，還有——一棵橡樹。她向橡樹走去，不覺露出一絲微笑。如果別人的地圖畫的標記也是樹，而他們又不認識這些是什麼樹，那麼這些人肯定在起點就失去了參與競爭的權利。

指南針是很經典的那種款式，這裡沒有方便的GPS可以用。莉莎從來沒用過這樣的指南針，而我天生的保護慾令我恨不得跳出去幫忙。不過，莉莎很聰明，很快就學會怎麼用了，這我早就應該想到的。她一直朝著西北邊的森林深處走去，雖然森林裡沒有小路，但是地上也沒有太多雜草或是斷木什麼的。

在森林裡面行走，好處是樹蔭擋住了一部分的陽光，雖然沒有陰暗到適合莫里的理想程度，不過總好過被扔進沙漠裡。鳥兒在唱歌，綠色的美景令人陶醉，莉莎一邊留心著下一處路標，一邊放鬆下來，假裝自己只是來這裡進行一次開心的遠足。

不過……她有那麼多的心事，要快樂起來還眞是不容易。如今，艾比和我們的其他朋友接手任務，開始查找眞兇。不過此刻，他們應該都已經睡了——現在正是莫里的午夜——而莉莎卻不知道自己什麼時候能回去，禁不住憎恨起這個耽誤她時間的測試……不，是浪費她的時間。她終於接受了她的朋友們提名她背後所抱持的邏輯——可她並不喜歡。她希望能做點眞正可以幫助他們的事。

這些亂七八糟的念頭幾乎令她錯過了下一個路標：一棵好幾百年前就倒掉的樹。樹上覆滿了青苔，大部分的木頭都已經腐爛了，地圖上在這裡標了一顆星星，說明這裡藏有線索。她把地圖翻過來，唸道——

我會增大也會縮減。我會流動也會爬行；
跟著我的聲音，雖然我一點聲音都沒有。
我從未離開過這裡，卻到處遠行過——
我飄上過天空，也行走過大地。
我的儲藏間滿滿的，卻沒有財寶，
尋找我的腐爛之處，好用來保護你的健康。

呃哦。

我的腦海此時一片空白，莉莎卻飛快地轉動著腦筋。她把這幾句話讀了又讀，仔細品味每個字的意思，努力找出每一行文字之間的關係。我從未離開過這裡，她想，這是個突破點，應該是一個永久都不會改變的東西。莉莎環顧四周，想了想有沒有可能是這些樹，隨後又放棄了。這些樹隨時有可能被砍倒搬走。莉莎圍著這棵倒下的樹周圍，尋找更多線索，同時小心地不讓自己離得太遠。所有物體從理論上來說都是短暫的，到底有什麼是永恆的呢？

跟著我的聲音。她停下來，閉上眼睛，聆聽著四周。聽到最多的聲音是鳥叫，偶爾也有樹葉的沙沙聲，還有——

她張開眼睛，歡快地向右手邊走去。她聽見的聲音越來越大，噗嚕噗嚕且滴答滴答地響著。在那裡。這片森林裡有一條小溪，只是很難被發現。事實上，這條小溪細小得幾乎沒辦法在地上穿出河床。

「不過我打賭，等到下雨的時候你就不是這麼細小了。」她喃喃地說著，完全不在意她是在對著一條小溪說話。她低頭看了看提示，我感覺到她聰明的頭腦立刻將其中的意思全都拼湊了起來。溪流是永恆的，可又是會變動的；它的大小不定，還有聲音；它順著陡坡流下來，遇到障礙時就繞開；當它蒸發以後，就飄到了天上。莉莎皺起眉頭，大聲說出自己心中的疑問：「可你並不會腐爛啊。」

莉莎又仔細地把這片地方檢查了一下，不安地想著「腐爛」可以暗示任何一種植物。她的目光閃過一棵大楓樹，但是猛地又看了回來。在樹根附近，長著一叢白棕相間的蘑菇，這些蘑菇有很多已經腐爛變黑了。她急忙跑過去，跪在地上，見到了她要找的東西：一個在樹根附近的小洞。她湊近了些，看見有一抹不同的顏色，是一個紫色的抽繩小布袋。

莉莎得意地把小布袋拉出來，站了起來。這個袋子是用粗帆布做的，上面的抽帶很長，得以讓她在走路的時候將袋子掛在肩頭。莉莎打開一看，只見有著柔軟蓬鬆內裡的袋子裡，有著最好的禮物：一瓶水。直到此刻，莉莎才意識到天氣有多熱，而她又有多麼的渴，還有太陽有多麼毒辣。這些候選人都接到通知，要他們穿著最耐用的鞋子和最輕便的衣服，卻不許他們帶任何補給。這瓶水簡直就是無價之寶。

莉莎坐在圓木上歇了一會兒，不敢讓自己喝掉太多水。雖然地圖上還有幾條提示和「獎品」，可她知道自己不能指望那些地方也有這種補給包。所以，她歇了幾分鐘之後，便將水收起來，把這個小布袋甩在肩後。地圖指示她要一直往西走，所以她便起身往那個方向走去。

她繼續趕路，氣溫越來越高，這令她中途不得不停下幾次，喝兩口水歇一歇（都是在萬不得已的情況下）。她一直提醒自己這不是比賽，所以可以放鬆一些。在又破解了幾條提示之後，她發現地圖上的比例並不太準確，所以沒辦法像真正的徒步旅行那樣，準確估計每段路程的時間。不過，她每次解開謎語之後都很高興，雖然那些獎品越來越難以理解。

其中有一樣是一捆插在石頭裡的柴枝，她發誓這應該是弄錯了，可是這些東西肯定是有人刻意把它們綁在一起的。她將這樣東西裝進小布袋，裡面還有一塊疊得很整齊的綠色塑膠布。這時，她已經汗如雨下了，就算把純棉襯衫的袖子挽起來也沒有多大幫助。她休息的次數更多了，曬傷的情況變得更加嚴重，所以當她解開下一個地點的謎題，找到一瓶防曬乳的時候，大大鬆了一口氣。

又和夏日的陽光鬥爭了數個小時之後，莉莎已經又熱又累，再也沒有多餘的精力懊惱自己錯過了此刻在皇庭發生的事了。她唯一想到的，就是盡快結束掉這場測試。地圖上還有兩個提示，她把這兩個視爲希望之光，她很想馬上就到達終點，這樣只要等著別人來接她就好了。這時，她腦中靈光一閃。那塊防水布。她可以用那塊防水布來遮擋太陽光，她可以靠它撐到最後。

這令她士氣大振，而當看到下一個獎勵時，她更加高興了。除了有水之外，還有一頂寬簷遮陽軟帽，這樣可以遮住她的臉。不幸的是，在這之後，看起來好像很短的一段路似乎比她預想的要長出兩倍。等她終於走到下一個有提示的地方後，她最想做的是喝點水、歇一會兒，根本不急著去挖掘守護者留給她的東西。我的心已經飛到了她身邊，非常非常希望自己能夠幫上忙。保護她是我的職責，她不應該獨自一人的。還是說，這是她應該辦到的？這也是考驗的一部分嗎？在一個皇室身邊經常會有守護者包圍的世界裡，像這樣的獨處時刻是很令人驚訝的。莫里有非常厲害的感應能力，可是他們並不能忍受極致的炎熱，也沒辦法挑戰野外生存。是我的話，也許能夠輕鬆過關。不過老實講，我不知道自己能不能像莉莎那樣善於推理，解出所有的謎題。

莉莎的最後一個獎品是一塊打火石和一條打火鐮，不過她完全不知道這些東西要怎麼用。我立刻認出這些東西是生火用的，可是卻想不明白為什麼她需要在這種天氣裡生一堆火。莉莎聳聳肩，將這些東西收進小布袋裡，繼續前進。

這時，天氣開始變得寒冷。非常寒冷。

一開始，她並沒有意識到，也許是因爲太陽仍然高掛天上。她的大腦告訴她，她感覺到的事是絕對不可能發生的，可是她身上的雞皮疙瘩和不斷咯咯作響的牙齒，卻告訴她事實就是這樣。她把衣袖翻了下來，加快了腳步，但願這股寒冷只是一種錯覺。莉莎越走越快，希望這樣能讓身體暖和起來。

後來居然下起雨了。

一開始還只是濛濛細雨，後來就變成了雨點，到最後變成了瓢潑大雨。她的頭髮和衣服都濕透了，這讓她的身體變得更冷，可是……太陽仍然高掛天上，仍然讓她的皮膚感覺不舒服，可是卻感受不到應有的溫度。

是魔法。莉莎明白過來，這種天氣是魔法製造出來的，這也是測試的一部分。使用氣元素和水元素的莫里，不知用了什麼方法，聯手對抗著這種又熱又曬的天氣。所以，她才會有一塊防水布——既是用來遮擋陽光的，也是用來避雨的。她正想著要把防水布拿出來，當成雨衣一樣披在身上，可是又馬上否定了這個念頭，認爲還是先到終點再說。她不知道自己還要走多遠。二十英尺？還是二十英里？冰冷的雨點打在她的身上，流進她的衣服裡。眞是糟透了。

放在布袋裡的手機是可以讓她退出的門票。現在還沒到傍晚，她還要再等很長一段時間，才能等到測試結束。她只要撥一通電話……一通電話，她就能從這一團糟中解脫出來，回去皇庭繼續她應該做的事。不行，她心裡升起一股堅定的信念，現在這已經無關爭奪莫里王位，或是找出殺死塔蒂安娜的眞兇的事了，這是關係到她能不能戰勝自己的考驗。以往，她過的是一種柔弱、被人保護的生活，需要別人來保護她，現在她應該靠自己解決這個問題——她一定會通過測試。

這個信念帶著她一直走到地圖上的目的地，那是一塊周圍全是樹的空地。其中有兩棵小樹離得很近，莉莎覺得她也許可以把防水布綁在上面，替自己搭建一個臨時的避難所。她用冰冷、笨拙的手指設法從布袋裡掏出防水布，然後把它整塊打開——幸運的是，這塊布的尺寸比她想像的要大。她立刻又有了信心，開始研究起這塊防水布，想著要怎麼搭建起一個小帳篷。完工之後，她立刻爬進防水布底下，很高興自己不用繼續淋雨。

但是，這並不能改變她還是渾身濕透的事實，也不能改變地上也是濕的——或者說全是泥巴的事實。那塊防水布也不能幫她抵禦寒冷。她想起守護者說過在測試中可以使用魔法的話，覺得有些諷刺。她從來沒有想過在測試過程中魔法會有什麼用，可是現在，她已經能夠想像出那些使用水元素的人一臉得意，控制著雨水，讓它們遠離身上的樣子，而會使用火元素的人可能更有利。她眞希望克里斯蒂安這會兒能夠在她身邊，不論是他那能帶來溫暖的魔法或懷抱，她都很歡迎。在這種情況下，精神能力者眞的是遜斃了——除非，也許，她因爲體溫過低，所以需要自己治療自己（可是這招對自己並不是那麼有用）。不，她心想。毫無疑問，水元素或者火元素的使用者，在這場測試裡是佔了便宜的。

這時，她猛地想到了什麼。

火！

莉莎立刻坐直身子，不再縮成一團。她之前沒有想出那塊打火石和打火鐮的用處，不過現在，她記起了一些關於生火技巧的片段。她從來沒學過這種東西要怎麼用，卻堅信這兩樣東西能打出火花——如果她有乾木頭的話。但，這裡的所有東西都被雨水浸濕了……

除了她布袋裡的那一捆木棍。莉莎大聲笑起來，她把那些柴枝解開，將它們放在雨水淋不到的地方，再擺成童子軍營火般的形狀，接著便嘗試用打火鐮敲打石塊。在電影裡，她曾經見過人們用這兩樣東西打出火花，所以她便依樣畫葫蘆。

可是什麼都沒有。

她又試了幾次，之前的興奮情緒因爲精神能力的副作用變成了惱火。我從她身上吸走了一點，希望她能夠繼續集中注意力。在她試第四次的時候，有火花迸了出來，但是一閃即逝——不過這已經足以讓她理解打出火花的技巧。沒多久，她開始可以輕鬆地打出火花了，可是這些火花落在木頭上，一點作用都起不了。莉莎的心情就像雲霄飛車一樣，在希望和失望中間起伏。別放棄，我繼續吸收著那些負面情緒，很想親口對她這麼說。千萬別放棄。我還想給她好好上一課，教她怎麼生火，可是這已經超出了我的能力範圍。

不過，接著看下去之後，我開始意識到自己低估了莉莎的聰明才智。我知道她很聰明，可是我一直認爲她在這種情況下是很無助的。可她並不是。她可以推論出事物的原理。那些小火花不能點燃木柴，她需要更猛烈的火焰，或需要一些小火花就可以點燃的物品。可，那是什麼呢？這片濕漉漉的森林裡肯定沒有。

她的目光落在從布袋裡露出的地圖上。她只猶豫了一會兒，便將地圖撕碎，揉成幾團堆在木柴上。可想而知，她既然到達了終點，這張地圖就沒有什麼用了吧？想必是這樣吧。就算不是也已經太遲了，莉莎繼續進行著她的計畫。首先，她扯下一些布袋的襯裡，將它們鋪在紙團上，然後又拿起打火石和打火鐮開始努力。

一朵火花迸出來，立刻落在了紙上，紙團閃了幾下橘紅色光芒就熄滅了，只留下一縷黑煙。莉莎又試了一次，這次火花落在紙上的時候，她微微往前弓了弓身，一小簇火苗燃了起來，點燃了周邊的紙片後又熄滅了。莉莎定了定神，最後又嘗試了一次。

「快點，快點。」她小聲嘟囔著，好像認爲這樣就可以催生出一簇火焰來。

這一次，火花順利點燃了物品，變成了小火苗，緊接著莉莎又打了幾下，終於燃起了一簇大火苗。我祈禱它能夠點燃木頭，不然她只能自認倒楣了。火苗越燒越旺，終於吞掉了最後一片紙和絨毛，緊接著延伸向木柴。莉莎微微彎下身，護著火苗不讓它熄滅，沒多久，整堆營火全都點燃了。

營火雖然沒辦法改變刺骨的寒冷，但是就在莉莎開始擔心的時候，她的手上又感覺到了來自陽光的溫暖。莉莎笑了，一股由衷的自豪在她心中蔓延開來。終於放鬆下來的她，看見前面不遠處的雨中森林裡閃過幾抹顏色。她集中起精神能力，使用魔法去看那些人的靈光。沒錯——雖然藏在遠遠的樹林裡，她還是看見了兩道色彩明豔的穩定靈光，靈光的主人就那麼站著，靜靜地在樹叢裡藏著。莉莎臉上的笑容更大了。是守護者，也或許是控制著天氣、使用水元素和氣元素的莫里。沒有候選人獨自出現在這裡。羅奈爾得・歐澤拉不需要擔心——不過，也許他並不知道這點。只有她知道。也許精神能力使用者在這裡並不是一無是處。

雨漸漸小了，營火的溫暖繼續安撫著她。根據天色，她看不出現在是幾點，不過不知怎麼的，她知道自己等到天亮肯定沒問題——

「蘿絲？」一個聲音將我從莉莎的野外生存中召喚回來，「蘿絲，醒醒！或者……怎樣都好。」

我眨眨眼，漸漸看清楚雪梨的面孔，她離我只有幾英寸。

「怎麼了？」我問道，「爲什麼要打擾我？」

她哆嗦了一下，猛地退開，忽然不知道該說什麼好。吸收莉莎的負面情緒當下，並不會對我產生影響，可是此刻，我渾身都充滿了焦慮，覺得有一股怒火往外冒。這不是因為妳自己的關係，也不是因為雪梨，我對自己說，是精神能力。冷靜下來。我深吸了一口氣，拒絕讓精神能力控制我。我比它還要強大，但願如此。

我設法將怒氣壓下去之後，看了看周圍，想起了我正在索婭・卡普的臥室。所有的問題又全都回來了。另外一個房間裡還捆著一個血族，一個我們沒辦法一直控制，可是她又不肯乾脆告訴我們答案的血族。

我又看向雪梨，她好像還是很怕我。「對不起……我不是故意要吼妳。我剛才嚇到了。」她猶豫了一會兒，然後點點頭，接受了我的道歉。等到恐懼從她臉上消退之後，我發現似乎還有別的事情在困擾她。「怎麼了？」我問道。只要我們還活著，而索婭還被綁著，事情就還沒有到最壞的地步，不是嗎？

雪梨往後退了幾步，環抱起雙臂。「維克多・達什科夫和他的弟弟到了。」

# 18

我從床上跳了起來，然後慶幸自己沒有跌倒。我的頭還是很痛，不過已經不暈了，希望這代表著我已經脫離了腦震盪的陰影。我走出索婭的臥室之前看了看時鐘，發現我在莉莎的意識裡已經停留了好幾個小時了。看起來，她的測試時間比我以爲的還要久。

來到客廳，我發現眼前的情況很詭異。維克多和羅伯特站在那裡，活生生的，正仔細地檢查著周圍的環境。這一次，就連羅伯特都感覺要眞實許多。只是，當維克多仔細地研究著每樣東西的時候，羅伯特卻一瞬也不瞬地看著索婭，眼裡透露出強烈的震驚。與此同時，迪米特里並沒有遠離索婭的身邊，也沒有放鬆對準了她喉嚨的銀椿，不過，從他的站姿和警戒的眼神可以看出，他顯然把達什科夫兄弟視爲新的威脅，並且正試圖——雖然不太可能——一個人對付所有人。他見到我似乎鬆了一口氣，感覺有了援兵。

索婭仍然靜靜地被綁著，而我一點都不喜歡她這個樣子，這會令我認爲她是在計畫什麼事。她的紅眼睇了起來。

眼前的氣氛緊張又危險，可是當我走近仔細看了看維克多之後，不由得有一點小小的沾沾自喜，覺得很滿意。在夢裡見面時的情況是騙人的。就像我可以在夢裡隨便改變自己的外表一樣，維克多也讓他自己在夢裡看起來比眞實生活中要強壯一點、健康一點。事實上，他的眼睛下方有黑眼圈，花白的頭髮看起來比幾個月前還要稀疏。他的樣子憔悴又疲倦，可我知道這個人仍然很危險。

「看起來，」我雙手扠腰，「你終於找到我們了。」

「這個鎮上只有一座湖。」維克多說，「一座藍色的房子。也許對妳來說，要摸清方向很難，可是對我們其他人來說，要找到這裡並不難。」

「哦，如果你眞有這麼聰明，那麼現在準備怎麼做？」我問道。我試著拖延時間，腦子裡瘋狂地想著我準備要怎麼做。我很想抓住維克多和羅伯特，可是不知道該怎麼做，因爲我們要對付的人，從只有一個索婭，變成了還要對付這兩個人，這樣我和迪米特里就不能一起行動了。要是還有多餘的鐵鏈就好了。不過，除了把這對兄弟綁起來，讓他們的身體不能動，還需要把他們的雙手綑起來，這樣他們就沒辦法使用魔法了。

「妳這麼聰明，」維克多老謀深算地說，「我想已經問出有用的情報了吧。」

我指了指索婭，「她一點都不配合。」

維克多轉頭看著她。「索婭．卡普，和我上次見到妳時相比，妳變了好多。」

「我要殺了你們！」索婭吼道，「再一個一個把你們的血吸乾。換做是過去，我肯定先拿人類開刀，最後才輪到莫里，不過……」她看了我和迪米特里一眼，滿臉狂怒，「我會把你們兩個留到最後，慢慢折磨你們。」她說完停頓了一下，近乎搞笑地又補充道：「因爲你們是最讓我火大的。」

「難道所有的血族都是從一個地方畢業的嗎？爲什麼你們威脅別人的話都一樣？希望妳不會一直嘮叨下去。」我轉頭看著維克多，「看見了吧？沒那麼容易。我們什麼方法都試過了，打也好，罵也好，雪梨還把她家所有親戚的名字都報了一遍，可她一點反應都沒有。」

維克多這才第一次仔細看著雪梨。「所以，這就是妳的小寵物煉金術士嘍。」

雪梨沒有動。我知道她見到這個集吸血鬼和危險罪犯身分於一身的人，肯定嚇壞了。不過她居然能夠毫不畏懼地迎接他的目光，我必須爲此替她加分。

「這麼年輕，」維克多喃喃地說，「不過，這是當然的。我想這是妳能拐她來加入這場逃亡的唯一原因。」

「我是自願的。」雪梨回答道，她的表情仍然冷靜而充滿自信。「沒有人誘拐我。」這個時候，艾比那近似敲詐的條件似乎已經不重要了。

「聽著，如果你想繼續用那些一點都不好笑的話來折磨我，那還不如來夢裡找我就好了。」我打斷他，「如果你幫不上忙，就滾出去，等我們餓著索婭，耗到她沒力氣了再說。」我這裡說的「滾出去」，意思是「傻子也知道你不會走，這樣我就有理由揪住你們的頭相撞，然後拖回去交給守護者」。

「我們當然幫得上忙。」他輕輕碰了碰他弟弟的手臂。羅伯特抖了一下，猛地從索婭身上收回目光，看著維克多。「你們的方法是不管用的。如果你們想要答案，唯一的辦法就是——」

索婭行動了。迪米特里還站在她身邊，可同時他也將一部分注意力放在我們身上。當然，我的全部注意力已經全都轉到維克多戲劇性的演講上了。這很可能是索婭能夠等到的最佳時機。

索婭憑藉著血族不可思議的力量，在椅子上掙扎了起來，雖然鐵鏈在她身上繞了一圈又一圈，但是以她的迅猛動作和力道，仍足以將鐵鏈扯斷。眼下鏈子還纏在她身上，可我非常清楚，只要有一道小裂縫，都足以令她掙脫。不管有沒有分心，迪米特里還是飛快地朝她撲了過去，一秒鐘之後，我也撲了過去。她在椅子上不斷扭動，用盡所有力氣，試圖將身上的鐵鏈掙脫掉。如果她成功了，我知道她肯定會發起另一輪猛攻。我和迪米特里飛快地對視了一下，我知道我們想的是同一件事。第一，我們要怎麼樣才能再把她捆住？鏈子也許還能用，可我們必須先把它解開，然後再重新捆一遍，這似乎又是另一件不可能的事。此外，我們都知道我和他不可能有第二次打倒索婭的機會，而且現在周圍還多了許多無辜的人，他們都沒有戰鬥的能力，而索婭有可能會把他們當做人質。

我們唯一能做的，就是試圖將她重新壓制在椅子上。把她壓制在表面平坦的地方，比如說地上，比把她壓制在這個笨重的躺椅上要容易多了。她和我們對抗的時候，椅子總是搖來晃去的，我們很難把她壓進一個適合的位置。迪米特里拿出自己的銀樁——我的銀樁剛才放在別的地方了——然後劃破索婭的皮膚，這令我們取得了一些優勢。她痛得尖叫起來，我仍然抱著一絲希望，覺得我們也許能夠堅持到耗盡她的體力——也許不能，我們的體力有可能先被消耗殆盡，我的頭痛足以證明我並不是處於絕佳狀態中。

我用餘光掃到一旁有個人影閃過，心裡立刻升起一股新的警惕。羅伯特・德魯正向我們衝來——而他的手裡還拿著一根銀樁。這種情況實在是太不尋常，大大出乎我的意料，我警告迪米特里的聲音因而慢了一拍，當我遲鈍的大腦突然間反應過來的時候，已經來不及了。

「不！」我看見羅伯特舉起銀樁，驚恐地喊道。「不能殺她！」迪米特里這時也轉頭看見了羅伯特，可是他也已經來不及阻止了。我和迪米特里提供了最佳的機會，我們仍然壓制著索婭，她的胸膛剛好展露出來，令羅伯特得以完成這乾淨俐落的一擊。我瘋狂地想著現在該怎麼辦。如果我阻止他，就要鬆開索婭；如果我不阻止他，他可能會殺掉這個唯一知道去哪裡找——

太晚了。銀樁刺了進去，那股力道令我十分震驚。莉莎上次用銀樁刺迪米特里的時候非常困難，我以爲像羅伯特這樣的人應該也一樣，他年紀又大，而且看起來那麼不堪一擊。可是，並不是這樣，他雖然也用上了兩隻手，可是那根銀樁穩穩地刺進了索婭的胸口，刺穿她的心臟。

索婭大叫了一聲，一道明亮炫目的白光突然充滿了屋內。這時，一股看不見的力量將我衝撞開來，我飛了出去，撞上一堵牆，好不容易好一點的頭再次劇痛起來。整座房子搖晃了幾下，我伸出一隻手到處摸索，試著找住某樣物體好穩住身子，於是我閉上眼睛，可是仍然見到很多星星，一會兒後，我的心跳才平穩了下來。

接著——全都消失了。所有東西，那陣光芒，那股震動。我又能正常呼吸了。四周一片寂靜，我開始回想剛才到底發生了什麼。

我眨了眨眼，慢慢地聚焦看清楚周圍的一切。我用盡力氣，跌跌撞撞地爬起來，看見迪米特里也正做出同樣的舉動。看起來，他也被那股衝擊力量撞飛了出去，不過沒有撞在那面牆上，而是藉著牆面撐住了身體。羅伯特平躺在地上，維克多正要衝過去看他。雪梨仍然愣愣地站著。

索婭呢？

「眞是難以置信。」我喃喃地說道。

索婭還在躺椅上，此刻又重新坐了下來，顯然也和其他人一樣，被剛才的那股力量衝擊到了。她的身上仍然纏著鐵鏈，可她已經停止了掙扎，方才羅伯特手上拿的那根銀樁落在她的膝蓋上。索婭試著從鐵鏈裡探出一隻手來，用手指觸碰銀樁，她的眼睛充滿希望地張大——那是一雙鮮豔的碧藍色眼睛。

羅伯特將索婭・卡普救了回來，她不再是血族了。

莉莎救回迪米特里的時候，我是透過心電感應感受到這股魔法力量的，讓我充分且強烈地體驗了它的強大。這次我是旁觀者，沒有莉莎提供的第一手資料，可仍然覺得這股力量太過不可思議。維克多此時仍然全心全意地守著羅伯特，我們其他人則都不可置信地盯著索婭。我不停地尋找著——無論什麼——能夠證明她身上還殘留著血族特質的蛛絲馬跡。

可是什麼都沒有。她的皮膚又恢復成了典型的莫里膚色，雖然蒼白，但仍然透出一絲生命的溫度，有著淡淡的生氣——不像血族，他們的膚色完全像是用顏料塗上去的一樣。她的眼睛雖然紅紅的，卻是因為她奪眶而出的淚水，瞳孔周圍已經沒有了那一圈鮮紅，而這雙眼中透出的目光也沒有了殘忍和殺氣，不再是那雙帶著要將我們全都殺死的威脅的眼睛，她的眼神包含了震驚、恐懼和迷惑。我無法將目光從她的身上移開。

這是奇跡，又一個奇跡。在見過莉莎救回迪米特里的經過之後，我曾悄悄認爲，這輩子都不會再見到這樣的事情了。這就是奇跡的本質，一生可能只有一次。曾經，皇庭裡到處都有人在討論用精神能力把成爲血族的人救回來的可能，不過後來，當另一件更富有戲劇性的事情發生時——比如說女王的遇害——人們便改爲談論最新的話題了。除了精神能力者相當罕見，令這個想法難以實現外，還有一個眾所周知的困難，就是要莫里用銀樁刺中一個血族，難度實在是太高了。如果受過訓練的守護者都有可能死在血族的手裡，那麼莫里怎麼有可能刺中血族？好吧，也許答案就在這裡：刺中被制伏的血族就好。在使用雙手的情況下，莫里就可以做到，特別是在有守護者幫忙的情況下。這種可能性令我很激動。羅伯特的力量是很強，可他又老又弱，如果連他都可以做到，那麼是不是任何一名精神能力者都可以做到？他好像完成得蠻輕鬆的。艾德里安是不是也可以做到？莉莎可以再一次做到嗎？

奇跡，索婭．卡普是一個活生生、會呼吸的奇跡。

可是，突然地，她開始尖叫起來。

一開始還只是很小聲的嗚咽，可是後來聲音慢慢大了起來。這個聲音猛地讓我回過神來，可我完全不知道該怎麼反應。但是，迪米特里知道。他扔掉手裡的銀樁，跑到索婭的身邊，將她身上的鏈子解下來。索婭因爲迪米特里的動作反抗起來，可是她的動作不再帶有那個不死惡魔掙扎時的超強力道，這只不過是一個感到絕望、害怕的人的正常反應。

我纏那些鎖鏈的時候很用力，不過迪米特里三兩下就把它們全都拿掉了，而一解開索婭身上的鏈子，他便坐在椅子上，將索婭拉進懷裡，讓索婭可以埋在他的胸前哭泣。我吞了口口水。迪米特里剛被救回來的時候，也是這樣。突然，我腦子出現了一幅新生兒被人抱在懷裡的奇怪畫面。是不是全世界的動物剛剛生下來的時候——好吧，眼下的情況是重生——都會哭呢？

突然，我的注意力被別的事情吸引了過去。只見雪梨張大了眼睛，向迪米特里走過去——她要阻止他。「你在做什麼？」她喊道，「不能放開她呀！」

迪米特里沒有理會雪梨，我則抓住了她，將她拉回來。「沒事的，沒事的。」我說。整件事情發生的過程中，雪梨是最平靜的一個，我不能讓她也暴走。「她已經不是血族了。看，妳看看她，她現在是莫里了。」

雪梨慢慢地搖著頭。「不可能，她剛才還是血族，我親眼看見的。」

「這就是發生在迪米特里身上的事，一模一樣。妳不覺得他是血族，對吧？妳信任他。」我鬆開拉住她的手，雪梨沒有再動作，但仍一副小心謹慎的樣子。

我低頭看著那兩兄弟，意識到情況也許比我想得要嚴重許多。羅伯特雖然不是血族，可是看起來卻是這裡膚色最蒼白的人，他的眼神空洞，唾液從半張的嘴角流了出來。我要收回剛才認為他輕輕鬆鬆救回血族的說法。他將銀樁刺進去的那一下非常完美，不過很顯然，還是有少許副作用的。維克多正嘗試著把他的弟弟扶起來，嘴裡喃喃說著一些安慰的話，至於他的表情……哦，居然露出了我從來沒有見過的關心和恐懼。我的大腦完全無法把眼前這個人和印象裡那個完美的惡魔聯想在一起。他看上去比較像一個眞正的人了。

維克多瞥了我一眼，嘴角擠出一絲痛苦的微笑。「怎麼，現在不說那些機智的風涼話了嗎？妳應該高興才是。我們給了妳妳想要的。妳需要從索婭．卡普嘴裡問出點話對吧？」他朝她揚了揚下巴，「去問吧。問出這個答案的代價眞不小。」

「不行！」迪米特里喊道。他還抱著索婭，可是溫柔的表情在看見維克多之後，就變得嚴厲起來。「你瘋了嗎？你沒看見剛才發生了什麼事嗎？」

維克多揚起眉毛。「當然，我看見了。」

「她現在的狀況根本不適宜回答任何問題！她還沒回過神來，讓她單獨靜一靜。」

「別說得好像她是這裡唯一的受害人一樣。」維克多怒道，又低頭看著羅伯特，扶著他站起來，攙著他走到沙發旁。羅伯特勉強走過去，但其間腿一直在發抖，一走到沙發旁，他就再也堅持不住，一屁股坐了下去。維克多摟著羅伯特。「沒事的，你會沒事的。」

「眞的嗎？」我不太確定地問。羅伯特看起來根本不像沒事的樣子。我方才所想的關於精神能力者能夠救回所有血族的想法，現在變得更加不切實際了。「他……他之前也這麼做過一次，然後也好起來了，對吧？莉莎現在也很好。」

「那時羅伯特還很年輕——就像瓦西莉莎現在這麼大。」維克多拍著羅伯特的肩膀，回答道，「這可不是一種簡單的咒語，能夠做到一次就已經很不容易了。至於兩次？妳和我都知道精神能力是怎麼回事，這麼做會對身體和精神都造成很大的傷害。爲了妳，羅伯特做了極大的犧牲。」

我想，確實是這樣。「謝謝你，羅伯特。」我遲疑地說道。羅伯特好像沒有聽見。

迪米特里站起來，輕而易舉地將索婭也抱了起來。她還在哭，不過啜泣的聲音已經小很多了。

「她需要休息。」迪米特里粗聲說道，「相信我，你們根本不知道她此刻心裡的感受。」

「哦，我相信你。」我說。

「傻瓜，」維克多怒聲說，「你們倆都是。」他居然沒被迪米特里的眼神嚇得趴在地上，眞奇怪。

「現在還不是問話的時候。」迪米特里說。

我點點頭，表示同意，不知道接下來該怎麼辦。莉莎救回迪米特里之後，她同樣也有這種強烈的保護慾。迪米特里也許不是救回索婭的人，可他是唯一一個知道她此時內心感受的人。我知道他一度很難調適心態，覺得很茫然，那不僅僅是會令人變得抑鬱、絕望而已。

他的目光一一掃過我們後，便抱著索婭去了她的臥室。雪梨看著他們離開，然後又看了看沙發上的那兩個人。維克多仍然緊緊摟著自己的弟弟。這個煉金術士驚訝地看著我。

「我雖然知道這種事……可還是不敢相信。」

「有時候，」我對她說，「我也還是不敢相信。這一點都不符合宇宙的法則。」

令我驚訝的是，她摸了摸自己脖子上的金色十字架。「有時候法則要大過整個宇宙。」

維克多從沙發上站起身，顯然覺得正在休息的羅伯特沒什麼大礙了。我立刻緊張起來。撇開剛才的奇跡不說，他還是名罪犯，一個我立誓要逮捕的人。他向我走過來，壓低聲音道：「抱歉打斷妳們的玄學研究對話，不過妳必須要聽我說。蘿絲，妳要注意，非常注意，妳現在可以稍微鬆懈一下，但是千萬別讓妳的寵物狼一直阻止妳去找索婭問話。」

「可他說得對啊！」我反駁道，「才五分鐘而已。她經歷的事……他們兩個都經歷過的事……呃，並不是小事情。那是人生的一大轉變。他剛被救回來的時候，也需要時間來平復自己、調整自己。她一旦調適過來，就會同意幫助我們的。」

「妳確定？」維克多瞇起眼睛問道，「她會覺得自己是被救了嗎？妳忘了一點：貝里科夫不是自願變成血族的，可她是。」

「你……你在說什麼？她還打算變成血族？」

維克多聳聳肩。「我的意思是盡快問出答案來，而且千萬別讓她獨處。」

說完，維克多轉身向廚房走去，回來的時候，他手裡端著一杯水。羅伯特接過去大口喝完，然後就倒頭大睡。我嘆了一口氣，靠在雪梨身邊的牆上，整個人精疲力竭。我之前的頭痛仍然沒有消退。

「現在怎麼辦？」雪梨問。

我搖了搖頭。「我也不知道。我想只能等待吧。」

過了一會兒，迪米特里走下樓，他看了眼羅伯特。「她也睡著了。」迪米特里對我說，「這種轉變……很累人。」我從他的眼中看出了一絲痛苦，不知道是不是之前的回憶又在折磨著他。可是，是被救回來時的回憶，還是成爲血族時的回憶呢？

「我覺得我們不應該留索婭一個人在樓上。」我說道，餘光瞥見維克多露出一抹假笑。「應該有人在她身邊陪著她，萬一她醒了，可能會不知所措。」迪米特里沒有馬上回答我，而是細看了我一下。他太瞭解我了，知道我這麼說背後肯定別有目的。幸運的是，他找不出我邏輯裡的破綻。

「妳說的對。妳介意陪她嗎？」他問雪梨道。

我想著應該怎麼否決這提議。不，不行，肯定不能讓雪梨去。如果索婭眞的會背叛我們，我們肯定需要另一個人去看守她——一個有戰鬥能力的人。雪梨很可能猜到了我的想法，阻止了我對迪米特里說謊——或是把我的眞實想法告訴他。

「她不認識我。萬一她醒了，也許事情會變得更糟。再說……」雪梨擺出一副煉金術士最擅長的厭惡表情，「和一個五分鐘前還是魔鬼的人待在一起，我眞的覺得很不舒服。」

「她不是血族了，」迪米特里喊道，「她現在是完完全全、眞眞正正的莫里！」就連我聽到他這麼嚇人的語氣，都有點害怕，可是他會有這麼大的反應一點都不出乎我的意料。他在說服別人相信他的轉變時，確實度過了一段很難熬的日子。片刻後，迪米特里的表情柔和了一點。「我知道這令人難以相信，不過她眞的已經變回來了。」

「那我上樓去陪她吧。」我說。

「不，不行。」迪米特里搖著頭，「雪梨有句話說對了：索婭可能會很迷惑，最好找一個人明白發生了什麼事的人去看著她。」我剛想爭論道我才是這裡唯一一個索婭認識的人，不過轉念又想，我最好還是留在這裡和達什科夫兄弟待在一起。他們現在看起來雖然沒什麼危害，可我不信任他們。迪米特里顯然也不信任他們，他向我走過來，俯下身子在我耳邊低語。

「妳小心一點他們。」他小聲說，「羅伯特現在雖然睡著了，但是需要的恢復時間，可能比我們想像得還要少。」

「收到。」

他轉身要走，又回頭看了我一眼，方才那副發號施令的表情此刻柔和許多，變得若有所思而困擾。

「蘿絲？」

「嗯？」

「剛才……剛才的情況，和莉莎救我的時候是不是一樣的？」

「差不多。」

「我沒想到……會這麼的……」他苦思著該怎麼形容。這真不像他的性格。「就是屋裡充滿的那些光芒，還有她救我的方法。看見生命力被注入一個死人的身體裡……真是太……」

「美好？」

他點點頭。「那種感覺就好像是……你不能——對，你不能浪費生命的感覺。」

「沒錯，」我同意，「是不能。」

這時，我發現他好像有了某種轉變。雖然很小，就像在那條後巷裡時一樣，可我知道他身上又有一塊血族的傷疤脫落了。

他沒有再說什麼，我看著他轉身往樓上走去。雪梨沒有別的事可做，只能盤著腿坐在地上，捧著本書放在膝頭，可是那本書並沒有打開，顯然她的腦子裡在想別的事。同時，維克多坐在躺椅上，搖晃了起來，他看上去沒有羅伯特那麼累，但是仍透出了倦容。很好，他們插手這件事的時間拖得越久越好。我從廚房拿了把椅子，坐在一個能夠看清整個房間的地方。一切都很平靜。

我覺得自己像個保母，也許從某方面來講，我確實是。這眞是漫長的一天，夜晚的降臨很快令窗外變得一片漆黑，這令我有些擔心。據我所知，索婭也有一些血族的同夥，他們隨時有可能會前來。事實上，從多諾萬認識她這一點來看，就知道她並不是完全和其他血族沒有來往。這令我更加緊張，可是同時我又感覺疲累不堪。那對兄弟已經睡著了。至於雪梨，也許是爲了不打亂她的人類作息時間表，不知從哪兒找來了毯子和枕頭，蜷起身子躺在地上睡著了。

至於我？我的作息表是一半人類一半吸血鬼。迪米特里應該也是一樣。事實上，我們執行的是「有需要才休息」的時間表，睡覺不是必須的選項。

突然，一陣混合了激動和驚訝的情緒透過心電感應傳來。我沒有感應出危險或是有威脅，可是好奇心還是令我潛進了莉莎的意識裡。就算我在她的意識裡，我也清楚自己的身體還是保持警惕的，而且我實在很想知道莉莎的測試後續結果如何。

當然了，結果非常完美。她此時正坐車返回皇庭，雖然很累，但是充滿了驕傲。她不是唯一一個成功的人，同車的人臉上都有著類似的表情……只除了愛娃・多羅斯多夫。她是唯一一個沒有過關，打電話求助的人。莉莎很驚訝愛娃居然是第一個被淘汰的人，在發表了那麼一番討厭的言論之後，馬庫斯・樂澤好像才應該是被淘汰的人。可是沒有，這個老人居然設法做到了，這意味著他可以繼續參加後面的測試。愛娃拒絕和旁人有眼神接觸，在返回皇庭的路上，只是愣愣地看著窗外。她仍然可以保有議會裡的席位，不過她成爲女王的夢就此破碎了。

莉莎很替她難過，可是也沒有再多想。這就是測試的目的，這樣他們才能選出最出色的候選人。再說，莉莎也有自己的問題要煩心。白天在外頭行動，已經違反了吸血鬼正常的作息時間表，現在，她只想趕緊回到皇庭，回到自己的房間好好睡一覺。她想要清淨一會兒。

可是，她發現有一大群人正等著她。

# 19

車子是在皇庭一處比較偏僻的地方停下的，所以當看見有大批熱情的莫里等在這裡時，令莉莎嚇了一跳。

守護者像幽靈一樣從人群裡擠過去，他們一旦接到命令，就要盡可能完成。當他們的車駛進車庫的時候，一路上都有人群在車旁簇擁著，全都爭相往車裡看去，希望能夠看一眼那些皇室的候選人。

莉莎驚訝地看著眼前這一片混亂，幾乎不願下車。阿里亞娜笑著安慰她道：「這很正常。他們都想知道誰通過了而誰沒有。特別是他們。」阿里亞娜說著將頭傾向車子前方。透過擋風玻璃，莉莎在人群中看見了另外六名候選人。因爲森林裡的路線設計能容納的人數有限，所以十二名候選人被分成了兩批，剩下的六名候選人將在明天接受同樣的測試。毫無疑問，他們都很想知道自己的競爭對手有哪幾個在今天通過了測試。

莉莎早就習慣了皇室的彬彬有禮、有條不紊，所以當看見那六個人眼中透出的那種熱切和激動時，感到非常驚訝。

當然，那些來皇庭觀禮的平民莫里也混在人群當中。他們每個人都用力往前擠，踮著腳想從其他人的頭頂看向前方，想知道現在情況如何，有的人還大喊著幾位候選人的名字。我有點訝異，這些人居然沒有拉起橫布條並大聲唱歌。

莉莎和其他同伴下了車，在一浪高過一浪的歡呼聲中穿過人群。很快，大家就明顯看出誰通過了測試，誰沒有通過，這令騷動的人群更加興奮。莉莎站著沒有動，她看著四周，覺得有點茫然。和朋友們理性地探討應不應該競選皇位是一回事，可是突然間被扔進眞正的競選之中，則是截然不同的另一件事。

她的心裡只想著幾件事：一件是我的安全，一是找出兇手，再一件就是通過測試。現在，她置身於人群中，意識到競選這件事的重要性大過於自身的事，大過於她能想像到的任何事。對這些人來說，這並不是一個遊戲，也不是爲了鑽法律漏洞或者拖延時間。這是在構想他們的美好未來。莫里和拜爾雖然住在不同的地方，可是他們要遵守的都是這套法律，他們要服從的也都是同一個政府。這個由皇庭操控的政府，它的權力延伸至世界各地，影響著每一個自願留在我們這個社會體制的拜爾和莫里。沒錯，我們是有投票的權利，可決定我們未來的是這個地方的國王或女王。

終於，守護者順利撥開人群，讓這幾個皇室的家族成員擠過人群，來迎接自家的候選人。可是沒有人來接莉莎。雖然珍妮和愛迪之前聲稱要照顧莉莎，可是由於他們偶爾也會有臨時任務，所以沒有辦法二十四小時全天候地跟著莉莎，而想當然，莉莎也沒有其他家人。莉莎感覺腳步輕飄飄的，聽著周圍的嘈雜聲，覺得有些暈眩，但仍爲自己此刻還保持著清醒而訝異。她的心中充滿矛盾，覺得欺騙了這些人而感到內疚，似乎應該現在就放棄自己的競選資格，可是與此同時，她突然又很想認眞地看待這場競選。她希望能夠高昂著頭，驕傲地通過所有的測試，雖然她的動機不可告人。

突然，一隻強而有力的手扶住了她的手臂。是克里斯蒂安。「走吧，我們離開這裡。」他牽著她，在人群中爲她開出一條路。「嘿。」他對人群外的兩名守護者喊道，「能來這邊幫公主殿下一點小忙嗎？」

這是我第一次看見他拿出皇室的樣子，彰顯出他血液裡的貴族氣質。在我眼中，他一直都是憤世嫉俗、喜歡冷嘲熱諷的克里斯蒂安。可是，在莫里的社會裡，年滿十八歲的他，已經自動成爲了歐澤拉大人了。我忘了這點，那兩名守護者可沒有忘，他們隨即衝到莉莎身旁，幫助克里斯蒂安分開人群。圍著莉莎的群眾樣子雖然看不清，聲音也好像很遙遠，可是每過一會兒，總會有人向她跑來，他們有節奏地喊著她的名字，喊著說那條龍要回來了，龍是德拉格米爾家族的象徵標誌。這是真的，她一直提醒自己，這是真的。

守護者很有效率地帶著她從人群中走出來，穿過了皇庭的廣場，來到她的住處。他們確認了莉莎已經到達安全地點之後才離去，而莉莎則在兩人臨走之前，表示對他們的幫助感到非常感激。她和克里斯蒂安回到她的房間後，她疲倦地坐在床上，仍然覺得很不眞實。

「哦，我的天哪。」她說，「這簡直太瘋狂了。」

克里斯蒂安微微一笑。「哪部分？是指歡迎回來的派對？還是指測試？妳看上去好像……好吧，其實我還眞不知道妳剛才做了些什麼。」

莉莎飛快地檢視了一下自己。

他們給了她兩條乾毛巾，然後開車送她回來，可是她的衣服仍然濕答答的，而且在逐漸風乾的過程中變得皺巴巴的，她的鞋子和牛仔褲上沾滿了泥巴，而她甚至不敢去想自己的頭髮現在會是什麼模樣。

「對，我們——」她的話突然卡在了舌頭上——不是因爲她突然不想告訴他的緣故。「我不能說。」她小聲地說，「居然眞的管用，那個咒語不讓我說。」

「什麼咒語？」克里斯蒂安問。

莉莎捲起袖子，揭開OK繃，讓他看自己手臂上的小紋身。「這是一個強制咒，阻止我對外透露測試的事。就像煉金術士的紋身一樣。」

「怎麼會？」克里斯蒂安吃驚極了，「我一直以為這些都是唬人的。」

「我也這麼想。不過，眞的很奇怪，我很想說，可就是……不能說。」

「好吧。」克里斯蒂安將她的濕髮撥到一旁。「妳通過了，這才是最重要的。我們只要想想這點就好了。」

「我現在唯一想要做的就是洗個澡——眞諷刺，我全身上下早已經是濕的了。」她並沒有動作，只是盯著對面的牆發愣。

「嘿。」克里斯蒂安溫柔地說，「妳怎麼了？那些人嚇到妳了嗎？」

她回神看著他。「不，我在想別的事。我是說，他們是很嚇人沒錯，可我剛剛是在想……我不知道，我覺得自己已經是整個競選儀式的一分子了，一個從很早以前就延續下來的儀式，自從——」

「開朝以來？」克里斯蒂安引用南森那個無聊的發言，揶揄她道。

「差不多吧。」她笑了一下答道，但是那笑容馬上就不見了。「克里斯蒂安，這件事不只是傳統那麼簡單。選舉是我們這個社會最核心的部分，是根深蒂固的。我們可以說要改變年齡法案，或者是去戰鬥或者其他的事，可選舉是古老的傳統，有著深遠的意義。你看見剛才那些人了嗎？他們不全都是美國人，而是來自世界各地。別忘了，這裡是皇庭，是統治世界各地的莫里的地方，這裡發生的事，是可以影響整個世界的。」

「妳想說什麼？」克里斯蒂安問。莉莎還沉浸在自己的思緒裡，所以沒辦法像我這樣仔細觀察克里斯蒂安。他瞭解莉莎，理解她、愛她，他們兩個之間的那種默契，和我跟迪米特里的默契很相像。不過，有時候莉莎思考的方向他還是摸不透。他雖然從來沒有親口承認，可我知道這也是他愛她的一部分原因——不像我，是一個想法一眼就能被看穿的人——莉莎總是保持著冷靜和理性的外表，可是有時候做出的事卻出人意料。那些時刻都會讓他很高興，可有時他又很害怕，因爲他永遠沒辦法知道，莉莎的行爲背後，精神能力佔了多大的因素。

此刻就是這種情況，他知道競選對她造成了壓力，而和我一樣，他知道這很可能會觸發那些負面情緒。

「我想認眞地看待這些測試。」莉莎說，「如果——如果不全力以赴的話，就太丟臉了，是對我們整個社會的侮辱。我的最終目標是要找出陷害蘿絲的人，可是在這個過程中呢？我也要像那些眞心想成爲女王的人一樣，認眞看待這些測試。」

克里斯蒂安開口之前想了想，這眞是件稀奇事。「妳想成爲女王嗎？」這個問題將莉莎猛地從她那關於傳統和榮譽的哲學思辨夢裡拉了出來。

「不！當然不想！我才十八歲，甚至還不到能夠喝酒的年紀呢！」

「可是妳也沒有少喝過。」克里斯蒂安指出，又恢復成了平時的樣子。

「我是認眞的！我想要上大學，我想要蘿絲回來。我不想統治這個莫里國家。」

克里斯蒂安的藍眼睛裡閃過一絲惡作劇的目光。「妳知道嗎？塔莎姑姑一直在開玩笑，說如果妳眞的成爲女王，肯定比其他人都強，除了某些時候……我不覺得她是在開玩笑。」

莉莎呻吟起來，癱倒在床上。「我喜歡她，不過我們最好還是制止她這麼做。如果需要有人去修改法律的話，那也應該是她和她那些積極的朋友。」

「哦，不用擔心，她那些『積極的朋友』有很多事要反對，通常不會只關注一件事的。」克里斯蒂安在她身邊躺下來，將她摟近一些，「不過說眞的，我認爲妳會是一個很偉大的女王，德拉格米爾公主殿下。」

「你身上會弄髒的。」她警告他道。

嗎？」

「已經髒了。」他收緊手臂摟著她，不管她此刻全身濕答答的，而且還有泥巴。「我的童年大部分都是在一個髒兮兮的閣樓上度過的，而且只擁有一件襯衫可穿。妳眞的認爲我會在乎這件T恤嗎？」

莉莎大笑起來，吻住了他，暫時將她的心思從擔心中釋放出來，只用來感受他的唇。考慮到他們現在是躺在床上，我覺得是離開的時候了。可是過了幾秒後，她推開他，心滿意足地嘆了口氣。

「你知道嗎，有時候我覺得我是愛你的。」

「只是有時候？」他佯怒道。

她揉了揉他的頭髮。「一直都愛。不過你現在該站起來了。」

「假裝我已經站起來好了。」

他又湊過去想要吻她，可這時外面響起的敲門聲打斷了他。莉莎重新推開他，可是兩個人仍然抱在一起，誰都沒有分開的打算。

「別管它。」克里斯蒂安說。

莉莎皺著眉，向客廳瞥了一眼。她鑽出他的手臂，站起來向門口走去。她離門口還有幾步的時候，會意地點點頭。「是艾德里安。」

「那就更不用管他了。」克里斯蒂安說。

莉莎沒有理會他，還是開了門，我那個嬉皮笑臉的男朋友果然站在門口。我聽見克里斯蒂安在莉莎身後說道：「你總是這麼會挑時候嗎？」

艾德里安仔細看了看莉莎，又看了看裡頭癱在床上的克里斯蒂安。「啊，」艾德里安逕自走了進去，「你們打算這樣解決家庭成員數量這個問題。生一個小德拉格米爾，好主意。」

克里斯蒂安坐起來，緩步朝他們走來。「對，就是這樣。你剛剛打斷了一場很正式的會議。」

艾德里安穿得很隨意，黑色T恤和牛仔褲，不過他穿在身上，也能穿出高級訂製服的感覺。事實上，很可能就是。天哪，我想死他了，我想他們所有人。

「怎麼回事？」莉莎問。克里斯蒂安以為艾德里安是出於私人原因來這裡，可她知道艾德里安沒重要的事是不會來的——特別是在對莫里來說還是清晨的現在。雖然他臉上掛著一貫的慵懶笑容，不過透過他的靈光可以看出興奮和激動的情緒。他有事要說。

「我逮到他了，」艾德里安說，「把他給困住了。」

「誰？」莉莎莫名其妙地問。

「那個白癡，布雷克．樂澤。」

「困住是什麼意思？」克里斯蒂安問道，他和莉莎一樣感到困惑。「是指你在網球場挖了一個捕熊的陷阱之類的嗎？」

「我倒是想呢。他在酒吧裡，我剛剛跟他聊過一會兒了，如果我們現在趕過去的話，他應該還在。他以為我是出來買煙的。」

從艾德里安身上的味道來看，莉莎認為他確實是出來買煙的，而且很可能已經抽完一包了。

「你這麼早就去酒吧？」

艾德里安聳聳肩。「對人類來說已經不早了。」

「可你不是——」

「拜託，老妹。」艾德里安的靈光不像喝得爛醉的人那麼黯淡，他應該沒喝多少。「如果漂亮男生安布羅斯說的關於塔蒂安娜姑姑的話沒錯，那麼這個人肯定能告訴我們那些爭風吃醋的女人的名字。」

「為什麼你不自己問他？」克里斯蒂安說。

「因爲我去問自己姑姑的閨房祕辛是不對的，而且很噁心。」艾德里安回答。「再說，有我們迷人的公主殿下在場，布雷克一定很樂意多說幾句。」

莉莎眞的很想睡覺，可是一想到她有可能知道能夠幫助我的新情報，又令她充滿了力量。「好吧，不過你起碼得先讓我換件衣服，梳梳頭。」

她在浴室換衣服的時候，聽見艾德里安對克里斯蒂安說：「你知道嗎？你的穿著有些太隨便了。既然你是在跟公主約會，在穿衣服上面似乎要再加把勁。」

十五分鐘左右後，這三個人穿過皇庭，走進了藏在行政大樓裡面的酒吧。我曾經去過一次，覺得這種地方居然還有一個酒吧眞的很奇怪。不過，經歷了最近這種緊張的行程後，我想如果以後我也在辦公室工作的話，我可能也會希望附近就有個能夠喝一杯的地方。

酒吧裡燈光昏暗，既爲了舒緩心情，也爲了能夠讓莫里覺得舒服些。不去管艾德里安之前的玩笑話，現在對莫里來說確實還很早，因爲這裡只有幾名客人。艾德里安對著酒保微微招了招手，我想這應該是一個點餐的信號，因爲那個女調酒師看見之後，立刻轉身開始調酒。

「嘿，伊瓦什科夫！你去哪兒了？」

一個聲音從莉莎和其他人身後響起，過了一會兒，她才看見角落的桌子旁坐著一個人。艾德里安帶著他們走過去，莉莎才發現這個人很年輕，和艾德里安差不多大，一頭黑色的捲髮，湛青色的眼睛十分清澈，顏色很像艾比最近特別喜歡戴的那條領帶。基本上，就是艾德里安和克里斯蒂安的眼睛調合在一起的顏色。他的身材結實而充滿肌肉——曬成了對莫里來說已經是極限的暗黃色——雖然有男友在旁，可莉莎也不得不承認他很性感。

「去找幾個更好看的朋友來陪我。」艾德里安拉過一把椅子坐下來說道。

這個莫里注意到艾德里安說的朋友之後，跳了起來，一把抓住莉莎的手，躬身吻了吻。「德拉格米爾公主殿下，我眞是三生有幸，終於能夠認識妳。以前只能遠遠地望著妳，就已經覺得很美了，現在這麼近看，簡直可以說是國色天香。」

「這位，」艾德里安裝模作樣地說，「是布雷克・樂澤。」

「見到你很高興。」莉莎說。

布雷克笑得很燦爛。「我能稱呼妳瓦西莉莎嗎？」

「你可以叫我莉莎。」

「你也可以。」克里斯蒂安冷冷地補充說，「放開她的手。」

布雷克轉頭看著克里斯蒂安，過了好一會兒才鬆開莉莎的手——而且似乎爲這好一會兒非常自豪。

「我也見過你，歐澤拉。你叫克里斯丁，對吧？」

「是克里斯蒂安。」莉莎更正道。

「對。」布雷克拉開一把椅子，仍然做出一副非常紳士的模樣。「請坐，加入我們吧。」不過他並沒有邀請克里斯蒂安，而克里斯蒂安則老實不客氣地就在莉莎身邊坐下來了。「妳想喝點什麼？今天都算我的。」

「不了，謝謝。」莉莎說。

這時酒保走了過來，送上艾德里安要的酒，還拿了一杯給布雷克。「永遠都不會嫌太早，妳問問伊瓦什科夫就知道了。你是一從床上爬起來，就會來這裡喝酒的人，對吧？」

「我的床頭櫃上就放著一瓶蘇格蘭威士忌。」艾德里安仍然用那種輕浮的語調回答道。莉莎張大眼睛看著他的靈光，他的靈光還是那種精神能力者會有的明亮金色，只是因爲酒精的緣故而有些黯淡，同時，他的靈光還帶著很淡的一圈紅暈——不是因爲生氣，而是厭惡。莉莎這才回想起來，不管是艾德里安還是安布羅斯，對這個叫布雷克的傢伙都沒有什麼好感。

「那麼，是什麼風把妳和克里斯多夫吹到這兒來的呢？」布雷克問道。他喝光了一杯琥珀色的酒，把空杯子放到剛送來的那杯旁邊。

「是克里斯蒂安。」克里斯蒂安說。

「我們剛才正好說起我的姑姑。」艾德里安說。他雖然仍試圖裝出一副偶然提起的樣子，可是不管他多麼想爲我洗刷冤情，一旦事情涉及到塔蒂安娜的死，他還是不免會感到痛苦。

布雷克的笑容稍稍減退了一點。「眞是令人心情沉重，我想對你們兩個來說都是如此。」這句話是對艾德里安和莉莎說的。克里斯蒂安好像是透明的一樣。「海瑟薇的事情我也很替妳難過。」他又特別對莉莎說了一句，「我聽說了妳有多麼難過。誰想到會發生這種事呢？」

莉莎意識到他指的是她假裝生氣、覺得被我傷害了的事。「哦，」她佯裝痛苦地說，「我想這是因爲還不夠瞭解人心。之前有過無數個徵兆，可我居然沒有注意。」

「你一定也很難過。」克里斯蒂安說，「我們聽說你跟女王走得很近。」

布雷克又恢復了燦爛的笑容。「是的……我們對彼此都有很深的瞭解。我禁不住要想念她了。也許在別人看來，她很冷漠，可是相信我，她很知道該如何度過一段美妙的時光。」布雷克又看向艾德里安，「這一點你應該清楚。」

「肯定沒有你清楚。」艾德里安停了一下，啜了一口手裡的酒。我想他是爲了避免說出更多難聽的話來，老實說，我並不會因此責怪他。事實上，我很欣賞他這種自制的行爲，如果換了是我，恐怕早就一拳打在布雷克的臉上了。「還有安布羅斯。」

布雷克的美麗笑容中顯露出不悅。「他？那個吸血男妓？他根本就不配得到她的青睞。我眞是不敢相信，他們居然還肯讓他留在皇庭。」

「事實上，他覺得是你殺了女王。」莉莎又匆忙補充道，「可是所有的證據都證明是蘿絲，這眞是太荒謬了。」事實上，安布羅斯的原話不是這麼說的，不過莉莎想看看能不能從他嘴裡套出點消息。

結果，她如願以償。

「他說什麼？」沒錯，現在他臉上一絲笑容都沒有了。沒有了笑容，布雷克突然間看上去沒有之前那麼帥了。「那個撒謊的混蛋！我有不在場證明，他知道的。他就是嫉妒，因爲塔蒂安娜比較喜歡我。」

「所以她才把他留在身邊？」克里斯蒂安一臉天眞地問道，「難道不是有你就夠了嗎？」

布雷克瞪著他，幾乎是一口氣喝光了剛送來的那杯酒。神奇的是，酒保此時又托著另一杯及時地出現了。布雷克向她點頭致意，才繼續說下去：「哦，我可是重要得多了。我對很多女人都很重要。可是，我不會像他那樣到處玩弄女人的感情。」

聽到越多關於塔蒂安娜私生活的事情，艾德里安的臉色就越難看。不過，他還是完美地扮演著自己的角色。「我想你指的是安布羅斯那些女朋友吧？」

「對，不過用『女朋友』來形容眞是太不合適了，那都是些老女人。老實說，我覺得她們肯定是付了錢的。不過，你媽媽肯定不用付錢。」布雷克又補充了一句：「我的意思是，她眞的非常漂亮。不過你知道的，她不可能對他認眞的。」

所有人都花了好一會兒才明白過來布雷克在暗示什麼。

艾德里安率先反應過來。「你剛才說什麼？」

「哦，」布雷克看上去非常驚訝，不過很難說這不是他裝出來的。「我以爲你知道。你媽媽和安布羅斯……呃，這怎麼能怪她呢？就你爸爸那個人？現在這裡只有我們，我覺得她其實應該找個更合適的人。」

從布雷克的語氣裡，很容易就聽出他認爲對戴妮拉來說最合適的人選是誰。

莉莎看出艾德里安的靈光已經變紅了。「你這個狗娘養的！」艾德里安不是那種會跟人打架的人，不過每件事都會有第一次——布雷克剛剛越過了他的底線。「我媽媽絕對不會對我父親不忠。就算她會……肯定也不會用錢去買。」

布雷克好像一點都不害怕。也許艾德里安眞的揍他一頓，情況就會有所不同了。莉莎伸手拉住艾德里安的手臂，輕輕握了握。「別這樣。」她小聲說道。我覺得有一股輕微的暗示他冷靜下來的催眠能力，從她身體注入到艾德里安身上。艾德里安立刻發覺了這點，連忙抽出手臂，警告地看了莉莎一眼，表示他一點都不欣賞她這種「幫忙」。

「我以爲你討厭你爸爸呢。」布雷克說，完全不知道他接下來說的話也許會更惹人生氣。「再說，你別把所有的氣都發洩在我身上。我又沒有和她睡覺，只不過是把我聽到的事情告訴你。就像我剛才說的，如果你要找有嫌疑的人，應該去找安布羅斯那種人才對。」

莉莎在艾德里安回嘴之前跳出來，引開了話題：「一共有多少個女人？你知道他都和誰有曖昧關係嗎？」

「三個吧。」布雷克扳著手指頭一個一個開始數，「瑪塔．多羅斯多夫，米拉貝爾．康塔……等一下，這樣才兩個。我剛才還說了一個戴妮拉，那就是三個了。不過，如果算上女王的話是四個。對，是四個。」

莉莎一點都不關心布雷克的糟糕數學，雖然這剛好證明了艾德里安之前對他的「白癡」評價。瑪塔．多羅斯多夫是一個聲名不算很好的皇室，年紀一大把了，還是遊走在世界各地。莉莎暗自盤算了下，一年裡瑪塔有大部分時間都不在美國，更不用說待在皇庭了，她應該不太有機會殺死塔蒂安娜。至於米拉貝爾．康塔……她的聲名狼藉是表現在另外一方面的。大家都知道，她和半個皇庭的男人幾乎都發生過關係，不管他們結婚了與否。莉莎不太瞭解她，不過米拉貝爾肯定不會對某一個男生特別專一。

「可是，就算他和別的女人睡覺，也不代表他有殺死女王的動機。」莉莎指出來。

「對，」布雷克同意道，「我就說嘛，肯定是海瑟薇那個小妞幹的。」他停了一下，「眞是該死的可惜。她那麼性感，天哪，那個身材。反正不管怎麼說，如果是安布羅斯殺了他，他這麼做肯定是因爲嫉妒我，因爲塔蒂安娜比較喜歡我，而不是因爲他和那些女人幹的那些事。」

「爲什麼安布羅斯不乾脆殺了你呢？」克里斯蒂安問，「這還比較說得通。」

布雷克沒有機會回答，因爲艾德里安還抓著剛才的話題不放，他的眼裡冒著火光。「我媽媽不會和任何人上床的，她甚至早就沒有跟我爸爸同床了。」

布雷克仍然繼續用那種欠扁的說話方式道：「嘿，我可是親眼看見的，他們兩個抱在一起。我有沒有告訴你——」

「夠了，」莉莎警告道，「再問下去也沒有幫助。」

艾德里安攥緊酒杯。「問這麼多全都沒用！」顯然，事情並不如他一開始在莉莎的房間裡，勸說莉莎和克里斯蒂安一起來時預計的那樣。「我可不打算繼續坐在這裡聽這些廢話。」艾德里安喝完剩下的酒，猛地站起來向門口走去，接著把鈔票扔到吧台上，便離開了。

「可憐的傢伙。」布雷克說，又恢復了那種冷靜、優雅的樣子。「他周旋在他的姑姑、媽媽和殺人犯女朋友之間，一定受了很多罪。所以，這就是爲什麼不能相信女人的關係。」他朝莉莎眨了眨眼，「當然，我面前的這位除外。」

莉莎現在也和艾德里安一樣覺得很噁心，她飛快地瞥了克里斯蒂安一眼，他烏雲密佈的臉色表明他也有同感。在有人眞的痛揍布雷克一頓之前，是時候離開了。「哦，和你聊天很愉快，不過我們眞的該走了。」

布雷克可憐兮兮地看著莉莎。「可妳才剛來一下子！我還希望我們可以再多瞭解彼此一點呢！」然後，他又對克里斯蒂安補充說了一句，就好像他本來不打算說這句話一樣。「哦，還有克瑞斯丁。」

這回，克里斯蒂安已經懶得糾正他了，他只是拉起莉莎的手。「我們該走了。」

「沒錯。」莉莎同意道。

布雷克聳了聳肩膀，揮了揮手裡的酒杯，「好吧，等你們想要眞正體驗這個世界的時候，隨時可以找我。」

克里斯蒂安和莉莎向門口走去，他在莉莎耳邊小聲說：「我眞希望他最後一句話只是對妳說的，不包括我。」

「我可不想體驗什麼世界。」莉莎做了個鬼臉。他們走了出去，莉莎看了看四周，怕艾德里安在這附近等他們。可是沒有，他已經走了，不過她也沒辦法責怪他。「我現在明白，爲什麼安布羅斯和艾德里安都那麼討厭他了。他眞是個不折不扣的……」

「混蛋？」克里斯蒂安提供了一個名詞。他們此時正往莉莎的住處走去。

「我想是的。」

「混蛋到足以殺人的地步嗎？」

「想聽實話嗎？我不覺得。」莉莎嘆了一口氣，「我有點同意安布羅斯的說法……布雷克還沒有聰明到可以殺人的地步，而且也沒有眞正的動機。雖然我沒辦法從別人的靈光裡，看出他們是不是在說謊，不過他也沒有表現出特別不老實的樣子。就像你剛才開玩笑時說的，如果有人是出於嫉妒殺人，爲什麼他們不直接殺死對手？這樣還比較容易理解。」

「可他們兩個都能夠很輕易地接近塔蒂安娜。」克里斯蒂安提醒她。

「我知道。可如果這件事眞是和愛和慾望有關……那更像是有人在嫉妒女王。一個女人。」他們兩個沉默了好長一段時間，全都陷入自己的沉思，可是卻沒有人說出他們兩個都在思索的事。

終於，還是克里斯蒂安打破了沉默。「比如說，戴妮拉．伊瓦什科夫？」

莉莎搖了搖頭。「我沒辦法相信。她看上去不像是那種人。」

「眞正的兇手看上去從來都不像會殺人的樣子。所以，他們才能躲過別人的懷疑。」

「你研究過犯罪學什麼的嗎？」

「不是。」他們已經走到了大樓門口，克里斯蒂安爲莉莎打開門。「只是在陳述事實。我們都知道，艾德里安的媽媽出於私人原因，從來都沒有喜歡過塔蒂安娜。現在，我們又發現她們兩個都和同一個男人有關係。」

「可她有不在場證明。」莉莎堅持道。

「每個人都有不在場證明。」他提醒她，「而且我們也已經知道，那些不在場證明是可以花錢買的。事實上，戴妮拉已經買通了一個人。」

「如果沒有別的證據的話，我還是沒辦法相信。安布羅斯發誓，這件事的政治目的要多過情感糾紛。」

「安布羅斯現在也還有嫌疑。」

他們來到莉莎的房間。「這件事比我想像得還要複雜。」

他們走進去，克里斯蒂安摟住她。「我知道，不過我們一起面對，總會解決的。不過……有些事我們還是自己知道就好。也許是我想太多了，不過我覺得，我們最好永遠都不要讓艾德里安知道，她的媽媽有殺死他姑姑的完美動機比較好。」

「哦，你這麼想嗎？」莉莎將頭靠在他的胸口，打了個哈欠。

「該睡覺了。」克里斯蒂安拉著她往床邊走去。

「我需要先沖個澡。」

「先睡吧，晚點再洗。」他拉開被子，「我和妳一起睡。」

「是睡覺，還是睡？」她嘲笑他，同時愉快地躺在了床上。

「是眞正的睡覺。妳需要好好睡一覺。」他爬到她身邊，從背後摟住她，將臉埋在她的肩膀上。

「當然，等妳睡醒之後，如果想繼續召開一場正式的會談……」

「我發誓，如果你敢說『小德拉格米爾』，就得去睡大廳。」

我打賭，克里斯蒂安接下來就要說這個詞了，可是另一陣敲門聲打斷了他。他不耐煩地抬起頭。「別管它。這次我是認眞的。」

可是莉莎克制不住地從他的懷裡掙脫出來，爬下了床。「不是艾德里安……」

「那就更不重要了。」克里斯蒂安說。

「那可不一定。」莉莎走上前去開門，發現門口站的是——我媽媽。

像艾德里安一樣，珍妮·海瑟薇猛地闖進了屋子裡，一雙凌厲的眼睛仔細觀察著房裡的每個細節，看看有沒有危險。「抱歉我離開了。」她對莉莎說，「我和愛迪想要輪流守護妳的，可是今天早上都被拉去値勤了。」她看了眼皺巴巴的床，還有躺在床上的克里斯蒂安。在她眼裡，這不過是克里斯蒂安爲了保證莉莎的安全做出的舉動，和纏綿什麼的一點關係都沒有。「我來的正是時候，我知道妳進行完測試後肯定會想要睡一覺。別擔心——我會留著這裡繼續守護她，保證不會出問題的。」

克里斯蒂安和莉莎沮喪地互看了一眼。

「謝謝。」莉莎說。

# 20

「妳應該去睡一覺。」

雪梨輕柔的聲音差點激起我的雞皮疙瘩，這證明就算是在莉莎的意識裡，我也可以保持警惕。我轉頭看著索婭那黑漆漆的客廳。除了醒來的雪梨，一切安靜平和。

「妳看上去像是個會走的死人。」她繼續說。「我不是開玩笑的。」

「我必須留在這裡看守著。」我回答。

「我來吧。妳去歇會兒。」

「可妳不像我受過訓練。」我特意強調，「妳可能會疏忽掉一些事。」

「就算是我，也不會漏看破門而入的血族的。」她回答道，「聽著，我知道你們很強壯，妳不需要說服我。可是，我有種預感，接下來情況還會變得更加艱難，我不希望妳在關鍵時刻暈過去。如果妳現在肯睡一下，之後妳還能跟迪米特里換班，讓他也睡一下。」

一提到迪米特里，我就徹底放棄了反抗。我們都需要輪流休息一會兒。所以，我不情不願地爬進雪梨在地上鋪好的床，又把所有要注意的事囑咐了一遍。我覺得她很可能一邊聽一邊翻白眼。我幾乎是躺下去就睡著了，醒來的時候就聽見關門聲。

我立刻坐起身來，以為會看見血族破門而入。不過，我發現陽光此時已經從窗外透進來，雪梨正饒有興味地看著我。客廳裡，羅伯特正坐在沙發上揉眼睛，維克多卻不見了。我立刻警惕地看著雪梨。

「他在洗手間。」她猜到我要問什麼，直接回答我。

我聽見的就是他關洗手間門的聲音。我鬆了一口氣，站了起來，驚訝地發現雖然只睡了幾個小時，但我已經又變得精力充沛了。如果我能再吃點東西，不管什麼事我都可以對付得了。當然，索婭家裡肯定不會有吃的，於是我去廚房倒了杯水。當我站在那裡喝水的時候，發現達什科夫兄弟簡直把這裡當成了自己的家：大衣被掛在衣架上，車鑰匙則放在了玄關上。我悄悄抓過鑰匙，然後呼喚雪梨過來。

雪梨走進來，我把鑰匙交給她，盡量不讓它們發出聲音。

「妳對車子的東西還熟吧？」我小聲問。

雪梨略有深意地看了我一眼，認爲這個荒謬的問題簡直是對她的侮辱。

「好吧，那妳能幫忙跑一趟，買點吃的嗎？我們需要食物。然後，也許妳出去的時候，可以……呃，對他們車子的引擎動點手腳？隨便什麼都可以，只要能保證他們不會離開這裡就行。但是不能做得太明顯，比如弄破車胎這種。」

她把車鑰匙放進口袋裡。「小事一件。妳想吃什麼？」

我想了想。「最好是有糖分的東西。幫迪米特里買點咖啡。」

「本來就會附送咖啡。」她說。

維克多走進廚房，看起來還是一副毫不在乎的樣子，我想他應該沒有聽到我對雪梨說要弄壞他車子的事。

「雪梨要去買點吃的。」我說，希望這樣可以分散他的注意力，不讓他有機會發現車鑰匙不見了。「要幫你帶點什麼嗎？」

「要是能帶個餵食者就最好了，但除了這，羅伯特特別喜歡圈圈餅，蘋果肉桂口味的。」他對雪梨微笑著說，「我從來沒想過，會有看見煉金術士充當外送小妹的一天。眞有意思。」

雪梨張開嘴，肯定是想要反駁回去，不過我飛快地朝她搖搖頭。「趕緊去吧。」我說。

她離開以後，維克多便又回到了羅伯特身旁。我說服自己相信，這對兄弟在大白天又沒有車的情況下肯定跑不掉，便決定上樓去看看迪米特里。令我驚訝的是，索婭已經醒了。她和迪米特里兩個人盤腿坐在床上，兩個人說話的語氣都很嚴肅。因爲之前打過一仗，又睡了一覺，她的頭髮亂糟糟的，不過除此之外，看不出她身上有打完一架後的傷口或者瘀青。迪米特里剛變回來的時候也是這樣，身上沒有燒傷的痕跡，把他們從血族變回來的那股力量，替他們治好了所有的傷。一想到我擦破皮的雙腿和疑似腦震盪的跡象，我也很希望有人能把我從血族變回來。

我進去的時候，索婭轉過頭看著我，一連串情緒反應在她臉上。恐懼、震驚、讚賞。

「蘿絲？」她的話中有猶豫，好像在想我是不是她的幻覺。

我擠出一絲笑容。「能再見到妳眞好。」我決定不接著說出「現在妳不會再打算要吸光我的血了吧」這句話。

她低頭看著自己的雙手，仔細研究著手指，好像它們充滿了魔法和神奇。當然，在當過魔鬼之後，能找回之前的「舊手」，應該眞的是一件奇妙的事吧！迪米特里變回來的那一天，好像沒有這麼虛弱，可是他確實覺得很震撼。從那時開始，他的情緒就變得越來越低落。索婭也會嗎？還是她眞的會如維克多說的，想要再變回血族？

我不知道該說什麼好。一切都感覺怪怪的，令人非常尷尬。「雪梨去買吃的了。」我小聲對迪米特里說，「而且她替我値了半宿的班，好讓我昨晚可以睡一會兒。」

「我知道。」迪米特里微笑著說，「我出去查看過一次你們的狀況。」

我覺得臉騰地一下紅了，不知怎麼總覺得很尷尬，好像被人抓住了小辮子。「你也應該歇一會。吃完早飯以後，我來負責照看這裡。我向你保證，維克多的車子肯定開不了了，而且羅伯特好像真的很喜歡吃圈圈餅，如果你剛好也想吃的話，那只能對你的運氣說抱歉了。他似乎不是那種喜歡和別人分享的人。」

迪米特里笑得更開心了。

索婭突然抬起頭。「這裡還有另一個精神能力者。」她說，聲音非常慌亂。「我能感覺到，我記得他。」她看了看迪米特里又看了看我。「這裡並不安全，我們都不安全，你不應該讓我們留在這裡。」

「一切都很好，不用擔心。」迪米特里說，聲音非常、非常的輕柔。那種語氣在他身上很少出現，可我曾經聽他使用過，通常在我感到最絕望的時候，他就會用這種語氣來安慰我。

索婭搖著頭。「不，你不明白。我們……我們有很可怕的能力，對我們自己有危險，對別人也有危險。所以，我才會變成血族，就是為了不讓自己發瘋。雖然我的目的達到了，可是……事情卻變得更糟，那種感覺……我做的那些事……」

又來了，她和迪米特里一樣為自己的行為感到後悔。我有點害怕他會接著對她說什麼沒有辦法贖清罪過的話，於是搶著說：「那不是妳，妳是被控制了。」

她用雙手捂住臉。「可是，是我選擇變成這樣的。是我自己，是我讓一切發生的。」

「是精神能力的關係。」我說，「這點很難抗拒。像妳說的，它可以讓妳做一些很可怕的事，妳當時並不是清醒的。莉莎也一直在為同樣的事情奮戰。」

「瓦西莉莎？」索婭抬起頭，茫然地看著前方。我想她是在搜尋記憶。事實上，除了她現在說話有點漫無邊際之外，我覺得她的情緒已經不像成為血族前那樣不穩定了。我們都聽說過，治癒能力可以減輕精神能力的副作用，我想羅伯特將她變回來的同時，應該也趕走了一些她心裡的陰暗。

「對，沒錯。瓦西莉莎也是精神能力者。」

她惶恐地轉頭看著我。「妳幫助她了嗎？妳帶著她逃出去了嗎？」

「是的，」我說，試著用和迪米特里一樣輕柔的語氣。我和莉莎之所以離開聖弗拉米爾學院，有一部分原因也是出於索婭的警告。「我們逃出去了，不過後來又回去了……呃，這樣才能躲開那些一直追殺她的人。」我不認爲現在應該讓索婭知道這件事——或者說，是這個人——就是想要抓走莉莎的人現在正坐在客廳裡。我往前邁了一步。「妳也可以幫助莉莎。我們需要知道——」

「不行。」迪米特里說。他此刻的語氣一點都不溫柔，看著我的表情充滿了警告的意味。「現在還不是時候。」

「可是——」

「現在不行。」

我瞪了他一眼，但是沒有再說什麼。我也很想給索婭充分的時間恢復，可是我們不能無止盡地等下去，時間在流逝，我們必須問清楚索婭知道的事。我想，如果是迪米特里剛變回來，他一定會立刻告訴我們想要的資訊。當然，他之前沒有發瘋過，所以他還可以應付。不過，我們不能永遠留在肯德基州玩扮家家酒。

「我能去看看我的花嗎？」索婭問，「我能到外面去看看我的那些花兒嗎？」

我和迪米特里對看了一眼。「當然。」他說。

我們全都往門口走去，這時我問了一個必須要問的問題：「爲什麼妳要種這些花？當妳還是……還是那個樣子的時候。」

她停了一下。「我一直都種花的。」

「我知道，我也記得，那些花都很漂亮。這裡的花也都很漂亮，所以我才覺得奇怪……我是說，妳是希望能有一座美麗的花園嗎？哪怕身爲血族的時候也想要？」

這個問題非常出乎意料，似乎令她束手無策。就在我認爲她不會回答的時候，她終於開口說道：「沒有，我從來沒考慮過漂亮不漂亮的問題，這些不過是……我不知道，該做的事吧。一直以來我都在種花，我必須要試試看我還能不能種，就好像是……在測試我自己的技巧，我想是這樣。」

我又對上了迪米特里的目光。所以，美麗並不是組成她世界的一部分，就像我對他說過的一樣。血族的自負是眾所周知的，種這些花只不過是爲了證明他們的能力沒有減退，種花對她來說也是一種熟悉的習慣。我想起迪米特里還是血族的時候，也很喜歡看西部小說。身爲一名血族，要付出的代價就是他們對美好事物和道德的認知，但是那些原有的行爲和習慣卻被保留了下來。

我們領著她來到客廳，打斷了維克多和羅伯特的談話。索婭和羅伯特全都愣住了，彼此打量著，維克多則又用那種心知肚明的笑容看著我們。

「起來以後想轉一轉了。我們要打聽的事已經打聽到了嗎？」

迪米特里瞪了他一眼，和剛才我問這個問題時的表情一模一樣。「還沒有。」

索婭的目光從羅伯特身上飛快地看向通往院子的後門，當她看見一片狼藉時停了下來。「你們弄壞了我的門。」

「不小心波及到的。」我說。我的直覺告訴我，迪米特里可能正在翻白眼。

索婭不需要我們的守護，打開門走了出去，接著她輕呼一聲，停下來抬頭仰望天空。天空湛藍，沒有一絲雲彩，太陽此時已經跳出了地平線，將所有的東西都映照得金燦燦的。我也走了出去，感受陽光照在皮膚上的溫暖。雖然晚上比較寒冷，可是天氣太熱的話，我們還是會留在室內。

其他的人也都出來了，索婭卻是感觸最深的一個。她舉起雙臂，好像要抓住一把陽光將它抱在懷中的樣子。「眞美啊。」她終於轉過頭，看著我的眼睛，「不是嗎？妳見過這麼美麗的事物嗎？」

「美麗。」我喃喃重複道。不知爲什麼，我覺得既開心又難過。

她繞著院子走，仔細欣賞著每一株植物和每一朵花，摸著這些花的花瓣，聞著花的香氣。「太不一樣了……」她一直喃喃自語著，「在太陽下的感覺太不一樣了……」有幾株比較特別的花吸引了她的目光，「這些在晚上從不開花！妳看見了嗎？妳看見它的顏色了嗎？妳能聞到它的香味嗎？」

這個問題對任何一個人來說似乎都不是很特別。我們看著她，全都有些入迷。終於，她坐在花園的椅子上，高興地看著周圍，沉浸在滿滿的喜悅當中——沉浸在這個她身爲血族時，一直予以否定的美麗中。顯然，她一時半會兒不會回屋，我轉頭看著迪米特里，把雪梨的建議對他又說了一遍，告訴他在等待索婭恢復的時候，我們應該輪流休息。令我意外的是，他居然同意了。

「這麼做很明智，一旦索婭告訴我們答案，我們就必須馬上動身。」他微微一笑，「雪梨已經快變成軍師了。」

「嘿，這裡又不是她說了算。」我揶揄道，「她只不過是一個小兵而已。」

「說的對。」他伸手輕輕撫摸我的臉頰，「對不起，上尉。」

「是將軍。」我更正道，差點因爲他短暫的碰觸而無法呼吸。

迪米特里轉身進屋之前，前去和索婭道別了一下。索婭點點頭，可我不知道她是不是眞的聽明白了。維克多和羅伯特也從廚房拿了兩把木椅，挑了陰涼的地方坐下。我挑了個位置看著整個花園。沒有人講話。這雖然不是我經歷過最奇怪的事，可確實也蠻怪異的。

沒多久，雪梨帶著食物回來了，我立刻丟下這一群人跑向她。維克多的鑰匙已經放回了玄關，我認為這是個好兆頭。雪梨放下一大堆食物，遞給我一盒十二個裝的甜甜圈。

「希望夠妳吃。」她嘲笑道。

我做了個鬼臉表示對她的抗議，但還是接過了甜甜圈。「妳收拾好東西後到外面來，」我對她說，「外面好像在開該死的烤肉派對一樣，只不過……沒有烤爐。」

她有些迷惑，不過當她稍後來到花園裡，似乎就明白了我的話。羅伯特拿了一碗圈圈餅，可是雪梨和維克多誰都沒有吃。我拿了一個甜甜圈給索婭，這是她進到這個花園以後，第一樣能夠轉移她注意力的東西。她雙手捧著甜甜圈，拿著它翻來覆去地看。

「我不知道我能不能……我不知道我能不能吃。」

「當然可以。」我回想起迪米特里看著食物猶豫不決的樣子。「這是巧克力口味的。好東西。」

她緊張地像兔子一樣咬了一口，然後嚼了上億次才終於把它嚥下去。她閉上眼睛嘆了口氣。「眞甜啊。」她繼續一小口一小口慢慢地咬著，大概花了快一輩子的時間才吃完半個甜甜圈，就這樣，她用這種方式把一整個吃完了。這時我已經嗑掉了三個，一股想要完成任務的焦急情緒也湧現出來。有一部分原因仍是因為精神能力的副作用，有一部分則是因為想要幫助莉莎的焦躁心情使然。

「索婭，」我和善地說道，同時心裡很清楚，如果迪米特里知道我沒有聽他的話會有多麼火大。「我們有點事情想要問妳。」

「呃——嗯。」她這麼回答道，眼睛卻看著那些圍著蜂巢亂飛的蜜蜂。

「妳有沒有親戚……呃，曾經生過孩子？」

「當然。」她答道。其中一隻蜜蜂已經離開蜂巢，飛到了一朵玫瑰上，可她的目光卻沒有移開。「有很多。」

「準確。蘿絲瑪麗，」維克多諷刺道，「問得眞是非常準確。」

我咬住嘴唇，知道發脾氣很可能會嚇到索婭。可能還會嚇到羅伯特。

「生下的這個孩子應該是沒人知道的。」我對她說，「而且妳還繼承了一個銀行帳戶，那是用來撫養這個孩子的……匯錢到這個帳戶裡的人是艾瑞克．德拉格米爾。」

索婭突然轉過頭來看著我，此時此刻，她的那雙藍眸裡已沒有了那種空洞、夢幻的眼神。她開口之前想了想，聲音冷冰冰的——雖然不是血族的聲音，可絕對是那種相當不友善的聲音。「不，這件事我從沒有聽說過。」

「她撒謊。」羅伯特說。

「我不需要任何超能力也看得出來。」雪梨嘲弄道。

我沒有理會他們。「索婭，我們都清楚妳知道，而且這件事非常重要，我們必須找到這個嬰兒……呃，孩子。這個人。」我們雖然猜過這個孩子的年紀，可並不敢百分之百地肯定。「妳剛才也說過，妳很擔心莉莎。如果妳告訴我們就是在幫她，她必須要知道，必須知道她還有另外一個親人。」

索婭轉過頭去，繼續看著那些蜜蜂，我知道她其實並沒有眞的在看牠們。「我什麼都不知道。」她的話語中有一絲顫抖，直覺告訴我不應該逼她逼得太緊，我不知道她是在害怕，還是又處於崩潰邊緣。

「那爲什麼帳戶是妳的名字？」這句話是維克多問的。

「我什麼都不知道。」她重複了一遍，聲音已經冷得可以掛在樹上當裝飾品了。「什麼都不知道。」

「別再說謊了！」維克多厲聲道，「妳肯定知道些什麼，快告訴我們。」

「嘿！」我喊道，「閉嘴。你沒有權利在這裡問東問西的。」

「那是因爲妳不能勝任這個工作。」

「閉上嘴，好嗎？」我又轉頭看著索婭，重新擺出一副笑臉。「拜託，」我央求她道，「莉莎現在遇到了麻煩，這件事能夠幫助她。我記得妳以前也說過，妳很希望能夠幫助她吧？」

「我答應過……」索婭說，她的聲音壓得低低的，我幾乎沒聽見。

「答應什麼？」我問道。耐心，耐心。我必須保持冷靜。我不能冒險發飆。

她緊緊閉上眼睛，用雙手用力抓著自己的頭髮，好像一個就快要發脾氣的孩子。「答應過不說的，答應過不告訴別人……」

我有種想要跑過去用力搖晃她的衝動。耐心，耐心。我不停對自己說道。不能嚇到她。「如果這件事情不重要的話，我們也不會要妳違背誓言。也許……也許妳可以和這個人聯絡一下……」她答應過誰？艾瑞克的情婦嗎？「看看能不能告訴我們？」

「哦，看在上帝的份上。」維克多不耐煩地說，「這種荒唐的對話什麼都問不出來。」他看了看自己的弟弟，「羅伯特？」

今天一天，羅伯特都還沒有做過什麼離譜的事，不過他一聽見維克多的命令，便將身子往前探去。「索婭？」

索婭顯然很煩躁，可是卻仍轉過頭來看著他……而且面無表情。

「把我們想知道的事告訴我們。」羅伯特說。他的聲音並不是那種柔和迷人的類型，反而有點邪惡的感覺。「告訴我們這個孩子是誰，他在什麼地方。告訴我們他的媽媽是誰。」

這下，我眞的跳起來了。羅伯特爲了要得到答案，正在對她催眠。索婭的眼睛仍然牢牢地看著他，可是她的身子卻在不停地抖動，她的嘴唇微張，卻沒有發出聲音。我突然很掙扎。催眠也許能令我們得到想要的答案，可直覺告訴我，這麼做是不對的——

索婭的表現令我不再猶豫。她幾乎是和我一樣快地跳起來，此刻她仍看著羅伯特，可是已經不再是那種迷惑、陷入催眠狀態的樣子了。她打破了這個催眠咒語，現在……輪到她發怒了。她之前那種易受驚嚇、脆弱的外表不見了，此刻轉爲了狂怒。我雖然不會魔法，可是和莉莎在一起久了，精神能力者發起怒來的樣子我一看就知道。索婭現在是一顆炸彈，即將爆炸。

「你怎麼敢……」她斷聲說道，「你怎麼敢催眠我？」

羅伯特周圍的植物和藤蔓突然全都像是有了生命力，長得不可思議的高，它們伸了出來，纏繞住他的椅腳，用力扯動起來，椅子翻了過去，羅伯特也跟著摔了下去。維克多跑過去想幫助他的弟弟，可是羅伯特已經親手反擊了，他飛快地回過神來，瞇起眼睛看著索婭，索婭整個人立即往後飛去，撞在了木籬笆上。氣元素的使用者有時可以使用這種招數，可是讓她飛出去的並不是氣體，而是精神能力者的意念控物能力。顯然他在夢境以外的地方也能使用這種力量，好極了。

我曾經見過精神能力者用意念戰鬥，當時愛瑞．樂澤和莉莎就曾經一對一地打過一仗，但是沒有這麼厲害，特別是沒有這麼多的超自然現象發生，愛瑞其實是闖進了莉莎的意識裡——還有我的。我不知道羅伯特和索婭的眞正實力，不過顯然不僅於此。

「迪米特里！」我喊道，朝著索婭跑了過去。我其實並不清楚自己應該怎麼做，不過鉗制住她似乎是個可行的計畫。據我所知，有很多精神能力者只要用眼神就能攻擊目標。

當然，當我設法把她壓在地上的時候，她雖然有些掙扎，可是仍用了大部分的精力來瞪視羅伯特。羅伯特突然痛苦地大叫，害怕地低頭看著自己的身體，顯然索婭正在他的意識裡製造幻覺，他的表情非常嚴肅，想必知道這是幻覺。過了一會兒，他抬起頭，應該是已經打破了她的咒語，就像她剛才打破他的催眠咒一樣。

這時，迪米特里從門口衝出來，剛好羅伯特用意念向索婭丟了一把椅子。當然，鑒於我趴在索婭身上，所以那把椅子打中的其實是我的後背。迪米特里很快理解了眼前的一切，便跑向羅伯特，試著像我一樣把他也按在地上。維克多很可能以爲他的弟弟會有危險，所以試圖要阻擋迪米特里，但肯定是沒有用的。這時，更多的藤蔓伸向了羅伯特，我意識到就算把索婭壓在身下也沒有多大用處。

「把他帶進屋裡去！」我向迪米特里大喊，「帶他到她看不見的地方！」

迪米特里已經想到了這點，開始將羅伯特往屋子裡拖去，而雖然有維克多搗亂，迪米特里的力量還是足以將羅伯特拖離這，回到屋子裡。當目標一消失，所有能量都自索婭身上退散而去，她不再反抗我，只是癱倒在地上。我也鬆了一口氣，不再害怕她會把目標轉移到我身上。我小心翼翼地扶著索婭坐起來，仍然不敢放鬆警戒，她像一個軟綿綿的布偶般靠在我身上，然後伏在我的肩頭開始大哭。這是另一種形式的爆發。

在這之後，所有的破壞都獲得了控制。爲了將這兩個精神能力者分開，迪米特里把羅伯特帶到臥室，讓維克多留在那裡看著他。羅伯特似乎和索婭一樣精疲力竭，而迪米特里在再三確定這對兄弟不會有危險之後才離開。此時，索婭已經躺在沙發上，我和迪米特里試圖讓她冷靜下來，因此當雪梨握住她的手陪在她身邊時，我們倆往旁邊退了一些，和她們保持一段距離。

我簡單地重述了一遍事情的經過，迪米特里的臉色則和我一樣變得越來越差。

「我早就告訴過妳現在還不是時候！」他喊道，「妳到底在想什麼？她還這麼虛弱！」

「你稱這種情況叫做虛弱？而且，我處理得很好！如果不是維克多和羅伯特出來搗亂，事情才不會變得這麼糟。」

迪米特里朝我邁近了一步，渾身散發著怒氣。「他們從一開始就不應該捲進來。都是因爲妳，又開始衝動而愚蠢地行動，完全沒有考慮過後果。」

這下，我也壓不住火氣了。「嘿，我一直希望事情能夠有所進展，而如果所謂的有理性就是坐在這裡等她好起來，那我很高興自己剛才跳出來行動了。我可不怕跟人打架。」

「妳根本不知道自己在說什麼！」他咆哮道。我們離得這麼近，兩個人之間幾乎一點空間都沒有，隨時都有可能動起手來。「這樣做讓我們又回到了原點。」

「這麼做是讓我們往前進。我們已經知道了她清楚關於艾瑞克・德拉格米爾的事，問題是她答應過別人，不告訴別人這個孩子的事。」

「對，我答應過。」索婭在一旁說道。我和迪米特里同時轉過身，這才想到我們方才的爭執都落入了索婭和雪梨的耳目之中。「我答應過。」她的聲音非常微弱，好像是在懇求我們。

雪梨握了握她的手。「我們知道。沒關係的，妳可以繼續保密，我能理解。」

索婭感激地看著她。「謝謝妳，謝謝妳。」

「可是，」雪梨小心翼翼地說，「我聽說妳也很關心莉莎・德拉格米爾……」

「我不能說。」索婭打斷她，再次露出恐懼的神情。

「我知道，我知道。可是如果有一種妳不用違背誓言，也能夠幫助她的辦法呢？」

索婭瞪著雪梨，迪米特里則用詢問的目光看著我。我聳聳肩，也看向雪梨。如果有人問，誰能夠安撫這個剛剛從不死魔鬼變身回來的瘋女人，雪梨・撒吉肯定是我最後一個會想到的人選。

索婭皺著眉，全神貫注地看著雪梨。「妳、妳是什麼意思？」

「呃……妳究竟是怎麼答應的呢？發誓不告訴別人艾瑞克・德拉格米爾有個情婦，還生了個孩子？」

索婭點點頭。

「還有不告訴別人她們的名字？」

索婭又點點頭。

雪梨用我在煉金術士臉上見過最溫暖、最友好的笑容看著索婭。「妳答應過不告訴別人她們住在哪裡嗎？」索婭點點頭，雪梨的笑容變得有些勉強。忽然，她的眼睛一亮。「妳答應過不帶別人去找她們嗎？」

索婭有些猶豫，毫無疑問地她正在腦子裡仔細回想著每一個字。然後，她緩緩地搖了搖頭。「沒有。」

「所以……妳可以帶我們去找她們，不過不用告訴我們她們究竟住在哪裡。這樣就不會打破妳的承諾了。」

這是我聽過最複雜、最荒唐的邏輯。不過，我很贊同。

「也許吧……」索婭仍然沒有下定決心。

「妳不用打破承諾，」雪梨重複道，「而且這麼做，真的、真的能夠幫助莉莎。」

我往前走了一步。「也可以幫助米哈伊爾。」

聽見她前任愛人的名字，索婭相當驚訝。「米哈伊爾？妳認識他？」

「他是我的朋友，也是莉莎的朋友。」我差點要說，只要帶我們找到那個神祕的德拉格米爾，我們馬上就帶她去見米哈伊爾，但是想到迪米特里會認爲這麼做很卑鄙，我決定還是先不這麼做。我不知道索婭重新見到她的情人會有什麼反應。「他也很想幫助莉莎，卻沒有辦法。我們都沒有辦法，我們一點線索都沒有。」

「米哈伊爾……」索婭再次低頭看了看自己的雙手，幾滴淚水順著她的臉頰滑落下來。

「妳不會違背誓言的。」雪梨用催眠般的語氣說道，彷彿她也是一個精神能力者。「只要帶我們去就好了。這是米哈伊爾和莉莎都希望見到的事，是正確的事。」

我不知道是哪句話打動了索婭。有可能是提到了米哈伊爾，也有可能是聽見了那句「這是正確的事」，或許她和迪米特里一樣，也想要補償她身爲血族時犯下的罪行，而這就是她的一個機會。

她抬起頭，吞了口口水，盯著我的眼睛，很小聲地說：「我帶你們去。」

「我們馬上又要上路了。」雪梨宣佈道，「大家準備吧。」

我和迪米特里仍站在彼此身旁，但兩人間的憤怒已經開始消散。雪梨看上去很自豪，她繼續盡自己最大的努力安慰索婭。

迪米特里低頭看著我，微微一笑，而且似乎意識到我們兩個離得太近，稍稍往後退去。不過，我不是很確定。他的臉色有些不自然。至於我，我非常清楚我們兩個之間的親密無間，而且因爲他的身體和味道而覺得小鹿亂撞。爲什麼和他一起戰鬥，總會增強他對我的吸引力？當他扭頭看向雪梨的時候，又露出了笑容。「妳錯了。她確實是這個鎮上的新任將軍。」

我也笑了笑，希望他沒有注意到我的身體因爲兩個人的近距離接觸而產生的異樣。「也許吧，不過沒關係，你還可以當上校嘛。」

他揚起眉毛。「哦？妳給自己降級了嗎？上校的軍階可是比將軍低喲。那妳要當什麼？」

我把手伸進口袋，得意洋洋地晃著CR-V的鑰匙，這是我們進門的時候我偷偷拿到的。「司機。」

# 21

結果我還是沒有開到車。

「將軍」雪梨也沒有，雖然她很氣憤，可迪米特里狡言說服了她。

事情是從維克多發現他的車子「引擎出現問題」開始的。他雖然很不高興，但是也沒有說什麼，而我想這裡的每個人——包括索婭和羅伯特——都能猜出這起零件故障事件並不是巧合。這意味著我們全都要擠在這台CR-V裡，可是顯然車子的設計者並不打算讓這台車上坐這麼多人——所以迪米特里想出了一種非常有創意的座位安排方法。當然了，其中一個「座位」是車子的行李廂。那地方空間很大，可是當雪梨發現那是她的座位時，便開始控訴迪米特里搶走她車鑰匙的行爲，是對她的侮辱和傷害。

我沒敢告訴雪梨，其實讓她坐在行李廂眞的是一個不錯的安排。迪米特里分派座位的方法，可以盡量降低車內的各種威脅：迪米特里開車，羅伯特坐在副駕駛座上，我和維克多和索婭三個人坐在後座上，而我則夾在他們兩人中間。這樣每一排都有守護者，而且不但把這對兄弟分開，也把兩個精神能力者分開了。我曾經抗議過，說如果讓我開車，也一樣可以保證大家的安全，迪米特里卻指出，如果我開車的時候突然被拽進了莉莎的意識裡，對大家都很危險。這點我無法反駁。至於雪梨……好吧，反正她既不是敵人又不能當戰友，所以就讓她在行李廂裡看行李好了。說到這個該死的行李……

「我們必須現在就制伏維克多和羅伯特。」我們把食物和少得可憐的行李放上車的時候（這種做法壓縮了雪梨的空間，讓她更不高興了），我小聲對迪米特里說道。「需要他們幫忙的地方已經完成了，再把他們留在身邊很危險。是時候把他們交給其他的守護者了。」那對兄弟想要繼續和我們一起去找莉莎失散的手足。

「同意。」迪米特里輕皺眉頭，「可是現在並沒有特別好的機會。我們不能把他們捆起來丟在路邊，爲了預防他們逃跑，也不能讓他們自己單獨開車。可是，我們也不能一直帶著他們，原因顯而易見。」

我把一個大包包放進車子裡，靠在保險桿上。「雪梨可以負責押送他們。」

迪米特里點點頭。「也許這是最可行的辦法——可是我們一時半會兒還少不了她，直到我們到了……嗯，要到的地方之前。我們可能還需要她幫忙。」

我嘆了一口氣。「所以說，他們也要一起帶上了。」

「恐怕是。」他說著，謹慎地看了我一眼，「妳知道的，當他們被關起來之後，很有可能會把我們的事告訴上頭。」

「沒錯。」我也想到了這點，「我覺得這個問題還是到時候再想，先解決眼前的問題吧。」

令我驚訝的是，迪米特里居然笑了。我本來以爲會得到一個吝嗇的表揚。「嗯，我們一直都是採用這種戰略的，不是嗎？」

我也微微一笑，沒多久，我們便上路了。幸運的是，維克多一路上並不像往常那樣嘮嘮叨叨，惹人討厭——我想這有可能是他沒有血可以喝，所以身體變得很虛弱的緣故。索婭和羅伯特也是一樣。如果我們不馬上找到一個餵食者，事情會變得很麻煩，可我不知道上哪去找餵食者。我有種感覺，雪梨並沒有意識到這個問題，但這樣也好。身爲人類，置身於一群饑餓的吸血鬼當中，肯定會相當緊張。從這方面來看，讓她自己一個人坐在後車廂裡，可能還比較安全一點。

索婭指路的方式非常含糊而簡略，她只肯說幾個字，通常不會提前告訴我們要在哪裡拐彎，只有當我們開到那個路口的時候才會告訴我們。我們不知道要去哪裡，也不知道要開多久。她看了看地圖，告訴迪米特里往北，上I-25高速公路。當我們稍後問道要開多久才能到的時候，她只是說：「沒多久，幾個小時吧，也許再久一點。」

她做出這種神祕的解釋之後，就靠回座位，什麼都不肯再說了。她的表情好像有無限煩惱，鬱鬱寡歡。我試著想像她此刻的心情。一天之前的她還是血族，她是不是還在消化發生的這些事？她也和迪米特里一樣，經常見到被她殺死的那些人的臉嗎？她會因爲內疚而折磨自己嗎？她會想要重新變回血族嗎？

我讓她一個人沉思，現在不是爲她做心理治療的時候。我也靠在座椅上，讓自己沉澱下來。突然，一股感應的力量一閃而過，吸引了我的注意力。莉莎醒了。我眨了眨眼，看了看儀表板上的時間。現在是人類的下午時間，皇庭裡的莫里現在應該還在睡覺，但是我感覺到的沒錯，確實有什麼把她吵醒了。

兩名面無表情的守護者站在她的房門口。「妳得跟我們走。」其中一個說，「現在要去進行第二輪的測試了。」

莉莎非常驚訝。她知道第二輪測試很快就會開始，可是耐力測試結束後，她並沒有收到更確切的消息。雖然上一場測試也是在莫里的夜晚進行的，可至少她事前收到了通知。愛迪站在離她房間不遠的地方，他幾個小時以前接替了我媽媽，進行保護莉莎的工作。克里斯蒂安坐在莉莎的床上，打著哈欠。他們並沒有做什麼天雷勾動地火的事，莉莎只是喜歡有他的陪伴。雖然有愛迪在，可是對莉莎來說，和自己的男友纏綿一下並不算一件奇怪的事，就和我媽媽在場時一樣。我不會因此責怪她。

「我能換件衣服嗎？」莉莎問。

「請快一點。」守護者說。

她抓起手邊離她最近的一套衣服，匆匆忙忙跑進浴室，心裡既困惑又緊張。當她走出來的時候，克里斯蒂安已經穿好了牛仔褲，正在找他的T恤。與此同時，愛迪打量著那兩個守護者。我能猜出他的想法，因爲我也在想同樣的事。這樣的晨間提醒流程似乎很正規，可他不認識這兩個守護者，不知道應不應該相信他們。

「我能送她去嗎？」愛迪問。

「只能送到測試場地爲止。」另一個守護者說。

「如果我送呢？」克里斯蒂安問。

「只能送到測試場地爲止。」

守護者的回答令我非常驚訝，不過後來，我意識到對這些競選王位的候選人來說，有人護送到考場可能是很平常的事——哪怕是這種突來的午夜測試。或許，並不是那麼突然，皇庭的廣場平時人並不多，可是當他們一行人到達目的地——一棟偏僻、陳舊的小磚樓——走道裡已經站了好幾群莫里。很顯然，消息走漏了。

這些人都畢恭畢敬地站在一旁，雖然有幾個人——可能是來支持其他家族的——對她怒目相向，不過大多數人還是都朝她露出微笑，喊著「巨龍要回來了」之類的口號。有幾個人甚至還伸出手爭相碰觸她的手臂，好像想要從她身上獲得運氣或力量。這些人比起第一場測試結束後前來迎接她的人要少得多，這稍微減輕了她的焦慮，卻沒有動搖她之前說過的要認眞看待這些測試的信念。那些旁觀者的臉上閃現出敬畏和好奇，想知道她會不會是下一任統領他們的人。

走道盡頭的一扇大門，宣告了她這一趟路程的結束。無論是克里斯蒂安還是艾迪，都被告知他們只能送到這裡。莉莎在跟隨其中一名守護者進去之前，回頭看了他們兩個一眼，希望從這兩個支持她的朋友身上獲得慰藉。

在經歷了史詩歷險般的第一場測試之後，莉莎以為這次的測試也應該是這樣。可是，她看見的卻是一間幾乎空無一物的屋子，屋裡有一個莫里老婦人，她正舒服地坐在一張椅子裡。她的雙手放在膝頭，拿著一個用布纏繞起來的東西，口中哼著小曲，似乎非常愜意。而且，我說她是老婦人，代表她眞的很老。莫里一般都能活到一百歲，但這個女人顯然已經不只一百歲了，她蒼白的皮膚全都鬆弛了，皺巴巴的，一頭白髮不僅柔細且稀疏。她看見莉莎進來之後，微微一笑，揚揚下巴，示意她在一張空椅子上坐下。椅子旁邊的小桌子上放著一個盛著水的玻璃瓶，守護者離開了，房間裡只有這個老婦人。

莉莎看了看四周。這裡沒有別的傢俱，不過她進來的那扇門對面還有一道門。她坐定位後，抬頭看著老婦人。「妳好。」莉莎努力讓自己的聲音聽起來很鎮定，「我是瓦西莉莎．德拉格米爾。」

女人的笑容加深了些，露出一口黃牙，她的其中一顆尖牙已經掉了。「你們家族的人總是這麼有禮貌。」她聲音沙啞地說道，「大多數人進來的時候，都是命令我馬上開始測試。不過，我還記得妳的爺爺，他來接受測試的時候，也是這麼有禮貌。」

「妳認識我爺爺？」莉莎喊道。他在她年紀還非常、非常、非常小的時候就過世了。突然，她反應過來這句話裡的另一層涵義。「他也參加過競選？」

女人點點頭。「所有的測試他都通過了。我本來以為他會贏得選舉，可是在最後一刻，他卻退出了。在那之後，就只剩下塔蒂安娜．伊瓦什科夫和雅格．塔魯斯。那兩人的票數非常接近，直到現在，塔魯斯家族的人還對此耿耿於懷。」

莉莎從來沒有聽說過這件事。「爲什麼我爺爺要退出呢？」

「因爲當時妳哥哥剛出生，費德里克認爲他應該把精力放在照顧家人上面，而不是統治整個國家。」

莉莎非常能夠理解。那時德拉格米爾家族有多少人呢？她的爺爺，她的爸爸，還有安德烈——而她媽媽，是在嫁過來以後才算是其中一員。艾瑞克・德拉格米爾沒有幾個兄弟姊妹。莉莎對爺爺的事情知道得很少，但如果換成是她，她也會寧願把時間用來陪伴自己的兒孫，而不是像塔蒂安娜那樣，去聽那些沒完沒了的演講。

莉莎的腦子裡滿是好奇，在此同時，老婦人正仔細地觀察著她。「這……就是今天的測試內容嗎？」沉默了許久之後，莉莎出口問道，「今天的測試，是用面談的方式嗎？」

老婦人搖了搖頭。「不，這才是。」說著，她打開放在膝上的東西。那是一個杯子——可能是聖餐杯，也可能是高腳杯。我不太確定。那個杯子很漂亮，是用純銀打造的，閃著銀質器皿特有的光芒，杯沿鑲了一圈血紅色的寶石，每一顆的光芒都和杯子交相輝映。老婦人溫柔地看著它。

「雖然它已經有一千年的歷史了，卻還是這麼漂亮。」我和莉莎正想著她的話是什麼意思，只見她拿起玻璃瓶，在杯子裡倒滿了一杯水。一千年？我不是金屬專家，可也知道經過了這麼久的時間，銀質物品肯定會氧化。老婦人將杯子遞給莉莎。「喝了它。如果妳想停下的話，就喊『停』。」

莉莎接過杯子，覺得眼前的狀況很難理解。什麼事會讓她想停下來？喝水嗎？不過，當她的手指一碰到杯子，立刻就明白了。呃，算是吧。一股電流竄過她的身體，這種感覺她太熟悉了。

「這個杯子被下了咒語。」莉莎說。

老婦人點了點頭。「裡面注滿了四種元素，還有一個早就被遺忘的咒語。」

還有精神能力，莉莎想。這一點可能也被人忘了，而這令莉莎很緊張。自然元素的符咒會產生不同的影響，通常每個符咒——就像她身上的那個小紋身——裡面都會再加上一點點催眠咒。如果把四種元素全都注入銀樁，或是用來製造結界，就可以產生足以對付不死惡魔的力量。可是精神能力……呃，她很早就明白，精神能力的符咒能夠被廣泛地應用，而且能夠產生無法預料的影響，而清水無疑是用來啓動這個符咒的。莉莎有種感覺，會在這個符咒裡發揮主要作用的，是精神能力，而就算這種能力就在她的血液裡流淌，仍然令她害怕。注入這個杯子的符咒非常複雜，超出了她的能力範圍，她很怕這個符咒對自己產生的影響。

老婦人眼睛一眨不眨地看著她，而莉莎只猶豫了一會兒，便喝光了杯子裡的水。

現實的世界漸漸模糊，隨後，她進入了一個完全不同的世界。我和她都意識到這是什麼：一場靈夢。

她不再是站在那個簡陋的房間裡，而是在戶外，微風吹拂著她的長髮，髮絲在她眼前飄舞，她試著將它們撥開。她的身邊站了很多人，所有人都穿著黑衣服，莉莎立刻認出這裡是皇庭的教堂和墓地。莉莎自己也穿著一身黑，外面套了一件很長的羊毛大衣以抵禦嚴寒。所有人都聚集在墓地，牧師站在旁邊，他的牧師長袍是這個陰鬱的天氣裡唯一一抹亮色。

莉莎走了幾步，想要看清楚墓碑上頭的名字，然而當她看清楚之後，帶給我的震撼比給她的更強烈——蘿絲瑪麗・海瑟薇。

我的名字用華麗、精巧的字體刻在花崗岩墓碑上。在我的名字下方，有一個代表戰鬥的星形記號，意味著我生前殺死的血族數量多不勝數。饒了我吧。在這下面還有三行小字，分別是用俄文、羅馬尼亞文和英文寫的。我不用看英文翻譯，也知道每行字的意思，因爲每個守護者的墓上都必定有這行字：永遠效忠。

牧師開始致悼念辭，希望連我都不知道我信不信的主讓我安息。不過，此處最奇怪的事情是，我居然見證了自己的葬禮。牧師致詞完畢後，輪到奧伯黛。這些對生平的讚美致辭，和經常在其他守護者葬禮上聽到的沒什麼兩樣——只不過奧伯黛說的都是關於我的事。如果我在場的話，肯定會被感動得痛哭流涕。她以我經歷的最後一次戰鬥作爲結語，詳細講述了我是怎麼爲了保護莉莎而死的。

我其實並不覺得奇怪。別誤會，這裡發生的每件事確實都很瘋狂，可是如果理智地來看，如果我看見的眞的是自己的葬禮，那麼我的死因是爲了保護莉莎，也是非常合情合理的。

莉莎的感受卻和我不一樣。這個消息像一巴掌打到她的臉上，她突然覺得自己的胸口升起一陣可怕的空虛感，彷彿身體有一部分不見了一樣。心電感應通常只有單向作用，可是羅伯特仍然發誓說，他的影吻者死了以後，他也覺得非常痛苦。莉莎現在明白了，那種可怕的、孤獨的痛楚。此時，她非常懷念某些從來沒有意識到自己擁有過的東西，淚水在她眼眶裡打轉。

*這是夢*，她對自己說，*全都是夢*。可她從來沒有作過這種靈夢。她作過的靈夢都是和艾德里安一起經歷的，而那些夢感覺起來就像是一通通的電話。

來參加葬禮的人全都離開以後，莉莎感覺有人拍了拍自己的肩膀。是克里斯蒂安。她感激地投進他的懷抱，用力忍住想要抽泣的衝動。他的感覺是那麼眞實、那麼堅強，而且很有安全感。「這是怎麼回事？」莉莎問，「這到底是怎麼回事？」

克里斯蒂安放開她，冰藍色的眼睛裡流露出來的認眞和悲傷是我從未見過的。「妳知道的，那些血族想要殺了妳，她爲了救妳，犧牲了自己。」

莉莎絲毫都不記得。「我……我不相信居然會發生這種事。」那種痛苦的空虛感在她心裡慢慢擴大。

「我還有個比這更糟的消息要告訴妳。」克里斯蒂安說。

她震驚地張大了眼睛。「還有什麼能比這件事更糟？」

「我要離開了。」

「離開……離開哪裡？皇庭嗎？」

「對，離開這一切。」他的表情更加悲傷，「離開妳。」

莉莎震驚極了。「怎麼……怎麼了？我做錯了什麼？」

「妳沒有錯。」他握了握她的手後又鬆開。「我愛妳，我一直都很愛妳。可是，妳是那個人，是德拉格米爾家族的最後一員。妳總會走上某條路……我只會妨礙妳。妳需要重振妳的家族，可我不是妳需要的那個人。」

「你當然是！你是唯一的一個！唯一一個我想要一起共創未來的人。」

「妳現在會這麼說，可是等到以後呢？還會有更好的選擇。妳也聽到艾德里安開的玩笑了──『小德拉格米爾』。幾年以後，當妳準備好要生育，肯定會想要擁有許多後代，畢竟德拉格米爾家族需要重新壯大。可我呢？我還沒做好承擔這一切的準備。」

「你會是個好父親的。」莉莎爭辯道。

「對，」他冷笑著說，「可我也會是妳最大的累贅──公主殿下居然嫁給了一個父母是血族的人。」

「這些我都不在乎，你知道的！」她揪著他的襯衫，強迫他看著自己。「我愛你，我希望你成為我生活中的一部分，要不一切就沒有意義。你怕了嗎？是嗎？你怕受我家族姓氏的拖累？」

他避開莉莎的目光。「我只能說，這不是一個令人負擔得起的姓氏。」

她用力搖晃著他。「我不相信你的話！你什麼都不害怕！你從來都不會退縮的！」

「我現在就退縮了。」他輕輕掙脫開她揪著自己衣服的手。「我真的愛妳，所以才會這麼做。這是最好的決定。」

「可是你不能……」莉莎指了指我的墳墓，但是克里斯蒂安已經走開了。「你不能走！她已經走了，如果連你也走了，就沒有人……」

可是克里斯蒂安已經走了，消失在幾分鐘之前還不存在的大霧之中，只剩下我的墓碑陪伴著莉莎。這是她有生以來第一次眞正面臨孤獨。她失去所有家人的時候，還有我當她的依靠，在她背後一直支持她、保護她；當克里斯蒂安出現之後，他也趕走了她的孤獨，用愛將她的內心重新塡滿。

可是現在……現在我們都不在了。她的家人也沒有了。一個恐懼的黑洞吞噬了她，比失去心電感應的那個洞還要大。孤獨是一件非常、非常可怕的事，沒有人可以擁抱，沒有人可以傾談，沒有人關心你身上發生了什麼事。在森林裡的時候，她也是一個人，可那種感覺和現在一點都不一樣，完全不一樣。

她環顧四周，希望能夠鑽進我的墓地，結束掉她內心的折磨。不……等一下，其實她可以眞的結束掉這一切。喊「停」，那個老婦人是這麼說的。這樣，所有的痛苦就都會停止了。這是一場靈夢，不是嗎？對，雖然比一般的靈夢還要眞實、令人心力交瘁，可是說穿了，所有的夢都會醒。一個字，就可以結束這場惡夢。

她看著空蕩蕩的皇庭，幾乎就要說出那個字了。可是……她眞的想要結束這一切嗎？她不是說要努力通過所有的測試嗎？難道一個夢境就可以令她放棄？一個關於孤獨的夢？看上去這不過是小事，可是這時殘酷的事實再次擊中她：我從來沒有這麼孤獨過。她不知道自己能不能承受這一切。這時，她意識到如果這不是一場夢的話——天哪，眞的不像——在現實生活裡是不會有魔法令它結束的，如果她連夢中的孤獨都沒辦法處理，那麼就算醒了之後也不可能辦到。雖然這令她十分害怕，可是她絕不會認輸。一股不知哪裡來的力量促使她向大霧走去，而她最後眞的向大霧走去了——獨自一人。

那片大霧的後方應該是教堂的墓地才對，可是，那後面的世界又變了，她發現自己正處在議會大廳。這是一次對外的會議，底下坐滿了來旁聽的莫里，可是和以往不同的是，莉莎不再坐在觀眾席裡。她坐在議會成員的那張桌子後面，坐在第十三把椅子上。她坐在德拉格米爾家族的位子上。中間的那把椅子則是君主的位子，此時坐在上面的人是阿里亞娜・澤爾斯基。這絕對是夢，她在心裡冷笑道。她居然在議會裡有了席位，而且阿里亞娜還成爲了女王。這太美好了，好得不像是眞的。

和往常一樣，議會裡正進行著激烈的討論，議題非常熟悉：年齡法案。有幾個議員認爲這麼做是不道德的，其他的人則說，血族的威脅太大了，非常時期就要採取非常手段。

阿里亞娜瞥了莉莎一眼。「德拉格米爾家族的意見是什麼？」阿里亞娜既沒有當選前那麼和善，但也沒有像塔蒂安娜那樣高傲，她抱持著中立的立場，正在聽取她所需要的各種意見。大廳裡所有人的目光都投向了莉莎。

不知爲什麼，所有的想法都從她的腦海裡溜走了，她的舌頭感覺好像有千斤重。她怎麼想的？她對年齡法案的看法是什麼？她絕望地想要挖出一個答案來。

「我……我覺得它很不好。」

李・澤爾斯基，這個在阿里亞娜成爲女王之後接替了她位置的人，不屑地哼了一聲。「妳能說得詳細一點嗎？公主殿下。」

莉莎吞了口口水。「降低守護者的年齡並不能保護我們。我們應該……我們應該學會保護自己。」

她的話一出口就引起了一片騷動。「請妳告訴我們，」霍華德．齊科洛斯說，「妳有什麼計畫嗎？妳的目的是什麼？訓練所有的莫里，不顧他們年紀大小？還是準備在學校裡開設一門課程？」

莉莎再一次答不上來。她的計畫是什麼呢？她和塔莎曾經討論過無數次，甚至詳細到應該怎麼做才能將訓練推廣開來。事實上，塔莎幾乎是強迫她將這些細節都記起來了，希望藉由莉莎讓她的聲音被別人聽到。現在，她就在這裡，代表她的家族參加議會，正面臨一個可以改變形勢、改善莫里生活的大好機會，她只需要把自己的想法解釋清楚就行了。這麼多人都指望著她，這麼多人都耐心地等著聽她會說什麼，可是那些話是什麼？為什麼莉莎一個字都想不起來了呢……她一定是想答案想了太久，因為霍華德已經鄙視地攤開了雙手。

「我知道，我們都是傻子，才會讓這個小女孩來參加議會。她根本就提不出有用的提議。德拉格米爾家族已經完蛋了，他們家就斷送在她的手上了，我們必須承認這點。」

*他們家就斷送在她手上了*。自從醫生將她父母和兄長全都死去的消息告訴她的那一刻起，這個身為家族最後一名成員的壓力，就一直壓在她身上。歷史上有很多偉大的國王和女王，都是他們家族的最後一員，他們領導莫里進入了一個嶄新的時代。莉莎一遍又一遍安慰自己，說她不會辜負家族的希望，她會親眼看見自己的家族重振聲望。可是現在，這一切都完了。

就連艾德里安，這個莉莎認為會支持她的人，看上去好像也很失望。觀眾席裡發出一片噓聲，全都喊著要將這個舌頭打結的孩子從議會裡趕出去，他們大喊著要求她退場。更可怕的是這個口號：巨龍已死！巨龍已死！

莉莎本來想試著再努力發言一次看看，可是這時某件事吸引她回過頭去。她身後的牆上懸掛著十二個家族的家徽，一個不知道從哪冒出來的人，正將德拉格米爾家族的家徽從牆上摘下來，那上頭畫了一條龍，還有一行羅馬尼亞文。莉莎的心猛地沉了下去，在此同時，大廳裡的叫喊聲越來越大，對她的羞辱也變本加厲。莉莎站起來，想要跑離此處躲藏起來，逃離這一切羞辱，可是她的腳卻自動帶著她走向那面掛滿家徽的牆。她不知道從哪來的力氣，一把將家徽從那個男人手裡搶了過來。

「不！」她大喊著，看著下面所有人，手裡高舉著家徽，挑釁地看著那些想要把家徽從她手裡奪回去，或者是剝奪她擔任議員權利的人。「這是我的！你們聽見了嗎？這是我的！」

她永遠都不會知道他們有沒有聽見，因爲這一切又全都消失了，就像之前的墓地一樣。一切又重歸寂靜。現在，她坐在聖弗拉米爾學院的醫務室裡，那種熟悉的細節奇異地讓人覺得安慰：放著橘紅色香皂的洗手台、貼著標籤且乾乾淨淨的櫥櫃和抽屜，甚至還有牆上那些宣傳健康知識的海報，上面寫著——敬告諸位：上床的時候注意安全。

同樣令人安心的還有學校現任的心理醫生：奧蘭德斯基醫生。不過並不是只有她一個人。莉莎坐在一張爲病人做檢查的床上，周圍站了一圈人，有一名叫做迪爾德的醫生，還有……我。看見我也在那裡的感覺蠻奇怪的，可是經歷了葬禮的事後，這些事情已經變得比較可以接受了。

莉莎的心裡湧出一股驚喜，可同時也混雜著許多她沒有辦法控制的情緒，比如見到我們時的高興情緒、對生活的絕望、迷惑、懷疑。她一時之間無法承受這麼多情緒和想法。這種感覺和在議會大廳的時候非常不同，她也沒辦法解釋清楚。她的思維此時已經變得清楚了——剛才她記不起來自己的觀點，而在這裡，她根本就不需要有觀點。她在這裡是一名精神有問題的病人。

「妳明白嗎？」奧蘭德斯基醫生問道，莉莎懷疑這個問題她已經問過一遍了，「這已經超出了我們能夠控制的範圍，藥物對妳已經不能產生作用了。」

「相信我，我們都不希望妳繼續傷害自己，而現在，連其他人都有危險了……呃，妳明白我們爲什麼一定要這麼做吧？」現在說話的是迪爾德。我一直認爲她是一個相當自以爲是的人，特別是她那種用問題回答問題的治療方法。可是，現在她的話裡一點那種狡猾的幽默感都沒有，似乎非常嚴肅認眞。

這些話莉莎全都聽不懂，但是那句「傷害妳自己」令她突然想到了某些事。她低頭看著自己的手臂——上面佈滿了刀傷。只要精神能力的副作用超過一定的程度，她就會這麼做來減輕壓力，這是她發洩的方法，是一種可怕的放鬆自己的形式。莉莎仔細看著那些傷痕，發現這些傷口比以前的還要大、要深，已經和割腕自殺差不多了。她抬起頭來。「我……我傷害了誰？」

「妳不記得了？」奧蘭德斯基醫生問道。

莉莎搖了搖頭，絕望地看著我們每個人，想要尋找答案。她的目光落在我身上，我的表情和迪爾德醫生一樣陰沉。「沒事的，莉茲。」我說，「所有事都會慢慢好起來的。」

我一點都不驚訝。通常，我肯定會這麼說。我一直都在安慰莉莎，一直都在照顧她。

「這並不重要。」迪爾德醫生的語氣也很溫柔，「重要的是不能有人再受傷。妳也不想傷害別人，對不對？」

莉莎當然不想，可她的思緒已經轉到別處去了。「別把我當孩子！」整個屋子裡只有她的聲音。

「我沒有這個意思。」迪爾德醫生非常有耐心，「我們只是想幫助妳，希望能保證妳的安全。」

莉莎的偏執又開始了。沒有一個地方是安全的。她非常確定這一點……但除了這一點就什麼都不能確定了。也許這只是一場夢？一場夢，一場夢……

「塔拉索夫的人會好好照顧妳的，」奧蘭德斯基醫生解釋道，「他們保證會讓妳過的很舒適的。」

「塔拉索夫？」我和莉莎同時叫起來。另一個蘿絲攥緊拳頭，瞪著她們。沒錯，這又是我會有的典型反應。

「她才不會去那種地方！」那個蘿絲咆哮道。

「妳覺得我們想這麼做嗎？」迪爾德醫生問。這是我第一次看見她喪失了冷靜。「我們也不想，可是那股精神能力……它的力量……我們沒有別的選擇……」

莉莎這時突然想起我們去塔拉索夫監獄時的事。那些冷冰冰的走道、那些呻吟、那些小小的牢房。她記得自己看見的那些被關押起來的精神病人，其中有幾個是精神能力者。無期徒刑。

「不！」她大喊著，從床上跳下來。「不要把我送到塔拉索夫！」她四處看著，想要逃跑，可是門口前還站著一個女人，讓她沒辦法逃跑。有沒有魔法可以用？肯定有的。她開始集中精神能力，想要施展出魔法。

另一個蘿絲一把抓住她的手，似乎是感應到了精神能力的波動，因而想要制止莉莎。「還有別的辦法，」我的另一個我對迪爾德和奧蘭德斯基說，「我可以吸走她身上的負面情緒，我可以將它們全部吸走，就像安娜對聖弗拉米爾做的那樣。我可以帶走那些負面想法和不穩定的情緒，莉莎會變得正常起來的。」

所有人都看著我。好吧，是另一個我。

「可是那些東西會轉移到妳身上，對不對？」奧蘭德斯基醫生問，「它是不會消失的。」

「我不在乎，」那個我倔強地對她們說，「你們可以送我去塔拉索夫，但是不能讓她去。只要她需要，我絕對可以這麼做。」

莉莎看著另一個我，不敢相信她聽見的。突然，她混亂複雜的心情開朗了起來。對了！逃跑！她不會發瘋，也可以不用去塔拉索夫。這時，她突然想到了什麼……

「安娜後來是自殺死的。」莉莎喃喃說道。「她爲了幫助聖弗拉米爾，最後也瘋了。」另一個我拒絕迎視莉莎的目光。「那只不過是個傳說。我可以應付這些，送我去好了。」

莉莎不知道該怎麼辦。她不想去塔拉索夫，那個監獄是她的惡夢，而此時我站出來，提供了她一個可以逃避的辦法，如同過去我一直在拯救她那樣。莉莎希望這麼做，她希望能夠得救，她不想像其他精神能力者那樣，最後落得個瘋子的下場。只要她接受了我的建議，她就解脫了。

可是……不管心中如何焦慮，她還是非常在乎我的。我爲了她已經犧牲了太多，她怎麼能夠允許我這麼做呢？如果她同意我去過那種生活，這還算什麼好朋友呢？塔拉索夫是很可怕，那種在監牢裡度過的生活是很可怕，可是讓我替她去面對這一切，更加可怕。

沒有一個兩全其美的解決方法，她希望這一切趕緊過去。也許只要她閉上眼睛……等等，她又想起來了。這是一場夢，她正在作一場靈夢。她只要醒過來就可以了。

喊「停」。

這次喊停要容易得多。說出這個字是最簡單的辦法，最好的解決方法，這樣，我們兩個都不用去塔拉索夫了，不是嗎？可是，她覺得自己沉甸甸的心頭突然出現一絲亮光，在混亂的思緒中仍然保有著一絲堅持。她張大了眼睛，意識到另一個我已經開始吸走她身上的黑暗。「停」這個字又被忘記了。

「不！」精神能力在她心頭燃起，她豎起了阻擋心電感應的防護牆，將那個我隔絕在外。

「妳在做什麼？」另一個我問道。

「救妳，」莉莎說，「也是救我自己。」她轉頭看著奧蘭德斯基醫生和迪爾德。「我明白妳們必須要這麼做。沒問題，送我去塔拉索夫好了，送我去一個我不會傷害到別人的地方。」當醫務室消失的時候，她已經鼓起勇氣，準備面對下一個夢境了：冰冷的石牢，裝有鎖鏈的牆面和走道裡躡跚前行的犯人……

可是，當她周圍的世界重新清晰起來後，眼前出現的卻不是塔拉索夫。那是一個空蕩蕩的房間，裡面坐著一個捧著銀杯的老婦人。莉莎四下看了看，她的心怦怦亂跳，覺得時間似乎凝固了。剛才經歷的一切，好像已經花了她一輩子的時間，與此同時，她又覺得現在距離她剛才和老婦人交談，只不過才幾秒鐘而已。

「那是……那是什麼？」莉莎問。她口乾舌燥，現在有口水喝的話似乎還蠻不錯的……可是銀杯裡已經空了。

「妳的恐懼。」老婦人眨眨眼睛說，「妳所有的恐懼，都相繼出現了。」

莉莎顫抖地將銀杯放在桌子上。「太可怕了。是精神能力，可是……又不像。我以前作過這樣的夢，它會侵入到我的意識裡，擾亂我的想法。這個夢卻很眞實，有很多次，我都差點相信那是眞的了。」

「可妳並沒有喊停。」

莉莎皺著眉，想起自己有好幾次差點想要這麼做。「對。」

老婦人微微笑了笑，沒有再說什麼。

「已經……結束了嗎？」莉莎困惑地問，「我可以走了嗎？」

老婦人點了點頭，莉莎站起來，看了看兩扇門，其中一扇是她走進來那扇，另一扇則在她身後。莉莎還處於震驚當中，下意識地朝著來時的那道門走去。她其實不是很想再看見走道裡的那些人，因爲那樣她不得不擺出一副最完美的公主模樣。不過話說回來，等在這裡的人已經比第一場測試結束時前來迎接她的人少多了。這時，老婦人再次開口叫住她，指了指房間的後方。

「不，那扇門是給沒有通過測試的人走的，妳走這扇。」

莉莎轉身向那扇造型簡單的門走去。看上去那裡可以直接通往外面，所以可能不會有人，只有平和與安靜。她覺得應該對支持自己的人說些什麼，可又不知道該說什麼。所以，她只是轉動門把，走出門外……

走入一票爲巨龍歡呼的人群當中。

# 22

「妳很高興嘛。」

我眨了眨眼睛，發現索婭正看著我。CR-V呼嘯著沿著I-75號公路一路狂飆，外面的景色根本來不及看清，只能大致看見中西部的平原和公路兩旁的行道樹。索婭現在看起來沒有她在學校時那麼瘋狂，甚至比在她家的時候還要正常一點，雖然大部分時候，她看起來仍然恍惚且迷惑，可這是意料中事。我在回答她之前有些猶豫，可是最後還是決定如實說出來，因爲沒有理由要隱瞞。

「莉莎通過了競選者的第二輪測試。」

「這是理所當然的。」維克多說道，那種語氣好像在說，我說的完全是廢話，是在浪費他的時間。

「她好嗎？」迪米特里問道，「有沒有受傷？」

再一次，我的心裡燃起嫉妒的火花。不過，此刻這只能表明我們兩個都很關心莉莎。

「她很好。」我說，但是不知道這是不是眞正的事實。她的身體雖然沒有受傷，可是她夢見的那些事……嗯，肯定還是會在她心裡留下不同形式的創傷吧。走出那道門之後的事也很令人震驚。她看見前門的那一小群人時，以爲熬夜來看候選人參加測試的人只有這麼多。可是，她錯了。事實證明，所有人都跑到後面去等著迎接勝利者了。莉莎信守了自己的承諾，沒有讓方才的事困住她，她高昂著頭走出來，對旁觀的人群和她的支持者微笑，好像已經贏得了王冠的樣子。

我已經睏到不行，可是一想到莉莎的勝利，就會情不自禁地笑起來。這種漫長又不知道目的地的趕路令人覺得很疲倦。維克多閉上眼睛，將頭靠在車窗上。我轉過身去，卻看不見雪梨的情況，看起來她可能也在打瞌睡，或許剛剛才躺下。我打了個哈欠，不知道自己能不能冒險瞇一會兒。我們出發的時候，迪米特里曾經說過我可以睡一會兒，他知道雪梨接替我的那兩個小時並不足以讓我睡飽。

我仰著頭靠在椅背上，閉上眼睛，立刻就睡著了。但是，沉沉的睡眠感逐漸被靈夢的感覺取代，我的心臟開始狂跳，感覺既害怕又興奮。在陪莉莎經歷了那一場測試之後，靈夢突然給人一種可怕的感覺。可是，這也許是見到艾德里安的好機會。事實上……也的確是這樣。

只是我們出現的場合十分出人意料：居然是索妞的花園。我愣愣地看著湛藍的天空和那些明豔的花朵，差點沒有注意到艾德里安的出現。他穿著一件墨綠色的羊毛衣，非常搭配他的氣質，對我來說，他比這花園裡任何一處景色都要迷人。

「艾德里安！」我跑過去，他輕鬆地抱起我，然後轉起圈圈。當他終於把我放下來之後，開始仔細地打量起這座花園，接著讚許地點點頭。

「我應該經常讓妳挑選地點的，妳的品味很不錯。當然，那是因爲妳和我在一起的緣故，這一點我們都知道。」

「『挑選地點』？什麼意思？」我摟著他的脖子問道。

他聳了聳肩。「我來的時候，感應到妳在睡覺，就製造了這個夢境，可是卻沒想好要選什麼地點。所以，我就放手把這個任務交給妳的潛意識了。」他惱怒地扯了扯自己的毛衣，「可是我的衣服卻和現在的環境很不搭。」這件毛衣閃了兩下，一下子就變成了一件胸前帶有圖案的淺灰色T恤。「這樣好點了嗎？」

「好多了。」

他咧開嘴巴笑了笑，然後吻了吻我的額頭。「我很想妳，小拜爾。妳可以從早到晚都監視莉莎，可是我只能在夢裡看見妳。老實說，我眞的不知道妳到底是按照什麼作息時間生活的。」

我突然意識到，由於我能夠「監視」莉莎，我可能比他還瞭解皇庭裡的情況。「莉莎通過了第二輪測試。」我對他說。

沒錯，他露出驚訝的表情，顯然對於這次測試一無所知，這可能是因爲他在睡覺。「什麼時候？」

「就在剛才。是一個很難的測試，可她還是通過了。」

「對她來說這是個好消息，毫無疑問。這樣的話……可以爲我們爭取到更多的時間證明妳的清白，接妳回家。不過，如果我是妳的話，不知道還願不願意回家。」他又把這座花園端詳了一遍，「西佛吉尼亞比我想的好一點。」

我大笑起來。「這裡可不是西佛吉尼亞——雖然，那兒其實也沒有那麼差勁。這是索婭·卡普的——」

我愣住了，不敢相信自己說了些什麼。我見到他高興過了頭，居然這麼掉以輕心……我肯定又把事情搞砸了。

艾德里安的表情變得非常、非常嚴肅。「妳剛才說的人是索婭·卡普？」

我腦子瞬間轉過無數種想法。撒謊是最簡單的，我可以說這裡我很早之前就來過，但是這種謊言禁不起細問，而且我想臉上心虛的表情已經出賣了我。這回是徹底被抓包了，再完美的謊言都騙不了艾德里安。

「是的。」我最後還是承認道。

「蘿絲，索婭·卡普是血族啊。」

「已經不再是了。」

艾德里安嘆了口氣。「我就知道，認為妳會老老實實不惹麻煩的想法太過美好了。究竟是怎麼回事？」

「呃，羅伯特・德魯把她救回來了。」

「羅伯特，」艾德里安不屑地揚起了嘴角。這兩個精神能力者之間的關係也不大好。「我覺得我們可能是闖入了一個十分瘋狂的世界——我是說，對我來說——我猜維克多・達什科夫應該也和妳在一起吧？」

我點點頭，非常希望這個時候能有人把我叫醒，讓我遠離艾德里安的怒火。該死。我怎麼會淪落到這個地步的？

艾德里安鬆開我，逕自繞起圈圈。「好吧，好吧。這麼說，妳、貝里科夫、那個煉金術士、索婭・卡普、維克多・達什科夫和羅伯特・德魯，都一起待在西佛吉尼亞。」

「不是的。」我說。

「不是？」

「我們……呃，並不在西佛吉尼亞。」

「蘿絲！」艾德里安猛地收住腳步，朝我大步走來。「妳該死的到底在什麼地方？妳家老頭和莉莎——所有人都以為妳現在應該是在一個很安全的地方。」

「我是，」我驕傲地說，「只不過不在西佛吉尼亞而已。」

「那妳在哪兒？」

「我……我不能告訴你。」我討厭這麼說，尤其是看見他聽見這句話之後的表情。「一部分原因是為了保證安全，另一部分原因是因為……嗯，嗯，我也不知道我在哪兒。」

他抓住我的手。「妳不能這麼做。這次妳不能再跑去做一些很瘋狂的事了，妳還不明白嗎？如果被他們找到，妳會沒命的。」

「這才不是什麼瘋狂的事！我們是在做一件很重要的事，這件事能夠幫助我們所有人。」

「一件妳不能告訴我的事。」他猜測道。

「你置身事外比較好。」我說著，緊緊握住他的手。「不知道細節，對你會比較好。」

「在此同時，我還能因爲知道妳身後有這麼一群菁英團隊，而高枕無憂？」

「艾德里安！拜託！拜託你相信我，相信我眞的是有自己的理由。」我央求他道。

他鬆開我的手。「我絕對相信妳認爲自己有很好的理由。我只是不能想像，居然有妳這種肯拿自己的性命冒險的人。」

「我就是這樣的人。」我說，很驚訝自己的語氣居然這麼嚴肅。「有些事是値得用性命相搏的。」

忽然，我的視線開始模糊，好像有靜電在干擾，就像是收訊不良的電視。整個世界開始消失。

「怎麼回事？」我問道。

他皺起眉頭。「有人試著要叫醒我。可能是我媽媽，她可能已經來過一百次了。」

我伸手去拉他，可他已經不見了。「艾德里安！拜託你不要告訴別人！誰都不能說。」

我不知道他有沒有聽見我的請求，因爲這個夢已經完全消散了。我在車子裡醒來，第一反應是想哭，可我不想做這種會遭到自己鄙視的事情。我看了看身旁，然後差點從位子上跳起來，因爲索婭正目不轉睛地盯著我。

「妳剛才作了一場靈夢。」她說。

「妳怎麼知道？」

「妳的靈光。」

我扮了個鬼臉。「能看見靈光是很酷，可是現在這種能力已經開始讓人討厭了。」

她輕輕地笑了，這是她變回莫里之後我第一次聽見她笑出聲。

「如果妳能解讀靈光的話，它們可以透露很多資訊。夢裡妳是和瓦西莉莎在一起嗎？」

「不是，是我的男朋友。他也是一名精神能力者。」

索婭驚訝地張大眼睛。「妳是和他在一起？」

「對。怎麼了？有什麼問題嗎？」

她皺起眉，看上去很困惑。過了一會兒，她轉頭看著前排，那裡坐著迪米特里和羅伯特，然後她又仔仔細細地打量了我一遍，我的後背開始冒起冷汗。

「沒什麼。」她說，「沒有問題。」

我可不能接受這種回答。「拜託，肯定有什麼——」

「那裡！」索婭突然推開我，身子前傾，指向前方。「那個出口。」我們差一點就錯過「那個出口」了。迪米特里不得不做出一些類似特技的動作——就像我們在賓夕法尼亞逃亡時那樣——才能完成索婭的指令，車子猛地轉向一邊，我聽見後面的雪梨大喊了一聲。

「下次如果能稍微提前一點通知，能幫上大忙。」迪米特里說。

索婭並沒有認眞在聽，她的注意力完全放在我們前方的路上。我們在一個紅燈前停下來，我看見了一塊令人高興的指示牌：歡迎來到密西根州安那寶市。她剛才的一絲生氣又不見了。索婭又恢復回那種緊張的樣子，像個機器人一樣。雖然雪梨有出色的溝通技巧，可是索婭仍然對自己的行爲感到很不安，還是有著內疚和辜負別人信任的感覺。

「我們到了嗎？」我迫不及待地問。「我們開了多久了？」我幾乎都沒有注意。這段路程，我只有在剛開始的時候是清醒的，剩下的時間都分給莉莎和艾德里安了。

「六個小時。」迪米特里說。

「第二個紅綠燈左轉。」索婭說，「現在右轉。」

車子裡的氣氛變得緊張起來。所有人都醒了，我的心臟開始猛跳，我們正深入一個郊區裡頭。是哪棟房子？我們已經快到了嗎？是前面的這些嗎？其實這段路程並不長，卻像是開了一輩子。因此，當索婭突然做出指示的時候，我們全都屏住了呼吸。

「就是那兒。」

迪米特里將車駛入車道，來到一座很可愛的磚房前，房子前面的草地非常齊整漂亮。

「妳確定妳的親戚還住在這裡嗎？」我問索婭。

她沒有說話，我意識到我們又要開始那種要不要打破承諾的拉鋸戰了。她進入了鎖定模式。這已經是很大的進步了。「我猜要知道答案只有一個辦法。」我說著解開了身上的安全帶，「按原定計畫？」

之前，我和迪米特里曾經討論過，索婭帶我們到了目的地之後，要帶誰下車，要把誰留在車子裡。將那對兄弟留在車子裡肯定是毋庸置疑的，問題是誰要看守他們。後來，我們決定讓迪米特里留下來看著這兩兄弟，我和雪梨則帶著索婭去見她的親戚——那人在見到來訪者之後一定會大吃一驚。

「按原計畫。」迪米特里說，「妳去，妳看起來比較沒有什麼威脅性。」

「嘿！」

他笑了。「我說的是『看起來』。」

不過這種說法也說得通。就算是在放鬆狀態，迪米特里身上也帶著一股威嚴和強大的氣場，三個女性上前敲門，確實比較不會嚇到這裡的主人——特別是如果索婭的親戚確實沒有搬走的話。該死，據我所知，她很可能會故意帶我們走錯地方。

「小心。」我們下車時，迪米特里說。

「你也是。」我回道。這句話令我獲得了另外一枚微笑，一枚比較溫暖、燦爛的微笑。

我和索婭、雪梨一起走上人行道的時候，我的心裡感覺七上八下，胸口繃得緊緊的。就是這裡，還是說曾經是這裡？我們眞的就要抵達這次旅行的終點了嗎？我們眞的突破了重重困難，找到了德拉格米爾家族的最後一個成員了嗎？還是我只是又來到了另一個起點？

我不是唯一一個覺得緊張的人，我感覺雪梨和索婭也都很緊張。我們走到前方的台階上，我深吸了一口氣，按下了門鈴。

過了幾秒，一個男人跑來開門——他是莫里。這是一個好兆頭。

他看了看我們，毫無疑問是在想，一個莫里、一個拜爾和一個人類，怎麼會一起出現在他家的門口？這聽起來很像是一個爛笑話的開頭。

「有什麼可以幫忙的嗎？」他問道。

我突然覺得有點失落。我們的計畫很偉大：找到艾瑞克的情婦和他的私生子。可是當我們眞的找到之後，誰都不知道要說什麼才好。我打算等另外兩位夥伴先開口，可是似乎沒有這個必要，因爲這個莫里男人突然看向我身邊，似乎想再次確認某事。

「索婭？」他驚呼道，「眞的是妳嗎？」

這時，我聽見他身後響起一名年輕女性的聲音：「嘿，是誰來了？」

有人從他身邊擠出來，一個身材高挑、苗條的人——一個我認識的人。我看著那頭亂糟糟的淺褐色捲髮和那雙淺綠色的眼睛時，完全忘記了呼吸——那雙眼睛從很久以前就已經給我提示了。我根本說不出話來。

「蘿絲！」吉兒・馬斯特諾喊道，「妳怎麼會來這裡？」

# 23

這幾秒的沉默好像有一輩子那麼久。每個人都很茫然，但各自的原因都不同。吉兒的驚訝立刻被興奮所取代，可是當她逐一看過每個人的表情後，臉上的笑容慢慢退去，最後也和其他人一樣看起來不知所措。

「怎麼了？」另外一個聲音響起來。過了一會兒，艾米麗．馬斯特諾出現在她女兒的身旁。艾米麗看見我和雪梨時還有些好奇，可是當她看見門口的第三個人時，立即驚呼道：「索婭！」艾米麗猛地將吉兒拉到身後，臉上滿是惶恐。她的動作不像守護者那麼快，可是我很欣賞她的反應速度。

「艾米麗？」索婭的聲音非常非常小，好像正處於情緒爆發的邊緣，「是……是我……眞正的我……」

艾米麗本來也想把那個男人拉進去，可是當她又仔細看了看索婭之後，停住了動作。和其他人一樣，艾米麗也不得不承認這個顯而易見的事實。索婭身上已經沒有了血族的特徵，而且她還出現在大白天。艾米麗遲疑了會，張嘴想要說點什麼，可是她的嘴巴似乎不聽使喚，終於，她轉頭看向我。「蘿絲……這是怎麼回事？」

我很驚訝她居然把我當成了掌控全局的人，這也許是因爲我們曾經見過一面，也可能是因爲我也不知道此刻到底發生了什麼事。我嘗試了幾次，才終於找到自己的聲音。「我想……我想我們應該先進去……」

艾米麗重新看向索婭。吉兒想要擠到前面來，看看這麼戲劇性的場面究竟是怎麼回事，可是艾米麗仍然堵著門，不相信他們此刻是安全的。這我不能怪她。最後，她終於緩緩點了點頭，往旁邊讓了一步，讓我們進去。

雪梨的目光飄向了我們的車子，維克多、羅伯特和迪米特里還在那裡等著。「他們怎麼辦？」她問我道。

我想了想。我很希望迪米特里能和我一起面對眼前的狀況，可是艾米麗一時之間大概只能消化一件事。莫里不見得一定要混在皇室圈裡，才會知道誰是維克多·達什科夫，或者他長什麼樣子，我們的拉斯維加斯之旅就是極好的例子。我向雪梨搖了搖頭。「等等再說吧。」

我們在他們家的客廳坐定後，知道了那個來開門的莫里男人是艾米麗的丈夫，叫約翰·馬斯特諾。艾米麗這時也調整好了情緒，問我們要不要飲料，就好像這不過是一次非常普通的拜訪一樣。可是她的表情說明，她現在仍處於震驚中。她像機器人一樣替我們倒了幾杯水，臉色蒼白得好像她才是血族一樣。

艾米麗一坐下來，約翰就握住她的手。他看著我們的表情很小心謹慎，可是面對她時則滿是愛意和關心。「這是怎麼回事？」

艾米麗仍然一臉茫然。「我……不知道。我的堂妹來找我……可我不明白這是怎麼……」她來來回回地打量著我、雪梨和索婭。「這怎麼可能呢？」她的聲音有些顫抖。

「是莉莎！對不對？」吉兒興奮地大叫，毫無疑問她也知道眼前這個親戚悲慘的過去，而她立刻明白了，先是感到驚訝——還有點緊張——但是緊接著就興奮起來。「我聽說了發生在迪米特里身上的事。是眞的，對不對？莉莎可以把血族救回來。她救了他，她也救了……」吉兒看著索婭，激動得有些不能自已。我很好奇她聽說的關於迪米特里的故事是怎麼樣的。「她救了妳。」

「不是莉莎。」我說，「是另外一個……呃，精神能力者。」

吉兒的臉亮了起來。「艾德里安？」我差點忘了她喜歡艾德里安。

「也不是……是其他人。這不重要。」我飛快地補充道：「索婭是……嗯，她已經又是莫里了。雖然還有點恍神，不過肯定是原來的她。」

索婭正坐在她的堂姊對面喝水，此時轉頭看著我，臉上帶著一絲了然的牽強笑容。「我可以自己說明，蘿絲。」

「對不起。」我說。

艾米麗看著雪梨，皺起了眉頭。她們已經互相介紹過姓名，但也僅此而已。「妳為什麼也在這裡？」艾米麗的意思很明白，她想知道為什麼一個人類會在這裡。「妳是餵食者嗎？」

「才不是！」坐在我身邊的雪梨喊著，從我們屁股下方的可愛沙發上跳起來。我從來沒有見過她這種充滿厭惡和噁心的表情。「妳再說一次試試看，我立刻就走！我是個煉金術士。」

她對上的卻是一雙茫然的眼睛。我把雪梨拉下來，讓她重新坐好。「放鬆點，孩子。我想他們可能不知道煉金術士是幹什麼的。」偷偷說一聲，我其實很開心。我第一次知道有煉金術士的存在時，覺得自己可能是世界上最後一個知道的人，現在，發現還有其他人也和我一樣狀況外，感覺真好。為了讓事情變得簡單一點，我對艾米麗解釋道：「雪梨是來幫助我們的。」

艾米麗又回過頭去看著自己的堂妹，淚水模糊了她的藍色雙眼。艾米麗・馬斯特諾算是我見過的人裡相當美麗的一個，就連哭都哭得那麼美麗動人。「真的是妳，是嗎？他們帶妳來見我。哦，天哪。」艾米麗站起來，走過去緊緊抱住索婭。「我非常想妳。我真的不敢相信。」

我也差點哭了，但是我一直堅定地提醒自己，我們來是有任務在身的。我知道這一切有多震撼，我們剛剛才顛覆了馬斯特諾這家人的世界……而我要做的就是再顛覆一次。我討厭這麼做。我希望給他們充分的時間來適應，希望他們能夠爲索婭回來了這個奇跡而慶賀，可是有關皇庭的一切——還有我的生命——都刻不容緩。

「我們是帶她來見妳沒錯……」我終於開口說，「但是我們來這裡，還有另外一個原因。」

我不知道自己現在用的是什麼語氣，可是艾米麗瞬間僵住了身子，鬆開了索婭，回到丈夫身邊坐好。不知怎麼的，這一刻，我覺得她已經清楚了我們的目的。從她的眼中我看見了害怕——好像她擔心這種情形會出現已經擔心了許多年，好像這種場面她已經幻想了數百次。

我繼續說道：「我們知道……我們知道了艾瑞克・德拉格米爾的事。」

「不。」艾米麗說道，聲音裡頭帶著嚴肅和絕望，那種固執的模樣和索婭拒絕向我們透露這個祕密時如出一轍。「不，我不想談。」

從我見到吉兒的那一刻起，我立刻就認出了那雙眼睛。我知道我們來對了地方。艾米麗的話——更重要的是她沒有否認的意思——更加證實了我的猜測。

「我們必須談談，」我說，「這件事很重要。」

艾米麗轉頭看著索婭：「妳答應過的！妳答應過不會說的！」

「我沒有說。」索婭回答，可是表情卻很心虛。

「不是她說的。」我堅稱道，希望能夠安撫這兩個人。「這件事一時半會兒說不清……但是她信守了她的承諾。」

「不，」艾米麗再度說道，「什麼事都沒有，我們沒什麼好談的。」

「這……這到底是怎麼回事？」約翰問道，他的眼中冒著火光，似乎不喜歡看見有陌生人激怒他的妻子。

我對艾米麗說道：「我們必須要談談。拜託，我們需要妳的幫助，我們需要她的幫助。」我指了指吉兒。

「什麼意思？」吉兒問。她之前的熱情已經不見了，全被她媽媽的表現給澆滅了。

「是關於妳——」我突然止住了話。我只急著要告訴莉莎的妹妹——我們現在知道是個妹妹了——她的身世，卻完全沒有仔細考慮過。我早就應該想到，這件事對所有人來說都是要保密的——包括這個正在提問的孩子。我沒有想過眞相對她來說會不會過於震撼，況且這個人並不是一個陌生人，她是吉兒，是我的好朋友。吉兒，這個小女生對我們所有人來說都像是個小妹妹，是所有人都關心的人。我怎麼能對她做這種事呢？我看著約翰，意識到還有更糟的情況。吉兒是把他當成自己的親生父親了嗎？這個家庭的凝聚力可能會遭受一場大地震——而我就是罪魁禍首。

「不要！」艾米麗跳起來大喊道，「出去！你們都出去！我不希望你們再留下來！」

「馬斯特諾太太……」我開始勸她，「妳不能裝作這件事不存在，妳必須要面對它。」

「不！」她指著大門，「出去！出去，不然我就……我就叫警察！或者叫守護者！妳……」她突然想到一件事，這件事對她的驚嚇程度和見到索婭是一樣的。維克多不是唯一一個莫里希望能夠捕獲的逃犯。「妳是逃犯！殺人兇手！」

「她不是！」吉兒說著，傾身向前，「媽媽，我說過了，我跟妳說過這是個誤會——」

「出去！」艾米麗又說了一遍。

「把我們轟出去也不能改變事實。」我迫使自己保持冷靜。

「這裡有沒有人能夠告訴我，該死的到底發生了什麼事？」約翰的臉色已經漲得通紅，怒氣衝衝地擺出一副防禦的架勢。「如果半分鐘內我還得不到答案，我就把守護者和警察全都叫來。」

我看著吉兒，不知道該說什麼好。我不知道怎麼把這些必須要說的話說出口，至少不知道該怎麼有技巧地說出。不過，雪梨似乎沒有這個問題。

的。

「他不是妳爸爸。」她指著約翰，冷冷地說。

房間裡一片寂靜，吉兒看上去居然有些失望，好像希望能夠聽到某些更加振奮人心的消息似的。

「我知道，他是我的繼父。或者說，是我唯一關心的爸爸。」

艾米麗跌坐在沙發上，用雙手摀住臉。她似乎是在哭，可我很確定她隨時都有可能跳起來報警。我們必須馬上解決掉這件事，不管它會造成多麼大的痛苦。

「沒錯，他確實不是妳的生父。」我說著，定定地看著吉兒。那雙眼睛，我怎麼從來都沒有注意過呢？「妳的生父是艾瑞克・德拉格米爾。」

艾米麗發出低泣聲。「不要，」她乞求道，「拜託不要說。」

約翰的怒火又變成了困惑，困惑在這間屋子裡似乎會傳染的感覺。「什麼？」

「這……不。」吉兒緩緩搖著頭，「這不可能。我爸爸……我爸爸只不過是一個拋棄了我們的人。」

「確實是艾瑞克・德拉格米爾。」我說，「妳是他們家族的一員，是莉莎的妹妹。妳是……」意識到必須要用全新的眼光來看待吉兒，我自己也嚇了一跳，「妳是皇室。」

吉兒一直都是精力充沛、樂觀開朗的，覺得整個世界充滿了希望和美好。可是現在，她的臉上滿是凝重嚴肅，這讓她看上去不像一個才十五歲的孩子。「不，這肯定是個玩笑。我爸爸是個身分低微的人，我不是……不。蘿絲，別說了。」

「艾米麗。」聽到居然是索婭的聲音，我震了一下。聽見她開口真令人意外。更令人意外的是她的表情，威嚴、嚴肅、堅定。索婭比艾米麗小了大約……如果真要猜的話，最起碼也有十歲吧。可是索婭看著她堂姊的眼神，令艾米麗看起來像是個淘氣的孩子。「艾米麗，是時候放下了。妳必須要告訴她，看在上帝的份上，妳也必須告訴約翰。妳不能再隱瞞下去了。」

艾米麗抬頭迎上索婭的目光。「我不能說。妳知道會發生什麼事……我不能這麼做。」

「沒人知道會發生什麼事，」索婭說，「可是如果妳現在不把握機會，事情會變得更糟。」

兩個人對視了很久後，艾米麗終於低下頭，看著地板，她那悲傷、哀怨的表情令我心碎。

然而，心碎的人不只我一個。

「媽媽？」吉兒聲音有些顫抖，「怎麼回事？這些都是編出來的，對不對？」

艾米麗嘆了口氣，抬頭看著女兒。「不是，妳確實是艾瑞克．德拉格米爾的女兒，蘿絲說的沒錯。」約翰發出一聲低哼，可是並沒有打斷他的妻子。艾米麗用力握了握他的手。「而我一直對你們說的……也是事實。大部分都是事實。我們兩個之間……只有很短的一段，但絕對是認真的，只可惜時間很短暫。」她停頓了一下，這次她轉頭看了看約翰，表情柔和了許多。

「我說過……」約翰點點頭，「我不介意妳的過去。沒什麼能夠影響我對妳的感情，還有對吉兒的感情。可我真的想不到……」

「我也是。」艾米麗附和道，「我第一次見到他的時候，甚至不知道他是誰。那時我還住在拉斯維加斯，在午夜酒店當歌舞女郎，那是我的第一份工作。」

我感覺自己的眼睛情不自禁地張大了，不過其他人似乎沒有注意到。午夜酒店。我和我的朋友去找羅伯特的時候，就住在那個賭場，那裡有個人還曾開玩笑說，莉莎的爸爸曾經對一個歌舞女郎特別感興趣。我知道艾米麗現在是在底特律的一家芭蕾舞團裡工作，所以他們才會在密西根州定居，可我從來沒有想到，她的第一份工作居然是戴著羽毛、穿著金光閃閃的舞衣，在拉斯維加斯擔任秀場的歌舞女郎。可為什麼不可能呢？她肯定得從某處開始發展，而她高挑、優雅的外形，不管跳任何一種舞蹈都很適合。

「他是那麼可愛……卻那麼傷心。」艾米麗繼續說下去，「他的爸爸剛剛去世，他去那裡也有一部分原因是爲了散心。我理解親人的去世對他來說是多麼沉重的打擊，可是如今……我才眞正地理解了那代表的意義。那是他那個家族的一大損失，他們家族的人數一直在減少。」她皺著眉頭想了想，隨後聳了聳肩。「他是個好人，我猜他是眞的很愛他的妻子，可是他當時確實是處於人生的低潮期，我並不認爲他利用了我。他很在乎我，不過如果我們兩個是在另外一種情況下認識的，我懷疑這種事很可能就不會發生了。不管怎麼說，我接受了這段感情的結束，而且打算繼續自己的生活……直到我有了吉兒。我聯絡了艾瑞克，因爲我覺得他應該知道——但是我也明確告訴他，我並不想從他那裡得到什麼。重點是，因爲他的身分，我才什麼都不想要。如果我同意的話，我想他應該會承認妳的存在，並且在妳的生命中扮演一個重要的角色。」艾米麗看向了吉兒。「可我見過了那個世界的樣子，皇庭的生活只有政治、謊言和出賣。最後，我唯一接受的東西只有錢。我其實並不想要，我不想讓人覺得我是在敲詐他——可我必須要確保妳的將來會安枕無憂。」

我想都沒想就說道：「妳的生活看起來也不像有使用那筆錢的樣子。」話一出口，我就後悔了。他們家看起來很不錯，不像窮困的樣子，可是應該也不值我在銀行戶頭上見過的那個數字。

「我沒有。」艾米麗說，「當然，有些我拿來應急了，但大部分我都替吉兒存了起來，留待她以後使用。她可以做自己想做的事。」

「什麼意思？」吉兒嚇呆了，「你們在說的是什麼錢？」

「妳是這筆遺產的繼承人。」我說，「還是皇室。」

「我什麼都不是。」吉兒說。現在，她有些害怕了，看了看我們所有人。她令我想起了隨時準備逃跑的小鹿。「這肯定是誤會。你們全都搞錯了。」

艾米麗站起來，走到吉兒坐的椅子前，半跪在地上，輕輕拍著女兒的手。「全都是眞的。我很抱歉得讓妳經歷這種事，可這不會改變什麼，我們的生活不會有任何改變，我們還是會和以前一樣。」

吉兒臉上閃過各種表情——特別是害怕和迷茫——最後，她彎下身子，將頭埋在她媽媽的肩頭，接受了這一切。「我懂了。」

這眞是感人的一幕，再一次，我有想哭的衝動。我自己的家庭關係很戲劇化，和父母的關係也不是很好。和剛才一樣，我也很希望馬斯特諾一家可以靜靜地度過這一刻——可惜沒時間了。

「不可能的，」我對他們說，「你們不可能再回到從前了。吉兒……吉兒必須去皇庭。」

艾米麗猛地抬起頭瞪著我。幾秒鐘以前，她仍滿懷悲傷和痛苦，可是現在，我在她身上只看見了憤怒和暴躁，她的藍眸正怒視著我。「不，她哪兒都不會去。她永遠都不能去那。」

吉兒已經去過皇庭了，可是我和艾米麗都知道，我指的不是這種偶然的參觀。吉兒必須以她的眞實身分留在那裡。嗯——也許眞實這個詞用的不太準確。皇室私生子的身分並不會改變她的本性，至少現在還沒有。她還是原來的那個她，只不過她的姓氏必須要改了，這種改變必須要公開，而這將會震撼整個莫里皇庭。

「她必須去，」我一步都不放鬆，「皇庭已經腐敗了，德拉格米爾家族必須要承擔起自己的責任，阻止這件事。只有莉莎一個人是沒有辦法行使權力的，因爲她沒有合法的家族人數。其他的皇室……他們都不把她放在眼裡，而他們要推動的法案，對我們任何人都沒有好處。」

艾米麗仍然半跪在椅子前，好像要阻止吉兒聽我的話。「所以吉兒才更不能去。這也是我爲什麼不讓艾瑞克承認她的原因，我不希望吉兒捲進去。那個地方是個監獄，塔蒂安娜的死就是最好的證明。」艾米麗說到這裡，凌厲地看了我一眼，我又想起剛才他們對我的懷疑。很顯然，這件事並沒有結束。「所有的皇室……都是壞人。我不希望吉兒變成他們那樣，我不能讓她變成他們那樣。」

「並不是所有的皇室都這樣，」我爭辯道，「莉莎就不是。她正在試圖改變整個體系。」

艾米麗有些苦澀地笑了笑。「妳知道對於她的改革，其他人會怎麼想嗎？我肯定有很多皇室都希望她最好一直都保持沉默——皇室的人不會喜歡看見她的家族東山再起的。我說過，艾瑞克是個好人，但有時候我會想，也許他們家族的衰落並不是出於偶然。」

我驚呼道：「這太荒謬了！」可我突然間也不敢肯定了。

「是嗎？」艾米麗看著我，好像看出了我的猶疑，「如果出現了第二個德拉格米爾家族成員，妳認為他們會怎麼做？那些反對莉莎的人會怎麼做？如果有一個人介入他們和德拉格米爾家族的權力之間，妳想他們會怎麼做？」

她的話外之意令人震驚……可是，我知道這不是不可能的。我看了看吉兒，忽然有一種徒勞的挫敗感。我會把她捲進一個什麼樣的世界裡？這個甜甜的、無辜的吉兒。吉兒渴望去探險，但是她可能還是會在和男生說話的時候臉紅；她想要學習戰鬥，一半是出於年輕人的衝動，一半是為了保護族人的本能。走進皇室的世界，從技術上來說可以幫她完成保護族人的願望——但並不是按照她想像中的方式進行。這就意味著，她注定要捲入皇庭裡時而會顯露出來的黑暗和罪惡裡頭。

艾米麗似乎將我的沉默理解為同意，她的臉上露出一絲勝利的神色，同時也鬆了一口氣，可是這些在吉兒突然開口說話後，全都消失了。

「我要去。」

我們都驚訝地轉頭看著她。到目前為止，我都一直把她當做一個可憐的孩子，是大人的犧牲品，可是此刻，我才驚覺她是如此的勇敢和堅定。她的表情仍然隱隱透露出一絲恐懼和驚訝，可是她身上那股堅毅是我從來沒有見過的。

「什麼?」艾米麗喊道。

「我要去。」吉兒說，她的語氣更加堅決了。「我要去幫忙莉莎……和德拉格米爾家族。我要和蘿絲一起回皇庭。」

這時，我想把皇庭的險惡告訴她的想法已經不重要了。老實說，我也只能隨機應變到這裡了，不過看見艾米麗的怒火轉移到其他人身上，我著實鬆了一口氣。

「妳不能去!我不會讓妳靠近那裡的。」

「妳不能替我作決定!」吉兒大喊，「我已經不是小孩子了。」

「可妳也絕對不是個成年人。」艾米麗反駁道。

這兩個人開始爭論起來，很快地，約翰也加入到妻子的行列中。在這場家庭混戰中，雪梨湊過來小聲說：「我打賭妳從來沒有想過，找尋『救星』計畫最困難的部分，居然是要說服她的媽媽把門禁時間延後。」

不幸的是，她的玩笑很可能會成眞。我們需要吉兒，可我確實沒有想過事情會變得這麼複雜。如果艾米麗堅決不同意怎麼辦?很顯然，她曾經堅定無比地將吉兒是皇室繼承人這個祕密保守了……比如說，十五年之久。我有種預感，吉兒不去皇庭肯定不會甘休，而我也不會對她的處境袖手旁觀。

再一次，索婭出人意料地加入了這場談話。「艾米麗，妳能聽我說兩句嗎?這件事早晚還是會發生的，不管妳是不是同意。如果妳現在不讓吉兒去，下禮拜、明年，或者五年以後，她還是會去。重點是，這件事妳是阻擋不了的。」

艾米麗跌坐在椅子上，好像被擊潰了一樣。「不，我不想這樣。」

索婭美麗的臉龐顯露出苦澀。「很不幸，生活似乎從來都不在乎我們是怎麼想的。如果妳現在放手，就可以防止這件事演變成不幸。」

「求求妳，媽媽。」吉兒央求道，她那雙德拉格米爾家族典型的碧綠色眼睛，正懇切地看著艾米麗。我知道最後吉兒一定還是會違背艾米麗的意願跑掉的——可是她不想這麼做，除非不得已。

艾米麗愣愣地看著前方，有著長長睫毛的大眼睛裡只剩空洞和挫敗。雖然她不同意我的計畫，可我知道那是出於一個母親對孩子的愛和關心——也許就是這一點堅持吸引了艾瑞克。

「好吧，」艾米麗最後同意道，她嘆了一口氣。「吉兒可以去——可我也要去。沒有我，妳沒辦法面對那個地方。」

「還有我。」約翰說。他似乎有些猶豫，但是最後還是決定支持自己的妻子和繼女。吉兒感激地看著他們兩個，再次提醒我剛剛差點令一個幸福的家庭四分五裂。艾米麗和約翰跟我們一起同行並不在我的計畫之中，可我也不能為此而責怪他們，而且他們一起同行也沒有什麼壞處。反正，我們也需要艾米麗把她和艾瑞克的事公諸於世。

「謝謝你們，」我說，「真的是非常、非常感謝。」

約翰看著我。「我們還沒處理有個逃犯跑到我們家來這件事。」

「蘿絲是無辜的！」吉兒著急地說，「她被人陷害了。」

「就是這樣。」我猶豫著該不該說出接下來的話，「也許是那些反對莉莎的人做的。」

艾米麗聞言臉色蒼白，但是我仍覺得應該據實以告，就算這樣做可能會加深她的恐懼。她深深地吸了一口氣。「我相信妳，相信妳是無辜的。我不知道為什麼……不過我就是有這種感覺。」她幾乎是笑著說道：「不對，我知道為什麼。因為我剛才說過，皇庭裡的那些人都很陰險狡詐，這種事他們是幹得出來的，但妳不會。」

「妳確定嗎？」約翰不安地問，「吉兒這件事已經很棘手了，再多一個窩藏逃犯的罪名，就更不得了了。」

「我確定。」艾米麗說，「索婭和吉兒都相信蘿絲，所以我也相信她。今天晚上妳們可以留下來過夜，反正我們也不可能現在就出發。」

我張開嘴，正想說我們其實可以馬上出發，不過雪梨用手肘使勁地撞了我一下。「謝謝妳，馬斯特諾夫人。」她開始施展煉金術士的外交手腕，「這眞是太好了。」

我克制住皺起眉頭的衝動。時間對我來說仍然很寶貴，可我知道馬斯特諾一家還是需要做一些準備，也許等到白天再動身也不錯。我在心裡大略規畫了一下路程，預計只要一天時間就可以回到皇庭。我點頭同意了雪梨的說法，放棄原本的想法，答應在馬斯特諾家過夜。

「謝謝，我們非常感謝。」突然，我想起了一件事，這還是因爲約翰的那句話。吉兒這件事已經很棘手了，再多一個窩藏逃犯的罪名，就更不得了了。我擠出自認最令人安心、最誠懇的微笑。

「其實，我們還有幾個朋友，在外面的車上等著我們……」

# 24

考慮到兩人先前互相仇視的表現，當我看見索婭和羅伯特，合力為達什科夫兄弟施展幻術的時候，不免有些驚訝。這種幻術會令其他人看不出他們本來的樣貌，再加上假名字，馬斯特諾一家應該會認為，他們只是我們這支不斷擴充人數的古怪隊伍成員之一。而對馬斯特諾一家來說，在經歷了方才那段痛苦、難熬的時刻後，再多一兩個客人似乎不算什麼了。

要招待好莫里客人，只提供一頓晚餐遠遠不夠，艾米麗還找來一名餵食者，提供類似「血液外送」的這種服務。通常，那些隱藏在郊區且和人類混居的莫里周圍，都會住著祕密的餵食者。一般情況下，這些餵食者都擁有管理人，這名莫里管理人便靠提供餵食者服務賺錢。正常來說，莫里只會到餵食者「所有人」的家裡去，可是在眼前這種情況下，艾米麗不得不安排餵食者上門服務。她招待客人殷勤周到，和對待一般的莫里客人沒什麼兩樣——雖然今晚這些人令她說出了她這大半輩子都不願吐露的祕密。她並不知道，這些血液對和我們隨行的莫里們來說有多麼受歡迎。我不介意那對兄弟餓幾頓，可是索婭絕對需要充足的血液來幫助她復原。

事實上，當管理員帶著餵食者出現的時候，索婭也是第一個前去用餐的。我和迪米特里必須躲在樓上，因為索婭和羅伯特的幻術，只能夠勉強隱藏起羅伯特和維克多的樣子，不讓這名帶著餵食者前來的莫里拆穿他們的身分，而沒辦法再替我和迪米特里施法。考慮到我們目前是當局的頭號通緝犯，最好還是不要冒險出現在他們面前比較好。

放這對兄弟獨自在那裡，讓我和迪米特里有些不安，可是那兩個人對血液的渴望，似乎讓他們無心做其他事。我和迪米特里都想要梳洗一番，好好打理一下自己，早上出發前，我們都沒來得及洗澡。我們拋了枚硬幣，結果是我先去。只不過，當我洗完準備穿上衣服的時候，才發現自己那些乾淨的「便裝」都已經穿完了，背包裡只剩下雪梨拿來的裙子。我做出痛苦的表情，但最後仍決定先穿一個晚上，反正也沒有什麼害處。

除了等待天亮之後出發，我們其實就沒什麼事好做了，也許艾米麗可以讓我在離開前洗個衣服。而在用吹風機把頭髮吹得乾爽有型之後，我終於覺得自己又是一個文明人了。

我和雪梨共住一間客房，那對兄弟住另一間，索婭去吉兒的房間和她一起睡，迪米特里則只能睡沙發。我敢打賭，晚上大家都睡著以後，他肯定會在走廊上站崗，而我肯定要和他一起輪班。不過現在嘛，他正在洗澡，於是我溜到走廊上，趴在扶手上檢查一樓的情況。馬斯特諾一家、索婭和那對兄弟都聚集在餵食者和她的管理員身邊，似乎沒什麼異常情況出現。我鬆了一口氣，回到自己的房間，決定用剩餘的時間去探望莉莎。

在經歷通過測試最初的興奮後，我覺得莉莎應該已經平靜下來，可能會去補個眠，可是沒有。她並沒有躺在床上，而是帶著愛迪和克里斯蒂安去了艾德里安家。我意識到，當我在車上跟艾德里安一起分享那個靈夢時，是她叫醒他的。她意識裡關於先前的事的殘存記憶，讓我得以知道艾德里安離開我，迷迷糊糊地去開門之後發生了什麼事。

「怎麼了？」艾德里安一看過來人後問道，「我正作著美夢呢。」

「我需要你。」莉莎說。

「很多女人都對我這麼說過。」艾德里安說。克里斯蒂安悶笑了一聲，而儘管愛迪仍維持著守護者的警戒姿態，唇邊也掠過一絲不易察覺的笑容。

「我是認真的。」莉莎對艾德里安說，「我剛剛收到安布羅斯的消息。他說他有很重要的事要告訴我們，還有……我不知道，我還是不太清楚他在整件事裡到底扮演著什麼樣的角色。我想再去見他一次，我需要你給我意見。」

「這句話，我倒是比較不常聽見。」艾德里安說。

「盡快穿好衣服，好嗎？」克里斯蒂安催促道。

老實說，一想到我們所有人都動不動就被吵醒，我很懷疑還有沒有人可以睡覺。而雖然說了那些話，艾德里安還是飛快地穿好了衣服。我知道，只要是跟證明我清白有關的事，他都感興趣。不過我不確定的是，他會不會把我此刻的混亂情況告訴他們，所以我還是留在這裡，看看我該怎麼做吧。

我的朋友們匆忙地來到他們曾經來過的那棟大樓，就是安布羅斯工作和居住的那一棟。皇庭的人已經都起床了，有的已經出了門，有的正打算出門，這些人裡頭有很多都是想要去看看第二場測試的結果。事實上，還有幾個人發現了莉莎，高興地和她打著招呼。

「今晚我接受了第二場測試。」莉莎對艾德里安說。有人剛剛前來恭喜過她。「突如其來的一場測試。」

艾德里安有些猶豫，我等著他說出已經從我那裡聽說了，還等著他說出那些令人震驚的消息：我目前的同行夥伴和將要做的事情。可是，他只是說：「結果怎麼樣？」

「我通過了。」莉莎回答道，「就這樣。」

她不想告訴艾德里安，那些歡呼的人們，不僅僅是因爲法案的事支持她，也因爲對她這個人充滿了信任。塔莎、米婭還有其他幾個意想不到的朋友，也都在人群裡微笑地看著她，甚至連在那裡等著達蒙出來的戴妮拉，看見莉莎居然通過測試之後，也前來祝賀她。一切是那麼的不眞實，莉莎一點都不想再提。

而在那當下，愛迪雖然一直聲稱自己是莉莎的護送者，可最後仍是被派去幫助其他的守護者。所以，最後只有克里斯蒂安和塔莎兩個人護送莉莎回家。呃，是差一點就只有他們兩個。後來，一個名叫伊森．摩爾的守護者也加入了他們，他就是艾比開玩笑說和塔莎有關係的那個人。艾比有時候雖然會誇大其詞，可這次他猜對了。伊森和其他的守護者一樣健壯，可是這個古板嚴肅的人看著塔莎時，偶爾會變得有些羞澀。他喜歡她。塔莎顯然也喜歡他，一路上都在跟他說笑——這令克里斯蒂安很不舒服。我覺得這是個聰明的選擇，有的男生可不願意和臉上有疤的塔莎在一起。不管克里斯蒂安有多不滿，看見一個這麼懂得欣賞她內在的人眞好。他對任何想要和他姑姑約會的人都是這種態度，而我實在很喜歡看見克里斯蒂安這麼痛苦，這對他來講是好事。

莉莎安全回到房間以後，伊森和塔莎就走了。幾分鐘以後，愛迪也回來了，他抱怨著那些守護者明知道他有重要事情，卻還是用那種所謂的「鳥任務」拖住他的腳步。顯然，他的抗議收到了效果，他們終於放走他，讓他得以趕回莉莎身邊。他回來之後不到十分鐘，安布羅斯的紙條就送到了。他眞會選時間，如果愛迪回來的時候發現莉莎不在房間了，肯定會以為有血族趁他不在的時候綁走了莉莎。

如此一來，眼前的情況就演變爲這樣：莉莎和這三個男生一起前去和安布羅斯進行祕密會面。

「妳來早了。」安布羅斯在莉莎敲第二次門之前開了門。

此刻，他們位於安布羅斯的住所裡，而不是他接待客人用的按摩室。這裡像是一間宿舍——高級宿舍。比我最近忍受過的地方都好多了。莉莎的注意力全都在安布羅斯身上，所以她並沒有看見愛迪飛快地將這裡掃視了一遍，我則是透過她的餘光看見的。我很高興這次的行動人員名單裡有他，我想他也不信任安布羅斯——或者說，他不信任我們這一群人以外的任何一個。

「發生什麼事了？」安布羅斯一關上門莉莎便問道，「什麼事這麼著急？」

「我有樣東西一定要給妳看。」他說。床上放著一疊文件，他拿起最上面那一張紙。「妳還記得我跟妳說過，他們查封了塔蒂安娜的一些私人物品吧？現在，他們正在對這些物品進行清點和搬運的工作。」艾德里安不安地動了動——再一次，這件事只有我注意到。「她有一個保險箱，是專門用來存放一些重要文件的——就是那種機密文件。所以……」

「所以？」莉莎追問道。

「所以，我並不希望別人找到這些東西。」安布羅斯繼續說，「我不知道這些文件的內容，但是如果她認爲這些東西需要保密的話……我覺得這些東西不應該讓人發現。我知道密碼，所以……我就把這些文件偷了出來。」他的臉上閃過一絲內疚，但不是那種殺了人的內疚，而是偷了東西的內疚。

莉莎著急地追問：「然後呢？」

「那些東西和你們要追查的事情沒有任何關係……除了這一份。」他將那張紙交給莉莎。

艾德里安和克里斯蒂安湊到她身邊，一起看了起來——

親愛的塔蒂安娜：

最近這些事情居然發展得這麼不順利，讓我有點驚訝。我以為我們已經達成了共識，族人的安全遠比讓一批孩子提早成為守護者重要。我們浪費了太多的守護者資源，特別是女性守護者。如果妳能採取強制措施，讓他們回到這個隊伍裡——妳明白我的意思——守護者的團隊就得以壯大。目前的法案是完全不符合現實要求的，特別是在妳的「訓練」計畫失敗以後。

我也很驚訝聽見妳打算要把迪米特里·貝里科夫放出來。我不明白究竟發生了什麼事，可妳不能僅僅從外表就輕信他。妳釋放的可能會是一個魔鬼——至少有可能是個間諜——他需要的是接受比目前更加嚴格的看守才對。事實上，妳繼續支持對精神能力進行研究，就是所有麻煩的根源，毫無疑問，那些超自然的現象就是因此而起的。我相信這種能力在我族消失這麼長時間，是有理由的：我們的祖先認為這種能力很危險，所以才竭力掩蓋。愛瑞・樂澤就是最好的證據，而妳的天才寶貝瓦西莉莎・德拉格米爾，肯定也會步上她的後塵。對瓦西莉莎的鼓勵，就是對整個即將消亡的德拉格米爾家族的鼓勵，可這支血脈理應帶著榮耀退出歷史的舞台，而不是頂著瘋子的恥辱。妳對她的支持，也將妳自己的姪孫推到了風口浪尖，這些是我們所有人都不願意見到的。

我很抱歉，強加了這麼多罪名到妳頭上。我仍然尊妳為最高的領袖，非常重視這麼多年以來妳為了領導我們所付出的一切，我堅信妳很快就會作出正確的決定——雖然我很擔心其他人可能沒有我這麼信任妳。據說，已經有人想要動手改變這一切，我很害怕即將會發生的事。

這封信是列印出來的，沒有署名。有那麼一會兒，莉莎完全消化不了這封信上的內容，只一心想著德拉格米爾家族頂著恥辱退出那一番話。這和她在夢裡看見的情景簡直太像了。

是克里斯蒂安讓她回過了神。「呃，看起來塔蒂安娜好像有敵人。不過，我想這種事在這場陰謀裡是顯而易見的。」

「會是誰寫的呢？」艾德里安問。他的表情很陰沉，對這封寫給他姑姑、隱含著威脅之意的信感到很憤怒。

「我不知道。」安布羅斯說，「我發現的時候就是這樣。也許，連她也不知道這封信是誰寫的。」

莉莎同意地點點頭。「這肯定是一封匿名信……不過，我覺得寫這封信的人一定非常瞭解塔蒂安娜。」

艾德里安懷疑地看了安布羅斯一眼。「我們怎麼知道，這封信不是你自己打出來騙我們的？」

「艾德里安。」莉莎斥道。雖然沒有說出來，不過她很希望艾德里安能夠好好看一看安布羅斯的靈光，看看有沒有她看不出來的問題。

「這太瘋狂了。」克里斯蒂安輕敲著這封信說，「這上面說要把拜爾召集起來，強制他們加入守護者的隊伍。你覺得這句話是什麼意思——塔蒂安娜會採取什麼『措施』？」

我知道，因為之前我已經看過答案了。催眠術，塔蒂安娜的字條上是這麼說的。

「我不知道。」莉莎說。她拿著信重看了一次。「這個『計畫』是什麼意思？你們覺得，是指格蘭德對莫里進行的那些訓練嗎？」

「我是這麼認為的。」安布羅斯說，「可是我不敢肯定。」

「我們可以看看其他的文件嗎？」艾德里安指著床上的那一疊資料問道。我不知道他這麼問是出於對安布羅斯的懷疑，還是只是因為他姑姑的這宗謀殺案令他心煩意亂的關係。

安布羅斯把其他的文件也交給他們，不過在看完之後，莉莎也同意他的說法，裡面沒有什麼有用的資訊。這些文件裡頭，除了晦澀難懂的法律公文，就是一些私人信箋。這時莉莎——和我——突然想到，也許安布羅斯沒有把他偷出來的所有文件都交給我們。不過，現在我們還沒有證據。莉莎打了個哈欠，謝過了他，就和其他人一起離開了。

她很想睡覺，可是腦子卻忍不住分析起那封信上每句話的涵義。如果那封信是真的的話。

「這封信可以證明，比起蘿絲做的那些事來，這個人更有理由痛恨塔蒂安娜。」觀察入微的克里斯蒂安說。此刻，他們正走下樓往大門口而去。「塔莎姑姑說過，這種帶有算計的怨恨，比那些盲目的痛恨更加危險。」

「你姑姑其實是個哲學家吧。」艾德里安嘲諷道，「我們現在掌握的證據，都只是一些間接證據。」

安布羅斯同意莉莎帶走這封信，因此莉莎將信疊起來，放進牛仔褲的口袋裡。「我很想知道塔莎看了信會怎麼說。還有艾比。」她嘆了一口氣。「如果格蘭德還活著就好了。他是個好人——也許他能看懂這裡面的暗示。」

他們從一處側門走進了一樓大廳，愛迪替他們打開門，當他們往外走去的時候，克里斯蒂安看了莉莎一眼。「格蘭德和塞琳娜關係有多親——」

愛迪在莉莎看見狀況發生前的一秒鐘，做出了反應。當然，愛迪肯定是看見了狀況。一個男人——確切說，是一個莫里——一直守在庭院的樹林裡，這個庭院夾在安布羅斯住的大樓和另一座大樓中間，其實並不算非常偏僻的地方，但是離幾條主要道路有點遠，所以很少有人會走這裡。

這個人走過來，在看見愛迪也向他走過去的時候，看起來嚇了一跳。我憑藉著莉莎缺少的戰鬥經驗判斷，以這個人行走的方向和速度來看，他是衝著莉莎來的——而且手裡還拿著一把刀。莉莎因為過於害怕愣住了。對於一個沒有受過訓練的人來說，遇到這種事情時，這種反應是可以理解的。可是，當克里斯蒂安猛地一把把她拉到身後時，她立刻清醒了過來，同時在他和艾德里安的掩護下往後退。

這個刺客和愛迪僵持了一陣，兩人都試圖將對方摺倒。我聽見莉莎喊救命，可我的注意力全在那兩個正在打鬥的人身上。那個人在莫里裡面算強壯的，而他的動作顯示他肯定是接受過訓練的。不過，我懷疑他從學生時代就已經開始接受訓練了，不然不會擁有和受過訓練的拜爾一樣的肌肉。

不出所料，愛迪打破了僵局，將這個刺客按倒在地上，接著伸手鎖住刺客的右手，想將他的刀子打掉。撇開他莫里的身分不說，這個刺客一定很慣於用刀，特別是當我看見（可能愛迪也看見了）他左手上那道看起來像是彎曲的手指般的疤痕後，就更加肯定了。這個人的本領肯定已經強到某種程度。雖然他被壓制著，可是仍設法掙扎著伸出手，將刀尖對準愛迪的脖子，隨即毫不猶豫地刺過去。愛迪的動作很快，破壞了他的計畫，並用手臂擋住了這一刀，也因此被劃傷了。

愛迪的這個動作給了這個莫里更大的活動空間，他用力一挺，掙脫了愛迪。不到一秒——眞的，這個傢伙確實很厲害——這個莫里刺客又舉刀刺向愛迪。這下，可以確認這個人的目的了，他下手毫不留情，擺明就是來進行暗殺的，那把刀是用來取人性命的。守護者知道怎麼制伏對手、擒住敵人，也經常接受訓練，知道在突發狀況下，拚得你死我亡的時候——呃，相信死的和亡的都一定是對方——該怎麼處理。愛迪比他的對手更快一步，此時腦子裡只有受訓這麼多年時形成的本能：不能讓人殺死你。愛迪手裡沒有槍也沒有刀，因爲這裡是皇庭，所以當這個人再度衝過來，目標仍然對準愛迪的脖子時，他只好拿出能拯救自己的唯一武器。

愛迪的銀樁刺進了那個莫里的身體裡。

迪米特里曾經開玩笑地說過，要想讓銀樁刺進心臟，你不用非得變成血族。而且，我們必須要面對一個事實，將銀樁刺進心臟並不會令人受傷，因爲它會要了這個人的命。塔蒂安娜就是證據。這個刺客的刀確實碰到了愛迪的脖子——可是在劃破他的皮膚之前就掉了下去——此刻這人的眼睛因驚訝而張大，並流露出痛苦，接著就閉上了。他死了。愛迪跪坐著，盯著自己的手下敗將，因爲腎上腺素的飆升，而燃燒起強烈的戰鬥欲望。突然，耳邊傳來一聲大叫，愛迪站起來，準備面對下一個對手。

不過，他看見的是一群匆忙趕來的守護者，他們是因爲聽見了莉莎喊救命而來的。他們看見眼前這一幕，根據多年受的訓練，立刻得出了結論，做出了行動。這裡有一個死去的莫里，還有一個手裡拿著滿是鮮血的兇器的人。守護者們全都奔向愛迪，將他推到牆邊，奪走他的銀樁。莉莎大喊著，說他們抓錯了人，是愛迪救了她——

「蘿絲！」迪米特里驚慌的聲音把我帶回了馬斯特諾家。我正坐在床上，他半跪在我面前，抓著我的肩膀，臉上充滿了恐懼。「蘿絲，怎麼了？妳還好嗎？」

「不！」我推開他，衝向門口。「我——我必須趕回皇庭去，現在就回去。莉莎有危險，她需要我。」

「蘿絲，蘿莎，慢慢說。」他一把抓住我的手臂，力道大得我無法掙脫，然後將我的身子轉過去，讓我面對他。他剛洗完澡，頭髮還是濕的，充滿清爽香皂氣味和水氣的肌膚圍繞著我。「告訴我發生了什麼事。」

我把剛才的事飛快地向他敘述了一遍。「迪米特里，有人想要殺她！而我居然不在她的身邊！」

「愛迪還在。」迪米特里靜靜地說，「她很安全，她還活著。」他鬆開我。我整個人虛脫地靠在牆上，心臟怦怦地跳，哪怕我的朋友現在已經沒有危險了，可我心頭的恐慌仍然揮之不去。

「可是現在他有了麻煩。那些守護者以爲他——」

「那是因爲他們不知道事情的眞相。他們只看見一具死屍和一把兇器，僅此而已。一旦他們找到證據，知道了事實，一切就會沒事了。愛迪救了莫里，這是他的職責。」

「可他救人的方法是殺死另一個莫里。」我強調道，「我們是不允許做這種事的。」這聽起來只是在敘說一個很明顯——甚至有點愚蠢——的事實，可我知道迪米特里明白我的意思。守護者的任務是保護莫里，他們是第一位的，殺死一名莫里根本是無法想像的事。可是，他們之間卻自己想要互相殘殺。

「情況非比尋常。」迪米特里分析道。

我往後仰起頭。「我知道，我知道。我只是沒辦法忍受丟下毫無防備的她。我眞想馬上回去保護她的安全，現在就到她身邊。」明天對我來說好像非常漫長。「如果再發生這種事怎麼辦？」

「還會有別人保護她的。」迪米特里走過來，我很驚訝地看見他居然在笑，這令我的沉痛減輕了一些。「相信我，我也想要保護她，可是如果我們現在就走，我們的努力就白費了。多等一會，這樣我們的努力至少還有一點意義。」

我的恐慌稍稍減輕了些。「吉兒是有意義的，對嗎？」

「非常有意義。」

我站直了身子，一方面想要令自己冷靜，從莉莎遇刺的事件中走出來，另一方面又非常想完成這裡的事。「我們做到了。」我說著，同時覺得自己的臉上也慢慢溢出一絲笑容。「雖然有許多不可能……可是，我們還是找到了莉莎失散的妹妹。你知道這意味著什麼嗎？莉莎現在終於有資格爭取自己的權利了，他們不能再看扁她。該死，如果她想的話，甚至可以成爲女王。至於吉兒……」我有些遲疑，「她也成爲了這個古老皇室家族的一分子。這是件好事，對吧？」

「我想，這要看吉兒是怎麼想的。」迪米特里說，「還要看這件事收場之後，是什麼情形。」

我之前那種覺得可能會毀掉吉兒一生的愧疚感又回來了，我愣愣地盯著自己的腳。

「嘿，沒問題的。」他說著，伸手托起我的下巴，抬起我的頭。那雙棕色的眼眸充滿了溫暖和關切。「妳做的事是對的，沒有人能夠完成這種不可能的任務，只有蘿絲·海瑟薇。爲了找到吉兒，妳孤注一擲，甚至冒著違背艾比的安排的風險——這些都是要付出代價的。現在，已經值回票價了。」

「要是艾德里安也這麼想就好了。」我小聲說，「他認爲我離開我們的那個『安全屋』，是件愚蠢的事。」

迪米特里鬆開了手。「這些事妳都告訴他了？」

「沒有提到吉兒。我不小心說漏了嘴，說我們已經不在西佛吉尼亞了。不過，他有替我保密。」我急忙補充道：「其他人都不知道。」

「我相信他有。」迪米特里說，可是他方才溫暖的眼神冷卻了一點，但也只是短短一瞬。

「他……他好像對妳很忠誠。」

「是的，我完全信任他。」

「他能讓妳開心嗎？」迪米特里的語氣並不嚴厲，可是那種不容拒絕的口氣，會讓人以為自己現在是在接受警方的調查。

我想了想和艾德里安在一起的時間：那些玩笑、那些派對、那些遊戲，當然，還有那些吻。「是的，他可以。我和他在一起很開心。我是說，他有時候是很令人火大——好吧，多數時候都是——可是千萬不要被他那些惡劣的行徑騙了。他不是個壞人。

「我知道他不是。」迪米特里說，「他是個好男人。雖然不是所有人都能看出來這一點，不過我可以。他雖然還不能完全接受自己，不過他正在努力，從這次逃亡事件就可以看出來。還有……」那些話似乎卡在迪米特里的舌尖，很難啓齒。「從西伯利亞回來以後，他就一直在等妳嗎？是他幫妳走出來的嗎？」

我點點頭，不明白他為什麼要問這些問題。不過事實證明，這些問題只是為了後面的重要問題做熱身。

「妳愛他嗎？」這個世界上只有幾個人能在問我這種瘋狂的私人問題之後，還不會被揍。迪米特里就是其中一個。我們兩個之間沒有祕密，可是我們之間的複雜關係令這種話題變得很不眞實。我怎麼能對一個我曾經愛過的男人講述我對另一個人的愛？一個妳還在愛的男人。一個聲音在我心底說。也許吧，大概吧。再一次，我想起了自己很容易就對迪米特里有感覺的事。這種感覺會消失的，它們已經消失了，就像他的感覺已經消失了一樣。他是過去式了，艾德里安才是我的將來。

「是的，」我說，這中間沉默的時間比我自己想像得要長，「我……我很愛他。」

「很好，我很高興。」事實上，轉過頭茫然看著窗外的迪米特里，看起來可不像很高興的樣子。我更糊塗了。爲什麼他會難過？最近這個人的行爲和說出來的話，好像不太搭配。

我靠近他。「有什麼問題嗎？」

「沒有。我只是想確定妳過得好不好，是不是幸福。」他回頭看著我，擠出一絲笑容。他說的是實話——但不是全部的實話。「有什麼東西變了，就是這樣。這種變化讓我重新想通了很多事。自從多諾萬……然後是索婭……這種感覺很奇怪。我以爲，莉莎救了我的那晚，一切全都起了變化。可事實上，並不是這樣。還有很多事，很多比變回拜爾這件事更重要的事，是我沒有想到的。」他又陷入了那種沉思狀態，可是很快又振作了起來。「每一天我都能感受到全新的東西，有些新產生出來的情感是我曾經忘記去感覺的，有些是我已經完全忘記的，可是它們又都回來了。有一些美麗，是我沒有看見的。」

「嘿，我在後巷時的頭髮不能列在這個清單上，好嗎？」我揶揄道，「你當時太激動了。」

那種勉強的笑容變成了發自內心的。「不，蘿莎，它很美，一直都很美。」

「不過這件洋裝還是會讓你倒胃口。」我想要開個玩笑，可事實上，我在他的注視下開始覺得有些眩暈。

那雙深邃的眼眸深深地看著我——是眞眞正正地看著我。我想，這是他進屋以後第一次這麼看著我。他的臉上透出非常複雜的表情，令我覺得有些不解，我能分辨出那些情緒，可是不明白是什麼導致了這些情緒的出現。有敬畏，有驚嘆，有悲傷，有後悔。

「怎麼了？」我不安地問，「你幹嘛這麼看著我？」

他搖了搖頭，笑容變得有些勉強。「因爲有時候，人只顧著強調細節，卻忽略了整體。這不是衣服或者頭髮的原因，而是因爲妳。因爲妳很美，這麼美，美得令我心痛。」

我覺得胸口升起一股奇怪的躁動，有些心慌意亂，又像心臟快要停止跳動……很難解釋清楚這到底是種什麼感覺，不過這一刻，我好像不再是置身於馬斯特諾家的客房。這些話他以前也說過，是很類似的話。這麼美，美得令我心痛。那是在聖弗拉米爾學院的小木屋，我們唯一一次發生親密關係的時候，他也是像現在這樣看著我，只是那時他的眼神裡沒有悲傷。然而，就在我聽見這些熟悉的話之後，我緊閉的心門突然被衝開了，我們之前對彼此的那種感覺和對方是唯一的心情，全都湧了出來。我看著他，就在一瞬間，我產生了一種不眞實的感覺，好像我們一生一世都不會分離，好像我們之間也有了心電感應……不過不是我和莉莎那種心電感應，而是被一股力量連繫在一起的默契。

「嘿，夥伴們，你們有沒有——哦。」雪梨推開門走進來，然後猛地停住動作，又往後退了兩步。「對不起。我——這個——」

我和迪米特里立刻分開。我覺得渾身燥熱，身子有些發抖，這才注意到我們兩個剛才離得多麼近。我甚至忘記了要移動，一陣微風吹過，才將我們分開。發生了什麼事？感覺好像是我失了神，也好像是一場夢。

我吞了口口水，想要平復自己的心跳。「沒關係，怎麼了？」

雪梨看了看我們兩個，仍然有些尷尬。也許她沒有和人談過戀愛，可是就連她都知道自己剛剛闖進來看見的是什麼情況。我很高興，我們兩個最起碼有一個人談過戀愛。

「我……這……我只是想上來透透氣。樓下的事我實在接受不了。」

我嘗試著笑了笑，仍然不明白自己的感覺。爲什麼迪米特里要那麼看著我？爲什麼他要說那些話？他不可能還喜歡我。他說過他已經不懂愛了。他叫我不要再去煩他。

「哦，當然。我們剛才只是在……聊天。」我說。雪梨顯然不相信我，我則努力想要說服她……還有我自己。「我們正在聊吉兒。有鑒於我們現在都是通緝犯的身分，妳有沒有想過怎麼把她帶進皇庭呢？」

雪梨在處理人際關係上是個專家，在裝傻充愣這方面應該也不弱。她鬆了一口氣，注意力馬上轉移到如何解決這個問題上了。

「嗯，妳可以讓她的媽媽——」樓下傳來一陣聲響，打斷了她的話。

我和迪米特里動作整齊得就像同一個人一樣，同時衝向門邊，準備去收拾維克多和羅伯特製造的混亂，不管是什麼。可是，當我們跑到樓梯口的時候，猛地停了下來，因為聽見樓下有很多人大聲喊著，要所有人都趴下。

「是守護者。」迪米特里說，「他們把這裡包圍了。」

# 25

我們聽見進屋的腳步聲，知道再過幾秒，樓下的守護者就會走上二樓。我們三個往後退去，而令我吃驚的是，雪梨竟是接下來率先做出反應的人。

「快走，我去引開他們的注意力。」

她說的引開他們，很有可能是指擋住他們一陣子，直到最後他們把她打倒扔在一旁，而這多出來的幾秒鐘便是我們逃走的絕佳機會。不過，我還是無法接受丟下她這種想法。迪米特里沒有這種顧慮，特別是我們聽見樓梯上響起腳步聲的時候。

「快走！」他喊道，拉起我就跑。

我們向走道盡頭的那一間臥室跑去，那是維克多和羅伯特住的客房。在我們跑進去之前，我回頭對雪梨大喊：「記得帶吉兒去皇庭！」

我不知道她有沒有聽見，因爲我喊出這句話的時候，那些守護者已經來到她身前。迪米特里立刻打開客房裡的其中一扇大窗戶，心照不宣地看了我一眼。同往常一樣，我們不需要多餘的言語交流。

他先跳了下去，毫無疑問是想要先下去對付樓下的威脅，不管來者是誰。我也立刻跟著跳下去。我先落在一樓的屋頂上，然後滑下去，最後才跳到地上，迪米特里則抓住我的手臂，協助我著地——可是我的腳踝仍不受控地扭了一下。這次受傷的腳跟上次伏擊多諾萬時是同一隻，我痛得抽搐了一下，然後立刻咬牙堅持住。

一群藏在後院周圍的黑影，藉著傍晚昏暗的視線向我們移動而來。當然，守護者不可能全都守在門口，他們會把守住各個出口。我和迪米特里默契十足地背對背，準備應付前來的敵人。一如既往地，要想控制力道以免殺死對方是很困難的。不過，雖然很困難，不代表做不到。我不想殺死自己人，這些人只不過是忠於職責，前來追捕逃犯而已。附帶一提，身上這件長裙眞是太不方便了，我的腿會一直被纏住。

「其他人隨時都有可能出來。」迪米特里將一名守護者撂倒在地之後，對我小聲說道，「我們必須快走——往那個方向，那道門那裡。」

我沒有回答，只是照著他的指示，往後方籬笆處的那道門移動，一路上還要應付撲上來的守護者們。我們剛解決完院子裡的這一群，屋子裡又衝出一大票守護者，於是我們翻過籬笆門，沿著馬斯特諾家旁邊一條偏僻的小路拔足狂奔。

但是，沒多久我就發現一件事——我跟不上迪米特里的速度。雖然我盡量不去想腳上的扭傷，可是腳傷卻不會自動痊癒。

迪米特里沒有猶豫，他跑過來攬住我，將我身體的一部分重量分擔在他身上，帶著我一起跑。我們改變方向，直接從一個院子裡穿過去，好讓他們無法追上我們——雖然不太可能。

「我們甩不掉他們。」我說，「我會拖慢速度的。你必須——」

「別說要我丟下妳這種話。」他打斷了我，「我們要一起走。」

匡啦，匡啦。我們身邊的花盆突然碎了，泥土和石塊四散開來。

「他們開槍了。」我不敢置信地說，「他們眞的開槍了！」一直以來我接受的都是赤手空拳的搏鬥訓練，一直覺得用槍是作弊的行爲。可是，當他們眞的對一個殺死女王的兇手和她的同夥開槍後呢？名譽似乎並不重要，結果最重要。

又一顆子彈從我們身邊飛過，差點就打中我們了。「而且還裝了消音器。」迪米特里說，「所以說，他們還是有顧忌的，不想讓這附近的鄰居認為這裡遭受了攻擊。我們要找個掩護，盡快。」我們也許可以躲開那些子彈，可是我的腳已經堅持不了多久了。

他又帶著我猛地拐了個彎，出了這個院子。我沒有回頭看，可是聽見後面有人大喊，說我們絕對跑不掉的。

「那邊。」迪米特里說。

前方有一棟深色的房子，後院的大玻璃門令我想起了索婭家的那道門。那道玻璃門開啓著，不過裡面還有一道紗門，封住了進屋的去路。迪米特里試著轉了轉紗門的把手，是鎖住的。不過這種紗門是不可能難倒我們的。可憐的這家人，不能太信任別人。迪米特里拿出銀樁沿著門邊劃出長長的一道裂縫，我們匆忙鑽了進去，進去之後，他立刻將我拉到一旁，躲在外頭看不到的地方。他豎起手指放在嘴唇上示意，將我摟緊，我感受到他的溫暖，不覺有些激動。

過了幾秒，我們看見守護者鑽進了院子，開始到處搜查。有的人繼續往前追，生怕漏掉任何一種可能。其他人在這裡徘徊良久，翻查著每個適合藏匿的絕佳地點。眼看著天色越來越暗，我看了那道紗門一眼。切口非常明顯，雖然不是一個明顯的破洞，可是仍很容易被追查的人發現。

迪米特里也看見了，他開始小心地往客廳內移動，盡量避開窗口以免讓人看見我們。我們抄近路進到廚房，發現了一道通往車庫的門，車庫裡停著一台福特野馬。

「希望他們家有兩台車。」迪米特里小聲說道。

「也許他們出去散步了，然後一回家就看見鄰居家出現了一支特警菁英部隊。」我也小聲回道。

「守護者肯定不可能讓自己被發現的。」我們開始在每個可能放車鑰匙的地方翻找。終於，我在牆上一個櫥櫃裡找到了一串鑰匙，伸手把它們拿了下來。

「到手了。」我說。我本來以爲我找到了鑰匙，迪米特里肯定會同意讓我開車的，可是，眞多虧了我的右腳，我不得不把鑰匙交出去。老天爺的惡趣味眞是討厭。

「他們會發現車子裡的人是我們嗎？」我問道，迪米特里已經打開車庫的門，準備倒車出去。「這台車，比我們平時偷的車子要好一點。」其實是好太多了。雪梨，身爲一個愛車狂，一定會愛死它的。我咬著唇，對於我們扔下她仍覺得很有罪惡感，但也只能試著不在這時想這些事情。

「沒錯。」迪米特里同意道，「路上還會有其他的車子，他們的人手也有限，有的要留在馬斯特諾家裡，有的還要在後院裡繼續尋找。即使他們很努力查找，也不可能什麼都注意到。」

我們將車子開出去之後，我仍忍不住屏住了呼吸。有兩次，我都覺得路邊有幾條鬼鬼祟祟的人影，但迪米特里說得對：他們不可能在車來車往的鬧區查看每台車子。而且，越來越暗的天色，也有助於隱藏我們的模樣。

迪米特里一定還記得我們來時的路，因爲我們轉了幾個彎之後，就開上了高速公路。我知道他並沒有預設目的地，只想跑得越遠越好。沒有明顯的跡象表明有人在追捕我們，我於是在座位上換了個姿勢，伸直了抽痛著的腿。我的呼吸還有些急促，通常腎上腺素飆升的時候都會有這種問題。

「他們出賣了我們，是嗎？」我問道，「維克多和羅伯特利用了我們，然後甩掉我們。我應該一直盯著他們才對。」

「我也不知道。」迪米特里說，「這是有可能的。找妳談話之前我去看過他們，不過看起來沒什麼可疑之處。他們想和我們一起去找吉兒，但也知道我們遲早會把他們交給守護者。如果說他們早已計畫好逃跑方案，我一點都不意外。他們可能是趁著進食時其他人不注意的空檔，叫來了守護者，反將我們一軍。」

「該死。」我嘆了一口氣，將座椅往後調了調，希望有根橡皮筋能讓我把頭髮綁起來。「我們有機會的時候就不應該放過他們。接下來會怎樣？」

迪米特里默默地想了一會兒。「馬斯特諾一家可能會接受詢問……這種可能性很大。嗯，其實所有人都會被問話。他們可能會把索婭關起來，進行調查，就像我那時一樣，而雪梨可能會被遣送回煉金術士協會。」

「他們會怎麼處置她？」

「我不知道。不過我猜，她幫助吸血鬼逃犯這個罪名，不會讓她太好過。」

「該死。」我再次咒罵道。所有的計畫都被打亂了。「我們該怎麼辦？」

「先甩掉那些守護者，找個地方躲起來，固定住妳的腳踝。」

我瞥了他一眼。「哇哦，好像沒什麼能難住你嘛。」

「也不盡然。」他說著，微微皺了皺眉。「這些都是比較容易處理的。至於之後要怎麼做，才是最困難的。」

我的心猛地一沉。他說得對，即使莫里當局不會以窩藏逃犯的罪名起訴馬斯特諾一家，但現在也沒有人會逼艾米麗公開吉兒的身分了。如果雪梨被遣送回他們的人那裡——哦，那她也沒有辦法幫忙了。我一定要把這件事告訴其他人，我想，下次見到艾德里安的時候，一定要把事實真相都告訴他們，這樣我的朋友們也許能夠去找吉兒。我們不能再守著這個祕密不放了。

迪米特里將車開至下一個出口，我又回到現實的世界裡。「找酒店嗎？」我問。

「不完全是。」他說。我們來到一個很繁華的商業區，離安那寶市並不算很遠，是底特律的一個小鎮，街道兩旁林立著飯店和商店，我們來到一間二十四小時營業的超市，這裡號稱「什麼都能買到」。他停好車子，打開自己那側的車門。「妳在車子裡等我。」

「可是——」

迪米特里深深地看了我一眼，然後我低頭看了看自己。我在那場戰鬥裡受的傷比我自己想得要嚴重，而且我的洋裝也扯破了，再加上一瘸一拐的走路姿勢，這種狼狽的樣子很容易引起別人的注意。我點點頭，他便下車走了。

我坐在車子裡，反覆地思索著眼前的情況，一直不斷地責備自己，為什麼沒有在羅伯特治好索婭之後就把他們交出去。我準備好要想個悄悄告發他們的方法，我可沒有傻到以為只要打個電話給守護者就沒事了。

迪米特里就算是採購也很有效率，很快地，他就捧著兩個大袋子回來，肩膀上還背著東西。他把這些全都放在後座上，我好奇地回頭看了一眼。「這是什麼？」我問的是一個用布袋套著的長形圓筒。

「帳篷。」

「我們幹嘛要——」我低呼道，「不能住酒店，對吧？」

「露營的話，別人不會輕易找到我們，特別是這台車子，不會那麼容易被人發現。我們現在不能冒險，特別是妳的腳現在傷成這樣。」

「那些可憐的人，」我說，「我希望他們的車險裡有包括竊盜這一項。」

我們又重新回到高速公路上，很快就把那座小鎮甩在了身後，沒多久，我們就看見了幾個關於露營和休旅車停車場的廣告。迪米特里把車開到一個叫做太平松公園的地方去，在和公園管理處的某個員工洽談過後，我們得以用現金支付。我意識到，這是我們不能去住酒店的另一個原因。大部分酒店都只接受信用卡，這些東西都在雪梨那裡（當然，用的全都是假名）。我們現在只能靠現金過活了。

管理員替我們指示了一條砂石路，這條路一直通到營地的盡頭。那裡已經擠滿了來這裡度假的家庭，不過沒有人注意我們，迪米特里將車子盡可能地往樹叢裡停，這樣可以遮住車子和車牌。雖然我一再要求，可他仍然不同意我幫忙搭帳篷，他說沒有我他的速度可能會比較快一點，我只要待著別動就行。我本來想抗議，不過看見他開始動手組裝以後，驚訝得下巴都快掉了下來。沒想到他的動作居然這麼快。他甚至不用看說明書，這種速度肯定能打破什麼世界紀錄了。

帳篷小而牢固，裡頭的空間可容我們坐下跟躺著，不過當我們坐著的時候，迪米特里必須要稍微縮一下身子。我們在帳篷裡坐好以後，我終於有機會看看他買的其他東西了。有很多都是急救用品，還有一個手電筒和手杖，然後就是替換的燈泡。

「我看看妳的腳。」他命令道。

我把腿伸過去，他將我的裙子推到膝蓋，手指輕輕地按摩著我的皮膚。我稍微顫抖了一下，這種情景太熟悉了。最近我好像經常有這種感覺。我回想起以前他幫我療傷的情景，當時，我們坐在聖弗拉米爾學院的體育館裡，也是這樣。他溫柔地檢查我的腳踝機能，這裡戳戳，那裡按按。他的手指總是帶給我驚奇，這雙手可以擰斷一個人的脖子，可以包紮傷口，還可以挑逗地劃過別人裸露的皮膚。

「骨頭應該沒事。」他最後說道。他抬起手，我這才感覺到他剛才碰觸我的時候，有多麼溫暖。

「只是扭到了。」

「如果你老是從屋頂往下跳，也會扭到腳的。」我說。開玩笑是我用來掩飾不安的老招數。

「你知道，我們從來沒有接受過這方面的訓練。」他聽了微微一笑，拿出繃帶，將我的腳踝纏了一圈又一圈，把它固定住。做完這件事之後，他又開始去拿——

「一包凍豌豆？」

迪米特里聳聳肩，將這包凍豌豆放在我的腳踝上，那種冰涼的觸感令我立刻覺得舒服了很多。「比買一整袋冰容易多了。」

「你還眞是會利用資源，貝里科夫。你還買了什麼？」

檢查的結果是，剩下的東西除了毯子就是吃的。我看見他還特別替我買了優酪乳口味的薯片和一條巧克力之後，給了他一個大大的笑容。我很高興他還記得我的這些小愛好。可是，我突然想起另一個問題，就再也笑不出來了。

「你沒有買衣服，對吧？」

「衣服？」他問道，好像我說的是外國話。

我指了指身上被扯破的裙子。「我不能一直穿著這件衣服。我該怎麼辦？用毯子當袍子裹住自己？你就是這種人，永遠都不會想到這些事。」

「我只想到急救和求生用品。新衣服是奢侈品，不是必需品。」

「你的大衣也不是嗎？」我冷冷地問。

迪米特里愣了一下，然後咒罵出聲。在馬斯特諾家的時候，他不需要再穿著大衣——說實話，在外面他也不一定要穿——然後就在緊接而來的戰鬥中將它遺忘在那裡了。

「別擔心，夥伴。」我揶揄他道，「商店裡還有很多。」

他打開毯子鋪在帳篷裡，躺在上面，臉上浮現出懊惱的神色，顯得有些滑稽。雷達、子彈、罪犯……這些都是小事。可是少了那件風衣？那就不得了了。

「我們可以再買一件。」我說，「你知道，等我們找到吉兒，證明我的清白，拯救了世界以後。」

「只有這麼多事要做，是嗎？」他說完，我們兩個一起哈哈大笑起來。可是當我在他身邊也躺下來之後，我們倆的表情都漸漸嚴肅起來。

「我們該怎麼辦？」我問。這是今天晚上最受歡迎的一個問題。

「睡覺。」他說著關掉了手電筒。「明天起床後，我們聯絡艾比或者塔莎，或者……某個人，把這些事交給他們處理，然後把吉兒帶去她應該去的地方。」

「我覺得我們失敗了。我高興得太早了，本來我以爲我們完成了最不可能完成的任務，結果只是一場空。所有的努力都白費了。」我說話的時候，驚訝地發現自己的聲音居然這麼小。

「白費了？」他驚訝地問，「我們做的事情……是重要的。妳找到了莉莎的妹妹，另一個德拉格米爾成員。我不認爲妳眞的明白這件事的意義。本來我們已經快束手無策了，可妳讓事情有了進展，而且還達成了任務。」

「可我又丟掉了維克多．達什科夫。再一次。」

「嗯，這件事妳不用擔心，他不會躲藏太久的。他是那種凡事都要求在自己掌控中的人，機會一到，他一定會採取行動的——然後我們就去抓他。」

我又露出了笑容，雖然知道他看不見。「我還以爲這裡最樂觀的人是我呢。」

「這是會傳染的。」他回答道。然後，令我驚訝的是，他在黑暗中找到了我的手，讓我們的手指緊緊交握在一起。「妳做得很好，蘿莎。非常好。現在，睡覺。」

僅是這樣的接觸，他握住我的手卻讓我感覺擁有全世界的溫暖。這是難得的幸福時刻。在圖書館那回也是，我們之間那種熟悉的默契和理解突然變得更加強烈了，這種感覺眞好。那麼契合，那麼自然。我不想睡，我只想留在這裡，和他這樣直到永遠。這不算不忠，我想到艾德里安的時候這麼想，這只是對這種親密感的享受。

不過，睡覺還是必要的。我們制訂了一個値班時間表，訂好了每個人負責什麼時段。現在是他負責値班，由我先睡，而我有種感覺，如果我現在不睡，等輪到我的時候，他可能也不會睡。我閉上眼睛，但這次要平復的不是我的心跳，而是大腦。我的大腦像是倉鼠腳下的滾輪一樣，不停地想著接下來該怎麼辦。一定要把吉兒帶去皇庭。一定要把吉兒帶去皇庭。這是最重要的事。我們要聯絡上所有能夠找到吉兒的人，我和迪米特里可以先躲起來，所有的問題很快就會得到解決……

「謝天謝地。」

我轉過身，一度沒有意識到自己又進入了靈夢裡。我又回到了索婭那陽光明媚、五顏六色的花園裡，而索婭正坐在椅子裡，充滿期待地看著我。

「我還怕妳爲了警戒，整晚都不會睡覺呢。」她繼續說。

「如果我能選擇的話，一定會這麼做。」我說著向她走去。雖然我沒有想到會夢見她，不過至少我可以和外面的世界有所聯絡了。我還穿著身上那條黑白條紋的洋裝，不過和現實中不一樣的是，這條裙子很乾淨，也沒有破損。「迪米特里認爲我們目前的地點很安全——不過，他肯定是醒著的。」

「當然。」她的眼中閃動著戲謔的光芒，不過只有一瞬間。

「妳在哪兒？」我問道，「那些守護者抓住妳了嗎？」

「他們不是衝著我來的，」她有些得意的說，「你們才是他們的目標。我用了一點催眠術，讓他們認爲沒有見過我。我溜走了……可是我很遺憾必須丟下艾米麗。」

我也有同樣的感受，不過仍很高興索婭能夠逃走。畢竟，這是好消息。「這麼說，妳可以帶吉兒去皇庭了。妳已經逃出來了。」

索婭看著我，好像我講的是法語一樣。「我不能帶她去。」

我皺起眉。「他們看守她看得很嚴嗎？」

「蘿絲，」索婭說，「吉兒根本就不在守護者手裡。維克多和羅伯特綁走了她。」

# 26

「她怎麼了？」我喊道。夢裡面，花園裡鳥兒的啼唱停止了。「被他們綁走了？所以，他們才叫來守護者嗎？」

索婭仍然是那副冷靜的樣子，不過她微微皺了皺眉。「那些守護者不是維克多和羅伯特叫來的。他們爲什麼要這麼做？」

「因爲……因爲他們希望能夠甩開我和迪米特里……」

「也許吧，」索婭說，「可是如果他們還在那棟屋子裡就不會這麼做，維克多和妳一樣也是通緝犯。後來，還是依靠羅伯特的魔法，他們才得以逃走。」

「那會是誰……」我突然想到了答案，呻吟起來。「是約翰和艾米麗。我早該想到事情沒有這麼容易的，他們不可能這麼快就接受家裡住了一個逃犯。」

「其實我認爲叫人來的是約翰。艾米麗似乎真心相信妳是無辜的……雖然她並不喜歡妳前去她家的原因。而且，我想她也會擔心叫來守護者，會令吉兒更加引起別人的注意。如果是約翰背著她叫來守護者，我一點都不會覺得奇怪，他可能以爲自己做的事幫了所有人。」

「結果，他失去了自己的繼女。」我說。「可是爲什麼維克多和羅伯特要綁走她呢？兩個身體虛弱的老頭，到底是怎麼綁走一個十幾歲的小女生的？」

索婭聳聳肩。「他們可能沒有看上去那麼虛弱，催眠術可能也幫了他們一點忙。至於說他們的目的嘛，這很難說。不過，維克多一直在追求權力，手裡握有一個流落在外的德拉格米爾成員，是幫助他實現願望的好方法。」

我跌靠在一棵樹上。「我們永遠都沒辦法把她帶去皇庭了。」

「只要找到她，還是可以的。」索婭說，「只要她睡著了，我就可以聯絡上她。」

「靈夢。」我說，心中的希望再次被點燃，「妳可以現在就去，去找——」

「我試過了，她還沒睡著。我打賭他們為了阻止我們聯絡她，一定不會同意讓她睡覺的。不過，我會繼續努力。」

雖然這個辦法並不理想，可是我們現在也只能這麼做了。「雪梨和馬斯特諾一家人呢？」

「他們的麻煩就大了。」索婭的臉色沉了下來。我知道她仍為拋棄自己的堂姊覺得很不好受，就像我對雪梨感到內疚一樣。

我輕輕地碰了碰索婭的手臂。「沒關係的，他們會沒事的。妳這麼做會幫我們找到吉兒的。」

她點點頭。「我們怎麼保持聯絡呢？我不能一直都等到妳睡覺之後再來找妳。」

一陣沉默。問得真好。

「也許我們今天可以去買台手機……天曉得我們現在有多麼需要它。不過……妳為什麼不來找我們呢？妳到底在什麼地方？」

我在想，邀請她來找我們會不會是一個錯誤。

我和迪米特里費了一番力氣才找到藏身之地，期間和守護者交手的次數比我能接受的多了一點。先不說那些顯而易見的問題——比如說關進監獄、處決什麼的——被抓之後，我們可能就不能繼續幫助莉莎了。沒錯，我很確定索婭和我們是一國的，更重要的一點，她可能是我們和吉兒之間唯一的連結。可是，當我把我們的位置告訴維克多的時候，也下過類似的賭注。他確實幫助了我們，可惜之後又扯了我們的後腿。

不過最後，我還是告訴了索婭我們所在營地的名字，並且盡量把方位描述清楚。

她說她會來找我們——我不知道她要怎麼來，只能相信她自有辦法——然後也會繼續嘗試聯絡吉兒。

「索婭……」我有些猶豫，知道我應該讓她結束掉這場靈夢了，畢竟我們正面對很多重大的問題，那些都比我要問的這件事危急。再說，這屬於私人問題。「妳在車上說的話是什麼意思……我是指，我說夢見了我的男朋友。妳好像很驚訝。」

索婭仔細地看了我好久，那雙藍眸顯得更加深不可測，我有點不安。有時候，她處於瘋狂模式時看起來還比較無害。「靈光能夠透出許多訊息，而我剛好是很善於解讀它的人，肯定比妳的朋友們解讀得還要好。靈夢會爲妳的靈光罩上一層金色，所以我才會知道妳作了靈夢。每個人的靈光都是獨一無二的，可是它也會受到妳的感覺和靈魂的影響。如果妳戀愛了，是可以看出來的，這些人的靈光會特別耀眼。妳作夢的時候，妳的靈光亮了起來，雖然也很耀眼……可我覺得並不到見到男朋友的那種程度。當然了，每段感情都是不一樣的，人們會處於不同的階段，這點我可能疏忽了，不過……」

「不過什麼？」

「不過，當妳和迪米特里在一起的時候，妳的靈光耀眼得就像是太陽。他的也是。」看見我目瞪口呆的樣子，她笑了笑。「妳很驚訝嗎？」

「……問題是，我們已經結束了。我們曾經在一起過，可是當他從血族變回來以後，就不想再和我在一起了。我決定放手，繼續前進。」而繼續前進的意思顯然是手拉著手，享受親密、熱情的時刻。「所以我才會和艾德里安在一起。我和他一起很開心。」最後一句話聽起來像是辯解。我想要說服誰呢？是她還是我？

「行爲和感情很少會一致。」她說，聽起來很像是迪米特里的理論，「不要以爲這麼做是錯的，妳只是遇到了問題，需要解決。」

好極了。

一個瘋婆子正在替我做心理治療。

「好吧，假如妳說的是對的，可我也只是在幾個星期之前才決定放棄迪米特里，很有可能我只是還不能忘記某些感覺。」可能嗎？我想起和他肩並肩坐在車子裡時的坐立不安，想起了我們在圖書館度過的那一段平靜時光，想起了我和他並肩作戰時的感覺有多麼的美好，我們兩個果斷的性格，幾乎不用猜都知道對方心裡在想什麼，還有一個小時以前在客房裡……

索婭肆無忌憚地大笑起來。「可能嗎？在短短兩個星期之後？蘿絲，妳在很多方面都很老道……可是在另外一些方面又很幼稚。」

我痛恨別人拿我的年紀做文章，可是又沒有時間發脾氣。「好吧，隨便，就算我對他還有感覺好了，可是他不可能也有。妳沒見過他剛剛變回來時的樣子，可怕極了。他很絕望，說只要能避開我，不管花多大代價都願意，還說他不可能再愛上任何人了，直到這次瘋狂的逃亡，他才開始變得比較像是原來的他。」

「他和我談過這些，」索婭的表情又變得嚴肅起來。「說過他的那些絕望。我能理解，在成爲血族之後……在我們做過那些事情之後……對生命就不會有任何感覺了。成爲惡魔之後，只有罪惡、黑暗和破碎的記憶。」她顫抖起來。

「妳……可妳的表現和他完全不一樣。我是說，妳雖然有時候看上去也很傷心，可是其他時候……就好像一切都沒有發生過。妳還是原來的妳，大部分時間是這樣。爲什麼你們兩個的情況不一樣？」

「哦，我仍然有罪惡感，相信我。在羅伯特救回我之後……」說到他的名字，索婭流露出一絲厭惡，「其實，我一點都不想離開我的家，不想離開我的床。我痛恨自己做過的事，希望被銀樁刺死。後來，迪米特里開始和我交談……他說這種罪惡感是不可避免的。事實上，我感覺到自己已經不是血族了，可是他告訴我，如果我不能停止自責，就沒有辦法重新擁抱生活。我們都得到了第二次機會，他還有我都是，我們不能放棄這個機會。他還說，他也花了很長一段時間才想通，他不希望我也犯下一樣的錯誤。他說，現在擁抱生活，擁抱生活的美麗，擁抱曾經愛過的人，還不算太晚——哪怕這個過程很艱難。要擺脫成爲血族的過去……那種過去是個負擔，沉甸甸地壓著我。他發誓，他不會再讓這些過去主宰他——相信我，雖然說起來很容易，可是要做到眞的很難——而且也不會讓他的生命虛度。他已經永遠失去了很多東西，所以不會再讓過去奪走他更多。」

「這些都是他說的嗎？這……這些話，我很多都聽不懂。」他說，現在擁抱生活，擁抱生活的美麗，擁抱曾經愛過的人，還不算太晚。

「有時候我也不明白。就如我說過的，說比做要容易得多。不過我想，如果沒有他幫忙，只靠我自己是不會這麼快走出來的。至於妳和妳的靈光……」她那種討厭的笑容又回來了，「嗯，只能靠妳自己慢慢去思考了。我不相信什麼靈魂伴侶，眞的，我覺得那種相信一定有一個人在等著你的這種說法是很荒唐的。如果你的『靈魂伴侶』住在辛巴威怎麼辦？如果他很早就死了怎麼辦？我也覺得『兩個靈魂合二爲一』是很扯的事，畢竟每個人都要擁有自我。可是，我確實相信靈魂是可以同步的，靈魂可以反映出彼此。我見過同步的靈光，我也見過愛的靈光，而這些，我在你們兩個的靈光上都看到了。但是，聽過這些之後，最後要怎麼做還是只有妳才能決定——如果妳相信我的話。」

「別給我壓力。」我小聲說道。

她看上去好像就要結束掉這場夢，卻又突然意味深長地看了我一眼，「還有一件事妳要當心，蘿絲。你們兩個的靈魂很相配，但並不是完全相似。迪米特里的靈光裡有一點陰影，那是他的心靈創傷殘留下來的，不過，這種陰影每天都在減少；妳的靈光裡也有陰影——可是卻沒有消退的跡象。」

我顫抖了一下。「莉莎。是我從她身上吸取的負面能量，對不對？」

「沒錯，心電感應方面的事我知道的不多，不過妳現在做的事——就算這樣能幫到她——是很危險的。精神能力會令我們的性格有些分裂，這是毫無疑問的，不過換個角度來看……我覺得是因爲我們精神能力者本身就有這個特徵。當然，有時候並不是很明顯。」她有些嘲諷地又補充了後面這一句。「可是妳呢？卻沒有這種體質。如果妳吸收了太多負面能量，我不知道會發生什麼事，但情況危如累卵，只要一點小火花——哪怕是一點催化劑——可能就會把妳引爆。」

「然後會發生什麼事？」我小聲問。

她緩緩搖了搖頭。「我不知道。」說完，這場夢就結束了。

我又重新回到了沒有夢的睡眠裡，可是我的身體——它好像知道該輪到我值班了——幾個小時以後就自動醒了。

黑色的夜再次籠罩著我們，在我身旁，我能夠聽見迪米特里平靜、堅定的呼吸，也能感受到他的溫暖。我和索婭剛才說的所有話又重新浮現腦海。太多太多，我不知道該從哪裡整理起。而且，根據我在現實生活中看到的一切，我不知道自己能不能相信。

行為和感情很少會一致。我深吸一口氣，強迫自己回到守護者的狀態，不願當一個多愁善感的小女生。

「該你睡了，夥伴。」

「如果妳想的話，可以再睡一會兒。」他的聲音對我來說就像黑夜中的一抹亮光，溫柔又低沉。

「不用了，我很好。」我對他說。「記住，你不是——」

「我知道，我知道。」他輕笑道，「我不是將軍。」哦，天哪，我們居然還記得彼此開的玩笑。

**我確實相信靈魂是可以同步的。**

這時，我猛地想起索婭來找我的眞正目的，並不是要和我討論我的感情生活。我把夢裡的事告訴了迪米特里，告知他應該是約翰出賣了我們，還有吉兒被抓走的事。「我……我告訴索婭我們在哪裡是對的嗎？」

迪米特里回答之前想了一會兒。「是的，妳做得對，我們確實需要她的幫助——她可以找出吉兒的下落。問題是，維克多和羅伯特肯定也會知道。」他嘆了一口氣，「而且妳說得也沒錯，我最好在再次行動之前休息一下。」

就這樣，他一如既往地有效率，沒有再說話，然後不久呼吸就轉為平緩。他居然毫不費力就能睡著，眞令人驚嘆。

當然，我們接受的守護者訓練中也有教過這種事：能睡的時候就盡量睡，因爲你不知道下次要到何時才能睡覺。這種技巧我從來沒有學會過。我瞪著一片黑暗，繃緊神經，聆聽外頭是否有任何危險的動靜。

也許我沒有可以說睡就睡的天賦，可是我可以在保持身體警醒的同時，繼續去查看莉莎的情況。吉兒的事和之後的逃亡，佔去了我今天一整天的時間，可我仍然牽掛著皇庭的情況。有人想要殺死莉莎，一群守護者還抓走了愛迪。

當我透過莉莎的眼睛看出去的時候，毫無意外地發現我的朋友全都聚齊了。他們坐在一間肅穆、令人望而生畏的房間裡，和莉莎接受關於我的越獄調查時的那個房間差不多——只不過這一間比較大一點。而這是有原因的，因爲所有人都在這裡了。艾德里安和克里斯蒂安站在莉莎兩旁，我可以透過靈光判斷出他們和莉莎一樣不安；漢斯站在一張桌子後，雙手撐住桌面，身子往前傾，瞪著他們每個人。在莉莎對面的牆壁前方，愛迪板著臉坐在一把椅子上，他的兩旁各站了一名守護者。這兩名守護者都處於緊張的戒備狀態，一觸即發。我意識到，他們認爲愛迪是個危險人物，這太荒唐了。

可是，漢斯似乎和他們持一樣的意見。

他用手指猛戳著桌子上的相片。莉莎往前走了幾步，看見相片上的人就是來刺殺她的人——這張相片是他死了之後照的，他的眼睛閉著，皮膚變成了慘白色——不過從照片上可以看到他臉上的細節，和生前一樣沒有表情。

「你殺了一個莫里！」漢斯喊道。我顯然是在這場談話的中間闖進來的。「這怎麼可能會沒問題？訓練你是爲了保護他們的！」

「我是在保護他們。」愛迪說。他很冷靜，很嚴肅，而我心裡頑皮的幽默感此時想著他真像一個小迪米特里。「我保護了她。如果這個人對她有威脅，這個人是莫里還是血族有分別嗎？」

「可是我們沒有證據證明這是一次暗殺！」漢斯咆哮道。

「有三個目擊證人呢！」克里斯蒂安猛地喊道，「你的意思是說，我們的證詞根本就不重要嗎？」

「我的意思是說，你們是他的朋友，這會讓你們的證詞被質疑。我更希望當時有一個守護者親眼看見這一切。」

現在輪到莉莎壓不住火氣了。「你有啊！愛迪就在場。」

「你除了殺死他，就沒有別的辦法保護她了嗎？」漢斯問。

愛迪沒有回答。

我知道他是很認眞地在考慮這個問題，在反省自己是不是眞的犯了錯誤。

終於，他搖了搖頭。「如果我不殺他，死的人就是我。」

漢斯嘆了一口氣，眼神有些疲憊。他這種樣子實在讓我覺得很火大，我不得不提醒自己，他只不過是在做自己該做的工作。他舉起照片。「你們有沒有誰──誰都可以──曾經見過這個人？」

莉莎壓下恐懼，更加仔細地看了看這張臉。不，在經歷暗殺事件之前她並不認識這個人，不過現在她認識了。他眞的長得一點特點都沒有──完全沒有能夠令人印象深刻的地方。另外兩個人都搖了搖頭，可是莉莎看著看著，擰起了眉頭。

「怎麼了？」漢斯立刻發現了莉莎這個細微的表情。

「我不認識他……」莉莎緩慢地說道，可是她卻想起了和大樓看門人喬的那次對話。

「那個莫里他長什麼樣？形容一下。」

「……普通人，非常普通，除了那隻手……」

莉莎盯著照片又看了許久，那上面可以隱約看到，這個人的手上有很多像彎曲的手指一樣的疤痕。在他們打鬥的時候，我也注意到了。她抬頭看著漢斯。「我不認識他，」她又重複了一遍，「可我知道有個人也許認識他。是個看門人……嗯，是前看門人，就是替蘿絲做證的那個人。我想他之前可能見過這個人，他們之間做過一筆很有趣的交易。米哈伊爾後來發現，他並沒有離開皇庭。」

艾德里安好像有些不太高興把喬牽扯進來，因爲這有可能會扯出他媽媽花錢作僞證的事。「不過要讓他開口說話，可能會很難。」

漢斯瞇起眼睛。「哦，如果他眞的知道些什麼，我們會讓他開口的。」他說著用力朝門口點點頭，愛迪身旁的一個守護者便向門口走去。「找出這個人，然後把我們的『客人』請進來。」

守護者點點頭，走了出去。

「什麼客人？」莉莎問。

「哦，」漢斯說，「很高興妳提起了海瑟薇，因爲我們剛剛有了她的消息。」

莉莎身子一僵，心裡立刻慌亂起來。他們找到了蘿絲？怎麼找到的？艾比向她保證過，我會安全地躲在西佛吉尼亞的那個小鎭。

「有人發現她和貝里科夫在底特律的郊外出現，還綁架了一個女生。」

「他們絕對不——」莉莎猛地停住，「你剛才說底特律？」她很努力克制自己不要向克里斯蒂安和艾德里安投去詢問的眼神。

漢斯點點頭，雖然他裝得好像是隨意說出這件事，但我知道他其實在觀察，我這幾位朋友聽了會有什麼反應。「他們還帶了幾個人，有的逃走了，不過我們抓住了一個。」

「誰被綁架了？」克里斯蒂安問。他的驚訝也不是裝出來的，他也以爲我們現在正安全地藏著。

「馬斯特諾。」漢斯說，「叫什麼馬斯特諾的。」

「吉兒．馬斯特諾？」莉莎試探地問。

「小尤物？」艾德里安也問道。

漢斯顯然不知道這個最新的外號，可是他也沒時間問了，因爲這個時候門被打開了。三名守護者走了進來，跟在他們後面的是——

雪梨。

# 27

如果我在場，一定會驚呼出聲，原因是看見雪梨，也因爲居然看見人類在皇庭出現。是人類，眞的耶，因爲跟著她後面一起進來的還有兩個人類，一男一女。男人很年輕，可能只比雪梨大一點點，有著深棕色的頭髮和同色的眼睛。那個女人的年紀比較大，表情凌厲，給人的感覺很像奧伯黛。這個女人皮膚很黑，可我還是能夠看見她的金色紋身，當然，那個男人身上也有。他們都是煉金術士。

很明顯，這幾個煉金術士看起來都不太高興。中年婦女掩飾得很好，可是她那雙目光凌厲的眼睛，充分表明出她希望自己身處別的地方——隨便什麼地方都行。至於雪梨和那個男生，則是絲毫沒有試圖隱藏他們的恐懼。雪梨也許接受了我和迪米特里，可是按照他們的說法，她和她的同行剛剛走進的是一個惡魔窟。

煉金術士並不是唯一感到不舒服的人。他們一進門，那些守護者就不再認爲愛迪是這裡最大的威脅了，他們全都盯著這幾個人類，仔細地觀察著，活像他們是血族一樣。而我的朋友們，好奇的情緒則多過於害怕。我和莉莎曾經在人類的社會中生活過，可是克里斯蒂安和艾德里安，除了接觸過餵食者，和人類打交道的經驗很少。看見煉金術士在「我們的地盤」上出現，更增添了一絲詭譎的氣息。

我當然也很震驚雪梨居然這麼快就被帶去了那裡。這應該算很快吧？距離我們從吉兒家逃走只有幾個小時，用開車的方式肯定沒辦法開到皇庭，最可能的辦法就是搭飛機。雪梨身上還穿著我最後一次看見她時的那身衣服，她眼睛底下還有黑眼圈，我有種預感，她被抓以後肯定就嚇壞了。令人想不透的是，爲什麼要把這些煉金術士，帶進這場關於愛迪殺死一個身分不詳的莫里的審問會中？這兩件事根本就毫無關聯啊！

莉莎也在想同樣的事。「這些人是誰？」她問道，雖然已經猜出了雪梨的身分。她聽我說過雪梨的樣子。雪梨也看了莉莎一眼，我想她也猜出了莉莎的身分。

「煉金術士。」漢斯粗聲道，「妳知道這是什麼意思嗎？」

莉莎和我的朋友們點了點頭，「可他們和愛迪還有刺殺我的那個人有什麼關係？」莉莎問。

「也許有，也許沒有。」漢斯聳聳肩。「不過我知道還有件奇怪的事，這件事可能跟你們都有關係，這件事我一定要弄明白。她——」他指著雪梨說，「和海瑟薇一起在底特律。我仍然很懷疑你們之中居然沒有一個人知道這件事。」

艾德里安抱著手臂，斜倚在牆邊，完美地擺出一副事不關己的樣子，「那你就繼續懷疑下去好了，這些人我一個都不認識。煉金術士不是討厭我們嗎？他們爲什麼會在這裡？」這個講話冷嘲熱諷的艾德里安，是這些人中唯一知道我不在西佛吉尼亞的人，可是從他的樣子你根本就看不出來。

「因爲我們有一個在逃的殺人犯要抓，所以需要單獨問問她的同夥。」漢斯回答得很乾脆。

莉莎本來想說我沒有殺人，但話到了嘴邊，年紀最大的那個煉金術士搶先跳了出來。

「你沒有證據表明撒吉小姐是你那個逃犯的『同夥』。我還是認爲，你不讓我們自己內部來處理這件事情的做法非常荒謬。」

「如果換成是別的事情，我們肯定會同意，斯坦東小姐。」漢斯回答道。他們兩人之間的氣氛急速冷凍。「但是這件事，妳應該可以想像，它比大多數的事情都還要嚴重。被害人是我們的女王。」

守護者和煉金術士之間的關係更加緊張了。我意識到，他們的合作關係肯定不是十分融洽。我又想到一件事，就算雪梨的上司認爲她犯了一些錯誤，也肯定不會當著我們的人面前承認的——也就是說，漢斯會這麼偏執也不是完全沒有理由的。看見這些煉金術士都沉默了，漢斯似乎認爲他們默許了對雪梨的審問。

「妳認識他們三個嗎？」他指了指我的朋友們，雪梨搖了搖頭。「和他們有過聯繫嗎？」

「沒有。」

漢斯停了一下，好像希望她能改變答案，可是雪梨並沒有。「那妳怎麼會和海瑟薇混在一起的？」

雪梨緊張地看著他，一雙棕眼充滿恐懼。我不知道是不是全都是因爲漢斯。確實，她現在要擔心的事太多了，比如說此刻身處的地方，還有煉金術士協會可能會對她採取的懲罰。當然，還有艾比。老實說，他才是導致她捲進這一切的罪魁禍首，她只要告發艾比，說是他強迫自己這麼做的就好了，這樣，她就能從這件事中解脫——但也會惹得他發火。雪梨吞了口口水，努力做出一個蔑視的表情。

「我和蘿絲是在西伯利亞認識的。」

「當然，當然，」漢斯說，「妳是怎麼幫助她從這裡逃走的？」

「我和她越獄的事一點關係都沒有！」雪梨說道。我想，這有一半是事實。「她幾天前跟我聯絡，說想要我幫她去底特律附近找人。她說她是無辜的，還說這樣做可以幫助她證明自己的清白。」

「但是那時候煉金術士已經知道她被通緝了。」漢斯指出，「每個人都有責任去找她。妳應該把她抓回來。」

「我剛認識蘿絲的時候，她不像是那種會殺人的人——我是說，殺死血族以外的人。眞的，根本不像是殺人犯。」雪梨說話時又加了一點煉金術士特有的不屑，這一招很聰明。「所以，當她說她是無辜的，還能找到證明她清白的證據時，我就決定幫助她了。我於是開車載她過去。」

「我們也問過她這件事了，」斯坦東不耐煩地說，「我們已經跟你說過，我們審問過了。她雖然做了蠢事——因爲太天眞而導致判斷力下降，不過這種事也應該是由我們自己處理，而不是你。你只要操心你那個殺人魔就行了。」她說話的聲音很輕，感覺就像是要把一個淘氣的孩子帶回家，進行懲罰。我懷疑事情沒這麼簡單。

「和她在一起的那些人是誰？」漢斯沒有理斯坦東，繼續問道。

雪梨表現得愈發不耐煩了。「和她一起的那個男的叫……迪米特里．貝里科夫，就是那個你們認爲已經『治癒』的人。其他幾個我都不認識，有兩個男的，還有一個女的，他們從來沒介紹過我們認識。」

這是個很漂亮的謊話，她裝出很討厭迪米特里沒有告訴她其他幾人名字的樣子。

莉莎急切地將身子往前傾，在漢斯開口之前搶著問：「底特律有什麼？蘿絲爲什麼說可以證明她自己的清白？特別是吉兒，她有什麼用？」

漢斯不太高興自己被人打斷，不過我知道他肯定也很好奇吉兒和底特律的問題。他什麼都沒說，也許是希望有人能夠說溜嘴，露出一絲半點的破綻。不過，雪梨仍繼續扮演著她那冷漠以及和誰都不熟的角色。

「我不知道。叫吉兒的那個女生好像也不知道。蘿絲只是說我們必須要找到她，所以我就幫她嘍。」

「妳就這麼盲目地相信她？」漢斯問，「妳眞的以爲我會相信，妳只是因爲信任她才這麼做的？」

「她是我的——」雪梨咬著唇，我知道她肯定是想說「朋友」。她隨即又恢復方才那種很專業的表演水準。「她說的話很令人信服，而且我認爲，要煉金術士協會幫你們追捕一個冤枉的逃犯，是很浪費資源的事；如果我認爲她有罪，隨時都可以把她抓回來。再說，如果我……如果我能獨立解決這個問題，我的威望就能提高，也許可以升職。」這眞是一個非常、非常完美的謊話。一個很有野心的女生爲了升職可以不擇手段？太有說服力了。哦，不過不是所有人都同意。

漢斯搖搖頭。「妳說的話我一個字都不信。」

那個男煉金術士走上前，所有的守護者都衝出來攔住他。「如果她說是這樣，那麼就是這樣。」他和斯坦東一樣不滿，對漢斯充滿不信任，可是似乎還包含了其他情感。在這股保護慾裡面，他對雪梨的私人感情和同事間的道義，各佔了一半。莉莎也看出了這一點。

「放鬆，伊安。」斯坦東說道，但同時仍然留心著漢斯。她的沉著令我越來越覺得她和奧伯黛很像。她和一屋子的守護者待在一起，肯定不會掉以輕心，可是從她臉上一點都看不出來。「你信不信她的話根本不重要。重點是，撒吉小姐已經回答了你的問題，我們該走了。」

「吉兒的父母知道些什麼嗎？」莉莎問。她對於事情的發展仍然很震驚——先不提她因爲我離開那個安全的山裡小鎮而擔心——但是這個奇怪的轉機對於證明我的無辜似乎非常有利，她不能放過這一點。

雪梨轉頭看著莉莎，我大概可以猜出她的想法。她知道我和莉莎的關係有多好，肯定願意向莉莎透露一些消息。可是，現在不行，雪梨不能當著這間屋子裡這麼多人的面前告訴她。而且，她也知道我其實沒有把吉兒的事告訴莉莎。

「不知道。」雪梨說，「我們剛到那裡，蘿絲就說吉兒必須要跟她走。馬斯特諾一家都不知道爲什麼，後來——後來蘿絲眞的把她帶走了。也可能是吉兒自願跟她走的，我不知道實際情況是怎麼回事，一切都亂了。」

無論是煉金術士還是守護者，都沒有對我帶走吉兒這個說法表示異議，我想他們從吉兒的父母和雪梨口中聽到的故事可能都是這樣，而且也接受了。這種說法非常合理，還能解釋吉兒爲什麼失蹤。這裡面沒有提及德拉格米爾家族的祕密，因此這個祕密目前爲止還沒有洩露，艾米麗心裡肯定相當高興。

「這些，」斯坦東說，「我們之前也告訴過你們了。現在，我們眞的要走了。」她轉身向門口走去，守護者攔住了她的去路。

「不可能。」漢斯說，「事關重大，撒吉小姐是我們找到兇手——殺死皇室的兇手——的唯一線索。現在，還多了綁架罪名。」

斯坦東對此嗤之以鼻。我記得雪梨有一次曾說過，煉金術士認爲莫里的皇室體制非常愚蠢。

「她對你似乎沒什麼用處了。別擔心——我們會看好她。如果你還有問題要問，隨時聯絡。」

「我不同意。」漢斯說，「她必須留在這裡。」

另一個煉金術士伊安也加入了這場爭吵，同時以保護的姿態擋在雪梨身前。「我們誰都不會留在這裡！」再一次，我覺得他很有意思。暗戀，就是這個。他暗戀雪梨，所以不只是用看待公事的眼光來看這件事。斯坦東看了他一眼，示意他這件事由她來處理。伊安閉上了嘴。

「那麼，你們可以都留下來。」漢斯說，「對我來說沒什麼差別。我們可以幫你們安排房間。」

「這我絕不同意。」這之後，她和漢斯陷入了激烈的爭吵。我覺得他們不會動手，可是其他幾名守護者還是圍了上去，稍稍給他們施加了一點壓力。

伊安在斯坦東和雪梨之間看來看去，但是沒有介入爭吵。不過，他的目光掃過漢斯撐住的那張桌子時，突然又看了桌上的照片一眼。雖然只有很短的一瞬，他的眼睛也只是微微地張大……但還是被莉莎發現了。

她往伊安和雪梨跟前走了一步。一名守護者回頭看了一眼，認為莉莎的安全沒有問題，便又轉頭繼續盯著斯坦東。「你認識他。」莉莎小聲說道，她的聲音被淹沒在爭吵聲中。事實上，她的聲音似乎太小了，所以回應她的是雪梨和伊安茫然的表情。他們的耳朵不像莫里和拜爾那樣靈敏。

莉莎不安地看了看四周，不希望引起別人的注意，但仍稍稍提高了聲音：「你認識他，照片上的那個人。」

伊安瞪著莉莎，臉上既有好奇又有警惕。毫無疑問，他對吸血鬼的態度同樣不太友善，不過她的話令他放鬆了戒備。再說，就算她是行走在夜裡的惡魔，也是很漂亮的一個。

「伊安，」雪梨柔聲說，「這是怎麼回事？」她的語氣中帶著催促，我想，她肯定不知道他在暗戀自己。伊安剛想開口，這時，另一場「談話」已經結束。雪梨又成為了眾人的焦點，伊安轉過頭，沒有再看莉莎。

最後，斯坦東和漢斯討論出一個折衷方案。兩人對此都不太高興。離皇庭開車四十五分鐘遠的地方，有一座小鎮，煉金術士可以住在那裡——但是要在幾名守護者的陪同之下。這在我看來很像是軟禁，斯坦東的表情表明她也同意我的說法。我想，她唯一能夠接受的一點就是那是一個人類的小鎮。漢斯在放人走之前，又問了我的朋友們最後一個問題。他仔細地看著每個人的表情。

「你們沒有人——一個人都沒有——認識這個煉金術士女孩，或者和她有過聯絡嗎？也不知道她涉入了海瑟薇的事？」

再一次，莉莎和其他人一起做出了否定的回答，而再一次地，漢斯別無選擇，只能不情不願地接受這個回答。所有人都向門口走去，可是漢斯並沒有同意放走愛迪。「你不能走，卡斯托。你要留在這裡，等事情結束。」

莉莎驚呼一聲。「什麼？可他——」

「別擔心，」愛迪微笑著說，「一切都會沒事的。妳好好照顧自己。」

莉莎有些猶豫，沒有理會拉著她的手臂想離開的克里斯蒂安。雖然所有證人都說愛迪是爲了保護莉莎，可他仍然殺了一名莫里，這件事沒那麼容易了結。守護者在沒有百分之百肯定他是在別無選擇的情況下這麼做之前，是不會放他走的。看見愛迪臉上堅定、冷靜的表情，莉莎知道他已經準備好了面對後面的事，不管是什麼。

「謝謝你。」莉莎經過他身邊的時候說，「謝謝你救了我。」

愛迪的回答是輕輕點了點頭，莉莎走進了走道——結果發現自己陷入了更混亂的情況中。

「他們在哪兒？我一定要——啊！」

我的朋友和煉金術士一起往大門走去，身邊有一群守護者護送他們出去。同時，走道前方有一個人被守護者攔了下來，他們正爭吵不休。是艾比。

他只一瞬間就明白了眼前這種古怪的情況，他的目光掠過雪梨和煉金術士的時候，表現得好像從來沒有見過他們。透過莉莎的眼睛，我看見雪梨的臉色變得慘白，可是其他人並沒有發現。艾比微笑地看著莉莎，大步走到她身前。

「可找到妳了。他們要妳現在去參加最後一場測試。」

「是他們派你來的？」克里斯蒂安懷疑地問。

「哦，其實是我自動請纓。」艾比說，「我聽說發生了一件很……嗯，很有意思的事。比如說殺人犯、狂熱的人類信徒還有調查之類的事。你知道，我對所有事情都很感興趣。」

莉莎翻了個白眼，但是什麼都沒說，直到他們這一群人全都走出大樓。當莉莎和我們的朋友們往某一邊走去時，煉金術師和他們不受歡迎的保鑣則走往另一邊。莉莎回頭盯著雪梨和伊安看了很久——我也是——但仍知道現在最好還是繼續跟著艾比往前走，特別是這些守護者會監視的對象不僅僅是那些煉金術士。

當莉莎一票人走到離守護者大樓夠遠的地方之後，艾比臉上和藹的笑容不見了，他轉身看著我的朋友們。

「這該死的是怎麼回事？那個瘋狂的故事我已經全都聽說了。有人說妳死了。」

「差一點。」莉莎說。她把暗殺的事對艾比說了一遍，也說了她對愛迪的擔憂。

「這件事好解決。」艾比不以爲然地說，「他們不會一直關著他，最壞的情況就是他的記錄上多了一個╳。」

莉莎聽了艾比這簡短的保證，稍稍放下心，可我仍然覺得很內疚。多虧有我，愛迪才能有這麼糟的記錄。他的良好信譽已經一天不如一天了。

「那個人是雪梨．撒吉。」莉莎說，「我以爲他們都在西佛吉尼亞。爲什麼她沒有和蘿絲在一起？」

「這個，」艾比咬牙切齒地說，「是個非常好的問題。」

「顯然，因爲他們去底特律綁架了吉兒．馬斯特諾。」克里斯蒂安說，「這太奇怪了。不過，我覺得這不是蘿絲做過最瘋狂的事。」我很感謝他的「支持」。

艾比也得知了這個全新的發展，至少和我的朋友們知道的是差不多的——雖然這些只是整個故事的一小部分。艾比立刻意識到自己被耍了，可以從他憤怒的表情明顯看出，他也不喜歡被人蒙在鼓裡。**歡迎加入我的俱樂部，大叔。**我略爲滿意地想著。我可沒忘記他們制定越獄計畫的時候，是怎麼瞞著我的。不過，我的得意只維持了一會兒，因為我很擔心雪梨之後會遇到的事，現在艾比的怒火轉向了她。

「那個小女娃一直在騙我！」他咆哮道，「每一天，所有那些抱怨西佛吉尼亞有多安靜、多無聊的報告都是假的。我甚至懷疑他們是不是眞的去過那個小鎭。我必須找她談一談。」

「祝你好運。」艾德里安說著，掏出一根煙點燃。顯然，沒有我在身邊，他當時半開玩笑編的那紙說他會「戒掉」所有壞習慣的約會契約並沒有兌現。「我不認為她的朋友或是那些守護者會讓你接近她。」

「喔，我會逮到她的。」艾比說。「她有很多事要解釋。如果她沒有告訴那些白癡，對她是有好處的，不過她必須要告訴我。」

莉莎突然想起一個問題。「你還得找伊安談談，就是那個男煉金術士。他認識照片上的那個人——呃，我是說，愛迪殺了的那個人。」

「妳確定？」艾比問。

「沒錯。」艾德里安的話令所有人都很吃驚。「伊安確實對那張照片有反應。他還暗戀那個叫雪梨的女生。」

「我也看出來了。」莉莎說。

「她好像有點緊張。」艾德里安說，「不過也許他們人類就是那個樣子。」

「暗戀這件事一定會派上用場的。」艾比玩味地說，「妳們女人根本不知道自己具備的力量。你見過和你姑姑戀愛的那個守護者嗎？是叫伊森．摩爾吧？」

「對。」克里斯蒂安低吼道，「不用提醒我。」

「不過，塔莎還眞是夠嗆辣。」艾德里安補充道。

「這一點都不酷。」克里斯蒂安回道。

「別這麼激動，」艾比說，「伊森是皇庭的守護者，發生謀殺案那晚他也在——如果她能繼續對他施展魅力，他對我們會非常有用。」

克里斯蒂安搖了搖頭。「那些守護者已經做過證了，沒有用的，伊森已經把他知道的事都說出來了。」

「這可不一定。」艾比說，「有很多事都沒有記錄在官方的資料裡，我非常相信守護者肯定會嚴格遵守命令，知道什麼能說什麼不能說。你姑姑的魅力如果夠大，肯定能幫我們找到一些有用的消息。」艾比嘆了口氣，看上去還是很不高興他的計畫被打亂。「只希望雪梨魅力夠大，讓她逃過自己人的審問，這樣我就可以去問她了。現在，我要趕在煉金術士和守護者讓她說出蘿絲的下落之前，阻止他們。哦，對了，公主殿下，妳眞的必須去參加妳的測試了。」

「我還以爲那只是你找我的藉口。」莉莎說。

「不是，他們需要妳。」他往測試場的方向比了一下。還是她上次接受測試的那棟大樓。「你們一起去，然後找個守護者送你們回來。在珍妮或者泰德前去之前，不要離開房間。」泰德是艾比的心腹。「不能再有令人驚嚇的暗殺事件了。」

莉莎想要反駁她不想也把自己軟禁起來，可是最後決定眼下還是趕緊讓艾比離開。他匆匆忙忙走掉，她和我的朋友們則一起往測試地點走去。

「老天，他生氣了。」艾德里安說。

「這也不能怪他吧？」克里斯蒂安問，「我們的邪惡軍師俱樂部剛剛失去了一員大將。他那個天才計畫落空了，他的女兒不見了，而他一直以爲她在一個非常安全的地方。」

艾德里安沉默不語。

「希望她沒事。」莉莎嘆了一口氣，她的胃一陣絞痛。「到底吉兒和這件事有什麼關係呢？」

沒有人能夠回答這個問題。他們走到考試場地，莉莎發現情況還是和之前一模一樣。走道兩邊站了許多支持者，守護者擋在門口，而她出現的時候，歡呼著叫喊她名字的人比上次更多了，有些是「平民」莫里，有些是自家候選人落敗的皇室。有相當多的候選人沒能通過之前的恐懼測試，所以那些家族的人便轉而支持自己喜歡的候選人。

莉莎再次一個人走進那個房間。當她看見裡面坐的還是上次那個老婦人時，心臟開始怦怦地跳起來。還會有更可怕的事情發生嗎？莉莎沒有看見銀杯，可是這對她找到安全感一點幫助都沒有。這裡也沒有多餘的椅子，所以莉莎只能站在那個老婦人面前。

「妳好。」莉莎恭敬地說，「很高興又見到妳了。」

老婦人微微一笑，露出一口殘缺不全的牙。「對此我表示懷疑，不過妳說得非常誠懇。妳的血液裡就有政治天分。」

「謝……謝謝妳……」莉莎說，不知道這句話算不算是對自己的讚揚。「今天這次測試，妳想要我做些什麼呢？」

「聽我說就可以了。就這樣，非常簡單。」

老婦人眼中的光芒令莉莎覺得事情肯定沒有這麼簡單。

「妳要做的就只是回答我一個問題。只要回答正確，妳就可以通過測試，進入最後的投票階段。這不是很好玩嗎？」最後這一句話，與其說老婦人是在對莉莎說，不如說她是在對自己說。

「好的。」莉莎惴惴不安地說，「我準備好了。」

老婦人盯著莉莎，好像很滿意她見到的。「那麼，妳聽好了：一個女王要擁有什麼，才能真正地統領她的人民？」

莉莎的腦子空白了片刻，然後一連串的詞從她頭裡蹦出來。正直？智慧？理智？

「不，不，不用急著回答。」老婦人仔細地看著莉莎說，「現在不用。妳可以等到明天，等到明天的這個時候再回答。好好想一想，帶著正確答案來找我，妳就可以通過測試。還有……」她眨眨眼睛，「千萬不能對別人提起今天的事。」

莉莎點點頭，揉了揉她手臂上的小紋身。她不可能去找別人幫忙。莉莎離開這裡，將這個問題想了一遍又一遍。可以回答這種問題的答案太多了，她想，每一個都可以——

現實世界的動靜令我突然抽出了她的意識。我還以爲是索婭闖進了我們的帳篷，但不是，引起我注意的並不是這件事。是一個很小的動作……但毫無疑問產生的影響很大。

迪米特里正躺在我的臂彎裡。

# 28

我停止了呼吸。我們都有各自的毯子，不過雖然現在是仲夏，夜裡的氣溫仍陡降許多。迪米特里在睡夢中翻身貼住我，把我們的毯子裹成一團，頭也枕上了我的胸口。他的身子貼著我的感覺溫暖又熟悉，現在，他甚至又更貼近了我一些。

我意識到他比我想像得還要累。畢竟，這是一個就算睡覺也會睜著一隻眼的傢伙。可是現在，他的警覺性降得這麼低，身體不自覺地在尋找……什麼呢？僅僅是溫暖嗎？還是我？該死。我爲什麼要問索婭那個問題？爲什麼不能繼續滿足於艾德里安的女朋友，和迪米特里的朋友這樣的角色？老實說，如今這兩個角色我扮演得都不怎麼樣。

我既緊張而又擔心地輕輕挪動了一下身子，以便伸出一隻手臂，將他摟得更近一些。我知道這樣很冒險，很可能會驚醒他，打破這一刻。但是，他並沒有醒，如果說他真的感覺到了什麼，就是他似乎更加放鬆了。就這樣感覺著他……抱著他……攪亂了我的內心世界。他失蹤時感受到的那種痛苦再次灼燒著我，可是同時，這樣抱著他似乎又可以治癒我的痛苦，就好像我失去的那一部分自我此刻又重新回來了。我之前甚至沒有意識到居然有一部分不見了。我將這種感覺鎖在心底，直到索婭的話擾亂我剛剛展開的脆弱新生活。

我不知道我這樣抱著他抱了多久，但似乎久到太陽已經升起，陽光已經將帳篷的布料照射成了半透明的狀態。這些光線足以令我看清楚迪米特里，看清楚躺在我身邊的他臉上那剛毅的線條和柔順的頭髮。我很想伸手去摸摸那頭髮絲，看看它的觸感是不是和以前一樣。當然了，這種想法很傻，他的頭髮是不會變的。儘管如此……這股衝動還是很強烈，而我最後還是放棄掙扎，伸出手輕輕撫過幾縷髮絲。他的頭髮像絲一樣光滑柔順，這種直接的觸感激起我心裡一陣漣漪——同時也弄醒了他。

他張開眼睛，立刻警惕起來。我本以爲他會從我身邊跳開，可是，他居然接受了這一刻——而且沒有移動。我抬起原本撫著他頭髮的手，轉而向下撫摸他的臉頰，我們的目光交織在一起，彼此間心潮暗湧。此時此刻，我和他不是身處在帳篷裡，不再需要逃離那些認爲我們是惡魔的人，也沒有什麼兇手要抓，沒有血族的創傷需要治療。這裡只有我和他，還有在我們兩個之間燃燒的濃濃情意。

不過，即使他動了，這種感覺也沒有消失。事實上，他抬起了頭，注視著我。我們兩個之間只有幾英寸的距離，而他的眼神出賣了他。他想吻我——我也想。他俯下頭，一隻手撫著我的臉頰，我則準備好迎接他的唇——我是那麼需要它們——可是他突然停住了。他往後退開，坐了起來，挫敗地喘著粗氣，別開頭不再看我。我也坐了起來，呼吸急促而輕淺。

「怎、怎麼了？」我問。

他回頭看著我。「選擇，有太多事情要選擇了。」

我伸出一根手指摩挲著自己的嘴唇。就差一點，就差那麼、那麼一點。

「我知道……我知道有許多事都變了，我知道你錯了，我知道你又能夠感覺到愛了。」

他回答我的問題時，又戴上了那副面具。「這與愛無關。」

之前的那一幕又在我的腦中重播了一遍，那麼完美的接觸，他看著我的眼神，還有我內心的感受。該死，索婭甚至說我們兩個之間有一種神祕的牽絆。「如果與愛無關，那與什麼有關？」我喊道。

「跟做對的事有關。」他平靜地說。

對的事？對與錯是我們在聖弗拉米爾學院時經常爭論的問題。那時我未滿十八，而他是我的老師，我們以後要一起擔任莉莎的守護者，必須將全部的注意力都放在她身上。那時，我們爭論的重點就是為什麼我們兩個一定不能在一起。可是那些問題，早就被踢到一邊去了。

我本來想追問下去——如果不是正好有人來敲我們的門的話。

我們兩個全都跳了起來，分開，各自去拿放在枕邊的銀樁。拿出銀樁不過是反射性動作，我知道這附近沒有血族。最近，我們最不需要擔心的事就是血族。

「蘿絲？迪米特里？」

這個聲音小得幾乎聽不見——但是非常熟悉。我稍稍鬆了口氣，打開帳篷的門，看見索婭跪在外面。和我們一樣，她也穿著之前的那身衣服，一頭紅褐色的頭髮亂蓬蓬的。不過，她好像已經毫髮無傷地甩掉了追捕者。我往一旁讓了讓，好讓她可以進來。

「不錯嘛，」她看了看裡面說，「你們選的這個地方是營地裡最遠的一處，我差點找不到你們說的那台車。」

「妳是怎麼到這裡來的？」我問。

她眨了眨眼睛。「不是只有你們可以偷車。不過，我其實是讓別人『自願』把車子借給我。」

「有人跟蹤妳嗎？」迪米特里問。他又變得嚴肅，一點都看不出剛剛發生了什麼。

「我想沒有。」她說著，換了個盤腿的姿勢。「一開始附近有兩個守護者跟著我，不過沒多久我就把他們甩掉了。他們最感興趣的人還是你們兩個。」

「可以想見。」我小聲說道，「眞遺憾維克多那麼早就跑了——不然他應該是排第一位的。」

「他可沒有殺死女王。」索婭懊惱地說。我們不得不慢慢解釋給她聽，為什麼維克多會被通組，還有他就是當時索婭在聖弗拉米爾學院時，感應到對莉莎有威脅的那個人。「不過好消息是，我知道他們現在在哪兒了。」

「在哪裡？」我和迪米特里異口同聲地問。

她露出一抹會意的微笑。「在西密西根州。他們挑了個和皇庭相反的方向。」

「該死。」我喃喃道。我和迪米特里從安那寶市一直往東南方向走，離開底特律的郊區，剛要進入到俄亥俄州。我們選錯了方向。「那妳看見吉兒了嗎？她沒事吧？」

索婭點點頭。「沒事，雖然嚇壞了，但是沒什麼大礙。她給的路標很清楚，我想我們應該可以找到他們住的旅館。我是幾個小時前在夢裡和她聯絡上的。他們也要休息，維克多身體好像不舒服，他們應該還沒有走。」

「那我們現在就必須出發了。」迪米特里行動起來，「一旦他們繼續上路，吉兒可能就會醒，我們就聯絡不上她了。」

我們以驚人的速度把帳篷收起來。我的腳踝好多了，可仍然有些痛。索婭看見我一瘸一拐的樣子，在我們要上車前叫了一聲。

「等一下。」她半跪在我身前，檢查著露在破洋裝外那腫得高高的腳踝。她深吸一口氣，將雙手覆在我的腳上，一股電流竄過我的腿，緊跟著是一陣冷熱交替的感覺。這一切結束之後，她站起來，我發現腳不腫了，也不痛了，就連之前擦破皮的地方都好了。也許她也治好了我的頭。最近常有精神能力者替我治療，也許你認爲我應該習慣了，可是我心裡仍然有一點震驚。

「謝謝妳，」我說，「可妳不應該這麼做……不應該再使用那種能力……」

「妳需要處於最佳狀態。」她說道，目光從我身上轉向一旁的森林，「而且這種魔法……嗯，是很難拋棄它的。」

確實如此，可我還是對於她在我身上使用精神能力感到愧疚——這也許會令她又向瘋狂邁進一步。羅伯特的魔法令她的意識變得清醒了一些，她需要保持。可是現在沒時間說這些了，迪米特里的表情告訴我，他也認爲我應該處於最佳狀態。

我們根據索婭說的，朝吉兒的所在地出發，而這一次，她指路的時候則盡可能地詳細，不再含糊不清，受承諾的約束了。

我們中途停下來一次，「換」了一台新車，買了一張地圖。索婭根據從吉兒那裡聽來的線索，帶著我們來到一個叫做史特吉斯的小鎮。這裡正好位於底特律和密西根的中間，雖然是往西走，但同時也偏南方——也就是說這段路程比我們預想得要近。不過，迪米特里還是以至少五十英里的速度前進，盡量縮短時間。

「到了。」索婭說。我們此時正向史特吉斯的商業區開去——一個其實不是很熱鬧的商業區。我們來到路邊一棟外觀很現代的旅館旁。「這就是她說的那個地方。陽光旅店。」

迪米特里將車子停在旅館後方的停車場裡，我們坐在車上，盯著旅館，表情可不像它的名字那麼愉悅。和我一樣，我的兩名夥伴也在思考要怎麼去救她。吉兒在夢裡的指示幫助我們來到了這裡，可是索婭沒辦法幫我們找出他們住的房間——如果他們還沒有走的話——他們肯定不會用眞名登記入住。我很想提議，我們可以一間一間敲門，希望索婭能夠在感應到羅伯特之後把它找出來。

「那是他們的車子。」索婭說，「他們還在這裡。」

沒錯，那台是他們從吉兒家開走的CR-V。說起來眞諷刺，我藏起了維克多的車鑰匙，現在他又開走了我們的車子。當時的一片混亂中，誰都沒想到他居然會開我們的車子逃跑。

「眞夠懶的。」迪米特里瞇起眼睛，若有所思地小聲說道，「他們應該換台車子才對。」

「那台車是雪梨的。」我指出，「從技術上來說不算是偷的，所以也不會出現在警方的記錄裡。再說，這件事告訴我們，維克多和羅伯特並不像某些人那樣，懂專業的反追蹤技術。」我們橫跨中西部這一路，換了數台車。

迪米特里點點頭，好像覺得我剛才的話是在表揚他。「不管是什麼原因，都幫了我們大忙。」

「我們要怎麼找到他們？」索婭問。

我剛想建議她去看看靈光，但是突然又決定放棄這個辦法。因為羅伯特同時也能感應到索婭，這等於提前給了他警示。

再說，我們找到那對兄弟之後，他們很可能會反抗，這樣可能會驚動旅館裡的人。然而，這個停車場在酒店的後方，離主要道路很遠。

「我們在這等。」我說，「他們已經在這裡停留得夠久了，如果他們不知道我們來了的話，應該很快就會出來了。」

「沒錯。」迪米特里說著，迎上我的目光。同步的靈魂。我又想起了之前我們差一點就接吻的那一幕，我別開目光，生怕臉上的表情會出賣自己。「在這裡他們也很容易反抗，不過，想要逃跑就沒有那麼多空間。」這是實話，這個旅館的停車場其中一側被圍起來了，另一面有一堵水泥牆，而且這附近也沒有別的建築物。

他把我們的車子盡量停遠一點，同時確保擁有良好的視野，可以看清楚整個旅館的大門情況——而且還能隱藏起我們自己。

我們本來想留在車子裡，不過最後，我和迪米特里決定下車守在外面，這樣行動起來比較靈活。我們把索婭留在車子裡。這不是她的戰鬥。

我和迪米特里站在車子旁，頭頂是枝繁葉茂的楓樹，我切切實實地感受到他的存在以及那如戰神一般的姿態。他身上也許少了往常的風衣，可我不得不承認，我更喜歡他現在不穿風衣的樣子。

「我想，」我柔聲說，「我們不會再繼續今早的話題了吧？」

迪米特里仍然專注地看著前面的CR-V，好像他正在想像著吉兒和那兩兄弟上車以後應該怎麼辦。我沒有被他騙過去，他只好回答我的問題，卻不敢看著我。「沒什麼好談的了。」

「我就知道你會這麼說。事實上，這種說法和『我不懂妳在說什麼』是差不多的意思。」

迪米特里嘆了口氣。

「不過，」我繼續說，「確實有一件事是需要談談的。比如說，你差點吻了我，還有你說的『對的事』是什麼意思？」

一陣沉默。

「你想要吻我！」現在我很難再控制自己的音量了。「我看見了。」

「我們想做什麼，並不代表這麼做就是對的。」

「所以我的說法……是對的，對不對？你可以愛了，是嗎？我瞭解在你變回來之後，你是眞的認爲你做不到，而且可能眞的不能再去愛了。可是情況變了。你又找回了原來的自己。」

迪米特里意味深長地看了我一眼。「對，情況變了……可是有些事並沒有變。」

「好吧，很難懂先生，你的說法還是沒有解釋清楚什麼叫『對的事』。」

他的臉上滿是挫敗。「蘿絲，我已經做了很多壞事，這些事我永遠都無法彌補，也沒辦法找到贖罪的辦法。我現在唯一的選擇就是——如果我還想繼續自己的生活，就只能向前走，阻止那些惡魔，只做對的事。可是將一個女人從另外一個男人身邊搶走是不對的，尤其是這個男人我還很喜歡，而且很尊敬。我可以偷車，我可以闖進別人家裡，可是有些底線是我絕對不能跨越的，不管我多麼的——」

旅館的後門打開了，轉移了我們的注意力。怪不得我的感情生活會亂七八糟，因爲每回正值這種重要的、親密的關鍵時刻，總會被各種緊急狀況打斷。現在也是，因爲我根本就從來沒有看見過他說的那條底線的存在：將一個女人從另外一個男人身邊搶走是不對的，尤其是這個男人我還很喜歡，而且很尊敬。

戲劇性的一幕出現了。

維克多走了出來，羅伯特和吉兒在他身後並肩走著。我本來以爲會看見她被綁著走出來，卻驚訝地看見她居然很冷靜地和他們走在一起。太冷靜了，這讓我很快就發現這不太對勁，她的動作看上去也很機械化——她被催眠成了一個溫順的洋娃娃。

「催眠術。」迪米特里小聲說，他也發現了這一點。「妳去對付維克多，我去對付羅伯特。」

我點點頭。「一旦催眠術失效，吉兒肯定會逃跑的。」我也不排除她很可能會加入我們的戰鬥中，這樣就等於是在幫倒忙。這一點，不久我們就能知道了。

幸運的是，現在還很早，這裡沒有其他人。我和迪米特里從藏身的地點衝出去，很快就越過了整個停車場。任何時候，兩個健康的拜爾都能跑贏過兩名年邁的莫里。他們千算萬算，也沒有料到我們會出現。

我從眼角餘光中，看見一旁的迪米特里正以戰神般的姿態衝上前，無可匹敵。隨即，我也集中精力對付維克多，用我全部的力量將他撲倒在地，壓在他身上。他重重地摔倒在柏油路面上，我壓住他，對著他的臉一拳下去，打得他鼻子出血。

「幹得漂亮。」他喘著氣說。

「我想這麼做已經很久了！」我喊道。

維克多雖然很痛，還流著血，可還笑得出來。「當然，我一直以爲貝里科夫才是比較野蠻的那一個，看起來，事實上這個人是妳。不是嗎？妳就是個不懂得控制自己的動物，除了打打殺殺，完全沒有高級智慧。」

我揪住他的襯衫，把他從地上揪起來，瞪視著他。「我？我可不是爲了自己的利益去折磨莉莎的人，也不是把自己女兒變成血族的人，更絕對不是該死的用催眠術綁架一個只有十五歲的小女生的人！」

令我噁心的是，他居然一直保持著那令人抓狂的笑容。「她很有用，蘿絲。非常、非常有用，妳根本想像不到她的用處有多麼大。」

「她不是你能任意擺佈的玩具！」我喊道，「她是個——啊啊啊！」

我身下的地面突然晃動起來，我們似乎處於一個微小地震的中心。柏油地面凸了起來，這給了維克多機會把我從他身上推下去。他的力氣並沒有很大，我可以很輕鬆地站穩腳步——前提是如果周圍的地面不要一陣一陣地晃動。它就像波濤洶湧的海洋，將我拋來拋去，維克多利用他的土魔法控制了我站著的地方。周圍驚訝的喊聲告訴我，其他人好像也感覺到了，可是這個魔法的主要目標依然是我。

不過這並非不需要付出代價的，維克多是個老人——一個剛剛被我按在地上，還打了一拳的老人。疼痛和疲勞遍佈他全身，他粗重的呼吸告訴我，運用這麼強的魔法——這種魔法我從來沒有見其他的土元素使用者用過——正透支著他身體裡的每一絲力量。

再來一拳，這就是我要做的。一拳就可以將他打倒在地，結束掉這場戰鬥。只是，現在我才是那個倒下的人。是眞正的倒下。我盡己所能，試著不讓這場「私人地震」控制我，不讓自己一直跪在地上，但我身上還穿著那件愚蠢的洋裝，這意味著我的膝蓋又擦破皮了。一旦我倒下，身邊的柏油地面就會高出一塊，我意識到維克多想用一座石牢困住我。

我不能讓這種事情發生。

「所有的武力都沒有價值，」維克多喘息道，汗珠從他臉上一滴一滴滾落。「最後帶給妳的一定是不好的結局。眞正的力量是智慧，是城府。控制了吉莉安，我就可以控制瓦西莉莎；控制了瓦西莉莎，我就可以控制整個德拉格米爾家族，然後——我就可以控制整個莫里世界。這才是權力，這才是力量。」

他這些沾沾自喜的話大部分我都沒有聽進去，但有幾句引起了我的注意：控制了吉莉安，我就可以控制瓦西莉莎。莉莎，我不能讓他傷害她，不能讓他利用她。事實上，我也不能讓他利用吉兒。莉莎曾經送了一個護身符給我，那是一條長得像十字架手鍊和念珠的東西，是德拉格米爾家族的傳家寶，用來贈予那些保護他們家族的人。那就是我的使命：保護所有德拉格米爾家族的人。守護者的信條又冒了出來：他們是第一位的。

我用自己都沒想到的能耐，在搖晃的大地上爬起來，並努力想要站起來。終於，我做到了，感覺好像在停車場上跳舞一樣。我瞪著維克多，感受到了索婭曾經警告過我的那樣東西：催化劑。這一點燃，引爆了我從莉莎身上不斷吸取到的黑暗情緒。我看著他，將他看成這輩子遇過最邪惡的人。眞是這樣嗎？不，其實不盡然。可他傷害了我最好的朋友——還差點殺了她。他要了我和迪米特里，令我們本來就很複雜的關係變得一團糟。現在，他還想要再控制其他人。這一切何時才會結束？他的惡魔行徑何時才能停止？眼前一陣紅黑交錯，我聽見有人在叫我——我想，可能是索婭。可是就在這時，我的世界裡再沒有其他的事物，除了維克多和我對他的恨。

我衝過去，憤怒到了極點，腎上腺素也升到了最高，接著從還在不斷震動的地面上跳起來，撲向那個威脅著要把我關起來的人。再一次，我將他撲倒了，可是我們沒有倒在地上，而是稍微換了個位置。這一次，我撲著他撞在了那面水泥牆上——用上了足以撲倒血族的力道。他的頭因爲這一擊垂了下來，我聽見一聲奇怪的啰嚓聲，接著維克多跌在了地上。我立刻俯下身子，抓住他的手臂用力搖晃。

「起來！」我大喊，「起來和我打啊！」

可是不管我怎麼搖、怎麼喊，維克多都站不起來了。他再也不能站起來了。

一雙手抓住我，試圖將我拉走。「蘿絲——蘿絲！住手，別這樣。」

我沒有理會那個聲音，沒有理會那雙手。我還是很憤怒，很暴躁，很想——不，是必須——讓維克多站起來面對我。突然，一種奇怪的感受竄過我全身，就像指尖穿過了皮膚。放開他。我不想這麼做，可是過了半秒鐘後，這突然變成了最好的主意。我鬆開抓住他的手，另一雙手及時將我拉走，就這樣，我終於從這一團混亂中掙脫出來，意識到發生了什麼事。將我拉開的人是索婭，她用了一點催眠術讓我放開維克多，把我拉開。她的催眠能力很強，甚至不用看著我的眼睛。她拉住我，哪怕知道自己是在白費力氣。

「我必須阻止他，」我說著用力掙扎，「他必須付出代價。」我再次將手朝他伸去。

索婭放棄了，不再試圖攔住我，轉而用語言喝止我：「蘿絲，他已經付出代價了！他死了。妳看不出來嗎？死了，維克多死了！」

不，我看不出來——一開始的時候。我只看見自己盲目的執著，只知道我必須抓住維克多。後來，她的話終於一點一點到達我的心底。我抓著維克多的時候，已經感受到了他四肢無力，我看見那雙眼睛已經沒有了……神采。我身體裡那瘋狂、令人狂亂的情緒一點點退去，變成了震驚。我鬆開了拳頭，看著他，眞正地理解了索婭的話。

理解了我剛才做了什麼。

這時，我聽見一個可怕的聲音。

一聲低沉的悲號喚醒了我被恐懼冰凍住的大腦，我警惕地回頭看了一眼，看見迪米特里站在羅伯特旁邊。羅伯特的雙手被反剪在身後，迪米特里輕輕鬆鬆地就控制住了他，可是這個莫里還是盡自己最大的努力——雖然失敗了——想要掙脫出來。吉兒站在一旁，不安地看著我們所有人，既困惑又害怕。

「維克多！維克多！」羅伯特的喊叫混雜著抽泣，他和我一樣想讓維克多重新站起來，卻只是徒勞。我回頭，看著眼前的屍體，不敢相信自己剛才做了什麼。我本來認爲，守護者們對愛迪殺死一名莫里的反應太過瘋狂，可是現在，我開始懂了。一個像血族那樣的魔鬼是一回事，可是殺死一個活生生的人，甚至是一個——

「帶他離開這裡！」索婭就站在我身邊，我們離得這麼近，這聲突如其來的喊叫嚇得我顫抖了一下。她剛剛也跪了下來，可是此刻已經站起來，轉頭對著迪米特里喊話。「帶他離開這裡！越遠越好！」

迪米特里看上去有些驚訝，可是索婭聲音中那不容置疑的命令語氣，令他立刻照做。他開始把羅伯特拖離現場，過了一會兒，迪米特里改爲將他扛上肩，把他帶走。我本來以爲會聽見反抗的叫喊聲，可是羅伯特一聲都沒有出，他仍然看著維克多的屍體——他的眼神是那麼的犀利，那麼的聚精會神，好像想用目光在某人身上燒出一個洞。

不同我的一臉好奇，索婭用身體擋在這對兄弟中間，再次跪到地上，用自己的身體覆住了維克多的屍體。

「帶他離開這裡！」她繼續大喊，「他想要救回維克多！他會變成影吻者的！」

我仍然不太明白，心裡也很不安，非常後悔自己做的事，可是她說出的這件危險的事狠狠地打醒了我。羅伯特絕不能把維克多救回來。這對兄弟之間沒有心電感應的時候都已經相當危險了，絕不能允許維克多像我一樣擁有召喚鬼魂的力量。維克多必須死。

「他不用碰觸屍體也可以辦到嗎？」我問。

「如果要建立心電感應的話，就必須要這麼做。可是他現在已先召來了成千上萬的魂魄，打算召回維克多的靈魂，把他一直困在這附近。」索婭解釋道。

當迪米特里拉著羅伯特離開之後，索婭要我幫她一起把屍體搬走。我們的聲音太大了，不知道爲什麼還沒有人出來看看是怎麼回事。吉兒也加入我們，而我在搬運途中其實沒有眞的意識到自己在做什麼。索婭從維克多身上找出CR-V的鑰匙，將後座收起來，這樣可以增加後方行李廂的容量。我們爬進去，三個人全都弓起身子，生怕被別人看見。我們很快就聽見聲響，顯然有人跑出來查看到底發生什麼事了。我不知道他們在停車場逗留了多久，只知道很幸運地他們沒有搜查這些車。想聽實話嗎？我的思緒此刻其實一點連貫性都沒有了。之前的憤怒已經退下去了，可我的腦子裡仍然一團亂，我好像完全無法集中精力。我覺得很虛弱，只能聽從索婭的命令，一直弓著身子，盡量不去看維克多的屍體。

那些聲音終於消失以後，她仍然要我們待在車子裡。終於，她深吸一口氣，目不轉睛地看著我。「蘿絲？」我沒有馬上回答。「蘿絲？」

「什麼事？」我終於聲音沙啞地問。

她的聲音溫潤又誘人，我又覺得皮膚有那種什麼東西在爬的感覺，而且很希望自己能夠讓她高興。「我需要妳看看那些幽靈。張開妳的眼睛看看他們。」

幽靈？不，雖然我的意識已經不受控制了，可仍然有理智的聲音告訴我，撤掉心中的那道防護牆放幽靈進來不是個好主意。

「我不能。」

「妳能，」她說，「我會幫助妳的，拜託。」

我不能抗拒她的催眠，於是開始增強自己的感應力，撤掉我一直立在周圍的那道牆。那道牆是阻止我和死神的世界保持聯繫，不讓那些鬼魂出現在周圍用的。沒多久，那些透明的臉又出現在我面前，有些看起來和普通人沒什麼兩樣，可是有些很可怕，就像鬼。他們的嘴巴都大張著，想要說話可是又說不出來。

「妳看見了什麼？」索婭問。

「幽靈。」我小聲回答。

「妳看見維克多了嗎？」

我看向那些飛來飛去的臉，想看看裡面有沒有我認識的。「沒有。」

「擊退他們。」她說，「把妳的防護牆重新立起來。」

我試圖照著她說的做，可是很困難，我辦不到。我感受到一股來自外界的鼓勵，意識到索婭仍然在催眠我。她不能讓這些鬼魂消失，但是可以給我支持，增強我的意志力。終於，我把那些死去的亡魂又隔離起來了。

「這麼說他走了。」索婭說，「我們徹底離開這個世界以後，要不就是去往死神的世界，要不就是變為永不安息的靈魂，徘徊在這個世界。不管怎樣，任何能夠連接生命的線已經斷了，他不會再活過來了。」索婭轉頭看向吉兒。「去找迪米特里。」

「我不知道他在哪裡。」吉兒一愣。

索婭扯了扯嘴角，但笑意沒有直達眼底。「就在附近，我肯定。去找找，繞著酒店或是這條街上走一圈，都可以。他會找到妳的。」

吉兒離開了，完全不需要她催眠。

吉兒走了以後，我用雙手摀住了臉。「哦，天哪！哦，天哪！雖然一直以來我都在否認，可是事實就是：我是個殺人犯。」

「先別這麼想。」索婭說。她這種掌控一切的態度令人幾乎要感到欣慰。幾乎。下命令總是比戰勝自己要容易些。「晚點再處理妳的內疚。現在，我們必須先處理他的屍體。」

我放下手，強迫自己看著維克多。我又開始反胃，那種瘋狂的感受不停地翻湧著，似乎比剛才還不受控。我放肆地大笑起來。「對，屍體。眞希望雪梨在這裡。我們沒有那種有魔法的藥水，陽光又不能消滅他。眞奇怪，嗯？血族那麼難殺死……那麼難殺死，可是屍體卻很容易處理。」我哈哈大笑起來，因爲我的這些話聽起來是那麼的耳熟……很像艾德里安那些奇怪的言談，也很像莉莎被精神能力折磨得幾近崩潰的時候。「就是這種感覺，對嗎？」我問索婭，「那種爆發……就是妳警告過的那種爆發。從莉莎那裡漫溢過來的精神能力，終於擊敗了我……就像安娜……就像那場夢……哦天哪，這是夢，對不對？可我卻不會醒……」

索婭瞪著我，藍眼睛張得大大的，充滿了……恐懼？嘲弄？戒備？她伸手握住我的雙手。「和我一起，蘿絲。我們一起擊退它。」

這時，有人敲了車窗，我們兩個都嚇了一跳。

索婭打開門，讓吉兒和迪米特里上了車。「羅伯特呢？」

迪米特里看了一眼維克多，然後轉開頭。「昏過去了，我把他藏在街角的灌木叢後面了。」

「聰明。」索婭說，「你覺得這樣做明智嗎？就這樣放他走？」

迪米特里聳了聳肩。「我覺得不能被人看見我抓著一個昏過去的人。事實上……沒錯，我覺得我們可以把他留在這裡。他會醒來的。他又不是逃犯，而且沒有了維克多，他……嗯，也沒有那麼大的危險性了。反正，我們又不能一直帶著他。」

我再次大笑起來，那種笑聲連我自己都覺得很瘋狂，非常歇斯底里。「他昏過去了。當然，當然。你可以這麼做，你總是能夠做對的事。可我不行。」我低頭看著維克多，「『動物』，他說得對，沒有高等的智慧……」我緊緊抱住自己，指甲深深地陷進了皮膚裡，摳破了皮，流出血來。身體的痛苦可以掩蓋精神的痛苦。這不是莉莎經常說的話嗎？

迪米特里看著我，又轉頭看向索婭。「怎麼了？」他問。我見過他一次又一次拿自己的命去冒險，可是在這之前，我從來沒有見過他這麼害怕的表情。

「是精神能力，」索婭說，「她一直在吸收莉莎的負面能量……而且想要壓抑住它。可是，這是需要時間的，總是需要時間的……」她微微皺起眉頭，轉頭看向吉兒。「那是銀的嗎？」

吉兒低頭看了看自己脖子上戴的心形墜鍊。「應該是。」

「能借我用一下嗎？」

吉兒解開項鏈，把它交給索婭，索婭將項鏈按在雙手的手掌之間，閉上眼睛好一會兒，並緊緊閉住嘴巴。過了幾秒，她張開眼睛，把它交給我。「戴上。」

一碰觸到它，我就覺得有股奇異的力量刺上我的皮膚。「這顆心……」我一邊戴上項鏈，一邊看著迪米特里，然後突然感覺世界變得清晰了。我混亂的思維終於慢慢又恢復正常了，形成了某種合理的邏輯。我看著我的夥伴們——那些活生生的人——感覺這次是真的看見他們了。我碰了碰那個墜子。「這裡面注入了治癒魔法。」

索婭點點頭，「我不知道它能不能對心理產生作用，也不認為它能永遠發揮作用……不過有它來緩衝妳的情緒，可以暫時讓妳好過一點。」

我試著不去想她說的最後幾個字。暫時。我開始去感受周圍的世界，感受我眼前的這具屍體。

「我做了什麼？」我小聲說道。

吉兒伸出手臂抱著我，說話的卻是迪米特里。

「做了妳必須做的。」

# 29

接下來的一切感覺都很模糊。索婭或許試著控制精神能力對我的影響，可沒有什麼用。我仍然處於震驚當中，仍然不能思考。他們把我塞進前方的副駕駛座上，盡可能讓我離維克多遠遠的，迪米特里則開車載著我們，找了一個他和索婭認爲可以處理掉屍體的地方。他們沒有說是怎麼處理的，只是說已經「搞定了」，我也沒有問細節。這之後，我們便重新掉頭向皇庭駛去，途中索婭和迪米特里商量了一下接下來應該怎麼做。鑒於目前還沒有人能洗刷我的冤屈，他們覺得眼下最好的作法是由索婭護送吉兒回到皇庭。吉兒問她能不能向她的父母報個平安，可是迪米特里覺得這樣做很冒險，最後索婭說她可以試著透過靈夢聯絡艾米麗，才令吉兒感覺比較好過一點。

我在途中再度前去探望莉莎。將注意力集中在她身上，可以令我遠離心裡那種可怕的內疚與空虛感，那種想到我對維克多所做的一切的驚恐。我在莉莎的意識中後，我就不再是我了，而這正是我此刻最大的願望。我不想做自己。可是，她那邊的狀況也沒有好多少，和以往一樣，一大堆亂七八糟的事壓在她身上。她覺得距離找出殺死塔蒂安娜的兇手已經很接近了——非常、非常接近，答案好像呼之欲出，只要她能夠再往前邁進一步。守護者已經找到了喬，經過長時間的審問——他們有不用催眠術也能問出來的方法——他終於承認了在謀殺案發生的那晚，在我住的大樓裡見過這個手上有疤的人。這之後，他們沒用上什麼手段，就令喬承認了他收受賄賂——不管是從這個男人手裡還是從戴妮拉手裡——而他的供詞裡最有力的一點，就是他承認了那晚在時間認定上有一點「小誤差」，這無疑是可以拯救我的一個最有力證據。

莉莎手上還握有安布羅斯的信，那封隱含對塔蒂安娜恐嚇的信。寫信的人認為在推行年齡法案的事情上，塔蒂安娜的做法太過溫和，也不贊成她研究精神能力，而且很憎恨那個祕密的訓練計畫。這封信也許寫得非常禮貌，可是不管是誰寫的，這個人一定和女王有非常嚴重的意見分歧，這也有力地支持了謀殺是出於政治動機這一點。

當然，這裡面還有很多出於私人恩怨的動機。首先是和安布羅斯以及布雷克之間曖昧的關係，任何捲進來的女人都有可能是殺人兇手。戴妮拉・伊瓦什科夫就在這個名單上，是莉莎肩上的壓力來源之一，她很小心地不向艾德里安透露一個字。戴妮拉收買證人的做法，是可以免去艾德里安被捲進麻煩中——但這無助於減輕我的嫌疑。還有那個已證實被收買了的無名莫里。沒錯，如果真的是戴妮拉做的，她也要為喬的謊言付出代價。

除了這些，莉莎的壓力裡當然還包括那最後一場測試——那個謎題。那個謎題似乎有很多答案，可是又好像沒有。一個女王要擁有什麼才能真正地統領她的人民？從某種意義上來說，這比其他的測試難度更大，嚴格說來，那兩場測試都還有輔助的工具可以使用，可是這個呢？只能依靠自己的智慧。沒有火可以生，眼前也見不到恐懼。

她討厭自己這麼認真地對待這個謎題。她不用這麼緊張的，尤其是在其他事有了進展以後。如果她只是將這個測試當成替我們爭取時間的手段，面對起來將要容易得多。皇庭裡來觀看選舉的人越來越多，而這些人裡面也有越來越多的人——多得她都不敢相信——是支持她的。她每走到一個地方，幾乎都有人會吶喊著「巨龍回來了」或者是「愛麗珊德拉轉世」這種口號，關於她被暗殺的事情傳開以後，似乎更加點燃了她的支持者們的熱情。

當然，莉莎仍然有很多反對者。反對她的最大理由還是合不合法的老問題：等到真正選舉的時候，她沒有法定的投票權。另一個遭人質疑的就是她的年齡。她太年輕了，她的對手們這樣說。誰會想要一個孩子登上王位呢？可是欣賞莉莎的人不理會這些，他們不斷列舉年輕的愛麗珊德拉的治績，還有莉莎用自己的治癒能力創造的奇跡。年齡不是問題，莫里需要年輕的血液。他們這樣喊道，同時也要求修改投票法。

不意外地，她的對手們也開始攻擊她和殺死女王的兇手關係密切這一點。我早就想過，這應該是她競選過程中會面臨的最大問題。可是，她那番聲稱我居然做出這麼令人意外的事情，背叛了她的話非常有說服力，有許多人都覺得她成爲女王之後，肯定會糾正我犯的錯誤。每次談到這個話題的時候，她還會稍微使用一點催眠術，這樣更能令人信服她現在和我已經完全沒有關係了。

「我已經煩透這些了。」一回到房間，莉莎就對克里斯蒂安說。她找了個機會溜回來，躺在床上，躺在他的臂彎裡。我媽媽也在，她負責守衛。「要競選女王什麼的這個主意眞是爛透了。」

克里斯蒂安撫著她的頭髮。「我不這麼認爲。艾比說選舉可以拖延時間，正是因爲這些騷動。而且無論妳怎麼抱怨，我仍然爲妳能走到這裡而感到驕傲。」這是實話。那個銀杯的測試幾乎有一半的候選人都沒能通過，剩下的候選人只有五個。阿里亞娜．澤爾斯基是其中的一個，還有一個是戴妮拉的堂兄，達蒙．塔魯斯。莉莎是第三個，馬庫斯．樂澤和瑪麗．康塔是剩下的兩個。羅奈爾得．歐澤拉沒有通過測試。

我媽媽開口說：「我們從來沒有見過這樣的事情——眞難相信妳居然有那麼多支持者。議會和其他的皇室確實沒有義務要修改法律，可是那群人的聲音……能夠獲得『平民』莫里的喜愛，對任何一名皇室來說都是有利的，他們對妳的支持，肯定會讓另外幾個皇室顯得不受歡迎。至於他們到現在都還沒有採取任何行動的原因，是因爲他們覺得妳可能眞的會贏，所以，他們也只是在口頭上喊一喊反對罷了。」

莉莎身子一僵。「我會贏……這不太可能吧？阿里亞娜應該是穩贏的……不是嗎？」贏得競選完全不是這個瘋狂計畫裡的一部分，而此刻只剩下這麼幾個候選人，這個事實帶來的壓力，比讓阿里亞娜登上王位還要大。按照莉莎目前爲止的想法，其他的候選人都沒有要改進莫里生活的意思，因此阿里亞娜必須贏。

「我也這麼想。」珍妮說。她的語氣裡帶著自豪，可以看出她和澤爾斯基家有多麼親近。「阿里亞娜聰明而稱職，大部分人都知道這一點，而且她也能很公正地對待拜爾——比其他的後選人要公平得多。她已經說要否決年齡法案了。」

一想起這個令拜爾覺得失望的法案，莉莎的心猛地一沉。「天哪，我眞的很希望她能贏。我們不能再出意外了。」

這時一陣敲門聲響起，我媽媽立刻進入戒備狀態，直到莉莎說道：「是艾德里安。」

「哦，」克里斯蒂安小聲說，「至少這次他來的時間比較正常了。」

當然，當我的男朋友走進來時，帶著近來常常都可以在他身上聞到的煙酒味。沒錯，他的聲音至少還是原來的樣子，不過他這副模樣一直暗示著我，他需要我回到身邊，迫使他恢復那些好習慣。這也提醒了我，他說過我是他的力量源泉這句話。

「起床了，夥計們。」他說，看起來似乎非常得意。「我們要去拜訪一個人。」

莉莎坐起來，一臉疑惑。「什麼意思?」

「我絕對不會去見布雷克・樂澤。」克里斯蒂安事先警告他說。

「我和你一樣。」艾德里安說，「這次去見的人比較好一點，更加吸引人。還記得你們想知道塞琳娜和格蘭德的關係有多親近這件事嗎?哦，現在你們可以自己去問她了，我找到她了。沒錯，不用感謝我。」

我媽媽皺起了眉頭。「根據我上次聽見的，塞琳娜已經被送走，到學校教書去了。我記得是在東海岸的一個學校。」

上次血族偷襲，殺死了格蘭德和其他幾個守護者之後，守護者本部就決定暫時先讓塞琳娜離開一陣子，不再執行守護者任務。她是當時唯一得救的守護者。

「沒錯，不過因爲現在是暑假，他們就調她回來幫忙維持選舉秩序。她在前門値勤。」

莉莎和克里斯蒂安對看了一眼。「我們必須找她談談。」莉莎興奮地說，「也許她知道格蘭德在進行祕密教學的事。」

「但是，這並不意味著是那些人裡的其中一個殺死了塔蒂安娜。」我媽媽提醒他們。

莉莎點點頭。「對，可是肯定是有關係的，如果安布羅斯的信是眞的的話。她現在在嗎？大門那裡？」

「在，」艾德里安說，「我們這次甚至不用花錢買杯酒請她。」

「我們走吧。」莉莎站起來，穿上了鞋子。

「妳確定？」克里斯蒂安問，「妳知道外面有什麼在等著妳。」

莉莎猶豫了。現在對莫里來說已經很晚了，可是這並不意味著所有人都上床睡覺了——特別是大門口那裡，最近經常被人堵得水洩不通。不過，證實我的清白是最重要的，莉莎想了想，作出決定。「對，我們一定要去。」

在我媽媽的帶領下，我的朋友們穿過小路來到皇庭的大門口（就是艾比曾經炸出一道門的那個地方）。皇庭四周圍繞著顏色豐富的高大石牆，這樣可以令人類以爲這裡不過是一間私立學校，入口的鐵門大開著，一群守護者堵住了通往皇庭廣場的路。一般來說，這樣的門只要有兩名守護者就可以完成站崗任務了。可是湧入的人群太多，便需要更多的人手對來往的汽車進行登記，同時控制住人群。旁觀的人站在道路兩旁，看著駛進來的汽車，好像正在看明星走星光大道。珍妮知道有一條小路可以避開人群——但並不能避開所有的人。

「別畏縮，」他們走過一票歡呼的人群身旁時，克里斯蒂安對莉莎說。她自己倒是沒有注意到。「妳好歹是未來君主的候選人，得像個樣子。妳值得的，妳是最後一名德拉格米爾家族成員，是皇室的公主。」

莉莎驚訝地瞥了他一眼，沒有想到會聽見他聲音裡的憤怒——而且顯然他相信自己說的話。挺直身子，她面對自己的支持者，微笑著揮手，這令他們更加激動。認真對待這一切，她提醒自己，不要辱沒了家族的名望。

最後，他們穿過人群來到大門，而這比爭取時間和塞琳娜獨處要容易多了。守護者們都忙得不可開交，因而堅持要把塞琳娜留下來當人牆，我媽媽和其中一個守護者談了一會兒，飛快地達成一個交易。她提醒他莉莎的重要性，並且說他們只耽誤塞琳娜幾分鐘的時間。

自從發生血族的襲擊事件之後，就很長一段時間沒見到塞琳娜了。她年紀和我差不多大，金髮，非常漂亮。她見到自己的前任雇主也很驚訝。「公主殿下，」她仍然很拘謹，「有什麼我能爲您效勞的嗎？」

莉莎將塞琳娜拉離那一群守護者，那些人正一個一個地對在大門口排隊的莫里司機問話。「妳可以叫我莉莎。畢竟，妳教過我怎麼刺枕頭。」

塞琳娜微微一笑。「情況已經不一樣了，也許妳會成爲下任女王。」

莉莎也笑了。「不太可能。」特別是我還不知道怎麼回答那個謎題，她想。「不過我確實需要妳的幫忙。妳和格蘭德在一起共事了很久……他有沒有提到過爲塔蒂安娜訓練莫里的事？比如說，某種祕密的格鬥訓練？」

塞琳娜的表情已經給出了答案，她別開眼睛。「我不應該說這些，他甚至不應該告訴我。」

莉莎興奮地抓住這個年輕守護者的手臂，塞琳娜嚇得抖了下。「妳一定要把知道的都告訴我，任何事都可以。比如說，她都在訓練哪些人……他們的感受……還有誰成功了……任何事都行。」

塞琳娜臉色蒼白。「我不能說，」她小聲地說，「這是祕密進行的，是女王的命令。」

「我姑姑已經死了，」艾德里安悶悶地說，「而且妳自己也說，妳可能是在和未來的女王說話。」這句話為他贏得莉莎的一個白眼。

塞琳娜猶豫了一下，深吸一口氣。「我可以列出一個名單，不過可能不是很齊全。我也不知道他們練習的狀況怎麼樣，只知道很多人都痛恨這件事。格蘭德覺得，塔蒂安娜好像有意挑選那些不喜歡這件事的人來參加訓練。」

莉莎緊緊握了一下她的手。「謝謝妳，非常感謝。」

塞琳娜看起來仍為透露了這些祕密而感到痛苦。「他們是第一位的」這個信條，在忠誠被打破以後，不是永遠都管用的。「不過，我要晚點才能給妳，他們需要我待在這裡。」

塞琳娜回到自己的崗位上，換回我媽媽，讓她回到莉莎身邊。至於我，我也回到車子中的現實裡，此時車子已經停了。我眨了眨眼睛，看著四周，前方出現另一間飯店。「怎麼回事？」

「我們在這停留一會兒。」迪米特里說，「妳需要休息。」

「哦，我不用。我們應該繼續趕往皇庭，必須在選舉之前及時把吉兒送過去。」我們找到吉兒的目的，是要讓莉莎擁有合法的投票權。我們早就已經想到，如果莉莎的參選可以在選舉中掀起一陣浪潮，那麼她妹妹的出現一定也會引起一定的驚奇和質疑。基因檢定可以證明這個事實，那麼莉莎就能擁有投票權，而過程會引起的騷動，可以為我們爭取到更多的時間繼續尋找兇手。畢竟除了最近找到的幾個間接證據，我的朋友們仍然沒有掌握到可以推翻我罪名的直接證據。

迪米特里給了我一個「別對我說謊」的表情。「妳剛才和莉莎在一起。選舉已經開始了嗎？」

「還沒有。」我老實說。

「那麼，妳就需要好好休息一下。」

「我沒事。」我反駁道。

可是那幾個傻瓜還是不聽我的。登記入住的過程很複雜，因爲我們沒人有信用卡，而飯店規定不接受現金做抵押。最後，索婭只好催眠櫃台的工作人員，讓他以爲他們的規定可以接受，沒多久，我們就訂到了兩間相鄰的房間。

「讓我單獨和她談一談。」迪米特里小聲對索婭說，「我可以處理。」

「小心點。」索婭警告他說，「她現在很脆弱。」

「你們兩個，我還在旁邊呢！」我大喊。

索婭拉著吉兒的手臂，帶著她走進其中一個房間。「來吧，我們可以叫個客房服務。」

迪米特里打開另一扇房間門，充滿期待地看著我。我嘆了一口氣，跟著他走進去，在其中一張床上坐下，手臂環胸。這個房間比在西佛吉尼亞時好一百倍。「我們能叫客房服務嗎？」

他拉過一把椅子坐在我的對面，離我只有幾英尺的距離。「我們需要談一談維克多的事。」

「沒什麼好談的。」我冷冷地說。之前在車上被我壓下去的陰暗感覺此時又都回來了，它們悶得我透不過氣來，我覺得自己的幽閉恐懼症比在地牢裡時又加重了。內疚就是我自己的監牢。「我眞的成爲了別人口中說的殺人犯，哪怕我殺的人是維克多。我非常冷血地殺了他。」

「這可稱不上是冷血。」

「該死的最好不是！」我喊道，感覺淚水盈滿了眼眶。「本來的計畫是制伏他和羅伯特以後，我們把吉兒救出來。制伏。維克多對我構不成威脅，他是個老人……我的天哪。」

「他似乎很有威脅性。」迪米特里說。和往常一樣，他的冷靜總能對抗我的歇斯底里。

「他只是用了魔法。」我搖著頭，雙手摀住臉。「並不會要了我的命。他也許已經堅持不了多久了，我可以等到那時再逃跑。該死，我其實已經跑出來了！可是我沒有逮捕他，而是一拳把他揍飛到水泥牆上！他根本就不是我的對手。一個老人，我殺了一個老人。沒錯，也許他是個很狡猾、很壞的老人，可我不希望他死啊！我只想把他再度關起來，讓他在監牢裡度過下半輩子，帶著他的罪惡活下去。活下去，迪米特里。」

我這麼想似乎很奇怪，因為我是那麼的痛恨維克多。可是這就是事實：這不是一場公平的戰鬥。我再一次不經思考就行動了。我受到的訓練一直是如何防守和對付惡魔，道義這件事很少被在意，可是突然之間，它對我似乎很重要。「我對他做的事根本就不光明磊落。」

「索婭說這不是妳的錯。」迪米特里的聲音仍然很溫柔，但是這令我的感覺更差。我希望他能罵我，證實我確實有錯，我希望他回到原來那種嚴厲的導師模樣。「她說這是精神能力的副作用。」

「是沒錯……」我停下來，盡量回想當時的情景。「我從來沒有真正理解過，莉莎面臨最惡劣情況時的心情……直到那時。我就那麼看著維克多，就好像看見結合了世上所有邪惡的惡魔，而我必須要阻止它。他那麼壞，可是卻不應該死，他連還手的機會都沒有。」道義，我一直在想，到底什麼是道義？

「妳沒聽到嗎？蘿絲，這不是妳的錯。精神能力是一種很強大的魔法，我們幾乎沒有人瞭解。至於它的副作用……嗯，我們知道它可以令人做出很可怕的事情，可是這些事情是我們無法控制的。」

我抬起頭看著他的眼睛。「我應該能夠戰勝它。」對，就是這個，這才是令我產生罪惡感的真正原因，產生所有可怕情緒的真正原因。「我的心靈力量應該比那些副作用強大才對。可是我太弱了。」

迪米特里並沒有很快就接話，一會才說道：「妳不是無敵的。沒有人期望妳做到那樣。」

「可是我希望。我做的事……」我吞了口口水，「我做的事是不可原諒的。」

他的眼睛震驚地張大。「這……這太瘋狂了，蘿絲。妳不能因爲無法掌控的事而懲罰自己。」

「是嗎？那爲什麼你仍然——」我頓住了，因爲我剛才正要控訴迪米特里爲什麼還要繼續懲罰他自己。可是……他已經不再這麼做了。他眞的對成爲血族時做的事有罪惡感嗎？我非常確定。索婭也承認過。可是，在這次的旅途中，不知何時，他已經再次掌控了自己的生活，一點一點地。索婭曾經告訴過我這件事，可是直到現在我才眞正明白。

「從什麼時候？」我問道，「從什麼時候開始改變了？什麼時候你意識到可以繼續生活——哪怕背著那麼重的愧疚？」

「我不知道。」如果說這個問題出乎他的意料的話，那他掩飾得很好。他的眼睛緊緊盯著我的眼睛，但其實並沒有看著我，表情有些迷茫。「是一點一點改變的吧。當莉莎和艾比來找我商量劫獄救妳出來的時候，我願意那麼做，是因爲這是她開口要求的。後來，我又想了很多，意識到同意這麼做也是有我私人的理由的。我不能忍受妳被關在地牢裡這種想法，不能忍受妳和這個世界失去聯繫。這是不對的，不應該有人像這樣生活。後來，我又想到自己似乎在做同樣的事——而且是自願的。我用內疚和自我懲罰，切斷了我和整個世界之間的聯繫，我擁有再活一次的機會，可我卻拋棄了它。」

我心裡依然很亂，仍滿是悲傷，可是他的故事令我平靜下來，慢慢緩和了情緒。聽他吐露心聲的機會並不多。

「妳之前也聽我說過這些，」他繼續說，「說我的終極目標是感受生活中的每一個小細節。可是，隨著我們的旅程繼續，我漸漸想起了我是誰——不僅僅是一名戰士。戰鬥很簡單，但爲何而戰才是重點。那晚和多諾萬在後巷……」他的話音有些顫抖，「就是那一刻，我意識到有人僅僅是爲了毫無感情的殺戮而戰——是妳喚回了我，蘿絲。那是一個轉捩點。妳救了我……就像莉莎用銀樁救了我一樣。從那時候起我開始明白，要想令我身上血族的性格慢慢消退，就必須努力和它奮戰，成爲和它完全不同的人。我必須擁抱那些他們拒絕接受的：美麗、愛、道義。」

這個時候，我好像分裂成了兩個人：一個興高采烈，聽著他說出這些話，意識到他正和身體裡的邪惡抗爭，而且已經快要勝利……沒錯，我幾乎被這種喜悅所淹沒，這麼長時間以來，我一直希望他能變成這個樣子。可是與此同時，他這些鼓勵的話令我又重新想起，我有多麼墮落。我的悲痛和自憐又重新冒了出來。

「那麼你肯定可以理解。」我痛苦地說，「你剛才也說過了：道義。這就是問題。我們都知道這很重要，可是我失去了自己的道義。當我在停車場殺死一個無辜的人時，我就失去它了。」

「而我殺死過上百個。」他平靜地說，「那些人比起維克多·達什科夫無辜多了。」

「這不一樣！你是沒辦法控制！」我的情緒再次爆發出來，「爲什麼這些話我們要一遍一遍地重複？」

「因爲妳根本就沒聽進去！妳也是沒辦法控制。」他的耐心也沒有了，「妳可以有罪惡感，可以傷心難過，可妳必須要往前走，不能讓它徹底摧毀妳。妳要學會原諒自己。」

我站起來，驚訝地抓住他，低著頭，讓我們面對面。「原諒我自己？這就是你希望的？你們所有人希望的？」

我們兩個離得很近，他設法點了點頭。

「那告訴我，你說你已經克服了罪惡感，繼續向前了，決定重新開始自己的生活，我懂。可是，在你心裡，眞的原諒你自己了嗎？很早以前我就說過，我原諒你在西伯利亞做過的所有事，可是你怎麼說？你也原諒了自己嗎？」

「剛才說的——」

「所以，並不一樣。你跟我說要原諒我自己，繼續向前，可是你自己卻做不到。你是個僞君子，夥伴。我們兩個要嘛都是有罪的，要嘛都是無辜的。選一個吧。」

他也站起來，居高臨下地低頭看著我。「事情沒那麼簡單。」

我雙臂環抱在胸前，拒絕被這麼打發掉。「事情就是這麼簡單。我們都是一樣的！就連索婭都這麼說。我們一直都是一樣的，我們兩個有同樣的行爲，現在同樣的愚蠢，我們對自己的標準要遠遠高過對其他人。」

迪米特里皺起眉頭。「索婭？她和這件事有什麼關係？」

「她說我們的靈光很相配，說我們在彼此身邊的時候，靈光是最耀眼的。她說，這代表你仍然還愛著我，我們是同步的，還有……」我嘆了口氣，轉過身，繞著房間亂走。「我不知道。我不應該說這些，我們不該聽信一個半瘋狂精神能力者，說的這些關於靈光的鬼話。」

我走到窗戶旁，頭靠著冰冷的玻璃，試著釐清接下來該怎麼辦。原諒我自己？可以嗎？一片小小的城市風光展現在我眼前，可我已經不知道我們在哪裡了。汽車和人們在底下來往穿梭，投入地過著自己的生活。我深吸一口氣，維克多躺在柏油路面上那一幕一直出現在我眼前，困擾著我。我做了很可怕的事，哪怕我的出發點是好的，但是他們說的也都是對的：當時的我並不是我自己。可是這就能夠改變已經發生的事實嗎？這能令維克多活過來嗎？不可能。老實說，在我做了這種事之後，我不知道自己如何才能走出來，要用什麼方法才能夠將那血腥的一幕從腦海裡抹去。我只知道必須往前走。

「如果我讓這件事打垮了我，」我小聲說，「如果我什麼都不做……這才是更大的邪惡吧。我可以做更多的好事來彌補，可以透過繼續戰鬥、保護其他人來彌補。」

「妳說什麼？」迪米特里問。

「我說……我原諒我自己。雖然這並不能讓事情圓滿，可這是一個開始。」我的手指沿著玻璃窗戶上的小刮痕遊走，「誰知道呢？也許在停車場的那場爆發，釋放了一些索妮曾說過的，存在我靈光裡的陰影。雖然我有些懷疑，可也不得不認同她的話。她說的對，我正處於一個臨界點，一觸即發。」

「她說的另外一件事也是對的。」迪米特里沉默了許久之後說道。我背對著他，可是他的聲音中有種不可思議的力量，令我轉過身看著他。

「是什麼？」我問道。

「我仍然還愛著妳。」

他這句話一說完，整個世界好像都變了。時間慢了下來，我的每一下心跳都能清楚地聽見，整個世界裡只有他的眼睛、他的聲音。這是幻覺，這不是眞實的，這些事情都不可能是眞實的。感覺就像是一場靈夢。我克制住閉起眼睛的衝動，想看看一會兒之後自己會不會醒過來。但沒有，不管這件事看上去多麼的不眞實，可這並不是一場夢。這是眞正發生過的，這是在現實生活裡的，是活生生的，有血有肉的。

「從……從什麼時候開始？」我終於能夠問出來。

「從……一直以來都是。」他的語調暗示著答案顯而易見。「我剛剛變回來的時候，一直不肯承認這一點。我的心裡除了罪惡感，就容納不下別的感情了，而我感到最內疚的事是關於妳的——關於我對妳做的那些事——所以我將妳遠遠推開。我在心中豎起一道牆，希望這樣能夠保證妳的安全。有一段時間，這種做法是有效的——直到我的心終於開始接受其他的情緒。所有的一切都回來了，包含我對妳的所有感覺。其實它從來沒有離開過，只不過是被我藏了起來，直到我準備好了才又湧現。而且……在後巷發生的事也是一個轉捩點。我看見了妳……看見了妳的好，看見了妳的期待，看見了妳的信任，那些令妳看起來那麼美，那麼、那麼美。」

「所以並不是我頭髮的原因嘍。」我說，不明白自己在這種時刻，怎麼還能有心情開玩笑。

「不，」他輕柔地說，「妳的頭髮也很美，所有部位都很美。我們初次相遇的時候，妳就令人震撼，然後不知怎麼的，出於某種無法言說的原因，妳便在我心中留下了深刻的印記。妳一直都那麼單純、充滿了野性的力量，不過現在妳已經可以控制它了。妳是我見過最令人驚奇的女性，我很高興這輩子能和妳有過一段相愛的時光。我很遺憾失去了它。」他變得憂愁起來，「我願意付出一切——一切——只求時光能夠倒流，改變這一切；希望在莉莎將我救回來之後，投入妳的懷抱，和妳一起生活。當然，一切都已經太晚了，可我必須要接受現實。」

「為……為什麼會太晚了？」

迪米特里的眼神變得更加悲傷了。「因為艾德里安。因為妳已經往前走了。不，聽我說。」他打斷我想要說出口的反駁，「在我那樣對待妳之後，妳這麼做是對的。而且，一旦我們證明了妳的清白，帶吉兒回去認祖歸宗以後，我最希望的事情就是妳能夠幸福。妳自己說過，艾德里安能夠帶給妳幸福，妳說過妳愛他。」

「可……你剛才說你愛我。你想和我在一起。」我的話聽起來很蠢，比起他的好口才顯得很拙劣。

「我也告訴過妳：我不會搶走另一個人的女朋友。妳想談論道義的問題嗎？這就是。」

我走向他，每一步都令我們兩人的心情變得更加緊張。迪米特里一直說後巷裡發生的事情是他的轉捩點，那麼對我來說呢？現在就是轉捩點。我正站在懸崖邊，而某件事或許會改變我的人生。自上個星期以來，我一直很完美地控制住自己，不再幻想和迪米特里有任何可能。可是現在……我還這麼想嗎？究竟，什麼才是愛？鮮花？巧克力？情詩？還是其他東西？是能夠接續另一個人的笑話？還是完全信任這個人會一直在你身後？或是非常瞭解某個人，因此可以馬上明白對方爲什麼要用這種方式來做這件事——同時你們還擁有共同的信仰？

整個星期我都在對自己說，我對迪米特里的愛正在減退。可事實上，我的愛變得越來越強烈，我甚至沒有意識到這種變化。我一直努力想回到過去的那種朋友關係，可是這卻加深了我們之間的聯繫。所有人都斷言——甚至是莉莎——迪米特里才是眞正擁有我的心的那個人。

可是我愛艾德里安，這也是認眞的。很難想像我的生活裡沒有他是什麼樣子，可是我在馬斯特諾家說的那些話卻是違心之論：我和他在一起很開心。和愛的人在一起應該開心沒錯，可是那不該是我最先有的念頭。我應該說，我們互相支持，或者，他令我覺得自己可以成為一個更好的人。也許最重要的是：他能夠完全瞭解我。

可是，那些話沒有一句是眞的，所以我並沒有那麼說。我從艾德里安那裡尋求安慰，他的親暱和幽默是我生活中很重要的一部分。如果他遇到危險呢？我肯定會毫不猶豫地擋在他身前，就像我對莉莎那樣。可是，我並沒有接受他，沒有眞正地接受他。他一直努力想要成爲一個更好的人，可是眼前他的動機是想要感動他人——感動我。那麼做並不是爲了他自己。那麼做不會令他變壞或是顯得比較軟弱，可是卻讓我成了他的依靠。我相信，他一定會撐過去的，他會逐漸找到自己，成爲一個出色的男人。現在的他還沒有發現這一點，可我發現了。

此時，我就站在迪米特里面前，再次看著那雙深邃的眼睛，那雙我那麼愛的眼睛。我伸出雙手抵住他的胸膛，感受他強壯穩定的心跳——也許比平時要快一點——溫暖透過我的指尖傳了過來。

他伸手抓住我的手腕，可是並沒有將我推開。他那英俊臉龐的線條繃緊了，內心似乎有些許掙扎，而我看得出來——我非常肯定——我能夠從他的眼中看到對我的愛，混合了慾望的愛。它是那麼、那麼的明顯。

「你應該告訴我的，」我說，「這些話你早就應該告訴我。我愛你，從來沒有停止過愛你，你也必須要知道這一點。」

當聽見我說「我愛你」的時候，他似乎屏住了呼吸，我能夠看出他內心被壓抑的掙扎，已經開始全面抗戰。「這並不會改變任何事，尤其是還牽扯到艾德里安。」他說，握住我的那十根手指微微握緊了些，好像這次是眞的想要把我推開……可是沒有。「我是認眞的，我不是那種人。蘿絲，我不會是那種會從別的男人身邊把女人搶走的人。現在，拜託，忘了吧，別讓這件事變得更加複雜了。」

我拒絕理會他的請求。如果他想離開我，早就可以這麼做了。我張開手指，更深刻地感受著他的胸膛，汲取著想念已久的溫暖滋味。

「我不屬於他。」我用低沉的聲音說，同時更加貼近迪米特里，然後揚起頭，好讓我可以更加清楚地看見他的表情。他的表情那麼複雜，寫滿了內心的掙扎，似乎想要分辨這麼做究竟是對還是錯。我貼著他的身子，感覺很……完整。索婭曾經說過，沒有一對情侶可以共用一個靈光或是靈魂，可是我們的注定是分不開的。它們是那麼契合，就像拼圖，兩個個體結合在一起的力量，要大過兩個人。「我不屬於任何人。我可以自己做出選擇。」

「可妳還和艾德里安在一起。」迪米特里說。

「可我的心在你這裡。」

就這一句，我們兩個心中所有的克制或是理智瞬間全數融化了，而心防一旦倒塌，所有克制的感情就全都湧現出來。我伸出手，拉下他的頭吻了上去——一個他這次沒有再拒絕的吻。一個我不會以揍他一拳作爲終結的吻。他環抱住我，將我抱起放到床上，一隻手在我半裸的大腿和腰部間來回遊走。多虧這件可憐的被撕爛的洋裝。

我身體裡的每一條神經都被點燃，而我感覺到他的身體裡又燃起了慾望——隨後越來越強烈。經歷了死亡的世界後，他似乎對愛更有體會了，不僅僅是這樣，他也需要它。他需要繼續生活，他需要我——不僅僅是身體上的需要，同時還需要我的心靈爲他吶喊。接下來，我們褪去所有的衣衫，兩具身體交纏在一起，這不僅僅是慾望——雖然佔了絕大部分原因。

在和他一起相處這麼久之後，在我們忍耐了這麼久之後……這種感覺就好像回到了家裡。我們終於來到了某個地方——和某個人——我的歸屬。我的世界，我的心……它們在我失去他之後便破碎了，可是當他看著我，喊著我的名字，撫摸著我的身體時……我知道那些碎片又一片一片地癒合了。我知道，非常確定地知道，等待這件事——等待我第二次和他的親密接觸——是對的事。別的人，別的時候……都是不對的。

當我們結束以後，卻仍感覺仍然不夠親密，於是我們緊緊地抱在一起，四肢交纏，想藉此彌補長久以來的疏遠。

我閉上眼睛，因爲和他在一起而覺得心潮澎湃，好像作了場夢似地輕嘆一聲。「我很高興你投降了，我很高興你的自制力沒有我這麼強。」

這句話逗得他哈哈大笑，我感受到了他胸膛的震動。「蘿莎，我的自制力要比妳的強十倍。」

我張開眼睛，抬頭看他。我把他的頭髮撥回去，笑了笑，非常確信自己的內心已經豁然開朗，再沒有任何陰影留下。「是嗎？我感覺不是這樣。」

「等到下一次，」他警告道，「我會讓妳在一分鐘之內就失去自制力。」這種話等於在邀請蘿絲・海瑟薇對他挖苦諷刺一番，但同時也令我熱血沸騰，所以當我突然說出下面的話時，我們兩個都很驚訝。

「可能不會有下一次了。」

迪米特里正描繪著我肩膀形狀的手停住了。「什麼？為什麼？」

「在這件事再次發生之前，我們還有很多事要做。」

「是因為艾德里安。」他猜測道。

我點點頭。「那是我的問題，所以先把你那種道義什麼的想法放到一邊。我必須自己面對他，和他說清楚這件事。而你……」我不敢相信自己說出口的話，不敢相信自己居然是認真地想說出這種話。「如果你希望我們在一起，就必須原諒自己。」

他疑惑的表情轉成了痛苦。「蘿絲——」

「我是認真的。」我看著他的眼睛，毫不畏縮，「你必須原諒自己，真正的原諒。別人也是。如果你做不到，就不能繼續前進，我們也就不能繼續。」這是我這輩子最大的賭注。曾經，我毫不猶豫地投入他的懷抱，沒有任何疑問，不理會任何問題，只要和他在一起就很高興。現在……在我經歷了這麼多事情以後，我變了。我愛他，非常愛他，也想要他，可是就因為有那樣的愛，我才必須這麼做。如果我們要在一起，就必須用對的方式。發生親密關係是一件很美好的事，可是並不是能夠治好所有傷口的魔法藥水。該死，而且在意識的最深處，我發現了自己的真實想法，我還是不願意放棄艾德里安。如果迪米特里做不到我要求的事，我真的會轉身走開。也許我可能會失去兩個男人，可是一個人有尊嚴地活著，總比沉浸在一段錯誤的感情裡好。

「我不知道。」迪米特里最後說，「我不知道自己能不能做到……哪怕我已經準備好了。」

「那就盡快作出決定吧。」我說，「你不用現在就做到，不過總有一天……」我沒有再繼續這個話題。此時此刻，我想先將它放到一旁，雖然我知道他肯定會緊抓著這個問題不放，認爲這很重要。可我也知道，我這樣的堅持是對的，如果他自己都沒辦法開心起來，和我在一起也不會開心。這令我想起了另一個問題，就是當我表明了自己的態度和需求時，原來那種師生的角色已經徹底消失了。現在，我們眞正平等了。

我將頭枕在他的胸膛上，感覺到他也放鬆了下來，我們陶醉在這一刻裡，希望這一刻不要那麼快過去。索婭說過，我們需要「休息」，所以我想，也許在回到皇庭之前，我們還有一點時間。當我和迪米特里這樣擁抱著彼此時，我覺得自己眞的有點睏了。那一仗之後我覺得很疲累——可是帶來的結果卻是令人意想不到的。錯殺了維克多之後，我內心的愧疚和絕望以及精神能力的爆發，都消耗了我很多體力，哪怕那個注入了治癒能力的墜飾仍然掛在我的脖子上。沒錯，我微笑著想，我和迪米特里剛才做的事也消耗了很多體力。用我的身體進行一些不會令他人和自己受傷的運動，感覺也不錯。

我在他的懷抱中睡著了，黑暗籠罩著我，就像他溫暖的臂彎。事情本來可以就這麼簡單的，這應該是很平靜、很幸福的休息時刻。可是和以往一樣，我沒有那麼好運。

一場靈夢在漫無邊際的睡眠中向我襲來。一開始，我以爲是羅伯特・德魯因爲他哥哥的死來找我報仇，可是不是。並不是來復仇的達什科夫，我發現自己看入的是一雙碧綠色的眼睛。是艾德里安。

# 30

我沒有像往常一樣投入他的懷抱。我怎麼做得到呢？在我做了那樣的事之後？不，我根本無法假裝沒發生過。我現在仍不確定自己和迪米特里將來會怎樣，在他沒有給我明確回答之前，我不知道。可是，我知道必須和艾德里安保持距離。我對他的感覺仍然很強烈，而且也認爲我們還是有極小的可能可以做朋友，可是無論如何，我都不能在剛和迪米特里發生親密關係後，就立刻投入他的懷抱。這麼做不會怎麼樣，不會，可是確實很卑鄙。

但是……這些事我現在還不能告訴艾德里安。我不能和他在夢裡分手，這和發分手短訊一樣差勁。再說，我有種感覺……就是，也許我還需要他的幫助。該死的道義。很快，我對自己發誓，很快我就會告訴他了。

他似乎沒有注意到我並沒有跑過去抱住他。不過，他注意到了別的事。

「哇哦。」

我們站在聖弗拉米爾學院的圖書館，我隔著我們之間那朝前方延伸而去的自習桌，奇怪地看了他一眼。「哇哦什麼？」

「妳……妳的靈光，它眞……令人驚嘆。它在發光。我的意思是說，它雖然經常很閃亮，可是今天……哦，我從來沒有見過它這麼閃亮。發生了這麼多事之後，我眞的沒有想過會看見它這種模樣。」

我不安地動了動身子。如果我在迪米特里身邊靈光就已經很耀眼，那麼我們兩個在發生親密關係之後，我的靈光到底會變成什麼樣子？「發生了什麼事？」我問，避開這個話題。

他笑著向我走過來，下意識地伸手去摸煙，但是中途又停住，最後把手收了回去。「哦，拜託，所有人都在談論這件事，說妳和貝里科夫是怎麼綁架了小尤物的，還強迫那個煉金術士幫妳……這到底是怎麼回事？這是近來最勁爆的新聞。哦，除了競選。最後一次測試也要開始了。」

「沒錯……」我小聲說。距離莉莎接收到那個難題，已經將近二十四小時了。時間還剩一點點，可是根據我最後所感應到的，她還不知道該怎麼回答。

「還有，妳怎麼會在中午的時候睡覺呢？」他問，「我真的沒想到會逮到這個機會。妳現在不是按照人類的作息表休息嗎？」

「那……那是個混亂的夜晚，要從那麼多守護者手裡逃出來。」

艾德里安握住我的手，發現我沒有反握住他的，微微皺了皺眉，可是很快就露出了釋然的微笑。「哦，比起他們，我更擔心妳家老頭。他對於你們不肯乖乖聽話非常氣憤，不過，他也沒辦法去見那個煉金術士。相信我，他很努力在嘗試。」

我聽了這番話幾乎要大笑起來，雖然這不是我希望看到的結果。「哦，看起來他也沒有那麼無所不能嘛。」我嘆了口氣，「這正是我們需要的。雪梨……哦，對，還有那個和她在一起的傢伙，那個人肯定知道點什麼。」我回想了一下，伊安的臉上清楚地表明他認識那個人，他認識那個攻擊莉莎和收買了喬的人。「我們需要他。」

「據我所知，」艾德里安說，「守護者一直守在旅館四周，非常在意煉金術士的動靜，還控管訪客身分，他們不可能讓我們——或者是其他的煉金術士——進去。不過那間旅館裡住了很多人類客人，我猜艾比曾試著扮成人類混進去——結果失敗了。」

可憐的茲米。「他應該對那些守護者更有信心一點。除了他們自己，他們是不會讓別人混進去的。」我因為自己說出的話愣了一下。「那樣的話……」

艾德里安懷疑地看著我。「哦，不。我認識這種表情，肯定又有什麼瘋狂的事要發生了。」

我抓住他的手，不過是因為激動而不是愛的表現。「去找米哈伊爾，帶他來見我們，到……」我愣住了。我見過煉金術士去的那個小鎮，就在皇庭附近，我們經常開車從那裡經過。我絞盡腦汁，試著回想一些細節。「那間有紅色招牌的旅館，就在小鎮最遠的那頭，總是掛著搏擊廣告的地方。」

「用說的都比做要簡單，小拜爾。他們出動了皇庭裡的每一個守護者，就為了控制大選時期的秩序。如果莉莎不是遇到了襲擊，他們才不會讓妳媽媽去保護她。我可不認為米哈伊爾能夠溜出來。」

「他會想辦法的。」我自信滿滿地說，「告訴他這是——這是找出兇手的關鍵，是找到答案的關鍵，他可以幫上忙的。」

艾德里安仍然表示懷疑，可是對他來說要拒絕我的要求太難了。「什麼時候？」

對呀，什麼時候？現在已經快中午了，我也沒注意到我們現在在什麼地方，不知道從這裡到皇庭要多久。根據我對選舉過程的瞭解，那些通過最後一關的候選人，要在莫里時間的隔天一早開始進行演講，理論上來說，隨後就要開始投票——除非我們的計畫生效，藉由莉莎的事件再拖延幾天的時間。前提是，她能通過最後的測試。

「午夜。」我說道。如果我猜得沒錯，皇庭裡肯定已經擠滿了等著看大選好戲的人，米哈伊爾這個時候溜出來會比較容易。但願如此。「你會告訴他嗎？」

「任何事都可為妳效勞。」艾德里安殷勤地一鞠躬。「不過，我仍然覺得妳直接參與此事是很危險的。」

「我必須親自做這件事，」我說，「我不能躲起來。」

他點點頭，好像明白了的樣子。我不確定他是不是眞的明白了。

「謝謝你，」我對他說，「謝謝你爲我做的所有事。現在，快去。」

艾德里安狡詐地笑了。「天哪，妳迫不及待地要把別人從床上踢下去是吧？」

我震了一下，這個笑話距離事實不遠。「我希望米哈伊爾能有時間準備，而且我也要去看看莉莎最後測試的情況。」

這提醒了艾德里安。「她有機會嗎？會通過嗎？」

「我不知道。」我老實說，「這一關很難。」

「好吧，就看看我們能做到什麼地步吧。」他說完，輕輕吻了吻我。我的嘴唇自動回應著他，可是內心並沒有投入。「蘿絲，我是認眞的，一定要小心。一靠近皇庭妳肯定就會面臨危險的處境，更別說有一票守護者都把妳列爲頭號通緝犯，他們可能會殺了妳。」

「我知道。」我說，選擇不說「可能」兩個字應該拿掉。

就這樣，他消失了，我也醒了。很奇怪，我回到現實世界裡，感覺卻和剛剛和艾德里安在夢裡一樣不眞實。我和迪米特里還躺在床上，蓋著被子依偎在一起，彼此的身體和四肢緊緊地纏繞在一起。他睡著了，臉上是那種罕見的平靜表情，似乎還露出了一絲笑容。起初我猶豫著要不要叫醒他，告訴他我們該上路了，可是看見他這種幸福的表情，我改變了主意，我們還有時間。再說，現在距離測試開始已經沒有多少時間了，我必須先去看看莉莎。而且，我相信如果我們睡過頭，索婭肯定會來叫我們的。

果然，我估計的測試時間沒有錯。此時莉莎已經穿過皇庭的草坪，邁著沉重的步伐，好像要去參加葬禮一樣。太陽、鮮花、小鳥好像都從她周圍消失了，甚至連和她同行的人都不能令她開心起來，而這些人包括：克里斯蒂安、我媽媽和塔莎。

「我辦不到。」她瞪著前方將要決定她命運的大樓說道。「我肯定沒辦法通過測試。」她身上的禁制紋身，令她沒辦法說得更詳細一些。

「妳既聰明又優秀。」克里斯蒂安摟著她的腰。這個時候，我愛死他對她的信心了。「妳可以做到的。」

「你不懂。」她說著嘆了一口氣。她還是沒有想出問題的答案，這意味著計畫有可能失敗——她想證明自己的想法亦然。

「這次他是對的。」塔莎說道，語氣裡帶著些許取笑的意味。「妳可以做到的，妳必須做到。我們還有很多事要靠它。」

她的信任也沒有令莉莎覺得比較好過。如果說，眞的產生了什麼作用，就是令她覺得壓力更大了。她肯定會失敗的，就像銀杯測試時，靈夢裡那場議會預示的那樣。當時，她也不知道怎麼回答。

「莉莎！」

一個聲音令所有人停下腳步。莉莎轉頭，看見塞琳娜向他們跑過來，她那雙運動員般的長腿三兩步就趕上了他們。

「嗨，塞琳娜。」莉莎說，「我們不能耽擱。測試——」

「我知道，我知道。」塞琳娜臉色通紅，不是因爲跑步的關係，而是因爲焦慮。她拿出一張紙。「我把名單列好了，我記得的人都寫在上面了。」

「什麼名單？」塔莎問。

「就是參加女王祕密訓練的莫里，她想知道他們能學習格鬥到什麼程度。」

塔莎驚訝地挑起眉毛。上次他們討論這件事的時候，她並不在場。「塔蒂安娜也在訓練戰士？我從來沒聽說過。」我覺得她似乎希望自己是協助教學的一員。

「大部分人都不知道。」莉莎同意道，她把那張紙攤開。「應該是個大祕密。」一群人都圍上去看上面的名字，上頭有著塞琳娜乾淨整齊的手寫筆跡。克里斯蒂安低聲吹了個口哨。「塔蒂安娜在學習防衛這件事上也許觀念很開放，可是只針對幾個特別的人。」

「沒錯，」塔莎同意道，「這上面的人都是重要人士。」名單上的人全都是皇室，塔蒂安娜並沒有將「平民」列入她的實驗計畫中。這些人是菁英中的菁英，正如安布羅斯說過的，塔蒂安娜已經盡力找來了各種年齡層和不同性別的人選。

「卡米莉・康塔？」莉莎有些驚訝，「眞是想不到。她在體育課上的表現眞的不怎麼樣。」

「這裡還有我們的另一個親戚。」克里斯蒂安指著莉雅・歐澤拉的名字說。他瞥了塔莎一眼，她也不敢相信。「妳知道這件事嗎？」

「不，我也沒猜到會有她。」

「有一半都是候選人。」莉莎覺得很有意思。達蒙・塔魯斯、愛娃・多羅斯多夫，還有艾理斯・巴蒂卡。「他們眞是太——哦，我的天哪！還有艾德里安的媽媽？」

沒錯，上面清清楚楚地寫著：戴妮拉・伊瓦什科夫。

「哇哦，」克里斯蒂安說。我也想這麼說。「很顯然艾德里安也不知道這件事。」

「她也支持莫里參加戰鬥嗎？」我媽媽問，她也驚訝極了。

莉莎搖了搖頭。「不，憑我對她的瞭解，她絕對是雙手贊成讓拜爾去戰鬥就好。」我們沒有一個人能夠想像出那麼美麗優雅的戴妮拉・伊瓦什科夫戰鬥的模樣。

「她已經很討厭塔蒂安娜了。」塔莎說，「我相信這件事對她們的關係起了很『棒』的作用。」

那兩個人一關起門來就不停地吵。」

一陣令人不安的沉默。

莉莎看了看塞琳娜。「這些人經常都能夠見到女王嗎？他們有沒有接近她的機會？」

「當然，」塞琳娜不安地說，「格蘭德說過，每堂訓練課，塔蒂安娜都會在一旁觀看。他死了以後……她便開始一個個聽取這些學員的彙報，瞭解他們學習的進度。」她停頓了一下，「我想……我想在她遇害的當天晚上，可能也接見了幾個人。」

「他們的程度已經足以學習怎麼使用銀樁了嗎？」莉莎問。

塞琳娜皺起眉頭。「是的，有些人學得比較快。」

莉莎又重新看了一遍名單，心裡有些難過。這麼多機會，這麼多動機，難道答案就在這張紙上嗎？這個兇手就在她眼前嗎？塞琳娜之前說過，塔蒂安娜似乎有意挑選這些不願意接受訓練的人，很可能是想要看看這些人是不是也能夠學會。她的做法對某個人來說太超過了嗎？莉莎的腦海中不停地浮現出一個人的名字。

「我不願意打斷妳。」我媽媽說道。她的語氣和姿勢暗示這件事到此結束，該去幹正事了。「我們必須走了，不然妳就會遲到。」

莉莎意識到我媽媽說得對，她匆匆地把名單放進口袋裡。如果遲到，就意味著這次測試失敗了。莉莎謝過了塞琳娜，向她再三保證她做的這些都是對的，然後我的朋友們又匆匆忙忙地向進行測試的大樓走去，時間已經很緊迫了。

「該死，」莉莎小聲說道。她居然很罕見地爆了粗口。「我可不認爲那位老婦人容許有人遲到。」

「老婦人？」我媽媽哈哈大笑，這讓我們所有人都覺得很奇怪。她其實可以走得比其他人快，現在顯然是放慢速度在配合他們。「妳說的是那個負責測試的人吧？妳不知道她是誰嗎？」

「我怎麼會知道。」莉莎問，「我以為她只是某個他們新聘請來的人。」

「她可不只是什麼某人。她是葉卡捷琳娜・齊科洛斯。」

「什麼？」莉莎差點停了下來，不過她還是記得他們已經來不及了，因此沒這麼做。「她是……她就是塔蒂安娜之前的那任女王，對不對？」

「我以為她退休後去了某個島上。」克里斯蒂安也很驚訝。

「不知道是不是住在島上。」塔莎說，「不過，她退位確實是因為她覺得自己太老了，覺得應該享點清福了。所以，塔蒂安娜一登基，她就不再理會政事了。」太老了？那已經是二十年前的事了，怪不得她看起來那麼老。

「如果她不願意再理會政治，為什麼這次會回來？」莉莎問。

他們走到大樓門口，我媽媽上前替他們打開門，然後先看了看裡面有沒有危險。這種事對她來說再自然不過，所以她沒有浪費時間，繼續說了下去：「因為按照傳統，應該是由上任君主對下一任君主進行測試——如果可能的話。這次大選很顯然不可能這麼做，所以葉卡捷琳娜重出江湖，完成她的職責。」

莉莎幾乎不敢相信，自己和上上任的莫里女王說話時居然那麼隨意，她可是一個高高在上、受人愛戴的女王。

當他們這群人一出現在大廳時，莉莎就在守護者的簇擁之下，急急忙忙地向測試的房間走去。他們的表情顯示出他們以為莉莎不會及時趕到，有很多旁觀者臉上也透出擔憂，但是在看見莉莎出現之後，便如先前那樣高呼起愛麗珊德拉和巨龍那些口號。莉莎沒有機會回應他們，甚至連和自己的朋友道再見的機會都沒有，就被推進了房間。守護者們似乎全都鬆了一口氣。

門關上了，莉莎不自覺地又重新審視了一下葉卡捷琳娜・齊科洛斯。這位老婦人原本看起來就很嚇人，而現在……莉莎更加擔心了。葉卡捷琳娜居然露出了一個狡猾的微笑。

「我還以爲妳不會來了呢。」她說，「我早就應該想到，妳不是那種會臨陣退縮的人。」

莉莎仍然處於震驚狀態中，而且覺得自己很有必要爲遲到找個藉口，解釋一下是塞琳娜的那份名單耽擱了時間。但是，不行，葉卡捷琳娜並不會在意這件事，再說也不可能有人會在她這樣的人面前替自己找藉口。莉莎決定，如果錯了，就要道歉。

「對不起。」莉莎說。

「不用道歉。」葉卡捷琳娜說，「妳還是來了。妳想好答案了嗎？女王要擁有什麼才能眞正統領她的人民？」

莉莎的舌頭好像黏在了嘴裡。她不知道答案，此刻眞的就像夢中的議會情景那般。調查殺死塔蒂安娜的兇手佔用了她所有的時間。在這奇異的一瞬間，莉莎的心同情起那名難搞的女王，她做了自以爲對莫里最好的事，卻因此而死去。看著葉卡捷琳娜，莉莎也覺得很難過，這位前前任的女王也許從來沒有想過，自己得離開她的——島上？——退休生活，被迫重回皇庭。沒錯，只要有需要，她就必須出現。

就這樣，莉莎突然想通了答案。

「什麼都不能擁有。」莉莎溫柔地說，「女王什麼都不能擁有，因爲她必須向她的人民奉獻出所有。甚至是生命。」

葉卡捷琳娜笑得很開心，原本露出的幾顆牙看得更清楚了。這說明莉莎答對了。「恭喜，親愛的，妳可以參加明天的投票了。我希望妳已經準備好了要在議會進行的演講，明天早上就必須發表演說。」

莉莎有些站不穩，不知道此刻該說些什麼，她滿腦子都只想著那場正式演說。葉卡捷琳娜似乎感覺到了莉莎的震驚，那抹永遠看上去都很淘氣的笑容變得和善了許多。

「妳可以的，妳已經走到了現在，演講是最容易的部分。妳爸爸肯定會為妳驕傲的，所有德拉格米爾家族的先人都會為妳驕傲。」

這番話說得莉莎差點掉下了眼淚，她搖搖頭道：「我不確定……我們都知道我並不是眞正的候選人，這只是……一場演出。」不知怎麼的，她並不覺得在葉卡捷琳娜面前承認這一點不好。「阿里亞娜才應該是戴上那頂王冠的人。」

葉卡捷琳娜那雙年邁的眼睛瞪著莉莎，她的笑容退去了。「妳還沒有聽說，對吧？不，妳當然不會聽說，這件事才剛剛發生不久。」

「聽說什麼？」

葉卡捷琳娜臉上閃過一絲憐憫。後來，我一直在想，不知道她的同情是因為即將要告訴莉莎的這個消息，還是因為莉莎會有的反應。「阿里亞娜・澤爾斯基沒有通過這次測試……她回答不出這個問題……」

「蘿絲，蘿絲。」迪米特里搖晃著我，我花了好一會兒時間，才從嚇壞了的莉莎變回震驚的蘿絲。

「我們必須——」他開始說。

「哦，我的天哪。」我打斷他，「你肯定不會相信我剛才看見了什麼。」

他身子一僵。「莉莎還好嗎？」

「對，很好，可是——」

「那這件事我們等會再操心。現在，我們必須走了。」

我注意到他已經穿好了衣服，而我還光著身子。「怎麼了？」

「索婭剛才來過了——別擔心。」我臉上肯定會出現的驚嚇表情令他微微一笑。「我已經穿好衣服了，而且沒有讓她進來，她是從櫃台打電話過來的。他們終於意識到我們的入住有問題，我們必須趕緊離開。」

午夜。我們必須在午夜時和米哈伊爾會合，將困擾我們的最後一個謎團解開。「沒問題。」我說著，飛快地套上衣服。我穿衣服的時候，看見迪米特里正看著我，我有些驚訝他眼底的欣賞和渴望。不知怎麼的，就算我們已經發生過關係，我還是以爲他會重新變回那種冷淡的樣子，戴上他的守護者面具——尤其是在眼前這種得緊急離開的情況下。

「你看見你喜歡的了嗎？」我問，呼應很久以前我對他說過的話。當時我們在學校，他抓著我，希望能夠說服我妥協。

「很多。」他說。

那雙眼中燃燒的情感對我來說太過強烈了。我轉過頭，一邊穿衣服，心臟一邊怦怦亂跳。「別忘了，」我輕聲說，「別忘了……」我沒辦法說下去，可是也不用再說下去了。

「我知道，蘿莎。我沒忘。」

我穿上鞋，以爲自己會心軟，忘記之前的要求，可是並沒有。不管我們的身心發生多大的變化，不管我們多麼接近童話般的故事結局……在他原諒自己之前，我們都沒有未來。

我們走出房間的時候，索婭和吉兒已經準備好，在外面等著我們了。直覺告訴我索婭已經知道了我和迪米特里之間發生的事。該死的靈光。或許，這種事其實不用那些魔法能力也能看出來。也或許，只是晚霞的餘暉照在人們臉上的自然表現。

「我需要妳施展魔法。」我們上路後我對索婭說，「我們現在要先去格林斯頓一下。」

「格林斯頓？」迪米特里問，「爲什麼？」

「煉金術士們就住在那裡。」我已經漸漸把所有事都拼湊到一起了。那個痛恨塔蒂安娜的人——是因爲她和安布羅斯之間的曖昧而憎恨她的嗎？是因爲害怕她研究精神能力，有可能對某個人產生危險的影響，比如說艾德里安，而憎恨她的嗎？是因爲希望看見另一個支持新法案的家族能夠坐上寶座而殺死她的嗎？是因爲很高興這樣做能夠把我阻攔在外，不再出現在她眼前嗎？我深吸一口氣，不敢相信自己將要說出口的話。

「而且，我們也能夠在那裡，找到證明戴妮拉・伊瓦什科夫殺死塔蒂安娜的證據。」

# 31

我不是唯一一個得出這個驚人結論的人。在我們行駛途中，距離皇庭的莫里醒來還有幾個小時，莉莎在她的房間一邊準備著投票前的演講時，一邊也將所有片段都拼湊了起來。她和我一樣，把所有疑點都想了一遍，另外還想到了幾個我沒有想到的問題——比如戴妮拉有多麼害怕艾德里安和我牽扯上關係，這樣她的精心計畫毫無疑問將會毀於一旦。還有，也是戴妮拉提出要讓她的堂兄達蒙·塔魯斯律師為我辯護的。她這麼做真的是想幫我嗎？還是達蒙的實際作用是為了扯我後腿呢？艾比的突然出現也許是老天對我的眷顧。

莉莎的心飛快地跳著，同時手裡忙著將頭髮挽成一個髮髻。她本來想將頭髮放下來，可是想到待會的場合，又覺得自己應該打扮得更高貴一些。她穿著象牙色的緞面長袖及膝洋裝，袖子上有著花邊。有人可能會認為，穿著這種顏色的衣服會令她看起來像個新娘，可是當我看見她在鏡中的倩影之後，就知道絕對不會有人犯這種錯誤。她看上去非常耀眼，容光煥發，像女王一般高貴。

「這不是真的。」她說著，戴好珍珠耳環，完成最後的裝扮。這對耳環原本是屬於她媽媽的。

她把自己的推測和克里斯蒂安和珍妮說了一遍，此刻他們已經來到她的房間。莉莎很希望他們會對她說，她的想法有多麼瘋狂，可是他們並沒有這麼說。

「這種解釋說得過去。」克里斯蒂安說，語氣沒了平時的戲謔。

「可是我們目前還沒有證據。」我媽媽非常實際地說道，「大部分都只是我們的推測。」

「塔莎姑姑曾經問過伊森，謀殺案發生的那晚戴妮拉在不在場。」克里斯蒂安說。他有些不高興，仍然不樂意接受自己的姑姑交了個男朋友的事實。「戴妮拉並不在官方的訪客記錄裡，可是塔莎姑姑擔心這份記錄有可能被篡改過。」

「如果是這樣，我也不會意外。不過，就算戴妮拉當時就在案發地點，這仍然不是有力的證據。」我媽媽可以去當辯護律師了，她和艾比可以一起開一家律師事務所。

「這些證據就和他們抓了蘿絲的證據差不多！」莉莎喊道。

「除了銀樁。」珍妮提醒她，「而且，比起來，人們更願意相信是蘿絲幹的，而不是戴妮拉・伊瓦什科夫。」

莉莎嘆了一口氣，知道這是事實。「如果艾比能和煉金術士談談就好了。我們需要他們的消息。」

「他會辦到的。」我媽媽自信滿滿地說，「只不過是時間問題。」

「我們沒有時間了！」這種戲劇性的轉折，爲精神能力的情緒爆發提供了一個絕佳的機會，而按照慣例，我試著將這些陰暗的東西從莉莎身上吸走。你以爲發生維克多的事情之後我應該會吸取教訓，可是，嗯……舊習難改。他們是第一位的。

「瑪麗・康塔和達蒙・塔魯斯是現在唯一剩下的候選人，如果他贏了，戴妮拉的地位可就不一樣了。那時，我們永遠沒辦法證明蘿絲是無辜的了。」

阿里亞娜沒有通過最後一場測試，對每個人來說都是爆炸性的新聞，令莉莎對美好未來的期望石沉大海。沒有了阿里亞娜，競選的結果似乎不太樂觀。瑪麗・康塔並不是莉莎喜歡的人，可是莉莎認爲她當選總比達蒙當選好。

不幸的是，康塔家族最近幾年在政治上十分低調，他們的支持者和朋友相對的都比較少，一大票人都一面倒向了達蒙。這眞是令人沮喪。如果我們能夠及時帶著吉兒趕到，莉莎就有了投票權，而在一個只有十二席的議會裡，哪怕是一票都是很有力量的。

「我們還有時間。」我媽媽冷靜地說，「今天肯定沒辦法進行投票，因爲關於妳的爭議還沒有結果。競選每拖延一天，我們就多一些完成任務的機會。我們已經離眞相很接近了，我們可以做到的。」

「這些話我們絕不能告訴艾德里安。」莉莎走向房門，對其他人警告道。現在，該出發了。克里斯蒂安那種慣有的戲謔表情又回來了。「這一點，是我們大家都一致同意的。」

那個精美的舞會大廳——因爲可以容納很多人的緣故，再次被改裝成召開議會的地方——看上去像是正在舉辦一場搖滾演唱會。人們都爭相往裡頭擠去，有人意識到這麼做沒有用，乾脆在大廳外坐了下來，就像在野餐一樣；有人則非常感激在廳外也掛上音響設備這個絕妙主意，這樣那些進不去的人也可以透過喇叭聽見裡面的過程。守護者在人群中穿梭，試著控制混亂的場面——特別是在候選人陸續抵達之後。

瑪麗．康塔比莉莎早到一步，儘管她是最不像能夠獲選的候選人，可是仍引得群情激動。守護者匆忙地——還有粗暴地，如果有必要的話——驅退人群，以便讓她順利通過。這種陣仗一定很嚇人，可是瑪麗並沒有表現出驚嚇的表情，她挺胸抬頭地走著，頻頻對那些支持她和不支持她的人微笑。我和莉莎都想起克里斯蒂安的話：*妳好歹是未來君主的候選人，得像個樣子。妳值得的，妳是最後一名德拉格米爾家族成員，是皇室的公主。*

她現在的表現正是如此，甚至表現得比克里斯蒂安希望得還要好。現在，她已經通過了所有的測試，整個人因爲即將參加這場古老的盛宴而顯得更加莊嚴。莉莎走進場，高高地昂著頭，我看不見她整個人的樣子，可是能夠從她走路的感覺體會出來：優雅、高貴。人們全都愛死了她這個模樣，而我也發現到，那群喊得最大聲的人不是皇室，這些聚在外面的都是平民莫里，是那些眞正愛戴她的人。

「愛麗珊德拉轉世！」

「把巨龍帶回來！」

而對某些人來說，似乎只要喊出她的名字就夠了，尤其是它和古老俄羅斯神話女英雄的名字一樣：「瓦西莉莎最勇敢！瓦西莉莎最美麗！」

我猜沒有人想得到她此時內心有多麼害怕。她表現得非常好。一開始，克里斯蒂安和我媽媽還在兩旁守護著她，後來便同時往後退，讓莉莎走在前頭，這毫無疑問襯托出了莉莎的身分和權威。她自信滿滿地邁出每一步，想起她的爺爺也走過這條路，同時試著向人群微笑，模樣既高貴又真誠。這種笑容很有效，因爲人群變得更加激動了。當她在一個揮動寫著支持口號的布條的人面前停下，對他表達感謝時，這個人差一點暈過去，因爲沒想到像她這樣的人居然會注意到這種事情，而且還爲此感謝自己。

「這眞是史無前例。」他們安全地走進大廳之後，我媽媽立即發表了評論，「以前從來沒有出現過這種場面，尤其不會出現在競選的最後階段。」

「爲什麼這次這麼特別？」莉莎問，她正試著平復自己的呼吸。

「因爲有太多的敏感話題了，尤其是還有謀殺事件和關於妳的合法競選權的爭論，以及……嗯，妳贏得外面那些人心的方式。他們都是平民莫里，還有拜爾。妳知道的，我們的茶水間裡也有一個龍形標誌。我甚至覺得，連某些皇室都很喜歡妳，不過這也許是因爲他們和別的家族互相交惡的關係。不過說眞的，如果算上所有人的支持，而不僅僅是議會裡這些人的話——好吧，如果妳的投票權也沒有爭議的話——我想妳會贏。」

莉莎皺起眉，不情不願地說：「想聽實話嗎？我認爲我們應該進行普選。每個莫里都應該有投票權，而不應該只有一小部分的菁英家族擁有。」

「說話要小心，公主殿下。」克里斯蒂安揶揄道，摟住了她，「妳的這番言論很可能會掀起另外一場革命。一步一步慢慢來，好嗎？」

大廳裡的人群沒有外面的人那麼瘋狂——不過也差不多。守護者這次準備了充足的人手，以確保此處一開始就能完全控制住場面，他們嚴格控制著室內的人數，平息皇室和平民間的爭吵。這種場面還是很嚇人，但莉莎一遍遍提醒自己，只要扮演好這個角色就是在幫助我，為了我，她可以忍受任何事，哪怕是這種瘋狂的場面。幸運的是，這一次莉莎很快就走到了房間的前方，那裡放了三把面朝觀眾席的椅子，是專門為三名候選人準備的。達蒙和瑪麗已經就座，壓低聲音和幾名從家族裡選出的成員交談著，守護者則站在他們身旁。當然，莉莎獨自坐在那裡。當塔莎隨後出現的時候，莉莎對附近的幾名守護者輕輕點點頭，示意塔莎可以過來。

塔莎在莉莎身旁蹲下，壓低聲音說話同時，也留意著一旁在和別人講話的達蒙。「有個壞消息。當然，這要看妳怎麼想。伊森說那天晚上戴妮拉在場，她和塔蒂安娜單獨相處了一會兒，當時他覺得沒有什麼問題，所以就沒有把她寫進記錄裡。有其他的值勤守護者把這件事記錄了下來，他說他親眼看見了戴妮拉。」

莉莎震了一下。她曾經暗自希望——甚至祈禱——是她自己想錯了，艾德里安的媽媽肯定不會做出這種事。她輕輕地點點頭，表示她明白了。

「抱歉，」塔莎說，「我知道妳很喜歡她。」

「我比較擔心艾德里安，我不知道他能不能接受。」

「很難。」塔莎坦白道。她在經歷過克里斯蒂安父母的事之後，比任何人都清楚被家人背叛的滋味。「可是他會挺過來的。只要我們把所有的證據都公開，就可以把迪米特里和蘿絲接回來了。」

這番話令莉莎充滿了希望，給了她力量。「我很想她，」莉莎說，「眞希望她現在就在這裡。」

塔莎同情地笑了笑，安慰地拍了拍她的肩膀。「很快，他們很快就會回來了，只要過了眼前這一關。妳可以做到的，妳可以改變所有事。」

莉莎不知道自己能不能。這時，塔莎已經回到她那群「激動的朋友」之中，而莉莎的身旁換成了別人——戴妮拉。

她是來找達蒙的，向他表示支持和家族對他的關愛。莉莎實在不願意看見這位夫人，而當戴妮拉和她說話的時候，她的心情就更差了。

「我不知道妳是怎麼捲進這件事裡的，親愛的，不過祝妳好運。」戴妮拉的笑容似乎是眞心的，可是毫無疑問她支持的候選人是別人。她親切的表情轉爲擔心。「妳有見過艾德里安嗎？我本來以爲他一定會來這裡，守護者會讓他進來的。」

眞是個好問題。莉莎最近幾天一直沒有見到他。「我不知道。也許他起床了，正忙著整理髮型。」希望他不是在什麼地方暈倒了。

戴妮拉嘆了口氣。「希望如此。」

她離開了，回到觀眾席上。

再一次，由艾德里安的爸爸主持這次會議，在經過了一番做作的開場白後，整個會場安靜了下來。

「上個星期，」南森對著麥克風說道，「眾多有資格的候選人，爲了能夠統領人民，都接受了必要的測試。現在，最終勝出的三名候選人就坐在我們面前：達蒙·塔魯斯，瑪麗·康塔和瓦西莉莎・德拉格米爾。」南森在介紹到最後一位的時候，語氣好像有些不太高興，可是直到目前爲止，法律仍賦予她發表演說的權利。在那之後，這條矛盾的法律就會被捨棄，所有該死的障礙就可以除去了。

「這裡的三位已經向世人證明，他們有治理國家的能力，而在我們投票之前，他們還要進行最後的演說，向我們的人民宣揚他們的治國理念。」

達蒙是第一個站起來發言的，他的演講內容和我想像的差不多。他強調了莫里的恐懼，答應會盡其所能來保護莫里——這肯定也牽扯到對拜爾的對待方式，不過他沒有說得很詳細。

「我們的安全是第一位的，」他宣稱，「用盡任何辦法都在所不惜。我們會遇到困難嗎？是的。會有犧牲嗎？是的。可是，難道我們的後代不值得這種犧牲嗎？我們難道不關心他們嗎？」把孩子也捲進來眞是低級，我想道。

他也用了一下最骯髒的政治技巧，比如毀謗他的對手。他攻擊瑪麗的家族近幾年對政治活動興趣缺缺，不過，莉莎才是他最大的目標。他提到了她的年紀，還有精神能力的危險性，以及她現在能在這裡的主要原因，是因爲鑽了法律的漏洞。

瑪麗的演講更有深度，更加注重細節，她針對各種事情列出了相應的解決辦法，大部分都是非常合情合理的。她說的我並不是全都贊同，不過她顯然也非常有能力，而且並沒有降低身分去嘲諷自己的對手。不幸的是，她並不像達蒙那樣有領袖魅力，而必須面對的殘酷事實，便是缺乏這一點令她的演講效果大不如他。她單調的語氣不僅搞砸了演講，同時也毀了她的個人形象。

「以上就是我應該擔任女王的原因。我希望你們能夠喜歡我的演說，在即將到來的票選時刻投我一票。謝謝。」說完，她便唐突地坐了下來。

終於輪到莉莎了。她站在自己的麥克風前，覺得好像回到了銀杯帶來的夢境中，當時她在議會的所有人面前，結結巴巴地說不出話來。可是不行，這裡是現實，她不能失敗，必須勇往直前。

「我們身處戰爭之中，」她開始說話，聲音洪亮而清晰。「我們不斷受到攻擊——不僅僅是來自血族，還有另外的敵人。那就是我們的分裂。我們自己人和自己人鬥爭，家族和家族鬥爭，皇室和非皇室的人鬥爭，莫里和拜爾鬥爭。當然，是血族令我們變成這樣。可是，他們至少在一個目標面前是團結的：殺戮。」

如果此時我坐在下面的觀眾席，一定會將身子往前傾，嘴巴大張。沒錯，下方的許多人都替我完成了這個動作。她的話非常富有感染力和震撼力，而且超級吸引人。

「我們應該是一家人，」她繼續說，「莫里和拜爾是一樣的。」沒錯，這話也引起了驚呼。「當個人的力量無法做到的時候，如果我們不團結起來，找出一個所有人都能接受的折衷方式，沒有人能夠完成自己的目標——哪怕這意味著我們要做出艱難的選擇。」

然後，她特別解釋了應該怎麼做。沒錯，她沒有時間詳細提到發生在我們世界裡的每一件事，可是她提及了很多重大問題。她設法用一種不會惹怒任何一方的說法來表達，畢竟，她說的沒人能夠獨自完成自己的目標這句話是對的。她提出平民莫里也需要發出自己的聲音，但是這並不代表要以損壞皇室的利益爲代價。終於，她提到了訓練莫里保護自己的問題。她確實強調了這麼做的重要性——但並不是用那種命令的口吻，也沒有說這是唯一一條出路之類的話。

是的，她爲所有人都描繪出一幅美好、迷人的前景，那是一席可以令人們願意追隨她到天涯海角的演講。她最後總結道：「我們一直在舊事物裡不斷融合新事物，我們使用魔法的同時，也使用現代科技；我們記錄這些議程，用羊皮手卷，也用了——這些。」她微笑著敲了敲她的麥克風。「我們就是這樣生存下來的。我們承襲過去，也擁抱現在。我們汲取所有的優點，變得越來越強大。我們就是這樣生存下來的，以後也將會像這樣生存下去。」

她的演說結束後，先是一陣沉默——然後就是一片歡呼。事實上，在大廳裡響起歡呼聲之前，外面的草坪上就已經先發出了震天的喊聲。那些我發誓他們肯定是別的候選人的支持者，此刻眼裡也都噙滿了淚水，而我也沒有忘記，眼前坐在這間大廳裡的人，絕大部分都是皇室。莉莎自己也想哭，可是她以漂亮的姿態忍住了。當她坐回座位上後，人群也安靜下來，南森繼續自己的任務。

「哦，」他說，「這眞是一場非常棒的演說，我們全都聽得很入迷。不過現在，是時候讓議會使用投票權，選出我們的下一任領袖了，而——根據法律的規定——能夠參加投票的候選人只有兩位：達蒙．塔魯斯和瑪麗．康塔。」

這兩名分別來自塔魯斯家族和康塔家族的莫里向前邁出一步，走進各自的支持者群裡頭。南森的目光落在莉莎身上，她也和其他人一樣站起來，可是身邊只有她自己。「根據選舉法——開朝以來就已經制定的法律——規定，每個候選人都必須走上議會席，而且要由家族的成員護送，以此彰顯家族的力量和團結。妳有這樣的人嗎？」

莉莎看著他的眼睛，毫不畏縮。「沒有，伊瓦什科夫爵士。」

「那麼，恐怕妳的競選之路到這裡就要結束了，德拉格米爾公主殿下。」他微笑著說，「您現在可以坐下了。」

沒錯，該死的障礙終於除掉了。

我很常聽說這種形容——「人群出現了騷亂！」此時，我親眼看見了這一切的發生。大部分的時間裡，我根本就沒辦法分辨到底是誰在大喊大叫，或者他們支持的是什麼，起先是一群人和一群人爭吵，後來演變成一對一的爭吵。幾名穿著牛仔褲的莫里，正竭盡所能地和每一個看來衣冠楚楚的人爭吵，他們的潛意識似乎認爲，只要這個人穿得很上流，那肯定就是皇室，而所有的皇室肯定都討厭莉莎。他們對她的忠誠眞是令人讚嘆，雖然可怕，可仍然值得讚嘆。一群塔魯斯家族的人正面向康塔家族的人，看起來既像是要打群架，也好像要排隊跳舞。這是所有爭吵的人群裡最奇特的一組，因爲這兩個家族的人毫無疑問都應該無條件支持自己家族的候選人。

類似的爭吵持續著，人們爭論的重點就是莉莎應不應該有投票權，他們吵著要這次議會就馬上修改那部過時的法典，而有些人的理由我則從來沒有聽過。一群守護者湧到了門邊，讓我忍不住猜測道，外面的人有可能正打算衝進來。我的媽媽也在阻擋的人群中，我知道她說得對：今天不會投票了，在這麼混亂的情況下肯定不行。他們肯定會結束會議，明日再議。

莉莎看著底下的人群，不由得怔愣住，不知道眼前的一切是怎麼回事。當她漸漸想清楚後，胃也開始絞痛起來。一直以來，她發誓自己都是非常重視選舉這項傳統的莊嚴性的，可是，那是因爲她沒有想過會發生現在這麼不莊重的事。這全都是她的錯。這時，她的眼睛忽然落在坐在後方角落的一個人身上，在那個遠離這場爭吵的地方，坐著葉卡捷琳娜．齊科洛斯。這位年邁的前前任女王發現了莉莎的目光，居然朝她眨了眨眼睛。

我退出了大廳，不想繼續看那些爭吵。當我再次回到行進中的汽車裡後，腦子裡忽然冒出了一個新的念頭。莉莎的話燃燒了我的靈魂，攪亂了我的心。雖然她發表這番談話只是在做戲，可是話裡的力量卻非常振奮人心，擁有熾熱的信念，如果她眞的能夠成爲女王，一定會實現那些話的。

這時，我突然反應了過來。*她可以成為女王*。

我決定，一定要讓這件事實現。我們帶著吉兒回去，不僅是要幫莉莎取回屬於她的投票權，還可以令莉莎擁有讓莫里投票給她的權利。如果是這樣，莉莎一定會贏的。

不過很顯然，這些都只是我心裡的想法。

「那種表情很危險。」迪米特里說著瞥了我一眼，然後繼續專注地看著前面的路況。

「什麼表情？」我假裝無辜地問。

「說明妳又有了鬼主意的表情。」

「不是什麼鬼主意，是一個非常棒的想法。」

通常，這樣的笑話一定會逗得吉兒哈哈大笑，可是當我轉頭看向坐在後座的她時，發現她臉上完全沒有笑容。

「嘿，妳還好吧？」我問。

那雙碧綠的眼睛看著我。「我不知道。發生了這麼多事，我真的不知道之後還會發生什麼。我覺得……覺得自己好像是一件物品，要被運用在他人的計畫裡。就像一顆棋子。」

我覺得有點內疚。維克多一直利用別人，好像別人都是他的棋子一樣。我的作法和他有區別嗎？還是有的。我很關心吉兒。「妳不是一件物品，也不是一顆棋子。」我對她說，「妳非常、非常重要，因爲有了妳，很多好事才有機會發生。」

「沒有這麼簡單，對不對？」她好像突然有了超齡的智慧，「在事情好起來之前，往往有可能變得更壞，不是嗎？」

我不能騙她。「對，不過那時妳可以聯絡妳媽媽……然後，像我說的，好事就會發生。守護者在談起莫里的時候，一直都說『他們是第一位的』，但是對妳來說也許不是那樣，不過這麼做……嗯……」

她微微笑了笑，但看起來仍不是很開心。「我明白，這是爲了更偉大的好事，對嗎？」

一路上，索婭大部分的時間都用在替我製作符咒上，施咒的物品是我們在路邊的小禮品店買來的銀手環。手環的樣子雖然不好看，可確實是純銀的，這一點就夠了。當我們距離格林斯頓還有半個小時路程時，她終於完成了，把手環遞給了我。我戴上手環，看著其他人。

「怎麼樣？」

「我看不出區別。」索婭說，「不過到時候應該有用。」

吉兒瞇起眼睛。「妳的樣子變得比較模糊……我必須眨幾次眼睛才能看清。」

「我也是。」迪米特里說。

索婭很高興。「對那些知道她被施了符咒的人來說，看起來就會變這樣。希望在那些守護者的眼裡，她會是另一種樣子。」這和我們去救維克多的時候，莉莎做的那個符咒效果有點不同。不過，這種符咒可以少用一點魔法，因爲索婭只需要改變我的外表，不需要改變我的種族，而且她比莉莎更熟練。

當我們在十一點半到達格林斯頓那間我挑中的旅館時，它早就關門了。停車場上幾乎一點光線都沒有，可我還是能夠看清楚後方的角落裡停著一台車子。希望那是提早到來的米哈伊爾，而不是在那裡監視停車場的守護者。

我們將車子停在附近，然後我看見從車子裡走出來的確實是米哈伊爾——還有艾德里安。

看見我的時候，他笑了起來，似乎很高興帶給我這個驚喜。確實，我請他替我帶話給米哈伊爾的時候，就應該想到會發生這種事，艾德里安肯定也會想辦法跟過來。我的胃開始痛起來。不，不，不要這樣，我現在沒有時間處理我的感情生活，現在不行。我甚至不知道該跟艾德里安說什麼。幸運的是，沒有機會讓我說話。

米哈伊爾以守護者的出色效率向我們走來，準備問我到底想進行什麼任務。當他看見索婭從我們的車子裡走下來的時候，發出一聲驚呼。索婭也是。他們兩個全都愣住了，瞪大了眼睛。我知道這種時候，我們其他人都不存在了，同時一起消失的還有我們的計畫、我們的任務，和……嗯，整個世界。在這一刻，只有他們兩個是存在的。

索婭嗚咽一聲，向前跑去。這也令米哈伊爾醒悟過來，他及時伸出手臂，抱住撲向他懷裡的索婭。索婭哭了，我能夠看見她臉上的淚珠，米哈伊爾將她的頭髮撥開，捧起她的臉，低頭看著她，看了一遍又一遍。「是妳……是妳……是妳……」

索婭想要擦去眼角的淚水，可是怎麼擦也擦不乾淨。「米哈伊爾——對不起——眞的對不起——」

「沒關係。」他吻了她，然後再把她拉開一些，以便看著她的眼睛，「沒關係。只要我們能夠再在一起，什麼事都不重要。」

這番話令索婭哭得更厲害了，她將臉埋進他的胸膛，他則更加用力地摟住她。此時，我們其他人則像這對有情人剛剛那樣，愣愣地站在一旁，覺得不太好意思再看下去。這種場景太私密了，我們不應該留在這裡。可是……與此同時，我一直想著當莉莎剛把迪米特里救回來的時候，我想像中和迪米特里重聚時的樣子。愛，原諒，接受。

我和迪米特里對看了一眼，一種奇怪的直覺告訴我，他現在正想著我的話：*你必須原諒自己，真正的原諒。別人也是。如果你做不到，就不能繼續前進，我們也就不能繼續。*我不再看他，重新看向這一對幸福的情侶，這樣他才不會見到我眼中的淚花。天哪，我也想像米哈伊爾和索婭這樣，擁有一個大團圓的結局。原諒過去，前方有著光明的未來。

吉兒在我身邊抽泣，我伸手摟住她。這個微小的聲音終於將米哈伊爾帶回了這個世界。他仍然抱著索婭，轉頭看著我。

「謝謝妳，謝謝妳爲我做的。只要妳需要，不管任何事情——」

「停，停，」我說道，生怕自己會哽咽出聲，只好眨眨眼，把可能會出賣我的淚水眨回去。「我很高興……高興我做到了，但是……這其實不是我的功勞。」

「可我仍然……」米哈伊爾低頭看著索婭，索婭正笑中帶淚地看著他。「妳令我的世界又完整了。」

「我很高興可以幫到你……而且也很高興見到你可以享受此刻。不過，我想請你幫我一個忙。再幫一個忙。」

索婭和米哈伊爾心領神會地互看了一眼。你絕對想不到他們已經分開了三年之久。索婭點點頭，米哈伊爾重新看向我。「我想我明白他爲什麼要帶我到這裡來了。」他將頭歪向艾德里安的方向。

「我希望你能幫我混進煉金術士住的那間旅館。」

米哈伊爾臉上的笑容不見了。「蘿絲……我不能帶妳進去。妳距離皇庭這麼近，已經很危險了。」

我從口袋裡掏出手環。「我有辦法，他們不會認出我的。你有沒有混進去見煉金術士的好方法？」

索婭還在他的懷裡，不管米哈伊爾此時的目光已經因爲思索而變得深邃。「他們會安排守護者守在煉金術士的房間附近，我們也許可以假裝成換班的人混進去。」

迪米特里贊同地點點頭。「可是如果時間跟他們的値班表差太多，可能也會引起懷疑……希望你們能有足夠的時間進去，然後找到需要的線索。守護者可能比較在意煉金術士會不會跑掉，而不會太在意有沒有其他守護者進去。」

「完全正確。」米哈伊爾說，「所以說，蘿絲，只有妳和我兩個人囉？」

「沒錯。」我說，「人越少越好。我們只要詢問雪梨和伊安就可以了。我建議其他人在這裡等比較好。」

索婭吻了吻米哈伊爾的臉頰。「我不會亂跑的。」

這時，艾德里安也踱了過來，像大哥哥一樣輕輕地碰了吉兒的手臂一下。「我也留在這裡好了，聽聽看妳是怎麼捲進這件事裡的，小尤物。」

吉兒鼓起勇氣對他微笑了一下。她非常喜歡艾德里安，不過剛才的動作表明她已經不會臉紅，也不會雙腿發軟了。當他們開始聊天，迪米特里用手勢示意我跟著他繞到車子的另一邊，避開他們的視線。

「這麼做很危險。」他輕聲說道，「如果符咒失效，妳可能就沒辦法從旅館出來了。」他最後的語氣裡有種沒有言明的感情。

「不會失效的，索婭很有本事。再說，就算我們被抓住，也許他們會把我送回皇庭，而不是殺了我，我想這樣也能拖延選舉的時間。」

「蘿絲，我是認真的。」

我抓住他的手。「我知道，我知道。這件事很簡單，我們一個小時之內就會出來，如果我們出不來……」老天，我討厭說這種不吉利的話。「如果我們出不來，就讓艾德里安送吉兒回皇庭，你和索婭可以躲到別的地方，直到……嗯，我也不知道。」

「不用擔心我們，」他說，「妳自己小心一點就好。」說著，他低頭吻了吻我的額頭。

「小拜爾，妳是不是——」

艾德里安晃到了車子的這一頭，剛好看見了那個小小的吻。我鬆開握住迪米特里的手，我們誰都沒有說話，可是這一刻，艾德里安的眼神……哦，我看見他的整個世界都碎裂了。我覺得這比旁邊突然跑出一個血族還糟，甚至覺得自己比血族還要壞。道義。眞的，守護者應該好好教教這一課，因爲我根本沒有學過。

「快一點。」米哈伊爾走過來，很顯然打斷了這場剛在他身邊上演的大戲。「索婭說你們幾個還要趕去皇庭。」

我吞了口口水，轉頭不敢再看艾德里安，感覺一顆心在胸膛裡緊緊擰了起來。「對……」

「走吧。」迪米特里說。

「記住，」我小聲對他說，「和他談是我的責任，不是你的。」

說完，我跟著米哈伊爾來到他的車子前，戴著那只注滿魔法的手環上了車。進去之前，我飛快地回頭看了一眼。吉兒和索婭在講話，迪米特里獨自站著，艾德里安則掏出一根煙，背對著所有人。

「我眞差勁。」當米哈伊爾發動車子時，我難過地說道。雖然不夠傳神，可是已經總結了我現在的感受。

他沒有回答，也許是因爲這和我們的任務無關，也有可能是他仍沉浸在自己剛剛找回的愛情裡。幸運的混蛋。

我們並沒有開很久就到了他們住的旅館。旅館四周有很多守護者，都分散在各處，以免引起人類的注意。我們走進去的時候，沒有人攔住我們，其中一個甚至點頭向米哈伊爾示意。他們全都看著我，感覺就像……嗯，就像不認識我的樣子。這樣很好。皇庭裡有那麼多守護者來幫忙，有新面孔出現也不令人意外，而且我現在又不是蘿絲・海瑟薇的樣子，不會有人在意的。

「他們在哪個房間？」米哈伊爾抓了個在大廳値勤的守護者問道。「我們要去換班。」

米哈伊爾的舉止非常自然，雖然那個守護者有一點驚訝，不過也認爲這沒什麼。

「怎麼只有你們兩個？上面可是有四個人呢。」

我替我們解圍道：「他們希望多留幾個人在皇庭。那邊已經快失控了，現在能派兩個人過來已經不錯了。」

「我們可能要一直留在這裡了。」那個守護者同意道。「在三樓。」

「腦子動得眞快。」我們走進電梯之後，米哈伊爾對我說道。

「這算不了什麼，我遇見過比這更糟的情況。」

那幾個房間非常容易辨認，因爲外面站著一名守護者。其他的守護者在裡面。我意識到這點，同時想著這不知道會不會造成問題。不過，米哈伊爾隨即用同樣令人不容置疑的態度，告訴那個傢伙，說其他幾個人必須趕回皇庭報到。那個守護者叫出自己的同事——每個房間裡都有一名守護者，不過我們不知道誰負責看管誰——他們簡單向我們交代了一下情況就走了，包括誰住在哪個房間。

他們都走了之後，米哈伊爾看著我。「雪梨。」我說。

我們已經拿到了鑰匙，於是直接走到雪梨的房間。她正盤腿坐在床上看著一本書，樣子很糟糕。她看見我們的時候，嘆了一口氣。

「拜託，現在又想怎麼樣？」

我摘掉手環，露出原本的面貌。

雪梨沒有嚇掉下巴，也沒有挑起眉毛，只是露出一副心知肚明的表情。「我早就應該想到。妳是來救我的嗎？」她的語氣帶著希望。

「呃，不完全是。」我不希望雪梨會遭受懲罰，可是救她出來並不是眼前這個計畫的一部分。「我們需要和伊安談談，如果妳在場的話最好。他知道一件很重要的事，我們必須弄清楚。」

這句話令她挑起了眉毛，她指向門口。「他們不會讓我們見面的。」

「他們已經不在外面了。」我得意洋洋地說。

雪梨憐憫地搖了搖頭。「蘿絲，有時候妳眞令我害怕，不只是因爲我剛認識妳的時候說的那些理由。走吧，他就住隔壁，不過你們要讓他開口可能要花很長的時間。」

「這就是需要妳幫忙的地方了。」我說。我們走到走廊上，我重新戴好手環。「他已經愛妳愛得無法自拔了，如果妳開口，他肯定會同意。」

和我猜的一樣，雪梨完全不知道伊安對她的感情。「什麼!?他並沒有——」

她閉上了嘴，因爲我們已經走進了伊安的房間。他正在看電視，看見我們走進來，嚇了一跳。

「雪梨！妳沒事吧？」

我意味深長地瞥了她一眼。

她也痛苦地看了我一眼，然後才看向伊安。「他們有點事需要你幫忙，想要問你幾句話。」

伊安轉頭看著我們，態度立刻冷了下來。「你們的問題我已經回答過上百遍了。」

「並不是所有的問題都回答了。」我說，「上次在皇庭，你在桌子上看見了一張照片，一張死人的照片。那個人是誰？」

伊安的嘴巴抿成了一條線。「我不知道。」

「我看見了——呃，我的意思是，我們知道你認出他來了。」我反駁道，「透過你的反應。」

「我也看見了。」雪梨在一旁幫腔。

他的語氣變成了請求。「拜託，我們不能再幫他們了。被軟禁在旅館這樣的事已經夠糟了，我恨透了他們的這些把戲。」

我不能怪他，眞的，可是我們眞的很需要他的幫助。我懇求地看了雪梨一眼，暗示她只有她能夠搞定這件事。

她轉頭看著伊安。「照片上那個傢伙是怎麼回事？眞的……眞的那麼可怕嗎？有什麼不能說的嗎？」

他聳聳肩。「沒有，我只是不想再幫他們了。就這麼簡單。」

「那你就當是在幫我好嗎？」她溫柔地問，「拜託？這樣也許可以幫我戴罪立功耶。」雪梨眞是撒嬌高手，可是我覺得眞正嚇到伊安的是她湊近他的臉。他猶豫了一會兒，看了看我們，又看了看雪梨，雪梨正微笑地看著他。

伊安徹底投降了。「我說的是眞的，我不認識這個人。不過，有一次他曾跟一個莫里女人一起去過聖路易。」

「等一下，」我喊道，「莫里會去你們的地盤？」

「有時候。」雪梨說，「就像我們也會去你們的地方一樣，偶爾會私下開個小會。不過，我們通常不會把你們的人像囚犯一樣扣留起來。」

「我本來以爲那個人是她的保鑣之類的人。」伊安說，「她也是來洽公的，而他只是跟著那個女人，一句話都不說。」

「一個莫里保鑣？」

「這對那些沒有分派到守護者的莫里來說，不是什麼稀奇事。」米哈伊爾說，「艾比．馬祖爾就是最好的證明。他甚至有一支私人軍隊。」

「我覺得他們那一票人更適合稱之爲黑手黨。」我雖然開著玩笑，可是仍然很迷惑。雖然莫里普遍都看不起學習格鬥這件事，但有時候莫里確實是會雇用一些莫里當保鑣，因爲他們沒辦法分派到自己的守護者。可是，像戴妮拉．伊瓦什科夫這種人是不會遇到這樣的問題的。事實上，我非常肯定，如果她走出受保護的區域，身邊肯定會有兩名守護者——而且她的態度也很明確地顯示出，她不認爲莫里應該出面戰鬥。爲什麼她會選擇帶著一個莫里保護自己，而不是受過良好訓練的守護者呢？這根本說不通。不過……如果妳要殺死女王，可能會做出一些不符合常理的事。可是這仍然說不通。「她是誰？」我問，「那個女人。」

「我也不認識。」伊安說，「我只是在他們前去辦事的時候，偶然從他們身邊經過。我想，可能是要去開會之類的吧。」

「那你記得她長什麼樣子嗎？」線索，我們需要線索。這已經很接近祕密的最後一部分了，如果伊安能夠說出戴妮拉的樣子，我們就可以確定了。

「當然，」他說，「她的樣子很好記。」

他接下來的沉默惹怒了我。「然後呢？」我問，「她長什麼樣子？」

他告訴了我。

這個人的樣子和我猜想的並不一樣。

# 32

雪梨和他的朋友們對於我們不帶他們一起走，感到很不高興。

「我會來救妳的。」我對她說，心裡仍想著從伊安那裡得知的線索。「不過我們自己要進出都已經很危險了，如果帶著你們一起出去，肯定會穿幫的。再說，這件事很快就會過去了，一旦我們把知道的事告訴皇庭的所有人，證明了我的清白，守護者們就沒有再關著你們的理由了。」

「我擔心的不是守護者。」她回答道。她的語氣雖然很平靜，可是我看見她眼中閃過一絲害怕。我很想知道她害怕的對象是誰，是煉金術士協會？還是某個人？

「雪梨，」儘管知道我和米哈伊爾現在必須要離開這裡，我仍語帶遲疑地問道：「艾比究竟替妳做了些什麼？肯定不只是把妳調回美國這麼簡單。」

雪梨悲傷地微微一笑。「已經不重要了，蘿絲，我可以自己處理之後的問題。現在快走吧！快去幫助妳的朋友們。」

我很想再多說幾句……多探聽些消息，不過米哈伊爾的表情告訴我，他同意雪梨的說法。所以，在短暫的道別之後，我和米哈伊爾離開了。我們回到其他人正等著我們的停車場時，情況和先前並沒有什麼改變。迪米特里正在踱步，無疑地正因爲被排除在行動之外而感到坐立不安。吉兒仍然站在索婭旁邊，好像是在尋求這個比她年長的女人的保護。艾德里安則離他們遠遠的，在米哈伊爾的車子出現之後，才往這裡看了一眼。

但是，當我們把打聽到的事告訴他們之後，艾德里安最先跳了起來。

「不可能。我不相信。」他點燃一根香煙，「妳的煉金術士朋友肯定搞錯了。」我也不願相信，可是我不認爲伊安有撒謊的必要。老實說，如果這一點連艾德里安都很難接受，那麼一旦我們把之前懷疑過的對象告訴他，他會有什麼樣的反應就更不用說了。我看著漆黑的夜空，試著接受這個人殺了塔蒂安娜又嫁禍給我的事實。連我都難以置信。背叛是最令人痛苦的。

「可是動機就在那裡……」我不情不願地說。當伊安向我描述他見過的那個女人的樣子後，一時間似乎有十幾種理由讓這個殺人犯這麼做。「而且是出於政治目的。安布羅斯說對了。」

「伊安的描述不能算作是有力的證據。」迪米特里和我們其他人一樣震驚，「而且這裡面還有很多疑點，有很多細節還沒有釐清。」

「沒錯。」其中有一個問題特別令我納悶。「比如說爲什麼要選我背黑鍋。」

沒人能夠回答這一點。

「我們必須趕回皇庭。」米哈伊爾最後說道，「不然肯定會有人發現我不見了。」

我看了吉兒一眼，給了她一個鼓勵的微笑。「接著，就要換妳上場了。」

「我不知道哪件事比較瘋狂，」艾德里安說，「是兇手的眞正身分，還是小尤物居然是德拉格米爾家族的人。」他對我說話時語氣冷冰冰的，可是看向她的表情卻是溫柔的。和這個消息一樣瘋狂的是，艾德里安居然很輕易地就接受了吉兒的眞實身分，大概是因爲艾瑞克的風流史他已經聽膩了，而且那雙會說話的眼睛是最好的證據。我想，聽到了伊安告訴我們的事，對他來說比被我欺騙更加令人難以接受。發現這個謀殺了他姑姑的人，居然是他認識的人，加重了他的痛苦。發現了我和迪米特里之間的事，也不會讓他比較好過。

雖然米哈伊爾非常不願意，索婭還是堅持留下來，好讓我們其他人得以前去皇庭。我們不能把兩台車都開回去，而米哈伊爾的車只能坐五個人，索婭覺得自己接下來的用處不大，所以做出了這種選擇。在一陣擁抱、親吻和淚水之下，她答應米哈伊爾，當這團混亂平息之後，他們就會再見面。我希望她能說到做到。

我的符咒效用足以撐到通過大門，可是吉兒就有點麻煩了。她的綁架案成了莫里的頭條新聞，如果她被門口的守護者認出來，我們可能就要永遠留在那裡了。最後，我們決定賭一把，賭那些忙得焦頭爛額的守護者不會有空注意到她，就像他們不會注意到我和迪米特里一樣。這意味著，迪米特里成了頭號問題——他需要艾德里安的幫助。艾德里安會施展的障眼法沒有索婭那麼高明，可是已經足以改變迪米特里的外表，矇騙過其他人的眼睛。這和他幫助我逃獄的時候用的方法差不多，問題是艾德里安願不願意幫我們這個忙。我和迪米特里之間的事，他一個字都沒有對別人說，可是其他人一定已感覺到氣氛突然變得緊張起來。

「我們必須要去幫助莉莎，」看見他沒有回應我們的請求時，我對他說道，「時間緊迫，拜託，拜託你幫幫我們。」我不會卑躬屈膝地求他，如果這是他想看到的話。

幸運的是，他沒有。艾德里安深吸一口氣，閉上眼睛沉默了一會兒。我很確信他現在需要比香煙更強效的東西。終於，他點點頭。「我們走吧。」

我們把另一台車子的鑰匙留給了索婭，她站在原地，淚光閃閃地看著我們離去。一路上，我、迪米特里和米哈伊爾都在分析現有的情報，認爲伊安描述的那個女人不可能做到所有事。

我和艾德里安、吉兒一起坐在後座。我身子前傾，扳著手指頭一樣一樣數著。「動機？有。能力？有。收買喬？有。進入塔蒂安娜的寢室……」我皺起眉，突然想起我潛入莉莎意識裡時聽到的事。「也可以做到。」

這話令迪米特里吃驚地轉過頭看了我一眼。「眞的？這個問題是我一直想不通的。」

「我非常肯定她能辦到。」我說，「可是給塔蒂安娜的那封信卻說不通，更別說要偷走莉莎家族的檔案——或者是想要殺了她。」或者是想要陷害我。

「也許我們要對付的不是一個人。」迪米特里說。

「意思是有同夥嗎？」我震驚地問道。

他搖了搖頭。「不，我的意思是，有人非常嫉妒女王，可是這個人對女王的嫉妒並不足以讓她殺死她。這是兩批人，兩件事，也許他們都不知道彼此的存在，是我們把證據混在一起了。」

我陷入了沉思，反覆想著他的話。這可以說得通，我明白他說的有人是誰，他指的是戴妮拉。我們已經有充分的理由相信她很討厭塔蒂安娜——因爲祕密訓練的事，年齡法案的事可能還不是最主要的，而鼓勵研究精神能力……這些也不足以構成殺人的動機。可是一封恐嚇信和出於保護兒子所做的收買行爲呢？這種事很像是戴妮拉．伊瓦什科夫夫人會做出的事。但是，用銀樁殺人肯定不是。

在我沉默的時候，我聽見吉兒和艾德里安正低聲交談。在我們其他人忙著制定戰略的時候，這兩個人一直在聊天。

「我該怎麼做？」吉兒很小聲地問艾德里安。

他的回答既機智又令人安心。「表現得像妳就應該在那裡一樣。別讓他們嚇到妳。」

「那莉莎呢？她會怎麼想我？」

艾德里安猶豫了一下。「別擔心，只要按照我說的做就行了。」

聽著他這麼誠懇、溫柔地替她出主意，我心裡感覺很沉重。無賴、自以爲是、輕率……他就是這樣的人。可是，他的心是善良的，而這顆心剛剛被我傷透了。我對他的潛力判斷是對的，艾德里安很了不起，他可以做很多偉大的事，我希望自己不要阻礙他。至少，我不需要告訴他，他的媽媽是個殺人兇手……可我還是傷害了他。

當我們抵達皇庭大門口時，所有人都沉默下來。門口仍然堵了一排車，我們越往前移動，心裡就越緊張。莉莎不經意傳過來的意念告訴我，我們還沒有錯過議會的投票，場面仍和剛才一樣混亂，雖然南森臉上疲倦的表情令我相信，他很快就會宣佈暫定投票，明日再繼續。我不知道這是好事還是壞事。

當然，守護者認出了米哈伊爾。雖然他們仍然很警惕，可是內心的本能令他們毫不懷疑他會做出什麼窮兇惡極的事。米哈伊爾含糊地說他被派出去接人，守護者往車裡看了看，掃過了迪米特里、我和——謝天謝地——吉兒。至於艾德里安，他眾所周知的身分，令我們備受尊重。在例行檢查過行李箱以後，我們順利通過了。

「哦，我的天哪！成功了。」米哈伊爾載著我們往守護者的停車場駛去的時候，我鬆了一口氣。

「現在怎麼辦？」吉兒問。

「現在，我們要讓德拉格米爾家族的人認祖歸宗，然後救出殺人犯。」我說。

「哦，就這樣嗎？」艾德里安不客氣地諷刺道。

「你們知道，」米哈伊爾說，「障眼法很快就會失效，你們兩個可能會被守護者包圍，扔回監獄。也許更糟。」

我和迪米特里對看了一下。

「我們知道。」我說，試著不去回想在地牢裡那可怕的、會令人罹患幽閉恐懼症的經歷。「可是如果我們成功了……就不會在那裡待很久。他們會根據我們提供的線索展開調查，最後還是會把我們放出來的。」我覺得自己比以前還要樂觀。

我們一停好車子，就匆忙向大廳所在的大樓走去。四周圍了很多人，我們感覺走了好久才到達。眞奇怪，不久之前，我也是走在這條路上，和幾乎同樣一群人，一起匆忙地離開皇庭，當時也有精神能力的庇護，卻是爲了逃跑。現在，我們走的卻是一條顯然是通往危險的路。我一直說服自己，我可以神不知鬼不覺地混進去，宣佈我的發現，然後一切都會迎刃而解。我去見煉金術士的時候，索婭的符咒效果非常好，我應該不需要擔心會露餡。可是，在我內心深處仍然有一絲恐懼：如果它失效了怎麼辦？如果我在走到大樓之前就被人發現了怎麼辦？他們會逮捕我嗎？還是直接開槍呢？

門口都被圍觀的人堵住了，只有守護者得以進入，因此再次由米哈伊爾掩護我們進去——一臉不開心的艾德里安也派上了用場。上任女王的姪孫肯定不會被拒於門外，而裡頭一片混亂，身邊多帶幾個守護者——也就是我和迪米特里——是有好處的。走進去的時候，艾德里安伸手輕輕摟住吉兒，守護者當然也放她進去了。

我們溜進大廳，完全沒有引起注意。我曾透過莉莎的眼睛見過眼前的紛爭場面，可是親身經歷是完全不同的感受，顯得更吵雜及刺耳。我和我的朋友們交換了一下眼神，然後鼓起勇氣向觀眾席的那一大群人裡頭擠去——該死，這不是第一次了——可是這對我這種身手的人來說都是一次巨大的考驗。

「我們需要找個人吸引整廳人的注意。」我說，「一個不怕引人注意的人——我是說，除了我以外，當然。」

「米哈伊爾？你去哪兒了？」

我們轉身，看見艾比站在我們面前。

「啊，說到惡魔，」我說，「這正是我們需要的。」

艾比皺起眉頭看著我。如果有人知道這個人使用了符咒，符咒就會失效；同樣，如果這個人非常熟悉被施咒者，符咒也會失效。所以，在塔拉索夫的時候，維克多才會認出我來。因此，雖然索婭的符咒很厲害，艾比沒有辦法完全看透，可是他肯定發現事情不太對勁。

「怎麼回事？」他問道。

「像往常一樣，大叔。」我歡快地說，「危險、瘋狂的計畫……你知道，這是我們的家族特色。」

他再次眯起眼睛，似乎還是不能完全看破符咒。我的樣子很可能模糊成一團。「蘿絲？是妳嗎？妳跑去了哪裡？」

「我們需要引起全廳人的注意。」我說。此刻這種感覺，很像一個孩子被父母抓到他違反門禁時的感覺，因爲他正非常不贊同地看著我。「我們會想辦法解決掉眼前的所有爭論。」

「哦，」艾德里安冷冷地說道：「我們正巧要想辦法挑起另一場爭論。」

「我在聽證會上相信了你。」我對艾比說，「你現在能相信我嗎？」

艾比的表情變成了諷刺。「顯然妳對我的信任不夠，所以才不肯待在西佛吉尼亞。」

「我是認眞的。」我說，「拜託，我們很需要你這麼做。」

「而且我們時間有限。」迪米特里補充道。

艾比也仔細看了看他。「讓我猜猜看，你是貝里科夫？」我爸爸的聲音裡帶有一絲不確定——艾德里安在掩飾迪米特里的外表上做得非常出色——可是以艾比的聰明才智，他肯定能推測出和我在一起的人是誰。

「爸，我們必須抓緊時間，我們找出了兇手，還找到了莉莎的……」該怎麼解釋呢？「找到能改變莉莎命運的機會。」

能嚇到艾比的事情不多，不過我猜我剛才那麼認眞地喊他一聲「爸」就是其中一件。他掃視著整個大廳，目光落在了某個人身上，微微扭了下頭。不一會兒，我媽媽從人群中擠了過來，走到我們身邊。好極了，她竟然隨傳隨到。他們最近眞是親密得可怕。我希望莉莎會是唯一一個擁有令人意外的妹妹的人。

「這些人是誰？」我媽媽問。

「猜猜看。」艾比淡淡地回答，「還有誰會傻到從皇庭逃出去後又跑回來？」

我媽媽張大了眼睛。「怎麼——」

「來不及了。」艾比說道。他得到的凌厲目光說明，我媽媽不喜歡被人打斷。哈哈，或許不會有什麼弟弟或妹妹了。「我有種預感，不久之後，可能這裡一半以上的守護者都會包圍我們。妳準備好了嗎？」

我可憐的、盡忠職守的媽媽看上去非常痛苦，她已經意識到自己必須做的事。「是的。」

「我也是。」米哈伊爾跟著說道。

艾比仔細看了看我們後說：「我猜那邊的秩序更混亂。」然後向靠在牆上的南森·伊瓦什科夫走去。

他看起來疲累而挫敗，似乎完全不知道該拿眼前的這片混亂怎麼辦。我們往前走去的時候，那三名君主候選人都好奇地看著我們，而我立即感受到一陣驚訝透過心電感應傳了過來。莉莎肯定可以看穿精神能力的符咒。我感覺到她看見我們的時候屏住了呼吸，恐懼、驚訝、釋然在她心裡交替。當然，還有不解。她看見我們太高興了，都忘了現在還在選舉中，已經準備站起來要迎接我們了。我飛快地朝她搖了搖頭，示意她繼續掩護我們，她猶豫了一下，最後還是坐了回去。她很擔心，也很好奇——可是她相信我。

南森看見我們，立刻復活了，特別是在艾比將他推到一邊，搶過他的麥克風之後。「嘿，你要幹什——」

我以為艾比會大喊著要所有人閉嘴，或者說出類似的話。當然，南森已經試過幾次了，可是一點效果都沒有。所以，當艾比用嘴唇含住手指，吹出我聽過最刺耳的口哨聲時，我真的愣住了。當然，其他人也一樣。而這樣的口哨聲透過麥克風傳出去呢？沒錯，我的耳膜都快要被震破了。這種聲音對莫里造成的傷害更大，而擴音器的回音也沒有比較悅耳。

整個大廳的人都因為這個聲音而安靜下來。「現在，你們靈敏的耳朵終於可以讓你們把嘴閉上了。」艾比說，「我們……有話要說。」他還是用那種自信滿滿、世界盡在掌握之中的語氣在說話，可我知道他現在非常心虛。「有話快說。」他小聲說道，同時把麥克風舉到我們面前。

我接過麥克風，清了清喉嚨。「我們來這裡……呃，是希望能夠一次解決掉所有爭論。」這句話引起一陣議論，我急忙在大廳重新亂成一片之前提高嗓門說道：「現行的法律可以不用修改，瓦西莉莎．德拉格米爾還是可以享有她的議會投票權，也可以以一個完全合法的候選人身分，參加最後的投票——她的家族還有另外一名成員，她不是唯一一名存留下來的德拉格米爾家族成員。」

喃喃的低語和小聲的議論漸漸轉大，不過與之前的咆哮相比算不了什麼——也可能是因為莫里慣愛陰謀詭計這一套，因此很想知道這一切到底會往什麼方向演變。我用餘光看見守護者已經以非常鬆散的隊形向我們包圍而來。他們關心的是安全問題，不是醜聞。

我伸手指向吉兒。她愣了一會兒，我想她可能是在想艾德里安在車裡跟她說過的那些話。接著，她走到我身旁，臉色蒼白得讓我擔心她會暈過去。我覺得自己也快要暈倒了，這種緊張和壓力已經超過了極限。不，不行，我都已經堅持到現在了。

「這是吉兒．馬斯特諾，或者說，是吉兒．德拉格米爾。她是艾瑞克．德拉格米爾的私生女——可她確實是他的親生女兒，是和這個家族有血緣關係的正式一員。」我討厭用私生女這個字眼，可是在這種情形下，必須要實事求是。

在一陣令人心驚的沉默之後，吉兒匆忙地向我和麥克風靠近。「我確實是德拉格米爾家族的人，」她用清晰的聲音說道，可是手卻在顫抖。「我們的家族人數符合法律的規定，而我的姊、姊姊，也擁有她應有的權利。」

我幾乎能預見這裡馬上又要引發一場混亂。艾比跳出來，走到我和吉兒中間，搶過麥克風。「也許有人不相信這件事，而DNA檢測將可以證明她所言不假。」我很欣賞艾比的厚顏無恥，他半分鐘前才剛剛得知這個消息，可是此刻卻表現出深信不疑的樣子。雖然，他也得拿自己的基因好好測試一下。滿滿的自信，而且絕不放過任何優勢。我的大叔熱愛各種祕密。

這個消息引起的反應在我的意料之中。一旦觀眾席裡的人接受了這件事，立即又展開了一場激烈的爭論。

「艾瑞克・德拉格米爾沒有別的孩子，更不可能有私生子！」

「這是個騙局！」

「我們要看證據！你們的檢驗結果在哪裡？」

「嗯……他其實也蠻風流的……」

「他確實有另一個女兒。」

最後一句話成功地令眾人閉上嘴，既因為這句話聽起來非常有威信，又因為說這句話的人是戴妮拉・伊瓦什科夫。她站了起來，雖然沒有麥克風，可是聲音仍然傳遍了整個大廳。她也是個舉足輕重的社會名流，所以立刻吸引了大家的注意力，有許多皇室已經準備好要聽她怎麼說。

當整個大廳重新安靜下來後，戴妮拉繼續往下說道：「艾瑞克・德拉格米爾確實有一個私生女，是他和一個名叫艾米麗・馬斯特諾的人所生的——如果我沒有記錯的話，她是一名歌舞女郎——他希望將這件事保密，並確保一切都安排妥當，但這件事他沒有辦法獨立完成，需要有人協助，我就是其中一個幫過他的人。」她的嘴角溢出一絲不易察覺的苦笑，「老實說，我一點都不介意繼續把這個祕密保守下去。」

我腦中那些散落的碎片被一點一點地拼湊起來。我現在知道是誰偷走了煉金術士的檔案，也知道了這麼做的原因。大廳裡一片安靜，現在我講話也不需要麥克風了。「足以令妳想要銷毀那些文件嗎？」

戴妮拉微笑地看著我。「是的。」

「因爲如果德拉格米爾家族衰敗了，精神能力或許也就不會再受到重視了，艾德里安也就安全了。精神能力在短時間引起太多人的注意了，妳希望消滅所有關於吉兒存在的證據，這樣就能扼殺瓦西莉莎在政治上的合法權益。」戴妮拉的表情證實了我說的話。我應該到此爲止就好，可我的好奇心不允許。「那妳現在爲什麼要承認？」

戴妮拉聳了聳肩。「因爲妳說得對，DNA檢測會告訴世人眞相。」人們充滿敬畏地驚呼一聲，紛紛視她的話爲福音，同時想著這意味著什麼意思。另一些人仍然拒絕相信，全都露出嘲笑的表情。毫無疑問地，戴妮拉對這個祕密被揭露出來感到失望，不過似乎已經放棄了繼續隱瞞的打算並試著接受。可是，當她又仔細地看了看我後，臉上的笑容隨即消失了。「而我更想知道的事情是——妳到底是誰？」

很顯然，大部分的人也都想知道這個問題的答案。我猶豫了，畢竟索婭的障眼法符咒到目前爲止把我保護得很好。此時，我們還沒辦法讓所有人都相信吉兒的身分，並承認德拉格米爾家族的選舉權，如果能讓這個選舉繼續按照程序走下去，如果莉莎像我此刻希望的那樣贏得選舉——我就能在女王的辯護下洗刷冤屈了。

可是看著眼前的人群——全都是我認識的、尊敬的，卻堅信不疑我有罪的人——我突然覺得心裡冒出一股怒火。不管是不是精神能力的副作用導致的，都已經不重要了。我仍然對自己之前那麼輕易地就被人冤枉並擺佈感到憤慨。我不想等這一切落幕，然後再被關在某個安靜的守護者牢房裡。我想要面對他們，想要他們知道我是無辜的——至少，我沒有殺害女王。

於是，不顧自己是否被列爲了最危險的逃犯，不在乎會引發什麼後果，我摘下了索婭給的手環。

「我是蘿絲・海瑟薇。」

# 33

從觀眾席裡傳來的喊聲和尖叫聲，告訴我障眼法已經失效了。許多人也將目光投向了迪米特里。當我一露出眞面目，艾德里安也撤掉了加諸在他身上的障眼法。然後，和我們預期中的一樣，那些已經就定位、包圍住我們的守護者一起湧了過來，每個人身上都配備著手槍。我仍然覺得這樣是作弊。

幸運的是，我媽媽和米哈伊爾飛快地衝上前去，攔住那些守護者，不讓他們開槍。

「不要！」我喝止住迪米特里。我知道他可能也想衝過去幫忙，可是我們兩個最好還是不要輕舉妄動，才不會被任何人視爲威脅。我甚至盡可能地高舉起雙手。迪米特里雖然不情願，還是勉強照做了。「等一等，請先聽我們說幾句話。」

守護者的包圍圈很嚴密，一點縫隙都沒有。我十分確定，我媽媽和米哈伊爾是能夠阻止他們向我們開槍的唯一原因，守護者一直都盡可能避免和守護者發生衝突。可是，這兩個人很容易就會被拿下，這些守護者不可能永遠等待下去。吉兒和艾比也突然往前移動，站在我們身邊，加入了護衛我們的行列。我看見包圍圈裡有一個守護者面露愁容。艾德里安沒有移動，可是很顯然他也被圍在了包圍圈裡面，而他也是阻礙他們行動的一大要素。

「如果你們同意的話，可以晚點再逮捕我們。」我說，「我們是不會反抗的。可是，你們必須先讓我把話說完，我們知道是誰殺了女王。」

「我們也知道。」其中一個守護者說，「現在，你們幾個……如果不想受傷的話，全都退後。

這兩人是很危險的逃犯。」

「你必須聽他們說，」艾比說，「他們有證據。」

再一次，他開始咄咄逼人，哪怕他根本不知道自己假裝相信的這件事到底是什麼。他是在我身上下賭注。我開始喜歡他了。不過不幸的是，我們的證據並不是如同我相信的那樣，百分百可靠，不過正如我之前說過的——技術上可行。

「讓他們說。」

一個新的聲音出現，卻是我打從心底熟悉的聲音。莉莎從兩名守護者之間擠進來。守護者們全都緊守崗位，現在最重要的事情就是不能讓我們逃跑，這令她得以擠進來——可是後面有一個人及時抓住她的手臂，不讓她接近我們。

「既然他們已經來了，而且……關於吉兒的事他們並沒有說錯。」

天哪，她其實還不能完全接受這件事，此刻要如此平靜地說出這句話，對她來說眞是太不容易了。此時，或許只有我即將面臨生死關頭這件事，才有辦法令她從剛才那個令人震撼的消息裡走出來。

她也對我們寄予了很大的信任，堅信我可以說出事實。「你們已經把他們包圍了，他們哪裡都去不了，就讓他們說吧。我也有支持他們說法的證據。」

「這件事由我來說，莉茲。」我壓低嗓音說道。莉莎仍然認爲戴妮拉是兇手，可能不會願意聽見眞相。莉莎疑惑地看了我一眼，可是沒有反駁。

「讓我們聽聽他們怎麼說吧。」其中一個守護者說道，這個守護者不是別人，正是漢斯。「在他們已經成功逃跑了之後，我倒是眞的很想知道他們爲什麼又跑回來。」

漢斯在幫我們？

「可是，」他繼續說道，「我相信你們兩個都明白，在開始揭露偉大的陰謀之前，我們必須先抓住你們。」

我看了看迪米特里，他也正看著我。我們兩個都知道即將面對什麼情況，老實說，這已經比我想像得要好太多了。

「好吧。」迪米特里說道，他看了看我們那些高尚的保護者們。「沒關係，讓他們過來吧。」

我媽媽和其他人並沒有馬上走開。

「照他說的做吧，」我說，「別成了我們的獄友。」

我本來以爲這票可愛的傻瓜不會聽我的，可是米哈伊爾率先往後退去了，然後其他人也跟著一起往後退，行動非常一致。只一瞬間，守護者們就將他們都抓住並帶離。我和迪米特里仍然留在原地不動，四名守護者走了過來，兩名向迪米特里走去，兩名向我走來。艾德里安和其他人一起離開了，可是莉莎仍然站在離我們不遠的地方，心中仍對我抱持著完全的信任。

「可以了。」漢斯說，他緊緊地抓住我的手臂。

我看著莉莎的眼睛，痛恨自己即將要說出的話。不過，她並不是我最怕會傷害到的人。我看向觀眾席，看見了克里斯蒂安，他帶著可以理解的熱切表情看著眼前這一場好戲。我不得不轉開頭看向其他人，卻拒絕看清楚每一個人的臉，只讓眼前的焦距變得模糊。

「我沒有殺死塔蒂安娜·伊瓦什科夫。」我說。有幾個人懷疑地低語起來。「我是不喜歡她，可是我沒有殺她。」我看了看漢斯。「你已經問過那個指證我案發當時行蹤的看門人了，對不對？而他也認出了想要刺殺莉莎的那個人，就是收買他，要他作僞證的人，對不對？」我從米哈伊爾那裡已經知道，在守護者審問喬認不認識照片上的那個人之後，他最後終於坦承從那個神祕的莫里手中收了錢的事。

漢斯皺著眉，猶豫了一會兒，然後點點頭，示意我繼續。

「他的存在沒有記錄——至少守護者的記錄裡沒有。可是煉金術士知道他是誰，他們看見他出席過他們的例會，而且是以某個人的保鑣身分出席的。」我的目光落在伊森·摩爾身上，他和其他的守護者一起站在門口。「某個在塔蒂安娜被殺那晚，溜進去見塔蒂安娜的人的保鑣，那人就是塔莎·歐澤拉。」

這一次，不等觀眾席裡發出驚呼，塔莎自己就先驚喊出聲。她就坐在克里斯蒂安的旁邊，此時已經從椅子上跳了起來。

「蘿絲，妳到底在說什麼!?」她喊道，「妳瘋了嗎？」

我敢站在這裡，就已經準備好了要面對這些人和勢必會有的審問。我全身都充滿了對勝利的渴望和力量。可是此刻……我只是傷心地看著這個我一直以來都非常信任的人，一個瞪視著我、表現得如此震驚和傷心的人。

「我也希望我瘋了……可這是事實。我們兩個都知道，是妳殺了塔蒂安娜。」

塔莎表現得更加難以置信，此時甚至還多了一絲憤怒。「我從來、從來沒有相信過是妳殺了她——甚至還為妳辯護過。妳為什麼要這麼做？是因為我們家族出現了血族嗎？我以為妳不是那種會有偏見的人。」

我吞了口口水。我本來以為要找尋證據是最困難的部分，可是跟揭露事實眞相比起來，簡直是小巫見大巫。「我說的這些和血族什麼的一點關係都沒有。妳恨塔蒂安娜，因為她推動年齡法案，而且不同意讓莫里去戰鬥。」這時，我想起當塔莎得知那個祕密訓練之後的表情。塔莎那種被嚇傻的樣子，現在回想起來，很可能是因為自己誤解了女王而感到內疚。

人們聽得聚精會神，一個個目瞪口呆，可是有一個人跳了出來：一個我不認識的歐澤拉，一個顯然認為同家族的人需要團結的歐澤拉。他站起來，挑釁地環起雙臂。「皇庭裡有一半的人都因為年齡法案的事痛恨塔蒂安娜。妳也是其中一個。」

「可是我並沒有讓自己的保鑣去收買證人，也沒有讓他去攻擊莉……德拉格米爾公主殿下。別假裝妳不認識這個人。」我提醒她。「他是妳的保鑣。有人看見你們在一起過。」伊安描述她去聖路易斯拜訪時候的樣子，描述得非常清楚：黑色的長髮，碧藍的眼睛，臉上還有一道疤。

「蘿絲，我到現在還不敢相信會發生這樣的事，如果詹姆士——那是他的名字——眞的做了妳說的那些事，那也是他的個人行為。他一直都是個很激進的人，我雇用他擔任外出的保鑣時，就知道這點了。可是，我從來沒有想過他會殺人。」她看了看周圍，好像要找人為這件事負責，最終，她的目光落在了前方的議會席。「我一直都相信蘿絲是無辜的。如果詹姆士就是罪魁禍首，那麼我很樂意將知道的事都說出來，好證明蘿絲的清白。」

非常、非常容易。那個神祕的莫里——詹姆士——幾乎和塔莎形影不離，任何有可能讓人產生懷疑的事情都是由他去做，而不是塔莎——比如說收買喬，還有攻擊莉莎。我可以為了救塔莎，而把這一切都推到他頭上，畢竟他已經死了。我和塔莎還可以是好朋友。她這麼做也是為了道義，不是嗎？那麼做有什麼不對呢？

坐在她旁邊的克里斯蒂安站起來，看著我的眼光好像我是一個陌生人。「蘿絲，妳怎麼能說出這種話呢？妳瞭解她，知道她不會做這種事的。別再胡說了，讓我們一起去調查，看看這個叫詹姆士的傢伙是怎麼殺害女王的。」

非常、非常容易。讓一個死人頂罪。

「詹姆士是不可能殺死塔蒂安娜的。」我說，「他有隻手受過傷，而身為一個莫里，要想把銀樁刺進別人的心臟，必須要用兩隻手。這種事我已經見過兩次了。我猜，你也許可以直接去問伊森・摩爾……」我看了那個守護者一眼，此時他已經臉色蒼白。他或許可跳出來大戰一場，毫不猶豫地殺出一條路，可是在這種嚴密監控之下？在由他的同事進行著最終審問的情況下？我不認為他會阻止一切進行。也許這就是塔莎願意用他的原因吧。「塔蒂安娜遇害的那天晚上，詹姆士並不在場，對吧？我也不認爲戴妮拉・伊瓦什科夫在場。不過，有人之前是這麼告訴德拉格米爾公主的。在場的人其實是塔莎，她當時就在女王的寢室裡——可你並沒有彙報這一點。」

伊森的樣子看上去好像很想逃跑，可是他成功逃走的勝算和我和迪米特里的一樣小。他緩緩地搖搖頭。「塔莎沒有殺人。」

雖然他的回答不如我預期的那樣，直接承認她確實出現在案發現場——不過也差不多了。守護者稍後會從他身上挖出更多眞相的。

「蘿絲！」克里斯蒂安此刻眞的火大了。看見他看著我的那種憤怒表情，比看著塔莎更令我心痛。「妳住口！」

莉莎猶豫地往前走了幾步。我能夠感應到她心裡的想法，知道她也不願意相信我剛才說的……可是她仍然相信我。她想到了一個有爭議的解決辦法。「我知道這樣做不對……可是如果我們用催眠術問問嫌疑人……」

「絕不能說這種話！」塔莎喊道，她那兩道凌厲的目光投向莉莎。「別攪和進來。妳的未來就在眼前，一個令妳變得偉大並實現人民需求的未來。」

「一個妳可以操縱的未來。」我意識到這點，「妳的很多改革辦法莉莎都很認同……妳認爲，即使她不同意妳的想法，妳還可以說服她，特別是她還和妳的侄子在一起。所以，妳才這麼強烈地反對選舉法，妳希望她成爲女王。」

克里斯蒂安也想走過來，可是塔莎伸出手按住他的肩膀，但這並沒有阻止他開口。「這太愚蠢了。如果她真希望莉莎當上女王，爲什麼還要派那個叫詹姆士的傢伙去攻擊她？」

這件事我也想不通，是一個我解不開的疑點。可是迪米特里明白。他向看守自己的兩名守護者示意，然後向我走近了些。

「因爲本來就不會有人死。」迪米特里低沉、渾厚的聲音迴盪在大廳之中，好聽極了。他沒有使用麥克風，而是直接朝著塔莎說道：「妳沒想到莉莎身邊會有一個守護者。」他說得對。我突然明白過來。愛迪那天晚上本來被迫調去執行別的任務，只不過湊巧及時趕回來，才能和莉莎一起去見安布羅斯。「詹姆士可能只是要去製造一個暗殺的假象，然後再跑掉就可以了……這樣可以引起大眾的同情，爲莉莎爭取到更多的支持者。這個計畫確實成功了——只不過付出的代價有些大。」

塔莎臉上的憤怒表情，一時間轉變成一種我無法判斷的表情。對於我的指控，她只是表現出憤怒，可是對於迪米特里的指控——似乎不只是憤怒。她好像真的很傷心，心碎了。我認識那種表情，幾個小時之前，我剛在艾德里安的臉上見過。

「迪米卡，想不到你也這麼說。」她說。

透過莉莎的眼睛，我看見塔莎靈光的顏色變了，在她看著迪米特里的時候變得更加明亮。現在，我終於真正明白索婭曾經對我解釋過的，關於靈光會如何反映出一個人的感情。

「所以這就是選擇我當代罪羔羊的原因。」我輕聲說道。除了迪米特里和我身邊的守護者，沒人聽見我說的話。

「嗯？」迪米特里發出疑問。

我只是搖了搖頭。一直以來，塔莎都是愛著迪米特里的。去年，她提議可以和迪米特里發生關係，替他生一個孩子——這種事不是每個拜爾都有機會實現的。可是迪米特里拒絕了。我以爲她之後就接受了和他僅維持朋友關係，可是她沒有。她仍然愛著他。當莉莎向漢斯透露我和迪米特里的關係時，塔莎其實早就已經知道了。她知道多久了呢？我不確定。顯然，在殺死塔蒂安娜之前她就知道了，所以她把這個罪名安到我頭上，而自由而清白的塔莎，就有機會重新打開通往迪米特里的心門之路。

毫無疑問，在陷害我這件事上，她是有私人動機的。塔蒂安娜的兇手現在已經呼之欲出了。我轉頭看著漢斯。「你可以帶我去看守所了，我是認眞的。不過，你不認爲應該把她——還有伊森——也一起帶走嗎？」

漢斯臉上的表情讓人無法判斷他的想法。從見到我之後，他對我的印象一直都是時好時壞。有時候我是一個不顧後果的惹禍精；有時候我又擁有領導者的潛力。他雖然認爲我是殺人犯，可是還是允許我在眾人面前講話，但他也不怎麼喜歡我的朋友們。現在，他會怎麼做呢？

他抬起頭看了看我，又看了看守在觀眾席、準備隨時行動的的幾名守護者。然後，他下定決心點點頭。「把歐澤拉女士和摩爾帶走。我們親自審問他們。」

由於塔莎此時正和其他人坐在一起，因此當這四名守護者向她走去時，引起了一點驚嚇和恐慌，他們盡量避免誤傷觀眾席上的其他人，可是仍然造成了一陣推擠。但，最令人驚訝的是塔莎的強烈反擊。她受過訓練，我記得，雖然接受的不是和守護者一樣的訓練，可是已經可以令人無法輕易抓住她。她可以踢腿和揮拳——還可以用銀樁刺殺女王——甚至還能將其中一名守護者打倒在地。

我意識到，她也許只是想殺出一條路離開這裡——雖然我根本不相信她能做到。這裡這麼多人，場面又這麼混亂，守護者們已經朝發生打鬥的地方聚集而去，害怕的莫里也想逃離戰鬥現場，每個人好像都擋住了別人的去路。突然，一聲巨響在大廳內響起。是槍響。大多數莫里都趴在地上，而守護者仍繼續前進著。塔莎手裡的槍很可能是從那個被她打倒的守護者身上搶過來的，她用另一隻手抓住離她最近的一個莫里。眞是老天保佑，她抓住的是米婭．瑞納蒂。她就坐在克里斯蒂安旁邊，我想塔莎應該沒有仔細挑選過她的人質。

「都別動！」塔莎朝包圍自己的守護者大喊，並用手槍抵住了米婭的頭。

我覺得自己的心跳都快停了。事情怎麼會發展到這個地步？我從來沒有想過會這樣。我的任務不是應該完成地乾淨俐落嗎？揭發塔莎，把她抓起來，任務完成。

守護者們全都愣住了，不僅僅是因爲她的命令，也因爲在思考要怎麼處理眼前的威脅。同時，塔莎開始緩慢地──非常緩慢地──拖著米婭往門口走去，她前進的動作非常緩慢，而且很笨拙，這要多虧那些椅子和趴在地上的人。這給了守護者時間，思考如何解決這個棘手的情況。他們是第一位的。米婭的性命──一個莫里的性命──是第一位的。守護者不希望米婭被殺，可是一個持槍的莫里戰士也是不被允許逃跑的。

事實上，塔莎並不是這個大廳裡唯一的莫里戰士。她可能挑了一個最不適合的人選當人質，這點我從米婭閃動的目光裡可以看出來，她並不打算乖乖就範。莉莎也意識到這一點。她們兩人其中之一會被殺死，或是兩個人都會，而她不能眼看這種事情發生。如果能夠讓塔莎看著她，就可以催眠塔莎放棄反抗。

不，不，不！我心想，我不能再讓一個朋友捲進來。

可是，我和莉莎都看見米婭正準備掙脫塔莎的控制。莉莎意識到她必須馬上行動。我能夠通過心電感應知道這一點，甚至感應到她全身的肌肉已經緊繃起來，準備吸引塔莎的注意。一切都是這麼的清晰，好像我們正共用著同一個身體。我甚至比莉莎還早知道她會往哪邊移動。

「塔莎，拜託妳不要──」莉莎往前走去，可是她哀傷的喊叫聲被米婭打斷了。

米婭踢了塔莎一腳，掙脫開來，逃出了手槍的射擊範圍。塔莎被這兩件事嚇住了，可手裡仍然舉著槍，而由於手裡沒有了人質，一切又發生得這麼快，她慌亂地對著第一個朝自己移動的人開了兩槍——可是這個人並不是立即趕過來的守護者，而是一個喊著塔莎名字的白色纖瘦人影。

或者說……嗯，本來應該是這樣。就如我說的，我已經清楚地知道莉莎會往哪個方向走，也知道她想怎麼做，所以在她採取動作的前一秒，我就已經掙脫抓住我的守護者，撲過去擋在了莉莎前面。有人在我之後也跳了起來，可是他們的動作都太遲了，那時塔莎的槍已經發射出子彈。我覺得自己的胸口好像被咬了一下，接著一股灼痛傳來，然後除了痛就什麼感覺都沒有了——這種痛那麼完整、那麼強烈，超乎想像的痛。

我覺得自己在往下墜落，感覺到莉莎抓住了我，大喊著——可能是在對我喊叫，也可能是對別人。大廳裡的情況實在太混亂了，我無法得知塔莎怎麼樣了，此時好像只剩下我和我的意識試圖抵禦的痛楚，整個世界變得越來越安靜，我看見莉莎低頭看著我喊叫出聲，我卻聽不見。她眞美、眞聰明，頭頂閃著亮光……可是仍然有一絲黑暗在向她接近，在那些黑暗中，我看見了許多臉……是那些一直跟著我的幽靈。他們的數量越來越多，離來越靠近，在向我招手。

槍。我被槍打中了。這眞是滑稽。她作弊，我心想。我花了一輩子的時間在練習徒手搏擊上，學習怎麼躲開尖牙，躲開可以擰斷我脖子的那雙有力的手。可是槍？這眞是死得太……嗯，太容易了。我應該覺得受到了侮辱嗎？我不知道。這有關係嗎？我也不知道。我只知道這一刻我就要死了，逃不掉了。

我的視線越來越模糊，那些黑暗和鬼魂越來越逼近了，而我發誓好像聽見羅伯特在我耳邊小聲說：*死神的世界不會給妳第二次機會。*

在那道光芒完全消失之前，我看見了迪米特里的臉出現在莉莎的臉旁邊。我很想笑。我想，如果我最愛的這兩個人安全了，就可以放心地離開這個世界，死神終於可以帶走我了。我也完成了自己的使命，不是嗎？保護她？我做到了。我救了莉莎，就像我發誓會做到的那樣。我死在了一場戰鬥中，不用再給我委派書了。

莉莎的臉上閃著淚光，而我希望能用自己的淚水表明我有多麼地愛她。憑藉著最後一絲生命力，我想要講話，想要迪米特里知道我也愛他，而從現在開始，必須輪到他來保護莉莎了。但，我不認爲他明白了，因爲我失去意識之前說出的最後一句話是守護者的座右銘。

他們是第一位的。

# 34

我並沒有在死神的世界裡醒來。

我甚至不是在醫院或是其他類似救護中心的地方醒來——相信我，那種地方我已經去過很多次。都不是，我是在一間非常豪華、擺滿了鑲金傢俱的寬敞臥室裡醒來的。這裡是天堂嗎？按照我平時的表現不太可能。

我身處的這張帶有床帳的床，上頭鋪的是紅色掐金絲的天鵝絨床單，厚得都可以當床墊了；香氛蠟燭在牆邊的小桌子上閃爍搖曳，令整個房間充滿了茉莉花的香氣。我不知道自己在哪裡，也不知道自己是怎麼來到這裡的，我最後的記憶只有痛楚，還有從意識中竄出的黑影。我想，我還能喘氣就已經算很不錯了。

「睡美人醒了。」

這個聲音……眞好聽，像蜜糖一樣，帶著輕微的口音。它圍繞著我，帶著不可思議的眞實和滿滿的震撼：我還活著，我還活著，而且迪米特里就在這裡。

我看不見他，可是能夠感覺到自己的嘴角溢出一絲微笑。「你是我的護士嗎？」

我聽見他從椅子上站起來，走過來。看見他站在我身旁低頭看著我，提醒了我他其實很高。他也微笑地看著我——那種罕見的發自肺腑的微笑。我最後一次看見他的時候，他已經把自己打理清爽了，一頭棕色的披肩中長髮整整齊齊地束在腦後，垂在他的脖子上，不過此刻可以看出來，他已經好幾天沒有刮過鬍子了。

我試著想坐起來，可是他又把我按了回去。

「不，不，妳還是躺著比較好。」我胸口的疼痛告訴我，他說得對。我的意識漸漸清晰，可是身體卻非常疲倦。我不知道過了多久，可是直覺告訴我，我的身體已經打完了一仗——不是和血族或是其他人，而是和它自己。一場拚命要活下來的戰鬥。

「那你走近點，」我對他說，「我想看看你。」

他想了一會兒，踢掉了鞋子。我側過身——這令我痛得皺起眉——設法往旁邊挪了挪，在床上騰出了一點空間。他蜷在我身邊，我們枕在同一個枕頭上，面對面，兩個人之間只有幾英寸的距離，我們看著彼此。

「這樣好點了嗎？」他問。

「好多了。」

他伸出手，用長長的、優雅的手指將貼在我顴骨上的頭髮撥開。「妳感覺怎麼樣？」

「我餓了。」

他輕笑出聲，小心地將手滑到我的腰後，半擁著我。「妳當然會餓，到目前為止，他們每天只餵妳一點肉湯之類的東西。哦，前不久是肉湯還有四種營養液。妳可能是身體缺少糖分。」

我瑟縮了一下。我不喜歡針頭，也不喜歡各種插管，很高興醒來的時候不用看見它們（紋身用的針頭是另外一回事）。「我昏迷多久了？」

「好幾天了。」

「好幾天……」我顫抖起來，他把我的被子拉高了點，以為我覺得冷。「我不可能活下來的。」我小聲說道。那幾槍就像是……子彈的速度太快了，離我的心臟那麼近，還是……已經打中了我的心臟？我連忙伸手摸了摸胸口。我不知道之前被打中了什麼地方，感覺整個胸口都很痛。

「哦，天哪，莉莎治好了我，對不對？」這一定會消耗她很多的精神能力。她不應該這麼做，她會受不了的。可是……為什麼我還會覺得痛？如果她眞的治好了我，應該連痛感也會一起消除才對。

「不，她沒有醫治妳。」

「沒有？」我皺起眉頭，不能接受這個說法。那我是怎麼活下來的呢？一個驚人的答案闖入我的腦海。「那……是艾德里安？他不可能……在我那麼對待他之後……不，他不可能……」

「怎麼，妳認為他會看著妳死去？」

我沒有回答。子彈也許早就取出來了，可是一想到艾德里安，仍然會讓我的心——是感情上的那種——感覺很痛。

「不管他是什麼感覺……」迪米特里有些遲疑，畢竟，這個話題非常敏感。「總之，他不會坐視妳死去，他想要治好妳。但，也不是他。」

一想到艾德里安，哪怕只是一下子，我都覺得很難過。迪米特里說得對，艾德里安從來不會為了報復而不管我，可我實在想不出來還有誰。

「那是誰？索婭？」

「沒有人。」他簡單地說，「我想，應該是妳自己。」

「我……什麼？」

「有時候人們不需要魔法也可以好起來的，蘿絲。」他的語氣裡有一絲笑意，雖然表情仍然很嚴肅。「妳的傷……確實很嚴重。大家都覺得妳可能活不過來了，妳被送去急救，我們都只能在外面等。」

「可是為什麼……」問出下面這個問題讓我覺得自己很任性，「為什麼艾德里安和莉莎不治好我？」

「哦，他們是想要這麼做的，相信我。可是在事情發生之後，場面十分混亂，整個皇庭都戒嚴了，他們還沒反應過來之前就被帶走了。而且，守護者還派了很多人去保護他們，那時他們仍然認爲妳可能是謀殺犯，所以不同意讓莉莎他們接近妳。守護者必須先解決塔莎的事情——雖然她後來的行爲已經證明了她的罪行。」

我花了好一會兒，才明白是現代的醫療技術和自身的頑強毅力救了我。一直以來我都太依賴精神能力了，所以這種事感覺起來才不太可能。我在試圖說服自己接受這種解釋的同時，突然想通了迪米特里方才話裡的涵意。

「塔莎……也還活著嗎？」

他的臉色更陰沉了。「是的，在她開槍打了妳之後，他們抓住了她——趕在其他人再受傷之前。她已經被拘留了，現在針對她的證據越來越多。」

「揭發她，是我做過最艱難的一件事。」我說，「和血族打一場都比這件事要容易。」

「我知道。我在旁邊看著都覺得很艱難，更加難以相信。」他的眼神飄得很遠，這讓我記起他認識塔莎的時間，比認識我要長很多。「可是她已經做出了選擇，現在對妳所有的指控都撤銷了。妳現在是一個自由的人了，而且不只這樣，還是個女英雄。艾比到處吹牛這全是他的功勞。」

聽見這些，我重新露出笑容。「當然是他的功勞。說不定，過不久我還能收到他的支票呢！」我覺得有些暈眩，因爲高興，也因爲震驚。**自由的人**。我背負著謀殺的罪名和被處死刑的壓力，感覺似乎已經背了好幾年，現在……現在這一切都不復存在了。

迪米特里哈哈大笑，我很希望能永遠這樣下去，就我們兩個，甜蜜地、不設防地在一起。好吧，也許不是和現在一模一樣，帶著胸口的傷和纏得厚厚的繃帶，我什麼都做不了。我和他獨處的時間這麼少，而能夠眞正放鬆、彼此坦誠地互訴衷腸的時候就更少了，我們兩個之間的關係才剛剛開始修復……差一點就來不及了。

幸好終於趕上了。

「接下來呢？」我問。

「我不知道。」他的下巴貼著我的額頭，「我只覺得很高興……很高興妳還活著。有好多次我都差一點要失去妳了。看見妳躺在地上的時候，當時場面那麼喧鬧、混亂……我覺得好無助。我突然意識到妳說得對，我們不能把生命浪費在內疚和自責上。後來，妳躺在那裡看著我的時候……我看見了。妳確實很愛我。」

「你懷疑過嗎？」我本來是想開玩笑，結果聽起來卻像是在生氣。也許，我是有一點點生氣，我已經跟他說過無數遍我愛他了。

「不，我的意思是，我知道了妳不只愛我而已。我意識到妳是眞的原諒了我。」

「沒什麼事好原諒的，眞的。」我在很久以前就這麼對他說過。

「可我一直認爲有。」他抬起頭重新看著我，「也就是因爲這樣，我才一直不肯前進。不管妳怎麼說，我都無法相信……不肯相信我在西伯利亞那麼對待妳之後，妳還能原諒我。我以爲妳只不過是在欺騙自己而已。」

「哦，我欺騙自己又不是第一次了。不過，在這件事上我沒有。」

「我知道，當意外發生之後……就在那一秒，我知道妳原諒了我，而且我眞的擁有妳的愛，我才終於能夠原諒我自己。在背負了那麼多沉重的包袱後，在被過去緊緊地拴住後……它們不見了，這種感覺就像是……」

「自由了？可以飛了？」

「是的。只不過……我明白得太晚了。聽起來好像很瘋狂，可是當我看著妳的時候，這些想法全都一起冒了出來，就好像……就好像我能看見死神的手正向妳伸去，可我卻什麼都做不了。我一點用都沒有，什麼忙都幫不上。」

「你幫上了忙。」我對他說，「我在昏迷過去之前，看見的最後兩個人是你和莉莎。」好吧，那些骷髏臉除外，不過現在提起這些肯定是非常煞風景的事。「我不知道自己中了槍後怎麼還能夠活過來，不知道我是怎麼贏得了勝利……不過我很肯定你的愛——你們兩個的愛——給了我和死神搏鬥的力量。我必須回到你們的身邊。天知道，如果沒有了我，你會給自己惹來什麼麻煩。」

迪米特里聽了我的話，什麼都沒說，只是將他的唇貼住了我的。我們吻住彼此，一開始只是輕吻，接下來，吻的甜蜜已經超越了任何的疼痛。當我們之間的火花就快燎原的時候，他突然退開來。

「嘿，有什麼問題？」我問。

「妳的身體還在復原中。」他輕斥道，「也許妳認爲已經好了，可事實上並沒有。」

「這對我來說很平常，你知道，我已經自由了，而且也弄明白了自己的心，還知道了我們相愛，我們終於可以不用再繼續那種關於人生哲學智慧，和提出建議之類的對話了。」

他聽了咧嘴一笑。「蘿莎，還是省省吧，妳只能選擇接受或拒絕。」

我吻住他的雙唇。「如果這意味著能夠得到你，我選擇接受。」我很想再吻住他，看看我們兩個到底誰的自制力更強，可是一種叫做現實的東西此時該死地冒了出來。「迪米特里……說眞的，我們兩個以後到底會怎麼樣？」

「生活，」他簡單地說道，「依舊會繼續，我們兩個會繼續前進。我們是守護者，保護別人，也許還能改變我們的世界。」

「聽起來很棒。」我回答說，「可是你說的『我們』和『守護者』這部分指的是什麼？我很肯定我們的職業生涯前途渺茫。」

「嗯，」他捧起我的臉，害我以爲他是想要再親我一下，我希望他能這麼做。「既然我們被宣判無罪，就可以重回守護者的隊伍裡了。」

「連你也是？他們相信你不是血族了？」我喊道。

他點點頭。

「哈哈，即便我的名譽獲得澄清了，我的理想生活，仍然是我們兩個能夠被分派到離彼此很近的地方工作。」

迪米特里靠近我，眼裡閃著神祕的光芒。「比妳想的還要好：妳是莉莎的守護者了。」

「什麼？」我幾乎把他推開，「這不可能。他們絕對不會……」

「他們會。莉莎還會有別的守護者，所以他們認爲把妳留在一個能夠制住妳的人身邊，也沒什麼不好。」他揶揄道。

「可你不是……」我胃一陣絞痛，想起了從很早之前就一直困擾我們的一個問題。「可你不是莉莎的守護者，對不對？」之前的擔心又回來了，那種利害關係間的矛盾。我很希望他能在我身邊，一直在。可是，如果我們一起負責守護莉莎，勢必會將她的安全放在第一位，但我們又彼此擔心，這該怎麼辦？這種問題又繼續回來折磨我們了。

「對，我被分派到別的任務。」

「哦。」不知爲什麼，這個消息也令我有一點難過，雖然我知道這是個比較聰明的決定。

「我是克里斯蒂安的守護者。」

這一次我坐了起來，去他的醫生叮囑。我的胸口感覺像撕裂般的痛，可我並沒有理會這股突來的不適感。「可是……可是這和分派給別人有什麼區別？」

迪米特里也坐起來，看上去很享受我被嚇到的模樣，他眞的太壞心了，我可是差點死掉耶。「還是有區別的。雖然他們不會時時刻刻都在一起，特別是莉莎去里海大學上學以後——克里斯蒂安不會跟著一起去——不過他們肯定會常常見面，而他們見面的話，我們也能見面。這個組合不錯，再說……」他又變回嚴肅的表情，「我認爲妳已經向所有人證明了，妳願意把她放在第一位。」

我搖了搖頭。「對，可那是因爲沒有人會對你開槍。當下只有她有危險。」我雖然說得輕描淡寫，可是心裡確實也在想：如果他們兩個同時遇到麻煩，我會怎麼做呢？信任他，一個聲音在我心裡響起，信任他能夠照顧好自己。他同樣也會信任妳的。我看了迪米特里一眼，想起了在大廳時出現在我身後的那個人影。「我衝到莉莎身前的時候，你也跟過來了，對不對？你是爲了保護誰呢？是我還是她？」

他很認眞地看了我許久。他可以撒謊，可以很輕鬆地回答這個問題，說一些會讓我們兩個的關係更近一步的話——可是迪米特里不會撒謊。「我不知道，蘿莎。我眞的不知道。」

我嘆了口氣。「這並不簡單。」

「從來就不是。」他說著又把我摟在懷裡。我靠在他的胸膛，閉上眼睛。沒錯，這絕對沒有那麼容易，可是那也值得。只要我們還在一起，就很值得。

我們就這樣坐了很久，直到半掩上的門外響起了幾聲敲門聲，我們立刻分開。莉莎站在門口。

「對不起，」她說。她的臉上閃動著見到我的喜悅，「門應該關緊一點。沒想到裡面的情況這麼熱辣、重口味。」

「不用躲，」我輕快地說，同時拍了拍迪米特里的手。「只要有他在旁邊，就會是這麼熱辣的情景。」

迪米特里看上去有點不好意思。我們在床上的時候，他從來沒有保留過，可是他不喜歡和別人透露自己的私事。這麼做很壞，可我還是笑著吻了吻他的臉頰。

「哦，這一定會很有意思，」我說，「事情就這麼公開了。」

「是啊，」他說，「某天我肯定還會在妳爸爸臉上看到這種『有意思』的表情。」他說著看了莉莎一眼，表示他明白該怎麼做。迪米特里站了起來，彎下腰吻了吻我的頭。「我該走了，讓妳們兩個好好聊聊。」

「你還會回來嗎？」他往門口走去的時候，我問。

他停下來，對我笑了笑，那雙深棕色眼睛已經回答了我的問題，當然，還訴說著更多的訊息。「當然。」

莉莎取代了他的位置坐在床邊。她只輕輕地抱了抱我，毫無疑問是擔心我的傷口，然後便責備我居然坐起身來了，可我一點都不在意。我的心裡滿是歡喜，看見她沒事，感覺非常高興而放心，還有——

我突然不知道她心裡有什麼感覺了。

心電感應不見了。情況跟逃獄那時不一樣，當時是她有意豎起了一道防護牆，如今，我們兩個之間什麼都沒有了。我只能感受到自己，完完全全、絕對的自己，就像之前的十幾年那樣。我張大眼睛，她則露出笑容。

「我一直在想妳什麼時候才會發現。」莉莎說。

「這……怎麼會這樣？」我愣住了，腦子完全無法思考。心電感應……心電感應不見了，我覺得好像自己被砍掉了一隻手臂一樣。「而且妳是怎麼知道的？」

她皺著起眉。「有一部分原因是本能……不過是艾德里安先看出來的。我們的靈光再也沒有連結了。」

「可是爲什麼？怎麼會發生這種事？」我的聲音聽起來有些激動，有些絕望。心電感應不可能會消失，不可能。

「我也不是很清楚，」莉莎老實說，她的眉皺得更厲害了，「這件事我和索婭……嗯，還有艾德里安討論過。我們認爲當我第一次把妳救回來的時候，是精神能力的力量將妳從死神的世界拉回來的，所以妳和我之間才會產生心電感應；而這次……妳差一點又沒命了——或者說有很短暫的一段時間是處於死亡狀態——只是這一次，是妳和妳的身體把妳從死神的世界拉了回來，是靠妳自己的努力，沒有精神能力的幫助。當這種事發生第二次的時候……」她聳聳肩，「就像我說的，這些都只是我們的猜測。索婭認爲，一旦妳憑著自己的力量死而復生後，就不需要有外在的力量再幫助妳了，只需要依靠妳自己的力量就行了；而當妳把自己從精神能力裡釋放出來時，同時也把妳我之間的聯繫切斷了。妳不再需要心電感應來維持妳的生命。」

聽起來眞瘋狂，眞不可思議。「可是……妳說是我自己從死神的世界逃回來的，那我不會變成那種……永生不死之類的怪物吧？」

莉莎再次笑了。「哦，我們也討論過這個問題。索婭解釋道，任何有生命的事物都會死亡，只要你擁有靈光，就證明你是活著的。血族是永生不死的怪物，可他們不是活著的，所以他們沒有靈光，而且——」

整個世界開始天旋地轉。「我最好還是聽妳的話。我覺得我現在還是躺著比較好。」

「這是個好主意。」

我輕輕地平躺下來，迫切需要從剛才聽說的那件事上轉移注意力——因爲那件事太不眞實，太不可能發生了——於是打量起周圍的環境。這個豪華的房間比我一開始以爲的還要大，似乎一直往外延伸而去，能通往別的房間。這可能是個套房，也可能是間公寓，此刻我只看見擺著皮沙發和平板電視的客廳。

「這是什麼地方？」

「皇宮裡頭。」她回答道。

「皇宮？我們怎麼會在這兒？」

「妳覺得呢？」她冷冷地問道。

「我……」我張著嘴巴愣了一會兒。不用心電感應我也知道發生了什麼事，在我昏迷的這段時間，又一件不可思議的事情發生了。「天哪，他們已經舉行投票了，對不對？吉兒的出現，讓妳的家族人數符合法定人數，他們選了妳當女王。」

她搖了搖頭，幾乎要笑出來。「我的反應可不只是『天哪』這麼輕鬆，蘿絲。妳眞的沒有意識到妳做了什麼嗎？」她看上去很焦慮、很壓抑，完全不知所措。我很想表現得非常嚴肅，也想安慰她的遭遇……可我感覺到一抹傻笑慢慢爬上我的臉。

她埋怨道：「妳居然還敢給我笑。」

「莉茲，就應該是這種結果！妳比那幾個候選人都更適合當女王。」

「蘿絲！」她大喊，「參加競選只不過是爲了轉移別人的視線，我才十八歲耶！」

「愛麗珊德拉也是。」

莉莎懊惱地搖搖頭。「我一點都不想聽見她的名字。妳知道的，她是活在幾百年以前的古人，那時候的人能活到三十歲就應該偷笑了。所以，她當選的時候其實是個中年人了。」

我抓住她的手。「妳會是出色的女王的，不管妳幾歲。而且，妳知道的，妳不必親自召開會議、分析法律條文之類的。我是說，我眞的很肯定這些事情都不用妳來做，因爲還有很多很聰明的人在。阿里亞娜・澤爾斯基沒能通過最後的測試，可是如果妳請她協助妳，她會同意的，而且她也在議會裡。此外，議會裡還有其他人可以依靠，我們只需要把這些人找出來。我相信妳。」

莉莎嘆了一口氣，低下頭，垂落的頭髮遮住了她的臉。「我知道。其實有一部分的我是興奮的，因爲這樣我就能重新恢復家族的聲望，這點將我從全然的絕望裡拯救了出來。我雖然不想當女王，可如果一定要的話……那我就會做到最好。我覺得……好像整個世界都在我的手上，覺得我可以做很多有益的事，可是……我也很害怕自己會搞砸。」她猛地抬起頭，「而且我也不想放棄自己的生活。我想，我會是第一個去上大學的女王。」

「眞酷。」我說，「在學校，妳可以用通訊軟體和議會連線開視訊會議。也許妳還能命令別人替妳完成功課。」

她顯然覺得這個笑話一點都不好笑。「說到我的家族，蘿絲……吉兒的事妳是什麼時候知道的？」

該死。我就知道這個話題最後還是躲不過。我別開目光。「沒有很久。在確認眞實性之前，我們不希望給妳添麻煩。」我急忙補充道。

「我眞的不敢相信……」她搖了搖頭，「我還是不能相信。」

現在我只能透過她的語氣來猜測她的想法，而不是透過心電感應。這種感覺太奇怪了，就好像失去了自己一個重要的感官，只能憑視覺和聽覺。

「妳生氣嗎？」

「當然會生氣！妳怎麼會覺得驚訝呢？」

「我以爲妳會高興……」

「高興我發現自己的爸爸背叛了媽媽嗎？高興有了一個我從來都不知道的妹妹？我試著找她談

過，可是……」莉莎又嘆了一口氣。「感覺太怪異了。幾乎比我突然間成了女王還要怪異。我不知道該做什麼，不知道該怎麼想我的爸爸。我也非常該死的不知道該怎麼和她相處。」

「去愛他們，」我輕輕地說，「他們是妳的家人。吉兒很出色的，妳知道。去瞭解她，並試著開心點。」

「我不知道自己能不能做到。對我來說，妳還比較像我的妹妹。」莉莎愣愣地看著前方。「所有人都一直跟我說，他們覺得她和克里斯蒂安之間不尋常。」

「哦，在妳要擔心的這麼多事裡面，只有這一件妳可以不用理會，因爲這不是眞的。」可是她感覺起來仍然有點陰鬱和傷心。「克里斯蒂安現在怎麼樣？」

她轉頭看著我，眼中全是痛苦。「他現在很不好過。我也是。他去看過她了，我是說塔莎。他痛恨她所做的，可是……唉，她畢竟還是他的家人。這件事傷他傷得很重，雖然他竭力隱瞞這一點，妳也知道他這個人。」

「對。」克里斯蒂安這大半輩子，都試圖用冷嘲熱諷來隱藏自己內心的黑暗情緒。在掩飾自己的眞實情緒、隱瞞他人這方面，他是個專家。

「我知道他會慢慢好起來……我只是希望自己能多陪陪他。可是發生了這麼多事，學校、女王……還有，還有一直都存在的精神能力，總是壓得我喘不過氣。」

我心裡一驚，隨之而來的是恐慌。這件事要比不能知道莉莎在想什麼，或者她在什麼地方都還要可怕。精神能力，我很害怕的精神能力——事實上，我已經不能再代替她和它對抗了。

「那些黑影……我不能再吸收過來了。我們該怎麼辦？」

她的嘴角溢出一絲苦笑。「妳應該說，我怎麼辦。現在，這是我自己的問題了，蘿絲。早就應該是這樣了。」

「可是，不……妳沒辦法，聖弗拉米爾——」

「他不是我。妳可以替我擋掉一部分問題，但不是全部。」

我搖了搖頭。「不，不行，我不能讓妳一個人面對精神能力。」

「我其實並不是一個人。我和索婭談過了，她在治癒符咒這方面非常有心得，她認爲我們會找到一種方法讓我的心靈維持平衡的。」

「歐克桑娜也是這麼說的。」我想起來，可是心裡仍然很不安。

「而且……反正還可以吃抗憂鬱的藥。我不喜歡這些藥，可我現在是女王了，有自己的責任，必須完成自己的使命。女王是可以放棄任何事的，不是嗎？」

「大概吧。」我還是禁不住感到害怕和無助。「我只是很擔心妳，我不知道還能再怎麼幫妳。」

「我說過了，妳不用幫我。我會自己保護我的心靈。妳的任務是保護我的身體，不是嗎？而且還有迪米特里在，我會沒事的。」

之前和迪米特里討論的問題又浮上了腦海。

*你是為了保護誰呢？是我還是她？*

我盡最大努力擠出一絲笑容。「沒錯，情況會好轉的。」

她緊緊握著我的手。「我眞的很高興妳回來，蘿絲。妳一直都是我的一部分，不管發生什麼事。而且老實說……我也很高興妳再也看不見我的閨房密事了。」

「彼此彼此。」我笑了起來。沒有了魔法的連結，雖然感覺怪怪的，可是說眞的……我需要它嗎？在現實生活裡，人們都是以自然的型態和別人發生聯繫——靠愛和忠誠連結在一起。我們可以適應的。「我會一直在妳身邊，妳知道的。只要妳需要我。」

「我知道。」她說，「事實上……我現在真的有一件事需要妳幫忙……」

# 35

我眞希望莉莎需要我做的，是去打倒一支血族大軍。比起她現在要求我做的事，那會讓我覺得心裡舒服一點——去見吉兒，商量參加加冕典禮的事。莉莎希望去找吉兒商量的時候我也可以在場，擔任中間人的角色。由於前些日子我還不能下床走路，所以一直等到今天才來。那當下，莉莎似乎很高興不必那麼快做這件事。

吉兒在一間小房間裡等著我們。我從沒想過還會再來這個房間，就是塔蒂安娜指責我勾引艾德里安那間。最近，想起我和艾德里安還沒有眞正在一起前的情況時，經常會有一種奇怪的感覺。在我們兩個之間發生了這麼多事以後，這種感覺眞的是……太不可思議了。令人迷惑。自從塔莎被捕之後，我就不知道他的情況了。

走進房裡，我感覺到一種可怕的……孤單感。不，不是孤單感，是一種茫然和脆弱。吉兒坐在椅子裡，雙手交疊在膝蓋上，正愣愣地看著前方，表情讓人看不透。我身邊的莉莎表情也同樣的茫然。她覺得……好吧，這就是重點。我不知道，我不知道她是怎麼想的。我是說，我可以打賭她現在很不舒服，可是我的腦子裡沒有任何想法，能夠明確地告訴我她爲什麼不舒服。我已經沒有這個特權了。再一次，我提醒自己世界上的所有人都是這樣的。你只能感覺到你自己。在這種陌生的情況下，沒有那種可以探聽別人內心世界的魔法幫你，你只能設法做到最好。我從來沒有想過，自己究竟在未經允許的情況下，探聽了他人多少祕密。

我唯一能夠肯定的是，就是莉莎和吉兒都覺得和對方相處很不自在——可是和我相處卻不會。

這就是我在這裡的原因。

「嗨，吉兒。」我笑著說道，「妳還好嗎？」

她猛地從出神狀態中醒來，從椅子上跳起。我覺得很疑惑，可是隨後便明白了。是莉莎。當女王走進來的時候得起立。

「沒關係……」莉莎遲疑地說道，「坐吧。」她拿了把椅子在吉兒對面坐下。那是這個房間裡最大的一把椅子——就是塔蒂安娜經常坐的那一把。

吉兒猶豫了一會兒，看了看我。我一定是給了她某些鼓勵的暗示，因為她坐了下去。我在莉莎旁邊坐下，因為牽動了胸前的傷口而微微皺了皺眉。吉兒的注意力頓時因為擔心我，而暫時從莉莎身上轉移過來。

「妳感覺怎麼樣？還好嗎？要不要回到床上躺著？」

「沒事，」我撒了個謊，「好得像新的一樣。」

「我很擔心妳。當我看見意外發生……我是說，那麼多血，那麼多瘋狂的事，沒有人知道妳會撲過去……」吉兒皺起了眉頭。「總之眞的很可怕。我很高興妳沒事。」

我一直保持著微笑，希望能夠讓她放鬆一些。隨後是一片沉默，房間裡的氣氛緊張起來。在政治場合，莉莎是專家，總是能用得體的言辭接話；我則是那種會在不合適的場合說不合適的話，讓所有人都大吃一驚的人，說的話總是沒有人愛聽。這種情況下，本來應該由莉莎來施展外交手腕，可我知道今天這個任務落在了我的頭上。

「吉兒，」我說，「我們想知道，妳願不願意……呃，去參加加冕典禮。」

吉兒的目光不由自主地看向莉莎——不過臉上仍然沒有任何表情——然後又看回我。「『參加』指的是什麼？我應該做些什麼？」

「不會很難的。」我向她保證，「就是皇室成員經常做的那些禮節、儀式之類的事，比如妳在投票過程中做的事。」我沒有親眼看見，不過吉兒顯然是站在莉莎身旁表示家族的支持。這類的小事得以讓法律順利運行。「大部分時候，就是保持微笑，站在那裡就行了。」

「哦，」吉兒小聲說，「這件事我已經做了一個星期了。」

「這件事我已經做了一輩子了。」莉莎說。

吉兒看起來被嚇到了。再一次，我感受到沒有心電感應的失落。莉莎的語氣並沒有明確表達出她的意思。她是不滿意吉兒的說法——因爲吉兒並沒有面對她面對過的那些事？還是只是想對吉兒缺乏應對經驗而表示同情？

「妳……會習慣的。」我說。「只是時間問題。」

吉兒搖了搖頭，露出一絲苦笑。「這我不敢確定。」

我也是。我不確定一個被強拉下水的人是否能適應這種事。我立刻絞盡腦汁，想了一長串毫無意義的安慰的話，不過莉莎把話接了過去。

「我知道這種感覺有多奇怪。」她說。她終於敢看吉兒那雙綠眼睛了——這是她們姊妹倆唯一的共同特徵。吉兒的外貌比較像艾米麗，莉莎則混合了父母的優點。「這種事對我來說也很不可思議。我不知道該做些什麼。」

「妳想做什麼呢？」吉兒平靜地問道。

我聽出她的言外之意，吉兒眞正想知道的是莉莎希望她怎麼做。莉莎曾經因爲哥哥的死而崩潰……可是一個突如其來的同父異母的妹妹並不能代替安德烈。我試著想像如果自己處於這個女生的位置，會是什麼感覺，可是失敗了。

「我不知道。」莉莎老實說，「我不知道我想做什麼。」

吉兒點點頭，垂下眼睛，在此之前我看見她臉上閃過一絲情緒。失望——沒錯，莉莎的回答並不是她想聽到的。

吉兒問了下一個問題：「妳希望……妳希望我出席典禮嗎？」

這是個好問題。這是我們來這裡的原因，可是莉莎眞的希望她出席嗎？我仔細看著她，仍然不敢確定，不知道她是不是只是遵從禮節，希望吉兒按照整個皇室的期望扮演好自己的角色。在典禮這件事上，沒有法律規定說吉兒必須要做什麼，她只要出席就好了。

「我希望。」莉莎最後說道。我聽得出她話裡的誠懇，這令我心裡稍微亮起了一絲希望。莉莎不只是希望吉兒出現而已，她也很希望吉兒能夠走進自己的生活——不過要眞正做到可能不是很容易。不過，這畢竟是個開始，吉兒似乎也明白了這點。

「好的。」她說。「只要告訴我該怎麼做就好了。」

我發現吉兒的青澀和膽小都只是表相，她的心裡也有著勇敢和不怕冒險的生命力，而且肯定會越燒越猛烈。她眞的是德拉格米爾家族的人。

莉莎看起來好像鬆了一口氣，不過我想這是因爲她在和她妹妹的相處上，終於邁進了一小步，和加冕典禮一點關係都沒有。「有人會負責解釋流程的。說實話，我也不是很清楚妳要做些什麼，不過蘿絲說得對，不會很難的。」

吉兒只是點點頭。

「謝謝妳。」莉莎說完，站了起來。我和吉兒也隨著她一起站了起來。「我……我眞的非常感謝妳。」

我們三個站在那理，感覺那種尷尬的感覺又出現了。本來這應該是這對姊妹互相擁抱的最佳時機，可是儘管她們都爲剛才的進展而高興，可是誰都還沒準備好要這麼做。莉莎看著吉兒的時候，也看見了她爸爸和另一個女人的身影；當吉兒看著莉莎的時候，她看見了自己的人生被徹底改變——原本平靜的私人生活，現在卻要攤在陽光之下。我不能改變她的命運，不過我可以擁抱她。我不顧是否會扯痛傷口，伸出手臂抱了抱這個小女生。

「謝謝，」我附和莉莎的話，「妳等著看吧，一切都會好轉的。」

吉兒再次點點頭，談話結束，我和莉莎便一起向門口走去。這時，吉兒又喊住了我們。

「嘿……加冕典禮之後會怎麼樣？我會怎麼樣？我們會怎麼樣？」

我看了莉莎一眼。又一個好問題。莉莎轉身看著吉兒，但是並沒有直視她的目光。「我們……我們將會更瞭解彼此，情況會慢慢好轉的。」

這回，吉兒臉上露出了發自內心的微笑——雖然很微小，但是很誠懇。「沒問題。」她的笑容裡也帶著希望，還有釋然。「我很期待。」

我暗自皺了皺眉。我肯定是不可能再透過心電感應確認了，可是我敢打賭，莉莎並沒有完全說實話。她沒有對吉兒說的是什麼？莉莎確實希望情況好轉，我很肯定，就算她沒有表現出來。可是有些事……有些小事是莉莎沒有告訴我們的，這件事令我覺得莉莎其實並不相信事情會有多大進展。

這時，這對姊妹都露出了微笑，我也趕緊笑了一下，不想讓她們知道我的擔心。我和莉莎走出去，朝我的房間走去。這個短短的外出行程比我想像得還要累，所以雖然非常痛恨承認這一點，可我確實已經迫不及待地想要躺下來了。

我們回到我的房間後，我仍然沒有下定決心，不知道是現在就探問莉莎對於吉兒的看法比較好，還是等徵詢了迪米特里的意見後再問她。不過，當我們發現屋裡有一位不速之客的時候，這個問題就被我拋在了腦後。是艾德里安。

他坐在我的床上，仰著頭，好像正集中精力研究天花板一樣。可我知道不是這樣，因為我們一走近的那一刻他就知道了——至少莉莎走近的時候他會知道。

我們在門口停下，他這才轉過頭來看著我們。他看起來好像很久沒有合過眼了，眼睛下面有很深的黑眼圈，原本英俊的臉龐顯得疲憊不堪。但是我不確定他究竟是身體疲憊，還是心理疲憊。不過，他那慵懶的笑容一如既往。

「女王陛下。」他裝模作樣地說道。

「停。」莉莎輕嗤道，「你應該知道我不喜歡這樣。」

「我從來都不是個明白人。」他跟她抬槓道，「妳應該知道。」

我看見莉莎很想笑，可是她看了看我，又板起臉來，知道現在不是和艾德里安開玩笑的時候。

「好吧。」她不安地說，看起來一點女王的架勢都沒有。「我還有別的事要做。」

她準備逃走了，我意識到。我跟她一起前去擺平了她的家庭會談，可是現在她卻打算把我一個人扔在這裡。不過，這樣也好，和艾德里安的談話終究是不能避免的，我必須自己面對。就像我對迪米特里說過的，這件事必須由我來了結。

「我想也是。」我說。她的表情變得有些猶豫，好像突然打算反悔了。她覺得非常內疚。很擔心我，也想陪在我身邊。我輕輕地碰了碰她的手臂。「沒關係的，莉茲。我沒事，走吧。」

她也握了握我的手，用眼神祝我好運。她向艾德里安說了再見，然後就離開了，出去的時候還替我們關上了門。

現在，這裡只剩我和他了。

他仍躺在我的床上，仔細地看著我，剛才向莉莎露出的那抹笑容仍然沒有退去，好像這並不是什麼大不了的事一樣。我知道其實並不是這樣，而且也不想掩飾自己的感覺。站著令我覺得很累，所以我在一旁的椅子上坐下，緊張地想著應該怎麼開口。

「艾德里安——」

「讓我們從這點開始吧，小拜爾。」他微笑著說，「那件事在妳離開皇庭之前就發生了嗎？」

我花了很久才反應過來艾德里安突然丟給我的問題。他是在問我和迪米特里是不是在我被捕以前就和好了。我緩緩地搖了搖頭。

「不是，我當時和你在一起，只有你。」這是事實，雖然當時我的情感很混亂，可是我對他還是一心一意的。

「好吧，這樣還好一點。」他說道，僞裝出的愉快開始退去。這時，我聞到了煙酒味，雖然很淡。「在戰鬥中並肩作戰，或是在逃亡過程中重燃愛火，總比當面騙我要好一點。」

我更加用力地搖著頭。「不，我發誓，我眞的沒有——一開始什麼都沒有發生……直到——」

我猶豫著，不知道該怎麼說出後面的話。

「後來？」他猜測道，「這樣就比較說得過去了？」

「不！當然不是。我……」該死。是我搞砸了。在皇庭的時候我沒有騙他，不等於我之後沒有騙過他。我可以找各種理由，可是事實就是：如果妳有男朋友，卻和另外一個人在酒店開房間就是欺騙。不管這個男人是不是妳此生的最愛。

「我很抱歉，」我說道，這是我所能說出的最簡單、最恰當的詞。「我眞的很抱歉。我確實做錯了，但我並不是有意的。我以爲……我眞的認爲我和他之間已經結束了。我和你在一起時，是眞的很想和你在一起的，但是後來我發現——」

「不，不——別說了。」艾德里安抬起一隻手，他的聲音緊繃，之前那副酷酷的樣子也開始瓦解。「我眞的不想聽妳說你們的偉大愛情，不想聽你們是怎麼注定要在一起之類的事。」

我沉默了，因爲我確實是想說這些話。

艾德里安伸手抓了抓頭髮。「眞的，是我的錯。事情很明顯，一直都很明顯。我發現過多少次了？一次又一次，妳說妳已經忘了他……而一次又一次地，我相信了妳……不管我的眼睛是怎麼告訴我的，也不管我的耳朵是怎麼告訴我的。是、我、的、錯。」

他又開始有一些歇斯底里了，那種不穩定的精神力量又冒出來了。我很擔心他離瘋狂的邊緣不遠了，但也許我的做法令他成功地往那裡又邁近了一步。我很想走到他身邊去，可是直覺告訴我最好還是坐著別動。

「艾德里安，我——」

「我愛妳！」他喊道，飛快地從床上跳起來，我從來沒想過他會這樣。「我愛妳，可妳背叛了我。妳拿走了我的心，又把它撕碎。妳還不如拿銀樁刺我一下！」

他的表情變化也出乎我意料之外。他的聲音迴蕩在整個房間，那麼傷心和憤怒，那麼不像平時的艾德里安。他向我走過來，手摀著胸口。「我、愛、妳。可妳一直在利用我。」

「不，不是的，不是這樣的。」我並不害怕艾德里安，可是面對他這樣的情緒，我也不禁有些畏懼。「我沒有利用你。我愛你，我現在還是愛你，可是——」

他露出厭惡的表情。「蘿絲，少來了。」

「我是說眞的！我確實很愛你。」我站了起來，顧不得疼痛，試著想要直視他的眼睛。「我一直都愛你，可是我們不……我覺得我們不適合。」

「這是最爛的分手理由，妳知道的。」

他說得也有道理。可是，當我回想起和迪米特里在一起的時候……我們是那麼有默契，他經常和我有一樣的感受。我說的話都是眞的，我確實很愛艾德里安，他這麼出色，除了那些缺點。可是，說眞的，誰沒有缺點呢？我和他在一起很高興，也有感情存在，可是我們兩人並不像我和迪米特里那樣契合。

「我……我不是你要的那個人。」我虛弱地說。

「因為妳和另一個男人在一起？」

「不，艾德里安。因為……我不是。我不知道，我眞的不……」我笨拙極了，感覺糟透了。我眞的不知道該怎麼解釋自己的感受，解釋妳關心一個人，而且也很喜歡和他在一起——可感覺就是不對。「我沒辦法和你互補。」

「這他媽的到底是什麼意思!?」他喊道。

我爲他心痛，而且眞的對自己做的事感到抱歉……可是這就是事實。「就是你一直在追問的原因。當你找到這個人……你就會知道了。」我沒有用他的過去舉例，他在找到正確的那個人之前，可能會經歷無數個錯誤的開始。「我知道這聽起來很像是另一個很爛的分手理由，可我眞的很希望能當你的朋友。」

他瞪著我狠狠地看了一會兒，突然大笑起來——可是裡頭並沒有多少笑意。「妳知道最有意思的是什麼嗎？就是妳居然是認眞的。看看妳的表情。」他指著我，好像我眞的能夠看見自己的臉似的。「妳眞的認爲這麼做很容易，我可以眼看妳有個幸福結局，看著妳擁有一切想要的，然後去過妳的幸福生活。」

「幸福!?」我心裡激烈交戰的內疚和同情心此時變成了憤怒。「並不。你知道去年這一年我是怎麼走過來的嗎？」我親眼看見了梅森的死，參與了聖弗拉米爾學院襲擊事件的戰鬥，還在俄羅斯被血族抓了起來，甚至還過了一段被通緝的逃犯生活。這些事聽起來一點都不幸福。

「可是，妳看現在，妳仍然戰勝了一切。妳死裡逃生，而且擺脫了心電感應的束縛。莉莎當上了女王。妳還贏得了一個愛人，可以從此幸福快樂地生活在一起。」

我轉身背對他，走了幾步，「艾德里安，你希望我說什麼？我可以跟你道一輩子的歉，可是除此以外就沒有我能做的事情了。我從來都不想要傷害你……雖然這麼說不能彌補我的過錯。可是其他的事呢？你眞的希望我爲我們完成了這麼多事而覺得難過？我應該希望自己仍是一個被人指控的殺人犯嗎？」

「不，」他說，「我也不希望妳受傷，非常不願意。可是下次妳和貝里科夫親熱的時候，先停下來想一想，不是每個人的結局都能和妳一樣美好。」

我轉頭看著他。「艾德里安，我從來沒有——」

「不只是我，小拜爾。」他平靜地說，「在妳跟這個世界對抗的時候，周圍有很多人都因爲妳受傷了。我是其中一個犧牲品，這毫無疑問。可是吉兒呢？在妳把她扔進了皇室這個狼窩裡後，她會怎麼樣呢？還有愛迪？妳想過他嗎？還有妳那個煉金術士呢？」

他扔向我的每個字都像一根箭，比子彈還要刺痛我的心。事實上，他直接喊吉兒的名字，而不是用「小尤物」這個外號令我更加心痛。我已經對她很內疚了，還有其他人……好吧，他們的未來確實還是個未知數。

我聽說了很多關於愛迪的傳言，可是回來之後還沒有見過他。他無須對詹姆士的死負責，可是殺死一名莫里仍然是一個沉重的烙印，有很多人都認爲他可能還會這麼做。愛迪之前的違紀行爲——多虧了我——也拖累了他，哪怕那些行爲都是出於「非常良好的動機」。身爲女王，莉莎能做的也有限。守護者爲莫里服務，可是按照慣例，莫里會讓守護者自己處置他們的人。愛迪沒有被趕出守護者的隊伍，也沒有被關起來……可是他會被分派到什麼工作呢？很難講。

雪梨……她的未來更是未知數。那個組織的一舉一動不是我能掌控的，也不是我們這個世界能夠掌控的。我想起最後一次在酒店裡見到她時她的表情——堅強卻又難過。我知道她和其他的煉金術士最後肯定會被放走，可是她的表情說明她並沒有完全擺脫這場麻煩。

還有維克多・達什科夫。他應該有什麼下場？我不知道。不管他是不是魔鬼，他仍然是一個因爲我的衝動而受害的人，而他死之前的那一幕將會跟著我一輩子。

間接傷害。不管是有意還是無意，我確實拉了很多人下水。可是，當我再度細想艾德里安的話時，其中一句突然令我愣住了。

「犧牲品……」我緩慢地說道，「這就是你和我的不同。」

「啊？」在我思考著我的朋友們的命運時，他湊上前來看我，因此猛地被我嚇了一跳。「妳說什麼？」

「你說你是犧牲品。這就是原因……你和我不適合在一起的原因。雖然發生了這麼多事，可我從來沒這麼想過我自己。覺得自己是一個犧牲品，就意味著你很軟弱，意味著你不會採取行動。一直以來……我一直都在戰鬥，爲自己……爲其他人。不管是什麼戰鬥。」

我從來沒見過艾德里安這麼憤怒的樣子。「這就是妳對我的看法？我是一個懶散的人？一個軟弱的人？」

不完全正確。可是我有種感覺，在這次談話之後，他可能會馬上投入香煙和酒精的懷抱裡尋找安慰，也許還會隨便抓一個女人來陪他。

「不是的，」我說，「我認爲你非常出色，認爲你很堅強。可是，我不認爲你意識到了這一點——或者說學會該怎麼運用這些。」我還想補充的是，我不是能夠給他力量的那個人。

「這一點，」他說著往門口走去，「是我最想不到會聽見的話。妳毀了我的生活，然後又替我上了一堂人生哲學課。」

我感覺很糟，再一次希望嘴巴沒有把我第一時間想到的話說出去。我已經學著自我控制了——可是顯然還不夠努力。

「我只是在告訴你事實。你可以比現在好……也可以做到比你待會要做的要好得多的事。」艾德里安將手放在門把上，悲傷地朝我笑了笑。「蘿絲，我是個沒有道德的癮君子，而且隨時會陷入瘋狂。我和妳不一樣，我不是超級英雄。」

「現在還不是。」我說。

他冷笑了一下，搖了搖頭，打開門，臨走之前又回頭看了我最後一眼，「順便告訴妳，『戀愛協議』作廢了。」

我覺得好像被人狠狠打了一巴掌。很罕見的，蘿絲・海瑟薇說不出話來。我說不出機智的嘲諷話語，說不出華麗的解釋，說不出深奧的道理。

艾德里安走了，我不知道還能不能再見到他。

# 36

我經常會夢見和迪米特里一起醒來，以一種非常……普通的方式醒來。普通而甜蜜。不用因爲我們要面對下一個對手，而匆忙睡上一覺；不用靠發生關係來尋回那些我們想隱藏的情感，也不用背負著各種壓力和感情糾葛。我只希望和他一起醒來，躺在他的臂彎裡，迎接一個美妙的早上。

今天就是這樣的一天。

「你醒來多久了？」我打著哈欠問。我的頭正枕在他的胸口，身體則盡可能地纏在他身上。我的傷口癒合得很快，可仍然需要靜養，不過昨晚我們想出了幾個應變措施。此刻，陽光正透過窗戶照射進來，將我的房間染上一片金色。

他正靜靜地看著我，表情依然像平時那樣嚴肅，深邃的雙眼很容易就讓人迷失。「醒了一會了。」他說著，抬頭看了看灑滿陽光的窗戶。「我覺得我還是按照著人類的作息時間在生活；要不然就是我的身體很想起來，因爲太陽出來了。看著太陽，我仍然會有一種很奇妙的感覺。」

我打了個哈欠。「你應該起來才對。」

「我不想吵醒妳。」

我的手指在他胸膛上遊走，滿足地嘆了一口氣。「眞是完美。」我說，「要是每天都這樣該多好？」

迪米特里伸手撫上我的臉，然後往下滑，捏住我的下巴往上抬。「每天可能不行，不過大部分時間都可以這樣。」我們四唇相接，房間裡的溫暖及陽光，都燦爛不過我內心燃燒的激情。

「我錯了。」我們終於不情願地結束這長長的一吻之後，我小聲說道。「這樣才是完美。」

他笑了起來。最近他很常這麼做，而我愛死這樣了。也許我們回到這個世界以後，事情眞的會產生變化，就算我們此刻在一起，迪米特里守護者的那一面還是存在著，時刻充滿警惕、觀察入微。可是現在沒有。在這一刻，他沒有設防。

「怎麼了？」他問我。

聽他這麼說，我才意識到自己在皺眉頭。我試著放鬆自己的表情，可是艾德里安的話又自動地回到我心裡——下次我和迪米特里在床上的時候，我應該想想其他人是不是有我們這麼幸運。

「你覺得我毀了很多人的人生嗎？」我問。

「什麼？當然沒有。」他的笑容變成了驚訝。「妳怎麼會這麼想？」

我聳聳肩。「有很多人的生活現在還是一團混亂。我是指我的朋友們。」

「沒錯。」他說，「讓我猜猜，妳想替所有人解決他們的問題。」

我沒有回答。

迪米特里又吻了吻我。「蘿莎，想要幫助妳愛的人很正常，可是妳不能解決所有問題。」

「可這不就是我要做的嗎？」我反駁道，覺得自己有一點任性。「我得保護他們。」

「我知道，這就是我愛妳的原因。可是現在，妳只有一個人要擔心和保護，就是莉莎。」

我再次貼住他，發現我的傷口眞的快好了。我的身體不久就可以從事各種活動了。「我想這是不是代表，我們不用整天都待在床上了？」我充滿希望地問。

「恐怕是這樣。」他說，同時伸出手指輕輕地沿著我嘴唇的弧度遊走。他從來都不會厭倦探索我的身體。「他們是第一位的。」

我把自己的嘴從他手下抽出來。「但是偷懶一下子也沒關係。」

「對。」他同意道，將手順勢移動到我的脖子後面，撥開我的頭髮，將我抱得更緊。「偷懶一下子也沒關係。」

我以前從來沒有參加過皇室的加冕典禮，而且老實說，我希望再也不要有第二回了。我希望這輩子都讓這一個女王統治就好了。

一開始，整個加冕儀式就好像是塔蒂安娜葬禮的重現。那句話是怎麼說的？女王死了，女王萬歲。

根據加冕儀式的傳統，未來的君主首先要去教堂，大概是要去祈禱上帝給她指引，賜給她心靈上的力量之類的。萬一遇到一位無神論的君主，那該怎麼辦？也許他們會假裝相信一下。不過，鑒於莉莎是一個虔誠的教徒，我知道這點不會有什麼問題，她可能還會非常認眞地祈禱自己能夠做一個出色的女王。

祈禱完畢之後，莉莎和那一大票護衛隊就穿過整個皇庭來到皇宮，加冕儀式要在這裡舉行。此時，各個皇室家族的代表會加入她的隊伍，後面則跟著樂隊，而他們奏出的曲調比舉行塔蒂安娜葬禮時的要歡快許多。莉莎的守護者——她現在有一隊守護者了——在她身邊保護她，我也是其中一個。我穿著自己最好的一套黑白制服，紅色的領子代表我是一名皇室守護者。這一點終於和葬禮不一樣了。塔蒂安娜已經死了，她的守護者出現時只是做做樣子；可是莉莎是活生生的，雖然她在議會的投票裡勝出，可仍然有敵人，我和我的同事必須保持高度的警惕。

但不是你們想像的那種樣子，在周圍有這麼多歡呼的人群時，那樣是行不通的。那些在測試和競選期間在這裡露營的人，全都留了下來，爲了這一刻歡呼雀躍，還有更多的人不斷加入到歡呼的隊伍裡。我都不知道皇庭裡什麼時候來了這麼多莫里。

在經過了漫長的、蜿蜒的遊行之後，莉莎終於來到皇宮，在連接著莫里皇室寶座大廳的前廳裡等待。此處幾乎從不用來舉行現代的活動，可是每隔一陣子——比如說新女王宣誓——莫里就會搬出古老的傳統那一套。這個廳很小，沒辦法容納外面那麼多觀禮的人，甚至連儀仗隊都沒辦法完全容納。可是，議員和高層的皇室成員，還有莉莎邀請來的一些賓客，全都集合在這裡。

我站在一旁，整個廳裡的情況一覽無遺。屬於莉莎的盛大入場儀式還沒有進行，所以廳裡仍充滿著嗡嗡的低語聲。按照傳統，廳裡的顏色應該和君主所屬的家族顏色相呼應，因此整個房間在過去的幾天裡已經重新佈置過，色調變成了以綠色和金色爲主。寶座高高地擺放在另一頭的牆面之前，要走幾步才能到達，使用的材質是不知名的木材，從幾百年前就開始被莫里的君主攜帶到世界各地。人們排在指定的位置，爲莉莎最後的入場儀式做著準備。我仔細地看著一個新掛上的枝形吊燈，欣賞著上頭極度逼眞的「蠟燭」。我知道那些都是電子式的，可是工匠們的手藝確實很驚人。將現代科技隱藏在舊世界的榮譽裡，莫里一直都喜歡這麼做。這時，有人輕輕碰了碰我，轉移了我的注意。

「好啊，好啊，好啊，」我說，「如果這些人不是最後救了蘿絲・海瑟薇，就有很多問題要回答了。」

我的父母站在我面前，他們的穿著極富個人特色，同時形成了鮮明的對比。我媽媽和我一樣穿著守護者的制服，白襯衫黑褲子黑外套；艾比……不愧是艾比。他穿著一件黑色的細條紋西裝，裡面是黑襯衫，而和這一身深色形成鮮明對比的，是一條鮮豔的檸檬黃佩斯利花紋領帶，西裝的口袋裡則露出一角同色系的手帕。除了戴著金耳環、金項鏈，他居然還戴了一頂黑色的軟呢禮帽，顯然是他這身異國風情打扮的最新成員。我猜他打算在整個慶典過程中都戴著這頂帽子。幸好這不是一頂海盜帽。

「不要怪我們。」我媽媽說，「我們又沒有炸掉半個皇庭，偷了十幾部汽車，也沒有在一群人中找出殺人兇手，更沒有幫我們才十幾歲的小朋友當上女王。」

「事實上，」艾比說，「我確實炸掉了半個皇庭。」

我媽媽沒有理他，她用那雙守護者的眼睛仔細看著我，表情柔和下來。「說眞的……妳感覺怎麼樣？」我剛醒來的時候曾和他們匆匆見過一面，只來得及彼此問候一下近況。「妳今天站了很久，我已經跟漢斯說過了，要他讓妳休息一會兒。」

這是我聽她說過最有母愛的一句話。「我……我沒事，已經好多了。我可以値勤。」

「妳不能這麼任性。」她用那種像在對一隊守護者下命令的語氣說道。

「別再寵著她了，珍妮。」

「我不是在寵著她！我是在替她擔心。你才會毀了她呢。」

我來回看了看他們，覺得很有趣。我不知道眼前上演的是一場爭吵還是一段前戲，但哪種情況都不會讓我覺得驚訝。「好吧，好吧，你們趕緊去幹別的事吧。我已經活過來了，不是嗎？這已經是萬幸了。」

「沒錯。」艾比說。他突然看起來非常有父愛，這比我媽媽剛才的行爲更讓我覺得不可思議。「儘管妳醒了之後，還要面對破壞公物，和一連串因爲違法得接受的處罰，我仍然爲妳感到驕傲。」

我對此表示懷疑，他根本就是因爲那些事而爲我感到驕傲。我剛想發揮一下自己熱愛冷嘲熱諷的天性，卻被我媽媽的話給打斷。

「我也爲妳驕傲。妳的方法雖然……不太理想，可妳還是做了很了不起的事，很多了不起的事，眞的。妳既找出了兇手，還找到了吉兒。」我注意到她在說「兇手」的時候非常小心。我知道對所有人來說，都很難接受眞兇居然是塔莎。「吉兒的出現，改變了很多事。」

我們所有人都看向寶座。葉卡捷琳娜站在寶座旁邊，拿著皇室的宣誓書，似乎已經做好了準備。寶座的另一邊應該站著君主家族的所有成員——不過今天那裡只站了一個人，就是吉兒。今天她被打扮得非常漂亮，原本的一頭捲髮梳成了一個非常高貴的髮型，而她身上穿的及膝緊身洋裝，有著造型特殊的一字領，非常完美地勾勒出她肩膀的線條，洋裝的剪裁也非常合身，墨綠色的緞面衣料看上去和她的氣質非常匹配。她站得直直的，下巴抬得高高的，可是仍能看出她的緊張，而因爲她獨自一人站在那裡，使得她的緊張更加明顯。

我看了艾比一眼，他也帶著期望看著我。我有很多問題要問他，而他是爲數不多可能會跟我說實話的人。問題是：要先問哪個問題？感覺就好像我擁有一個精靈，卻有太多願望要許。

「吉兒以後會怎麼樣？」我終於問，「她會回到學校去嗎？他們會把她培養成一個公主嗎？」莉莎不可能既當公主又當女王，所以她之前的頭銜要交接給家族裡下一個年紀最長的人。

艾比過了好一會兒才回答：「除非莉莎能夠修改法律——希望她能做到——不然吉兒就是唯一一個能夠保證她可以繼續成爲女王的人。如果吉兒遇到意外，莉莎就不能再成爲女王了。所以，如果換成是妳，會怎麼做？」

「我會保證她的安全。」

「妳已經有答案囉。」

「可這個答案很籠統。」我說，「安全可以有很多種意思。」

「亞伯拉罕，」我媽媽警告他道，「夠了，現在不是說這個的時候，場合也不對。」

艾比又盯著我看了一會兒，然後微微一笑。「當然，當然。今天是家族聚會，是慶典。快看，我們家的最新成員也來了。」

迪米特里向我們走過來，他和我還有我媽媽一樣，都穿著黑白兩色的制服。他站在我旁邊，顯得很拘謹。「馬祖爾先生。」他非常正式地打招呼，同時對他們兩個點頭示意，「海瑟薇守護者。」迪米特里比我大七歲，可是此刻在我父母面前，他就像個打算要帶我去約會的十六歲少年。

「哦，貝里科夫。」艾比說著握了握迪米特里的手。「我一直希望我們能碰面。我眞的非常想要多瞭解你一點，也許我們可以找個時間好好聊一聊，探討一下人生、愛情之類的話題。你喜歡打獵嗎？你看上去就像一個獵人。我們應該找個時候去打一場獵，我知道森林裡有很多好地方，不過非常、非常遠，也許要花上一整天的時間。不過，我確實有很多問題想要問你，也有很多事想要告訴你。」

我慌亂地看了我媽媽一眼，默默地乞求她出面打斷他們的談話。我和艾德里安約會的時候，艾比就曾好好地和他交談過一次，非常生動、詳細、具體地解釋過，如果他敢背叛他的女兒會有什麼下場。我不希望艾比帶著迪米特里到荒郊野外，特別是還帶著武器。

「事實上，」我媽媽不在意地說，「我也很想去，而且我也有很多問題——特別是關於你們兩個在聖弗拉米爾學院時候的事。」

「你們兩個沒有別的地方好去了嗎？」我匆忙問道，「儀式馬上要開始了。」

至少這一句是事實。幾乎所有人都已經就定位，人群裡鴉雀無聲。

「當然。」艾比說。令我驚訝的是，他居然在離開之前吻了吻我的額頭。「我很高興妳回來了。」然後，他眨眨眼，對迪米特里說：「我很期待我們的談話。」

「有意思。」他們走了之後我說道，「如果你現在開溜，他們可能不會發現。趕緊回西伯利亞去吧。」

「事實上，」迪米特里說，「我非常肯定艾比一定會發現。別擔心，蘿絲。我不怕，不管他們怎麼考驗我，我都會接受的。只要能和妳在一起，做什麼都値得。」

「你眞是我見過最勇敢的人。」我對他說。

他微微一笑，目光落在正引起一陣小騷動的廳堂門口。「看上去她已經準備好了。」他小聲說道。

「眞希望我也準備好了。」我也小聲說道。

傳令官以一種非常誇張的方式吸引了整廳人的注意，然後接下來是一片絕對的安靜，甚至連呼吸聲都聽不到。傳令官回到門口。

「瓦西莉莎・薩賓娜・麗亞・德拉格米爾公主殿下，駕到——」

莉莎走進來，雖然我不到半個小時前才見過她，可我仍然屏住了呼吸。她穿著非常正式的晚禮服，可是依然是無袖的款式。毫無疑問地，裁縫師應該氣炸了。禮服的下襬長長地拖在地上，絲質的布料上有著層層的雪紡花邊，隨著莉莎的腳步輕輕飄動；衣服的顏色和她的眼睛一樣是碧綠色的，領口處則綴了一圈祖母綠寶石，看起來很像一條項鏈。同樣的，禮服的腰部也綴了一圈祖母綠寶石，而同款的手環則令這一身搭配顯得相當完美。她的頭髮高高梳起，閃閃動人，散發出炫目的光芒。

克里斯蒂安走在她旁邊，一身黑髮黑西裝和她形成了強烈的對比。傳統對今天的儀式規定得非常詳細，通常護送莉莎的應該是她的家人，可是……總之，她稍微修改了一下細節。就連我都不得不承認，他看起來非常帥，他的驕傲之情和對她的愛都顯現在他的臉上——不管塔莎的事情替他帶來多大的麻煩。歐澤拉閣下，我記起這個名字。我有種預感，這個名號會變得越來越響亮。他引領著莉莎來到寶座前，然後回到歐澤拉家族在人群裡的隊伍中。

葉卡捷琳娜微微指了指台階前的地板上，那裡放著一個緞面的大墊子。「跪下。」

莉莎跪下之前微微猶豫了一下。我想只有我發現了她這個舉動，雖然沒有了心電感應，可我熟知她的心思，連這種最微小的動作都可以捕捉到。她看向吉兒，表情沒有變化。不知道她此時的心情讓我感覺很不習慣，我只能自己猜測。可能是猶豫，也可能是迷惑。

很快地，莉莎跪了下去，同時熟練地將裙子給展開。在測試室的時候，葉卡捷琳娜看起來一直是那副弱不禁風的樣子，感覺很憔悴；可是此刻，當她拿著那本古老的莫里加冕典禮手冊時，我能夠感受到這位前前任女王的威嚴。

這本手冊是用羅馬尼亞文寫成的，可是葉卡捷琳娜毫不費力地就把它翻譯成英文，大聲地開始宣讀起君主應盡的義務，接著是那些莉莎必須宣誓的誓言。

「妳願意侍奉上帝嗎？」

「妳願意保護妳的人民嗎？」

「妳願意秉持公正嗎？」

這些誓言一共有十二條，每一條莉莎都必須用三種語言回答一次「願意」，分別是英語、俄語和羅馬尼亞語。我仍然很不習慣沒辦法用心電感應來確認她的心情，卻能從她的表情看出，她說出的每個字都是認眞的。這部分儀式結束以後，葉卡捷琳娜命吉兒走到前面來。在我剛才注意她的同時，有人把王冠交給了她。這也是專門爲莉莎訂製的王冠，黃金白銀中間點綴著祖母綠寶石和鑽石，絕對是驚世之作。這令她的美麗錦上添花，可是，我注意到她哆嗦了一下，吉兒也是。

另外一個傳統，就是必須由君主的家族成員來爲其戴上王冠，這就是吉兒站在這裡的原因。當她將這頂鑲滿寶石的王冠戴在她姊姊頭上的時候，我看見她的雙手正微微發抖。她們的目光短暫地交會了一下，莉莎的眼中再次閃過一絲複雜的情緒，不過在吉兒退回去下方時就已經不見了。

葉卡捷琳娜向莉莎伸出手。「起來——」她說，「從此妳將不會再向任何人下跪。」她拉著莉莎的手轉過身，面向大廳裡的其他人。葉卡捷琳娜以和她那瘦小的身材完全不搭的驚人聲量宣佈：「瓦西莉莎・薩賓娜・麗亞・德拉格米爾女王陛下，以她之名。」

大廳裡的每個人——除了葉卡捷琳娜——都跪了下來，將頭壓得低低的。只過了幾秒，莉莎就說：「免禮。」我曾聽說，有些新上任的國王或者女王，非常喜歡享受別人下跪的時刻，會故意讓他們跪很長一段時間。

緊接著就是簽署文件，整個過程我們仍舊畢恭畢敬地觀看著。基本上，莉莎得先簽署宣示她已經是女王的文件，然後葉卡捷琳娜和其他幾個證人，再簽署他們親眼見證莉莎成為女王的文件。其中三份寫在莫里皇室非常喜愛的華麗紙張上，另一份則寫在普通的白紙上——這一份是給煉金術士的。

所有的文件都簽署完後，莉莎就要登上寶座。看著她一步一步邁上台階，眞是令人連呼吸都快要忘記了，這一幕我一輩子都不會忘記。她在那把極其考究的椅子上坐穩之後，大廳裡響起歡呼聲和鼓掌聲，就連平時嚴肅面無表情的守護者，都加入慶賀和喝彩的行列。莉莎微笑地看著每個人，把她的焦慮隱藏了起來。

她一一看著大廳裡的人，在看見克里斯蒂安之後，笑得更燦爛了。然後，她又看見了我。她看向克里斯蒂安的笑容是深情的，可是看著我的卻有一點淘氣。我也向她笑了笑，不知道這時如果她能跟我講話的話，會說些什麼。

「什麼事這麼好笑？」迪米特里低頭看著我，充滿興趣。

「我剛剛在想，如果我們還有心電感應，不知道莉莎會對我說什麼。」

他一把抓住我的手，將我拉到他身前。這可是嚴重違反守護者守則的行爲。

「還有呢？」他緊緊把我抱在懷裡問。

「我想她可能在問——『我們到底讓自己陷進了一種什麼樣的情況裡啊？』」

「答案呢？」他的興奮好像也感染了我，還有他的愛。再一次，我覺得自己完整了。我再度將自己破碎的世界一片片拼了回來。那個和我互補的靈魂，和我相配的、平等的靈魂。不只這樣，我的生活也回來了——屬於我的生活。我依然會保護莉莎，效忠於她，但我終於只屬於自己了。

「我不知道。」我說著依偎在他懷裡。「但我想肯定會越來越好。」

# 作者感言

首先，要感謝世界各地所有忠誠的熱情讀者，是你們陪伴我和蘿絲走完了這一整個系列。沒有你們，我就無法完成這次寫作之旅，希望你們能繼續支持其他莫里族和拜爾族的冒險旅程！

謝謝所有支持我的朋友和家人——特別是我的丈夫，居然可以習慣和一個情緒起伏不定的「幻想咖」一起生活，他的耐心和愛始終讓我感動。特別要大聲感謝傑西・麥家瑟幫我想出森林裡的謎語，這東西我永遠都想不出來，更不用說要獨自解開了！

一如既往地，我也要感謝出版社那些讓這本書能夠順利誕生的幕後工作人員，他們是：吉姆・麥卡錫——我的經紀人，偶爾也充當心理醫生和永遠的支持者；還有勞倫・阿布莫，他持續地將蘿絲的故事送到更多我從來沒有聽說過的地方去；潔西卡・羅森柏格和班・斯蘭克，他們是相當出色的編輯，我相信他們在編輯這一系列書籍的時候，是廢寢忘食的；還有我的出版人凱瑟・麥英泰，她幫我安排了巡迴簽書會和訪談，而且很貼心地避開了我的美髮預約時間。

最後，還要感謝企鵝圖書其他有參與到本書作業的員工們；感謝我的版權代理商Dystel & Goderich，以及其他國家的出版社。有太多人要感謝，因為有你們，才有蘿絲的故事。謝謝你們。

國家圖書館出版品預行編目資料

吸血鬼學院6最後的犧牲 / 蕾夏爾·米德；
初版. -- 高雄市：耕林，民101.07
面 ； 公分. --（魅小說；33）
譯自：Last sacrifice
ISBN 978-986-286-238-4（平裝）
874.57　　　　　　101010770

吸血鬼學院6最後的犧牲
Last sacrifice

作者：Richelle Mead 蕾夏爾·米德
發行人：陳嘉怡
總編輯：陳曉慧
主編：方如菁
譯者：吳雪
責任編輯：高琬禎
文字排版：劉純伶
出版者：耕林出版社有限公司
發行地址：807 高雄市三民區通化街47巷3-1號
電話：07-3130172　　傳眞：07-3130178
讀者服務專線：0800211215
劃撥帳號：42205480 耕林出版社有限公司
網址：www.kingin.com.tw
E-mail：kingin.com@msa.hinet.net
總經銷：宇林文化事業股份有限公司
總經銷電話：07-3130172
總經銷地址：807 高雄市三民區通化街47巷3-1號
物流中心電話：07-3747525　07-3747195
物流中心傳眞：07-3744702
物流中心地址：高雄市仁武區仁心路236之1號A棟

初版：2012年07月
定價：台幣250元

耕林 Just Novel
就是小說

耕林 Just Novel

就是小說